Répertoire International des Sources Musicales

RÉPERTOIRE INTERNATIONAL DES SOURCES MUSICALES

Publié sous le patronage de la Société Internationale de Musicologie et de l'Association Internationale des Bibliothèques, Archives et Centres de Documentation Musicaux

*

INTERNATIONALES QUELLENLEXIKON DER MUSIK

Herausgegeben unter dem Patronat der Internationalen Gesellschaft für Musikwissenschaft und der Internationalen Vereinigung der Musikbibliotheken, Musikarchive und Musikdokumentationszentren

*

INTERNATIONAL INVENTORY OF MUSICAL SOURCES

Published under the patronage of the International Musicological Society and the International Association of Music Libraries, Archives and Documentation Centres

B XIV[1]

LES MANUSCRITS DU PROCESSIONNAL

VOLUME I

AUTRICHE À ESPAGNE

PAR
MICHEL HUGLO

G. HENLE VERLAG MÜNCHEN

Ouvrage préparé avec l'aide du Conseil International de la Philosophie et des Sciences Humaines de l'UNESCO

Im G. Henle Verlag erscheinen alle Teile und Bände des RISM, die geschlossene Quellengruppen umfassen (Serie B).

Im Bärenreiter Verlag erscheinen alle Teile und Bände des RISM, die den alphabetischen Autorenkatalog umfassen (Serie A), ebenso Serie C (Directory of Music Research Libraries).

Im K. G. Saur Verlag erscheint der Thematische Katalog der Musikhandschriften nach 1600 auf CD-ROM (Serie A/II des RISM)

Printed in Germany
ISBN 3-87328-097-3

TABLE DES MATIÈRES · INHALT · CONTENTS

VOLUME I

CATALOGUE

VOLUME I

ÖSTERREICH (*A*)

AUSTRALIA (*AUS*)

BELGIQUE (*B*)

CANADA (*CDN*)

SCHWEIZ (*CH*)

CESKÁ REPUBLIKA (*CZ*)

DEUTSCHLAND (*D*)

DANMARK (*DK*)

ESPAÑA (*E*)

INTRODUCTION

Le Processionnal, livre portatif de petit format, contient les chants des processions rituelles prescrites au Missel romain pour la Chandeleur (au 2 février), le dimanche des Rameaux, et les Rogations. Ce livre donne aussi les chants pour les processions qui précèdent la Messe chantée des dimanches et des jours de fêtes. A la différence du Graduel et de l'Antiphonaire, le Processionnal n'est pas un livre «officiel», mais un livre créé par les chantres pour leur usage personnel. En effet, certains manuscrits portent encore de nos jours les noms des chantres qui les avaient utilisés, alors que le Graduel, le Missel, et l'Antiphonaire étaient restés le bien propre d'une église.

Après une brève histoire des origines du Processionnal, les normes de description des manuscrits seront présentées. Les neuf tableaux qui suivent cette préface illustreront la succession historique des différents types de Processionnaux. En outre, ces tableaux faciliteront l'analyse du contenu des manuscrits dans le catalogue. Quoique ces tableaux soient dans un ordre largement chronologique, les Processionnaux représentés dans les trois derniers tableaux ont eu des origines sensiblement contemporaines les uns des autres.

Histoire

Le Processionnal est un des livres liturgiques les plus jeunes: au IXe siècle ce livre n'existait pas. Plutôt, les dernières pages des graduels sans notation contiennent une liste d'antiennes de procession pour les Litanies majeures du 25 avril (Tableau I). La formation du Processionnal comme livre séparé a été faite à la suite de deux opérations: un transfert de ces antiennes du Graduel à un petit livre qui a pu être porté en procession et, presqu'en même temps, des additions de chants d'un genre différent (Tableau II). Les antiennes prises au Graduel resservent pour les processions des Rogations, les trois jours précédant le jeudi de l'Ascension, mais ces antiennes étaient suivies de *Preces* litaniques, elles-mêmes variables selon leurs différentes régions d'origine.

Dès le Xe siècle le transfert de ces antiennes à un livre portatif a déterminé la naissance du *liber processionarius* ou *processionale*. On observe cette translation de textes dans trois manuscrits de petit format provenant du Palatinat: l'un d'Hornbach *(I-Rvat* Pal 489, mesurant 145 x 123 mm.), le second de Lorsch *(I-Rvat* Pal 490: 173 x 128 mm.) et le troisième de St-Alban de Mayence *(A-Wn* 1888: 203 x 155 mm.). Nous avons là les plus anciens témoins actuellement subsistants du Processionnal. Ces trois manuscrits donnent les antiennes de procession des Litanies majeures, précédées à Lorsch et à Mayence par des antiennes rituelles de la Chandeleur, du Mercredi des Cendres et du dimanche des Rameaux, qui elles aussi figurent dans les anciens graduels.

Quoique ce soient les mêmes antiennes des Tableaux I et II qui sont chantées le 25 avril et aux Litanies mineures, on y ajoute dans l'étape du Tableau II des litanies de procession de deux origines différentes: dans l'espace germanique les litanies sangalliennes *Ardua spes mundi*, *Humili prece*, etc., tandis qu'à Mayence et dans le sud de la France on insère des Preces litaniques issues de l'ancienne liturgie gallicane. D'autres essais de livre portatif pour les Rogations ont été entrepris en Lorraine un peu plus tard. Le MS 329 de la Médiathèque de Metz contient seulement les antiennes neumées pour les trois jours des Rogations, avec les rubriques indiquant l'itinéraire à suivre pour se rendre dans les églises «stationales» de la ville de Metz. Un processionnal *(F-VN* 139: 125 x 105 mm.), du XI–XIIe siècle avec notation lorraine, donne aussi les antiennes des Rogations. Il y ajoute des pièces propres (antiennes ou répons) à l'adresse des titulaires des églises stationales visitées au cours de la procession, ainsi que les litanies de procession sangalliennes. Au XIIIe siècle et même après, plusieurs églises (Piacenza, Cambrai, Chartres, etc.) maintiendront ce type de Processionnal pour les Rogations (Tableau II) avec des rubriques fort intéressantes pour les archéologues.

Cependant, d'autres additions aboutiront à un Processionnal festif et dominical, qui donne non seulement les pièces de chant des Rogations, mais en plus des antiennes ou des répons pour la procession entre Tierce et la Messe solennelle des dimanches et fêtes. L'origine de ce Processionnal festif et dominical doit probablement être recherchée dans une extension du Processionnal-rituel; celui-ci ne contient en principe que les antiennes fixées dans le Graduel et dans les *Ordines roman*i pour la procession du 2 février, pour la bénédiction des palmes le dimanche des Rameaux, et enfin pour la procession au cimetière durant les funérailles.

Les antiennes d'origine gallicane pour le dimanche de Pâques conservées dans les anciens graduels (*Antiphonale missarum sextuplex*, no 214) sont restées longtemps en usage dans tous ces processionnaux, parfois jusqu'au XVIe siècle. En outre, les processionnaux français, notamment dans le sud (Tableau III), ont conservé beaucoup plus d'antiennes de procession (par ex., *Venite omnes exultemus*, *Cum sederit Filius hominis*, *Oremus dilectissimi nobis*, etc.) qui ailleurs avaient disparu peu à peu devant l'invasion des répons de l'office, surtout à partir du XIIIe siècle.

Le Processionnal-responsorial (Tableau IV) est le type de Processionnal le plus répandu. Ces manuscrits, pour la plupart postérieurs à 1500, sont en effet les plus nombreux parmi la grande masse des processionnaux. Cependant, il n'y a plus d'unité dans tous ces répertoires de processions, mais au contraire une grande variété.

Devant cette prolifération des répons, antiennes, versus et litanies dans le Processionnal, les Cisterciens (Tableau V) réagirent, vers 1130, en limitant leur répertoire processionnel aux deux processions rituelles du 2 février et du dimanche des Rameaux. Ils furent vivement critiqués par Abélard (*Epistola X, ad sanctum Bernardum*) pour cette suppression d'un usage monastique universel. Plus tard, les Cisterciens ajoutèrent d'autres processions: pour l'Ascension vers 1150; pour l'Assomption de la Vierge et pour la fête de saint Bernard, entre 1202 et 1225; enfin, pour la fête de la Nativité de la Vierge, après 1289. Il est vraiment curieux que ces moines qui consacraient beaucoup de temps aux travaux agricoles, n'aient pas conservé dans leurs livres liturgiques la procession des Rogations pour demander à Dieu la préservation des moissons.

Le Processionnal de Sarum (Tableau VI), composé au début du XIIIe siècle, fait un compromis entre le Processionnal à antiennes et le Processionnal-responsorial. Il était uniformément répandu presque partout en Angleterre, sauf dans le diocèse d'York.

En 1254, Humbert de Romans organisa la liturgie de l'Ordre des Frères Prêcheurs ou Dominicains et constitua un Processionnal-responsorial (Tableau VII), sans les antiennes du Temporal, sauf pour huit fêtes de l'année et pour la fin de la Semaine sainte, suivi du rituel pour les derniers sacrements. Ce Processionnal dominicain noté en notes carrées a été répandu partout en Europe et a toujours gardé sa notation originelle, y compris dans les régions d'Europe centrale qui pratiquaient une notation germanique. Il en subsiste environ 135 exemplaires, soit près de 14 % du contingent de processionaux actuellement connus.

Les Franciscains utilisèrent un Processionnal (Tableau VIII), limité aux processions rituelles du 2 février et du dimanche des Rameaux, ainsi qu'aux funérailles. Ce Processionnal n'a pas été officiellement élevé au rang de *Processionale Romanum*, bien que quelques imprimés du XVIe siècle l'intitulent *Liber processionum secundum usum romanum et potissime secundum usum fratrum minorum*, etc.

Le Tableau IX est celui des chanoines réguliers qui observent la règle de saint Augustin, et des chanoines de Prémontré qui suivent généralement la liturgie du diocèse de leur résidence. Leur processionnal a plus souvent conservé les antiennes (Tableau III) que les répons (Tableau IV).

Normes de description des processionnaux manuscrits

Les considérations historiques précédentes déterminent les normes de description des quelque 1000 manuscrits du Processionnal conservés dans le monde. En effet, la plupart des manuscrits rentrent dans l'une des neuf catégories suivantes, qui seront développées dans les grands tableaux qui suivent l'Introduction. Parfois, certains processionnaux sont mixtes, c'est-à-dire qu'ils conservent parmi les répons (Tableau IV) quelques-unes des antiennes du fonds primitif (Tableau III). Ceux qui restent vraiment indéterminés sont simplement mentionnés comme «Processionnal» sans qualificatif.

I. Antécédents du Processional (dans le Graduel)
II. Processionnal pour les Rogations.
III. Processionnal à antiennes.
IV. Processionnal-responsorial.
V. Processionnal cistercien.
VI. Processionnal de Sarum (après 1200).
VII. Processionnal dominicain (après 1254).
VIII. Processionnal romano-franciscain (vers 1253-54).
IX. Processionnal des Augustins et des Prémontrés.

(1) La notice de chaque manuscrit comporte en tête une lettre et un numéro: la lettre indique le pays de conservation du manuscrit et le numéro désigne son rang propre dans la série des manuscrits du catalogue. Ce sigle alphabéto-numérique est destinée à la confection des Index.
(2) La cote officielle du manuscrit est suivie de son sigle selon la classification du RISM indiquée dans *Die Musik in Geschichte und Gegenwart*, Sachteil, vol. I (1994), S. xix–xlix. Les sigles de bibliothèque qui ne figurent pas dans cette liste de base ont été créés par la Zentralredaktion du RISM à Francfort, dans la dernière édition du *Sigel-Verzeichnis* (Munich et Kassel 1999).
(3) La description matérielle du manuscrit a été réduite au minimum indispensable: nombre de feuillets et leur dimension moyenne; description de la reliure, parfois trés élaborée, en quelques mots; date de l'écriture et mention des initiales ou de la décoration, s'il y a lieu, par ex. pour les processionnaux dominicains de Poissy ou des couvents de Strasbourg; description rapide de la notation et de ses particularités éventuelles. Enfin, seront mentionnées l'origine du manuscrit et sa provenance, avec la justification de ces deux données tirées du manuscrit lui-même.
(4) Le type du processionnal décrit est énoncé en fonction de son contenu, par référence à l'un des neuf tableaux des pages 43* ss.
(5) L'analyse du contenu a posé bien des questions à l'Auteur, surtout au début de ses premiers examens de processionnaux dans les années soixante. Par la suite, avec l'expérience, il s'est avéré inutile d'énumérer tous les répons des Processionnaux-responsoriaux puisque ceux-ci sont transmis par des antipho-

naires plus anciens. Il faut cependant faire une exception pour les répons et antiennes provenant d'offices propres tirés d'antiphonaires parfois disparus aujourd'hui, qui méritent d'être signalés, ne serait-ce que pour prouver l'origine du manuscrit. Dans la description de ce type de Processionnal-Responsorial, il est seulement nécessaire d' indiquer les articulations de la division tripartie, devenue courante dans les livres liturgiques à partir du XIIIe siècle: Temporal, Sanctoral, Commun des saints et divers. Dans les processionnaux, le Sanctoral commence plus souvent au 24 Juin, fête de saint Jean-Baptiste, qu'au 30 novembre, fête de saint André.

Enfin, dans l'interêt des liturgistes et des musicologues, il a paru nécessaire de signaler dans ces manuscrits les tropes et les séquences; les hymnes, versus et Kirchenlieder, monodiques ou à deux voix; les épîtres farcies, les drames liturgiques etc. qui, à certaines fêtes, sont parfois ajoutés aux répons et antiennes du répertoire traditionnel.

Dans les manuscrits augustins et dominicains, tous corrigés, du moins en principe, d'après l'exemplar officiel, il est indispensable de relever la liste des autels lavés par le célébrant le Jeudi-saint, pendant que le choeur chante une antienne en l'honneur du titulaire; le couvent royal des dominicaines de Poissy comptait vingt-et-un autels, tandis que certains petits couvents d'Allemagne n'en disposaient que de trois ou quatre. La liste de ces autels, qui compte habituellement un autel de la Vierge et un autre de saint Dominique, permet parfois de rapprocher deux processionnaux dispersés, mais de même origine: ainsi par exemple *B-Lu* W 12 et *CH-Zm* 2799, provenant tous les deux de Münsterlingen.

(6) Face à la variété d'orthographe présentée par la masse des manuscrits généralement récents, il a été nécessaire d'adopter deux règles précises: d'abord, normalisation de la transcription des incipit, en suivant les conventions des dictionnaires latins classiques: par ex. *carissimi* et non *karissimi* ou *charissimi*; *caelum*, préférable à *coelum* et surtout au *celum* des livres liturgiques médiévaux; *sollemnitas* et non *sollempnitas*. Quoique les trois orthographies *Jerusalem/Hierusalem/Iherusalem* aboutissent à la même pronociation, c'est la première forme qui a été retenue dans les notices. Ensuite, les *Nomina sacra*: comme il s'agit ici de textes liturgiques, on a suivi sur ce point les normes adoptées par René-Jean Hesbert dans le *Corpus antiphonalium officii*, Volumes 3 (Antiennes) et Volume 4 (Répons), c'est-à-dire majuscules pour les noms divins et pour leurs attributs: par ex., Spiritus Sanctus, Maria Virgo, etc.

(7) La bibliographie du manuscrit comprend habituellement le catalogue de la bibliothèque concernée: la mention dudit catalogue est donnée en abrégé, puisque Sigrid Krämer (ed.) cite intégralement tous les catalogues de manuscrits publiés jusqu'à l'été de 1992 dans *Latin Manuscript Books before 1600*.

A List of the Printed Catalogues and Unpublished Inventories of Extant Collections by Paul Oskar Kristeller (Munich 1993). Ce catalogue sera utilement complété par les *Indices librorum* 1 (1987), 2 (1995) et 3 (1999), édités par François Dolbeau et Pierre Petitmengin. Ce dernier ouvrage collecte la bibliographie des catalogues de manuscrits publiés de 1991 à 1997.

Au volume II, la Bibliographie générale, qui comprend une subdivision pour les processionnaux imprimés, sera suivie de cinq Indices: les deux premiers concernent les manuscrits décrits, classés d'abord par dépots, puis par origines. Le troisième relèvera la liste des mélodies du Processionnal accessibles dans les éditions modernes. Le quatrième contiendra la liste des pièces de chant, qui ne figurent pas dans les répertoires usuels. Le cinquième et dernier ramassera les noms des possesseurs, des chantres, des lieux mentionnés dans les descriptions; les types d'écriture et de notation et la liste des manuscrits datés; enfin, les termes latins rares ou curieux des rubriques (par ex. *pluviali pavonacio* dans *I-Rvat* Pat 18 ou *cantrix* dans les processionnaux des religieuses etc.); et enfin, d'autres particularités qui méritent d'être sauvées de l'oubli.

Remerciements

Ce catalogue de Processionnaux a été entrepris au cours des années soixante à la demande de François Lesure, Chef du Secretariat central du RISM. Il a été amorcé par la description des manuscrits conservés à Paris et par ceux qui furent envoyés de la Province au Département des manuscrits de la Bibliothèque nationale de France, grâce à l'obligeance de Michel Nortier, Chef du Service du prêt interbibliothèques.

Dès le début de l'entreprise, Robert Amiet me communiqua généreusement sa documentation sur les processionnaux de Chalon-sur-Saône, Grenoble, Lyon, Rome (la Vaticane exceptée), Turin et surtout enfin Aosta, qu'il devait publier plus tard dans les *Monumenta Liturgica Ecclesiae Augustanae*.

Ici, je dois remercier tout spécialement le C.N.R.S qui m'a accordé tant de missions de recherche, aussi bien pour l'examen des processionnaux que pour l'inventaire des tonaires: d'abord en Belgique et en Hollande (1965), puis en Italie (1968, 1971, 1976–78), en Grande-Bretagne (1966), et surtout en Allemagne (de 1970 à 1981). De même, mes remerciements s'adressent à la Direction du RISM qui m'accorda deux bourses de mission, l'une pour l'Allemagne (1982) et la seconde en 1984 pour les Etats-Unis.

Durant trois séjours à Erlangen, dans les années 70, je fus accueilli avec générosité à l'Institut für Musikwissenschaft de l'Université d'Erlangen-Nürnberg par le Professeur Bruno Stäblein qui me donna accès non seulement à sa collection de microfilms, mais aussi à ses notes personnelles sur les manuscrits qu'il avait examinés. Enfin, je remercie spécialement mes collègues de l'Institut de Recherche et d'Histoire des Textes qui exécutèrent à mon intention les microfilms des processionnaux que je n'avais pu atteindre directement.

Au cours de mes voyages de révision, de 1992 à 1997, je fus bénévolement aidé par les Dr. Felix Heinzer (Karlsruhe puis Stuttgart), Konrad Wiedemann (Kassel) et enfin, par les Professeurs David Hiley (Regensburg) et Max Lütolf (Zürich).

L'inventaire des processionnaux de Belgique, commencé en 1965 par les manuscrits de la Bibliothèque Royale, fut largement complété en 1997 grâce à la collaboration de Barbara Haggh (Royal Holloway College), notamment pour l'analyse des manuscrits de Bruges, Gand et Louvain, mais aussi de Cambrai, puisqu'avant 1789 la juridiction de ce diocèse s'étendait jusqu'à l'embouchure de l'Escaut.

La révision des processionnaux d'Espagne que j'avais examinés au cours de plusieurs voyages à partir de 1983, me fut facilitée grâce à la compétence du Dr. Karl Werner Gümpel (Louisville), notamment pour les manuscrits de Séville et de Saragosse, qu'il examina pour moi en 1993. La liste des processionnaux du Portugal a été revue et augmentée par Manuel Pedro Ferreira (Lisbonne).

A l'occasion du Colloque de Wolfenbüttel (mars 1996), j'ai reçu la bienveillante assistance des invitées d'Europe centrale pour le contrôle de mes notices sur les originaux: Hana Vlhová (République tchèque), Janka Szendrei (Hongrie), Elzbieta Witkowska Zaremba (Pologne). Les notices des manuscrits de Croatie ont été controlées par Katarina Livljanic et celles de Slovénie par Natacha Golob (Ljubljana).

J'ai contracté une dette de reconnaissance toute particulière envers Joan Naughton (Melbourne University) qui m'a libéralement communiqué la description de deux processionnaux d'Australie, ainsi que ses analyses des douze processionnaux dominicains de Poissy.

Que les nombreux bibliothécaires d'Europe et des Etats-Unis qui ont répondu à mes demandes de renseignements trouvent ici le témoignage de ma gratitude.

La publication d'un si long catalogue eut été impossible sans la collaboration de mes collègues et amis, mais aussi sans l' utilisation de l'informatique: ici je dois rendre hommage a Michael Cuthbert (Harvard College), à Mark Wenthe (Rice University), et au Professeur Robert Baldwin (Citadel) qui m'a puissamment aidé à déchiffrer les diskettes d'un ancien computer.

Je dois aussi une grande reconnaissance à Nancy Phillips qui m'a accordé son temps et son énergie pour m'assister dans la rédaction de ce volume, en ne cessant d'insister pour son achèvement.

Enfin, mes remerciements s'adressent au Dr. Kurt Dorfmüller qui m'a guidé avec patience vers l'achèvement de ce catalogue.

EINLEITUNG

Das „Processionale“ – ein kleines, zum Tragen geeignetes Buch – enthält die Gesänge der feierlichen Prozessionen, wie sie das römische Missale für Maria Lichtmeß (2. Februar), Palmsonntag und die Rogationstage (die drei Tage vor Christi Himmelfahrt) vorschreibt. Weiterhin kommen darin Gesänge für diejenigen Prozessionen vor, die an Sonn- und Feiertagen der eigentlichen Messe vorausgingen. Anders als das Graduale und Antiphonale stellt das Processionale kein offizielles liturgisches Buch dar, sondern wurde von Sängern für ihren persönlichen Gebrauch zusammengestellt. Manche Handschriften tragen sogar heute noch den Namen derjenigen Sänger, die sie benutzten, während Graduale, Missale und Antiphonale ausschließliches Eigentum der Kirche blieben.

In dieser Einleitung werden nach einer kurzen Betrachtung der historischen Wurzeln die Richtlinien zur Beschreibung der Processionalien-Handschriften dargestellt. Hierauf folgen neun Tabellen. Sie sind chronologisch geordnet und repräsentieren gleichzeitig die verschiedenen Typen von Processionalien; zugleich erleichtern sie die Inhaltsbeschreibung der im Katalog verzeichneten Handschriften. Obwohl die Tabellen wie gesagt weitgehend in chronologischer Reihenfolge angeordnet sind, datieren die Processionalien der drei letzten Tabellen aus etwa der gleichen Entstehungszeit.

Geschichte

Das Processionale ist eines der historisch jüngsten liturgischen Bücher; im 9. Jahrhundert existierte es noch nicht. Entsprechende Gesänge wurden zuvor ohne Notenschrift am Ende einiger Gradualien in Form einer Liste von Prozessionsantiphonen für die „Litaniae maiores“ (25. April) aufgezeichnet (Tabelle I). Die Herausbildung des Processionale zu einem eigenständigen liturgischen Buch verdankt sich zwei Entwicklungen: Zum einen wurden die Prozessionsantiphonen aus dem Graduale in ein eigenständiges, kleines Buch übertragen, um dieses während der Prozession benutzen zu können; zum anderen wurden zur gleichen Zeit dem bestehenden Corpus von Prozessionsgesängen neue Gattungen hinzugefügt (Tabelle II). Für die Prozessionen an den Rogationstagen dienten weiterhin die Antiphone des Graduale. Ihnen folgen nun aber litaneiartige „preces“, die je nach Entstehungsort Unterschiede aufweisen.

Diese Übernahme der Antiphonen in ein Büchlein zu einem sogenannten „liber processionarius“ oder „processsionale“ fand erstmals im 10. Jahrhundert statt. Sie wird durch drei kleinformatige Handschriften aus der Pfalz dokumentiert: eine aus Hornbach *(I-Rvat* Pal 489, 145 x 123 mm), die zweite aus Lorsch *(I-Rvat* Pal 490, 173 x 128 mm) und die dritte aus St. Alban in Mainz *(A-Wn* 1888, 203 x 155 mm). Diese Handschriften stellen die ältesten überlieferten Zeugnisse eines Processionale dar und enthalten die Prozessionsantiphone der „Litaniae maiores“. In den Handschriften Lorsch und Mainz sind vorausgehend die feierlichen Antiphone zu Maria Lichtmeß, Aschermittwoch und Palmsonntag aufgezeichnet, die auch in den ältesten Gradualien zu finden sind.

Obwohl die Prozessionsantiphonen der „Litaniae maiores“ aus Tabelle I und II am 25. April sowie zu den „Litaniae minores“ gesungen wurden, fügte man im historischen Stadium von Tabelle II Prozessionslitaneien unterschiedlicher Herkunft hinzu: In Deutschland sang man die Litaneien aus St. Gallen (z. B. „Ardua spes mundi“, „Humili prece“, „Rex sanctorum angelorum“), während in Mainz und Südfrankreich litaneiartige „preces“ aus der alten gallikanischen Liturgie eingefügt wurden. Kurz darauf wurde in Lothringen ein weiterer Versuch unternommen, ein entsprechendes Büchlein für die Rogationsprozessionen zusammenzustellen: Die Handschrift 329 aus der „Médiathèque“ in Metz enthält lediglich die mit Neumen versehenen Antiphone für die drei Rogationstage; dabei legen Anweisungen den Verlauf der Prozession zu den einzelnen „Stationskirchen“ der Stadt Metz fest. Ein weiteres Processionale aus dem 11.–12. Jahrhundert *(F-VN* 139, 125 x 105 mm) enthält ebenfalls die Rogationsantiphone in lothringischer Notation. Hinzugefügt werden die üblichen Gesänge (Antiphonen oder Responsorien), die an die Titularheiligen der Stationskirchen der Prozession gerichtet sind, sowie die Prozessionslitaneien aus St. Gallen. Im 13. Jahrhundert und auch später noch hielten zahlreiche Kirchen (z. B. Piacenza, Cambrai, Chartres) diesen Typus des Processionale für die Rogationstage aufrecht, der auch für Archäologen hochinteressante Rubriken bietet.

Durch weitere Hinzufügungen entstand schließlich ein Processionale für Sonn- und Festtage, das nicht nur die Rogationsgesänge enthält, sondern auch die Antiphonen und Responsorien für jene Prozessionen, die an den Sonn- und Festtagen zwischen der Terz und der feierlichen Messe stattfanden. Der Ursprung dieses Sonn- und Festtags-Processionale liegt wahrscheinlich in einer erweiterten Konzeption des Ritual-Processionale; dieses Processionale enthält nur die im Graduale und in den „Ordines Romani“ angegebenen Antiphone für die Prozessionen am 2. Februar, für die Palmweihe am Palmsonntag und schließlich für Begräbnisprozessionen während Beerdigungen.

Die Antiphonen gallikanischen Ursprungs für den Ostersonntag, die in den frühen Gradualien überliefert sind („Antiphonale missarum sextuplex", Nr. 214), blieben lange Zeit in allen diesen Processionalien in Gebrauch, teilweise bis in das 16. Jahrhundert hinein. Zusätzlich bewahrten französische Processionalien – vor allem Exemplare aus dem Süden des Landes (Tabelle III) – wesentlich mehr Prozessionsantiphonen (z. B. „Venite omnes exultemus", „Cum sederit Filius hominis", „Oremus dilectissimi nobis"), die anderswo – vor dem Eindringen der Offiziumsresponsorien in das Repertoire ab dem 13. Jahrhundert – nach und nach verschwunden waren.

Der am weitesten verbreitete Typus des Processionale ist das Responsorial-Processionale, vertreten durch Handschriften, die überwiegend auf die Zeit nach 1500 zu datieren sind und tatsächlich auch den größten Anteil aller Processionalien stellen. Keineswegs weisen sie jedoch dieselbe Einheitlichkeit auf, sondern – ganz im Gegenteil – große Vielfalt.

Noch bevor sich Responsorien, Antiphonen, „versus" und Litaneien in großer Zahl innerhalb der Processionalien ausbreiteten, begrenzten die Zisterzienser um 1130 ihr Repertoire auf die zwei feierlichen Prozessionen am 2. Februar und am Palmsonntag (Tabelle V). Für diese Unterdrückung einer allgemein üblichen klösterlichen Praxis wurde der Orden von Abelard („Epistola X, ad sanctum Bernardum") scharf kritisiert. Später fügten die Zisterzienser weitere Prozessionen hinzu: an Christi Himmelfahrt (um 1150), an Maria Himmelfahrt und am Fest des Hl. Bernhard (zwischen 1202 und 1225) sowie schließlich am Fest Maria Geburt (nach 1289). Es ist sehr eigenartig, daß ausgerechnet die Zisterzienser, die so viel Zeit in den Ackerbau investierten, in ihre liturgischen Bücher nicht die Rogationsprozessionen übernahmen, mit denen man Gott um eine gute Ernte bat.

Das zu Beginn des 13. Jahrhunderts zusammengestellte Processionale von Salisbury („Sarum") stellt einen Kompromiß zwischen den Antiphonal- und Responsorial-Processionalien dar (Tabelle VI). Es war in dieser Form fast über ganz England verbreitet, ausgenommen die Diözese von York.

Im Jahre 1254 reorganisierte Humbert von Romans die Liturgie der Dominikaner und stellte ein Responsorial-Processionale zusammen (Tabelle VII). Hierin sind die Antiphone des „Temporale" nicht enthalten, ausgenommen diejenigen für die acht großen Feste des Jahres und für das Ende der Karwoche, gefolgt von der Zeremonie der letzten Ölung. Dieses Dominikaner-Processionale war über ganz Europa verbreitet und behielt seine originale Notation (schwarze Quadratnotation) sogar in denjenigen Gebieten Zentraleuropas bei, die eine germanische Notation benutzten. Etwa 135 Exemplare dieser Processionalien sind erhalten geblieben, d.h. fast 14% des gesamten Corpus.

Die Franziskaner verwendeten ein Processionale (Tabelle VIII), das sich auf die feierlichen Prozessionen zum 2. Februar, zu Palmsonntag und zu Begräbnisfeiern beschränkte. Auch wenn verschiedene Drucke aus dem 16. Jahrhundert Titel wie „Liber processionum secundum usum romanum et potissime secundum usum fratrum minorum“ aufweisen, wurde dieses Processionale nicht offiziell in den Rang eines „Processionale Romanum“ erhoben.

Tabelle IX zeigt die regulären Processionalien der Augustiner und der Prämonstratenser, die sich im allgemeinen nach der Liturgie ihrer jeweiligen Heimatdiözese richteten. Ihre Processionalien überliefern mehr Antiphonen (Tabelle III) als Responsorien (Tabelle IV).

Richtlinien zur Beschreibung der Processionalien-Handschriften

Die Richtlinien zur Beschreibung der mehreren tausend auf der ganzen Welt erhaltenen Processionalien-Handschriften werden durch die vorausgehenden historischen Erwägungen bestimmt. Die meisten Handschriften fallen unter eine der folgenden neun Kategorien, die in den ausführlichen Tabellen im Anschluß an die Einleitung aufgeführt werden. Manche Processionalien sind Mischtypen, denn sie enthalten neben den Responsorien (Tabelle IV) einige der Antiphonen aus dem Ur-Repertoire des Processionale (Tabelle III). Diejenigen Processionalien, die außerhalb der Klassifikation stehen, werden ohne weitere Spezifizierung schlicht als „Processionalien“ bezeichnet.

I. Vorläufer des Processionale im Graduale
II. Processionale für die Rogationstage
III. Processionale mit Antiphonen
IV. Responsorial-Processionale
V. Processionale der Zisterzienser
VI. Processionale nach der Liturgie von Salisbury („Sarum“; nach 1200)
VII. Processionale der Dominikaner (nach 1254)
VIII. Römisch-Franziskanisches Processionale (ca. 1253–1254)
IX. Processionale der Augustiner und Prämonstratenser

(1) Jeder Handschrift ist eine Buchstaben/Zahlen-Kombination vorangestellt, wobei der Buchstabe das Aufbewahrungsland der Handschrift, die Zahl die Einordnung in die Kategorien dieses Katalogs bezeichnet. Dieses Sigelsystem hat auch die Zusammenstellung der Indices erleichert.
(2) Auf die offizielle Nummer der Handschrift folgt das Sigel gemäß der RISM-Klassifikation, wie sie in „Die Musik in Geschichte und Gegenwart“, Sachteil, Band 1 (1994), S. XIX–XLIX, festgelegt ist. Diejenigen Bibliothekssigel, die nicht in dieser Liste erscheinen, wurden von der RISM-Zentralredaktion erstellt und wurden in das aktuelle „Sigel-Verzeichnis“ (München und Kassel 1999) aufgenommen.

(3) Die rein technische Beschreibung der Handschriften wurde auf das unabdingbar Notwendige beschränkt: Anzahl der Blätter und deren durchschnittliches Format; kurze Beschreibung der Bindung, die teilweise sehr kunstvoll war; Datierung der Handschrift und gegebenenfalls Angabe von Initialien oder Verzierungen, wie zum Beispiel im Dominikaner-Processionale von Poissy oder dem Processionale aus dem Konvent von Straßburg; kurze Beschreibung der Notation und möglicher Besonderheiten. Schließlich werden Herkunft und Überlieferung zusammen mit etwaigen Hinweisen aus der Handschrift selbst angegeben.
(4) Der Typus des jeweils beschriebenen Processionale wird seinem Inhalt nach klassifiziert und einer der neun Tabellen auf S. 43* ff. zugeordnet.
(5) Die Beschreibung des Inhalts warf zunächst etliche Fragen auf, als in den 1960er Jahren die ersten Processionalien untersucht wurden. Mit zunehmender Erfahrung wurde dann deutlich, daß es nicht nötig ist, alle Responsorien der Responsorial-Processionalien aufzuzählen, da diese zum Teil bereits in älteren Antiphonarien überliefert werden.

Dennoch muß für diejenigen Responsorien und Antiphonen des Offiziums eine Ausnahme gemacht werden, die aus heute verschollenen Antiphonarien stammen. Diese Gesänge sind es Wert verzeichnet zu werden, und sei es nur, um den Entstehungsort der Handschrift nachzuweisen. Bei der Beschreibung der Responsorial-Processionalien wird nur die dreiteilige Gliederung angegeben, die in liturgischen Büchern ab dem 13. Jahrhundert üblich wurde: „Proprium de tempore", „Proprium de sanctis" und „Communia", sowie Mischerscheinungen. In den Processionalien beginnt das „Sanctorale" häufiger am 24. Juni (Geburt Johannes des Täufers) als am 30. November (Fest des Hl. Andreas).

Schließlich schien es – im Interesse der Liturgie- und Musikwissenschaftler – angebracht, auch in den Handschriften enthaltene Tropen und Sequenzen zu verzeichnen; weiterhin Hymnen, „versus" und ein- oder zweistimmige Kirchenlieder, tropierte Lesungen und liturgische Dramen usw., die an bestimmten Festtagen gelegentlich den Responsorien und Antiphonen des traditionellen Repertoires hinzugefügt wurden.

Bei den Handschriften der Augustiner und Dominikaner, die zumindest in Grundzügen alle dem offiziellen Gebrauch angeglichen sind, ist es unabdingbar, die genannten Altäre anzugeben, welche der Zelebrant am Gründonnerstag wusch, während der Chor eine Antiphon zu Ehren des Schutzheiligen sang. Das königliche Stift der Dominikaner von Poissy zum Beispiel nennt 21 Altäre, während manche kleinere Konvente in Deutschland nicht mehr als drei oder vier zählen. Die Nennung dieser Altäre, die im allgemeinen einen für die Jungfrau Maria und einen für den Hl. Dominikus einschließt, erlaubt es manchmal, zwei getrennt überlieferte Processionalien demselben

Entstehungsort zuzuweisen, wie beispielsweise *B-Lu* W 12 und *CH-Zm* 2799, die beide aus Münsterlingen stammen.
(6) In Anbetracht der vielgestaltigen Orthographie zahlreicher Handschriften aus neuerer Zeit war es nötig, zwei vereinheitlichende Regelungen anzuwenden: Erstens wurde die Schreibweise der Incipits den Wörterbüchern des klassischen Latein angeglichen, z. B. „carissimi" statt „karissimi" oder „charissimi"; die Schreibweise „caelum" wurde dem „coelum" oder gar „celum" mittelalterlicher liturgischer Bücher vorgezogen; desgleichen „sollemnitas" statt „sollempnitas". Im Falle von „Jerusalem/Hierusalem/Iherusalem" – alle drei Schreibweisen sind phonetisch identisch – wurde die erstgenannte bevorzugt. Zweitens wurden die „nomina sacra", da es sich um liturgische Texte handelt, jenen Normen angeglichen, wie sie René-Jean Hesbert in seinem „Corpus antiphonalium officii", Band 3 (Antiphonen) und 4 (Responsorien) aufgestellt hat; das heißt, Heilige und ihre Attribute werden mit Großbuchstaben geschrieben: z. B. „Spiritus Sanctus", „Maria Virgo".
(7) Die Bibliographie zur Handschrift beschränkt sich gewöhnlicherweise auf den Katalog der betreffenden Bibliothek; sie ist abgekürzt angegeben und kann, sofern der Katalog vor dem Sommer 1992 erschienen ist, in voller Länge nachgeschlagen werden in: Sigrid Krämer (Herausgeber), „Latin Manuscript Books before 1600. A List of the Printed Catalogues and Unpublished Inventories of Extant Collections by Paul Oskar Kristeller", München 1993. Dieser Katalog wird nützlicherweise durch die „Indices librorum" 1 (1987), 2 (1995) und 3 (1999), herausgegeben von François Dolbeau und Pierre Petitmengin, ergänzt. Letztgenannte Arbeit stellt eine Bibliographie von Handschriftenkatalogen dar, die zwischen 1991 und 1997 veröffentlicht wurden.

Band II wird durch fünf Register abgeschlossen. Die ersten beiden listen sämtliche Handschriften, nach Bibliothek und Entstehungsort geordnet, auf; das dritte verzeichnet die Gesänge aus den Processionalien, die in modernen Editionen zugänglich sind; das vierte listet diejenigen Gesänge auf, die nicht im gewöhnlichen Repertoire erscheinen; das fünfte und letzte enthält die Namen von Eigentümern oder Sängern, Orte (falls in der Beschreibung genannt), Schrift- und Notationstyp, Datumsangaben, seltene lateinische Ausdrücke oder eigenartige Anweisungen (z.B. „pluviali pavonacio" in *I-Rvat* Pal 18 oder „cantrix" in den Processionalien religiöser Frauen) und zuletzt weitere Besonderheiten, die man sonst leicht übersehen könnte.

Danksagung

Dieser Processionalien-Katalog wurde in den 1960er Jahren im Auftrag von François Lesure, dem Vorsitzenden des RISM-Zentralsekretariats, zusammengestellt. Zu Beginn wurden die in Paris aufbewahrten Handschriften beschrieben und auch jene, die – dank der Unterstützung von Michel Nortier, Leiter der Abteilung der internationalen Fernleihe – aus den französischen Provinzen in die Handschriftenabteilung der Bibliothèque Nationale entliehen worden waren.

Von Beginn der Unternehmung an informierte mich Robert Amiet großzügig über seine Dokumentation der Processionalien aus Chalon-sur-Saône, Grenoble, Lyon, Rom (ausgenommen Vatikan), Turin und besonders Aosta (die er später in den „Monumenta Ecclesiae Augustanae" veröffentlichte).

An dieser Stelle möchte ich dem C.N.R.S. meinen besonderen Dank aussprechen, das mir mehrere Forschungsstipendien bewilligte, sowohl zur Untersuchung von Processionalien als auch für die Inventarisierung von Tonarien: in Belgien und Holland (1965), in Italien (1968, 1971 und 1976–1978), in Großbritannien (1966) und besonders in Deutschland (1970–1981). Gleichzeitig danke ich dem Direktorium von RISM, das mir zweimal Forschungsmittel zur Verfügung stellte: für Deutschland (1982) und für die Vereinigten Staaten (1984).

Während meiner drei Aufenthalte in Erlangen in den 1970er Jahren fand ich großzügige Aufnahme am Musikwissenschaftlichen Institut der Universität Erlangen-Nürnberg. Prof. Bruno Stäblein stellte mir nicht nur seine eigene Mikrofilmsammlung, sondern auch seine Aufzeichnungen zu den von ihm untersuchten Handschriften zur Verfügung. Weiterhin möchte ich besonderen Dank an meine Kollegen vom „Institut de Recherche et d'Histoire des Textes" richten, die in meinem Auftrag Mikrofilme von Processionalien herstellten, die mir nicht zugänglich waren.

Auf meinen Reisen in den Jahren 1992 bis 1997, als ich die Einträge überprüfte, erhielt ich freundliche Unterstützung durch die Herren Dr. Felix Heinzer (Karlsruhe, später Stuttgart), Konrad Wiedemann (Kassel), Prof. David Hiley (Regensburg) und Max Lütolf (Zürich).

Die Inventarisierung der belgischen Processionalien, die ich im Jahr 1965 mit den Handschriften aus der Königlichen Bibliothek begann, war 1997 weitgehend abgeschlossen. Dies verdanke ich der Mitarbeit von Barbara Haggh (Royal Holloway College), besonders im Hinblick auf die Beschreibung der Handschriften von Brugge, Gent und Leuven, aber auch der von Cambrai, da die Gerichtsbarkeit dieser Diözese vor 1789 bis zur Mündung der Schelde reichte.

Die Revision der Beschreibung der spanischen Processionalien, die ich ab 1983 auf mehreren Reisen untersucht hatte, wurde dank der fachkundigen Hilfe von Dr. Karl Werner Gümpel (Louisville) erleichtert, der 1993 für mich die Handschriften von Sevilla und Zaragoza untersuchte. Die Liste der Processionalien in Portugal wurde von Manuel Pedro Ferreira (Lissabon) überarbeitet und ergänzt.

Beim Kolloquium von Wolfenbüttel (im März 1996) erhielt ich großzügige Unterstützung der Teilnehmer aus den zentraleuropäischen Ländern, die meine Aufzeichnungen mit den Originalhandschriften verglichen: Hana Vlhová (Tschechische Republik), Janka Szendrei (Ungarn) und Elzbieta Witkowska-Zaremba (Polen). Die Anmerkungen zu den Handschriften in Kroatien wurden von Katarina Livljanic überprüft, diejenigen aus Slowenien von Natacha Golob (Ljubljana).

Besonderen Dank schulde ich auch Joan Naughton (Melbourne University), die mir in großzügiger Weise die Beschreibung zweier in Australien aufbewahrter Processionalien zukommen ließ, zusammen mit ihrer Analyse von zwölf dominikanischen Processionalien aus Poissy.

Allen Bibliothekaren in Europa und den Vereinigten Staaten, die meine Anfragen beantwortet haben, schulde ich größte Dankbarkeit.

Die Publikation dieses umfangreichen Katalogs wäre ohne die Zusammenarbeit mit meinen Freunden und Kollegen ebenso unmöglich gewesen wie ohne einen Computer. An dieser Stelle möchte ich Michael Cuthbert (Harvard University), Mark Wenthe (Rice University) und Prof. Robert Baldwin (Citadel) für ihre maßgebliche Hilfe danken. Sie konvertierten meine Texte aus veralteten Formaten in ein modernes Textverarbeitungsprogramm.

Besonderen Dank schulde ich Nancy Phillips, die mir viel Zeit und Energie schenkte, um mich bei der Redaktion dieses Buches zu unterstützen, und niemals aufhörte, auf seiner Fertigstellung zu bestehen.

Zuletzt möchte ich Dr. Kurt Dorfmüller danken, der mich mit Geduld bei der Fertigstellung dieses Katalogs begleitete.

INTRODUCTION

The Processional, a portable book in small format, contains the chants of the ritual processions prescribed by the Roman missal for Candlemas (2 February), Palm Sunday, and Rogation days (the three days preceding Thursday of the Ascension). This book also includes chant for the processions that preceded the Mass chanted on Sundays and feast days. Unlike the Gradual and the Antiphoner, the Processional is not an "official" service book, but a book created by singers for their personal use. In effect, certain manuscripts bear even today the names of the singers who used them, whereas the Gradual, Missal and Antiphoner have always been the exclusive property of a church.

After a brief history of the origins of the Processional, the norms for the description of the manuscripts will be presented. The nine tables which follow this preface illustrate the historical succession of different types of Processionals. In addition, these tables facilitate the analysis of the contents of the manuscripts in the catalogue. Even though these tables are largely in chronological order, the Processionals represented in the last three tables originated around the same time.

History

The Processional is one of the most recent liturgical books: in the ninth century this book did not exist. The antecedent was the last section of several graduals without notation, which contained a list of processional antiphons for the Greater Litanies of 25 April (Table I). The formation of the Processional as a separate book resulted from two processes: the transfer of the processional antiphons in the Gradual to a small book which could be carried in procession, and, at about the same time, the addition to the corpus of processional chant of new genres (Table II). The antiphons taken from the Gradual served again for the processions of Rogations, but these antiphons were followed by litany-like *preces*, themselves variable according to their different regions of origin.

In the 10th century, the transfer of these antiphons to a portable book resulted in the *liber processionarius* or *processionale*. This transfer of texts is realized in three manuscripts in small format from the Palatinate: one from Hornbach (*I-Rvat* Pal 489, measuring 145 x 123 mm.), the second from Lorsch

(I-Rvat Pal 490: 173 x 128 mm.) and the third from St Albans in Mainz (*A-Wn* 1888: 203 x 155 mm.). These are the oldest surviving witnesses of the Processional. The three manuscripts give the antiphons of the procession of the Greater Litanies, preceded in Lorsch and Mainz by the ritual antiphons of Candlemas, Ash Wednesday, and Palm Sunday, which also appear in the oldest graduals.

Even though the same processional antiphons of the Greater Litanies in Tables I and II were sung on 25 April and at the Lesser Litanies, during the stage represented by Table II processional litanies of two different origins were added to them: in German regions one sang the litanies of St Gall *Ardua spes mundi*, *Humili prece*, *Rex sanctorum angelorum* and others, while at Mainz and in southern France one inserted the liturgical litany-like *preces* coming from the old Gallican liturgy. Other attempts at creating a portable book for Rogations were made in Lorraine somewhat later. MS 329 of the Médiathèque of Metz contains only the neumed antiphons for the three days of Rogations, with the rubrics indicating the itinerary to be followed in going to the "stational" churches in the city of Metz. A processional *(F-VN* 139: 125 x 105 mm.) of the 11–12th century in Lorraine notation also gives the antiphons of Rogations. It adds the proper compositions (antiphons or responsories) addressed to the titular saints of the stational churches visited during the procession as well as the processional litanies of St Gall. In the 13th century and even afterwards, many churches (Piacenza, Cambrai, Chartres, etc.) maintained this type of Processional for Rogations (Table II), which has rubrics of great interest for archeologists.

Nevertheless, other additions resulted in a Processional for Sundays and feasts, which does not only include the chants for Rogations, but also the antiphons and responsories for the procession between Terce and the solemn Mass on Sundays and feast days. The origin of this Processional for Sundays and feast days should probably be sought in a broader conception of the Processional-Ritual; the latter contains only the antiphons specified in the Gradual and in the *Ordines Romani* for the procession of 2 February for the Blessing of Palms on Palm Sunday, and finally for the procession to the cemetary during funerals.

The antiphons of Gallican origin for Easter Sunday preserved in the early graduals (*Antiphonale missarum sextuplex*, no 214) remained in use for a long time in all of these processionals, sometimes into the 16th century. In addition, French processionals, notably from the South (Table III), kept many more processional antiphons (for example, *Venite omnes exultemus*, *Cum sederit Filius hominis*, *Oremus dilectissimi nobis*, etc.) which had disappeared elsewhere little by little, before the invasion of the responsories of the office especially from the 13th century onwards.

The Processional-Responsorial (Table IV) is the most widely distributed type of Processional. These manuscripts, mostly dating from after 1500, were in effect the most numerous among the large number of processionals. Nevertheless, they no longer exhibit the same unity, but, to the contrary, a great variety.

Before the proliferation of responsories, antiphons, *versus* and litanies in the Processional, the Cistercians (Table V) reacted, around 1130, by limiting their processional repertory to two ritual processions, those of 2 February and Palm Sunday. They were strongly criticized by Abelard (*Epistola X, ad sanctum Bernardum*) for this suppression of a universal monastic usage. Later on, the Cistercians added other processions: for Ascension around 1150; for the Assumption of the Virgin and the feast of St Bernard, between 1202 and 1225; finally, for the feast of the Nativity of the Virgin, after 1289. It is very curious that these monks, who consacrated so much of their time to farming, did not keep the Rogations processions asking God to preserve their harvests in their liturgical books.

The Sarum Processional (Table VI) assembled at the beginning of the 13th century represents a compromise between the Processional with antiphons and the Processional-Responsorial. It was uniformly distributed throughout almost all of England, except the diocese of York.

In 1254, Humbert of Romans organized the liturgy of the Friars Preachers or Dominicans and assembled a Processional-Responsorial (Table VII) without the antiphons of the Temporale except those for eight feasts of the year and for the end of Holy Week, followed by the ritual for the last rites. This Dominican Processional notated in square black notation was disseminated throughout Europe and always kept its original notation, even in the regions of central Europe which used a Germanic notation. There remain approximately 135 exemplars (of the Dominican Processional), that is, nearly 14% of the corpus of known processionals.

The Franciscans used a Processional (Table VIII) limited to the ritual processions of 2 February and Palm Sunday as well as funerals. This Processional was not officially elevated to the rank of the *Processionale Romanum*, even though several 16th-century imprints give it the title *Liber processionum secundum usum romanum et potissime secundum usum fratrum minorum*, etc.

Table IX is that of the regular canons who observed the rule of St Augustine and of the Praemonstratensian canons who generally followed the liturgy of the diocese of their residence. Their Processional preserved the antiphons (Table III) more often than the responsories (Table IV).

Norms of the description of manuscript Processionals

The preceding historical considerations determine the norms of description of the some 1000 manuscript Processionals conserved throughout the world. In effect, most of the manuscripts fall into one of the nine following categories, which are developed in the large Tables that follow the Introduction. Sometimes certain Processionals are mixed, that is, they preserve among the responsories (Table IV) some of the antiphons of the primitive repertory of the Processional (Table III). The Processionals that remain outside of our classification are simply mentioned as "Processional" without qualification.

I. Antecedents of the Processional (in the Gradual)
II. Processional for Rogations
III. Processional with antiphons
IV. Processional-Responsorial
V. Cistercian Processional
VI. Sarum Processional (after 1200)
VII. Dominican Processional (after 1254)
VIII. Roman-Franciscan Processional (circa 1253–1254)
IX. Processional of the Augustinians and Praemonstratensians

(1) The notice on each manuscript is headed by a letter and a number: the letter indicates the country of conservation of the manuscript, and the number designates its placement in the series of manuscripts of the catalogue. This alphabetical and numerical siglum has been useful for the preparation of the Indices.
(2) The official call number of the manuscript is followed by its siglum according to the RISM classification indicated in *Die Musik in Geschichte und Gegenwart*, Sachteil, vol. I (1994), S. xix–xlix. The library sigla which do not figure in this list were created by the Central Editorial Board of RISM in Frankfurt and appear in the most recent edition of the *Sigel-Verzeichnis* (Munich and Kassel, 1999).
(3) The material description of the manuscript was reduced to an indispensable minimum: number of folios and their average dimension; description of the binding, which was sometimes very elaborate, in a few words; date of the script and mention of initials or decoration, if there are any, for example, for the Dominican Processionals of Poissy or the convents of Strasbourg; and a brief description of the notation and of any particularities. Finally, the origin and provenance of the manuscript are indicated along with any pertinent evidence in the manuscript itself.
(4) The type of Processional described is classified according to its content, by reference to one of the nine tables on pp. 43* ff.
(5) The analysis of the content raised many questions, especially when the first Processionals were examined in the 1960s. Later, with experience, it became clear that it was not necessary to enumerate all of the responsories of the

Processional-Responsorials, because these are transmitted by older antiphoners. One must nevertheless make an exception for the responsories and antiphons of the proper offices taken from antiphoners, which may no longer exist today. These chants deserve to be signaled, even if only to prove the place of origin of the manuscript. In the descriptions of the Processional-Responsorial, it is only necessary to indicate the articulations of the tripartite division which became common in liturgical books from the 13th century on: Temporale, Sanctorale, Common of Saints, as well as miscellaneous material. In the Processionals, the Sanctorale usually begins on 24 June, the Nativity of St John the Baptist, rather than on 30 November, the feast of St Andrew.

Finally, in the interests of liturgists and musicologists, it seemed necessary to signal the presence in these manuscripts of tropes and sequences; the hymns, *versus* and Kirchenlieder, monophonic or for two voices; the farsed epistles, liturgical dramas, and so on, which, on certain feast days, were sometimes added to the responsories and antiphons of the traditional repertory.

In the Augustinian and Dominican manuscripts, all corrected at least in principle after the official exemplar, it is indispensable to point out the list of altars washed by the celebrant on Maundy Thursday, while the choir chanted an antiphon in honor of the patron saint; the royal convent of the Dominicans of Poissy had 21 altars, while certain small convents in Germany had no more than three or four. The list of these altars, which generally includes an altar dedicated to the Virgin and another to St Dominic, sometimes permits the identification of two processionals from the same place of origin which have since been dispersed, such as, for example, *B-Lu* W 12 and *CH-Zm* 2799, both from Münsterlingen.

(6) Given the variety in orthography presented by the massive number of more recent manuscripts, it was necessary to adopt two precise rules: First, normalisation of the transcription of the incipit, following the conventions of dictionaries of classical Latin: for example *carissimi* and not *karissimi* or *charissimi*; *caelum*, preferable to *coelum* and especially to the *celum* of medieval liturgical books; *sollemnitas* and not *sollempnitas*. Even though the three spellings *Jerusalem/Hierusalem/Iherusalem* result in the same pronunciation, the first was preferred for these notices. Next, the *Nomina sacra*: since these are liturgical texts, we have followed the norms adopted by René-Jean Hesbert in his *Corpus antiphonalium officii*, volumes 3 (antiphons) and 4 (responsories), that is, capital letters for names of divinities and for their attributes: for example, Spiritus Sanctus, Maria Virgo, and so on.

(7) The bibliography of the manuscript usually includes the catalogue of the library concerned: this citation is abbreviated, because if the catalogue predates the summer of 1992, it may be found in full in Sigrid Krämer, ed., *Latin Manuscript Books before 1600. A List of the Printed Catalogues and*

Unpublished Inventories of Extant Collections by Paul Oskar Kristeller (Munich 1993). This catalogue is usefully complemented by the *Indices librorum* 1 (1987), 2 (1995), and 3 (1999), edited by François Dolbeau and Pierre Petitmengin. This last work assembles a bibliography of catalogues of manuscripts published from 1991 to 1997.

Volume II ends with five indices: the first two of the described manuscripts, classified first by library then by place of origin. The third lists the chants of the Processional accessible in modern editions. The fourth lists the chants, which are not found in the usual repertories. The fifth and last assembles: the names of owners or singers; places mentioned in the descriptions; types of script and notation; dated manuscripts; rare Latin terms or curious rubrics (for example *pluviali pavonacio* in *I-Rvat* Pat 18 or *cantrix* in the Processionals of religious women); and, finally, other particularities which merit to be saved from oversight.

Acknowledgements
This catalogue of processionals was undertaken during the course of the 1960s at the request of François Lesure, Chief of the Central Secretariat of RISM. It was initiated with the description of manuscripts kept in Paris and of those sent from the provinces to the department of manuscripts in the Bibliothèque Nationale of France thanks to the efforts of Michel Nortier, Chief of Interlibrary Loan Services.

From the beginning of the enterprise, Robert Amiet generously communicated to me his documentation on the processionals of Chalon-sur-Saône, Grenoble, Lyon, Rome (the Vatican excepted), Turin, and especially Aosta (which he later published in the *Monumenta Ecclesiae Augustanae*).

Here I wish to thank especially the C.N.R.S. which accorded me many research stipends to examine processionals as well as to inventory tonaries: first for research in Belgium and Holland (1965), then in Italy (1968, 1971, 1976–1978), in Great Britain (1966), and especially in Germany (1970–1981). At the same time, I thank the directors of RISM, who accorded me two research grants, one for Germany (1982) and the second (1984) for the United States.

During three stays in Erlangen in the 1970s, I was received with generosity by the Institute of Musicology of the University of Erlangen-Nürnberg by Professor Bruno Stäblein, who gave me access not only to his own collection of microfilms but also to his personal notes on the manuscripts which he had examined. Finally, I thank especially my colleagues of the Institut de Recherche et d'Histoire des Textes who had microfilms made on my behalf of processionals which I could not reach directly.

During my travels to check the entries, from 1992 to 1997, I was benevolently aided by Dr. Felix Heinzer (Karlsruhe then Stuttgart), Konrad Wiedemann

(Kassel) and finally, by Professors David Hiley (Regensburg) and Max Lütolf (Zürich).

The inventory of the processionals of Belgium, begun in 1965 with the manuscripts of the Royal Library, was largely completed in 1997 thanks to the collaboration of Barbara Haggh (Royal Holloway College), notably for the analysis of the manuscripts of Bruges, Ghent and Louvain, but also of Cambrai, because before 1789 the jurisdiction of this diocese extended all the way to the mouth of the Escaut.

The revision of the descriptions of the processionals of Spain, the latter which I had examined during many trips beginning in 1983, was facilitated thanks to the competence of Dr. Karl Werner Gümpel (Louisville), who examined for me the manuscripts of Seville and Saragossa in 1993. The list of processionals of Portugal was revised and augmented by Manuel Pedro Ferreira (Lisbon).

At the Colloquium of Wolfenbüttel (March 1996), I received the benevolent assistance of the invited participants from Central Europe, who checked my notices against the original manuscripts: Hana Vlhova (Czech Republic), Janka Szendrei (Hungary), Elzbieta Witkowska-Zaremba (Poland). The notices on the manuscripts in Croatia were checked by Katarina Livljanic and in Slovenia by Natacha Golob (Ljubljana).

I owe a special debt to Joan Naughton (Melbourne University), who generously communicated to me the description of two processionals in Australia as well as her analyses of twelve Dominican processionals from Poissy.

May the numerous librarians in Europe and the United States who responded to my requests for information find here my deepest expression of gratitude.

The publication of this long catalogue would have been impossible without the collaboration of my colleagues and friends and also without the use of the computer. Here I wish to acknowledge Michael Cuthbert (Harvard University), Mark Wenthe (Rice University), and Professor Robert Baldwin (Citadel) for their considerable assistance in transferring my text to a modern program from outdated Tandy diskettes.

I also owe a special debt to Nancy Phillips, who gave of her time and energy to assist me in my writing and never stopped insisting on the completion of these volumes.

Finally, I wish to thank Dr. Kurt Dorfmüller, who guided me with patience to the completion of this catalogue.

RÉPERTOIRES USUELS DES NEUF TYPES DE PROCESSIONNAUX

TABLEAU I
LES ANTÉCÉDENTS DU PROCESSIONNAL:
Les antiennes des Litanies majeures du 25 avril.
(Antiphonale missarum sextuplex, n° 201-212)[1]

A/ Exurge Domine adjuva nos. Ps/ Deus misereatur nostri
A/ Ego sum Deus (5). A/ Populus Sion (12). A/ Domine Deus nos
A/ Confitemini Domino filii (6). A/ Exclamemus omnes ad Dnm.(7).
A/ Parce Domine parce populo (8). A/ Iniquitates nostrae (10).
A/ Domine imminuti sumus (9). A/ Redime Domine de interitu (46).
A/ Sit Dominus Deus noster (47). A/ Domine Deus noster Abraham.
A/ Cognovimus Domine impietates. A/ Peccavimus Domine, injuste.
A/ Domine defecimus in ira tua. A/ Cognovimus Domine impietates.
A/ Anima in angustia posita, spiritus exuans clamavit.

Incipiunt antiphonae de misericordia in Letania (AMS, no 202).
A/ Domine non est alius (13). A/ Exaudi Domine deprecationem (27).
A/ Miserere Domine plebi tuae (14). A/ Dimitte Domine peccata (36).
A/ Exaudi Deus deprecationem nostram. A/ Usquequo Domine adhuc.
A/ Numquid valet manus Domini. A/ Deprecamur te Domine in omni.
A/ Inclina Domine aurem t. (28). A/ Multa sunt Domine peccata (17).
A/ Peccavimus Domine et tu irascaris. A/ Invocantes Dominum (18).
A/ Dimitte Domine peccata nostra [var.: populi tui], tibi (15).

[1] Les nn[os] entre parenthèses renvoient à l'édition des mélodies par Marie N. Colette, *Le Répertoire des Rogations d'après un Processionnal de Poitiers*, Paris, 1976 [Bibliographies, Colloques, Travaux préparatoires. Série Bibliothèques anciennes], 76-116. La concordance des antiennes de l'AMS avec les anciens graduels neumés ou notés figure dans Terence Bailey, *The Processions of Sarum and the Western Chant*, Toronto, 1971 [Studies and Texts, 21], 122-127.
A ces sources, ajouter les *Ordines romani XXI et L* (cap. xxxv et xxxvj), ed. M.Andrieu, *Les Ordines romani du Haut Moyen Age*, t. III (Louvain, 1951), 247-249 et t. V (1961), 314 ss.
La mélodie des antiennes *Ad reliquias deducendas* a été éditée à la fin de la thèse de Thomas D. Kozachek, *The Repertory of Chant for Dedicating Churches in the Middle Ages. Music, Liturgy, and Ritual*. Ph-D. Diss. Harvard University, 1995 (UMI-95-38956), 460.

Incipiunt antiphonae de siccitate (AMS n° 204).
A/ Domine rex Deus Abraham dona. A/ Ubi sunt misericordiae tuae.
A/ Numquid est in idolis gentium. A/ Recordare mei Domine quid.
A/ Exaudi Domine populum tuum. A/ Respice Domine quia aruit terra.
A/ Exaudi Domine lacrimas populi. A/ Justitia tua sicut montes.
A/ Domine erigans montes de superioribus de fructu operum tuorum.

Antiphonae de nimia pluvia (AMS n° 205).
A/ Inundaverunt aquae Domine (30). A/ Non nos demergat Domine.
A/ Deus canticum novum. A/ Exaudi nos Domine qui exaudisti (32).
A/ Per memetipsum juravi dicit. A/ Dicit Dominus: videte, videte.
A/ Exaudi nos Deus in veritate. A/ Ne nos demergat tempestas (31).

De mortalitate (AMS n° 206).
A/ Libera Domine populum tuum. A/ Exaudi nos Domine (cf. n° 205).
A/ Miserere Domine et dic Angelo. A/ Converte nos Deus salutaris.

Antiphonas de tempore belli (AMS n° 207).
A/ Congregati sunt inimici nostri. A/ Domine miserere nobis (19).
A/ Tua est Domine patientia et victoria. A/ Domine ne taceas.
A/ Deus canticum novum (cf. n° 205). A/ Fac Domine vindictam in.
A/ Respice Domine quomodo. A/ Inclina Domine aurem t. (cf. n° 202).
A/ Invocantes Dominum (cf. n° 202). A/ Miserere nostri Deus omnium.
A/ Si fecissemus praecepta tua Domine ambulassemus cum securitate.

Antiphonae de liberatione (AMS n° 208).
A/ Libera nos Domine ex affligentibus. A/ Fecisti magnalia Deus.
A/ Auribus percipe Domine orationem. A/ Benedictus Dominus qui.
A/ Invocavimus et vidimus Dominum.

De paenitentibus (AMS n° 209).
A/ Convertere Domine aliquantulum (33). A/ Domine non irascatur.
A/ Domine omnipotens Deus Israel anima. A/ Misericors es Domine.
A/ Humiliamini sub potenti manu. A/ Posuisti Domine iniquitates.
A/ Si nosmetipsos dijudicaremur, non. A/ Deus in adjutorium meum.

Antiphonae de natalitiis sanctorum (AMS n° 210).
A/ Gaudete justi in Domino (48). A/ Custodit Dominus animas (20).
A/ Memento congregationis tuae. A/ Annuntiate inter gentes (21).

Antiphonae ad reiquias deducendas (AMS n° 212).
A/ Ecce populus custodiens. A/ Cum jocunditate exibitis (4).
A/ De Jerusalem exeunt reliquiae (11). A/ Ingredere, benedicite.
A/ Via justorum facta est. A/ Ecce Sion filii congregati.
A/ Jerusalem civitas sancta (37). A/ Ambulate sancti Dei ad (25).
A/ Ambulate sancti Dei ingredimini in civitatem Domini (26).

[*Aliae antiphonae ex antiquis fontibus*].
A/ Custodi Dne. gregem (39). A/ Deus qui es benedictus... fac (41).
A/ Deus qui es benedictus... suscipe (1). A/ Dne. miserere n. (19).
A/ Domine pacem da nobis (51). A/ Dne. rex omnipotens libera (38).
A/ Domine si iratus fueris (40). A/ Flectamus genua cordis (52).
A/ In civitate Domini (44). A/ In sanctis gloriosus es Deus (22).
A/ Liberasti Dne. ex affl. (43). A/ Non in justificationibus (34).
A/ Propter peccata nostra (45). A/ Redime Dne. de interitu (46).
A/ Salvator noster [var. mundi] (3). A/ Sanctificabo te Jerus.(49).
A/ Te deprecamur omnipotens Pater cuncti flentes jugiter (42).

TABLEAU II
ANTIENNES DES ROGATIONS OU LITANIES MINEURES
(D'après CAO II, n° 148 et divers processionnaux)[2]

Feria II Rogationum:
A/ Exurge Domine adjuva nos. Ps/ Deus auribus nostris audivimus.

Ad processionem:
A/ Ego sum [Deus] patrum vestrorum (5). A/ Populus Sion (12).
A/ Domine Deus noster ou autres A/A/ des Litanies majeures
(cf. TABLEAU I).
Missa in statione cum sermone ad populum: I/ Exaudivit de templo sancto suo (AMS n° 94).

In reditu processionis:
L/ sanctorum *sive* L/ Agnus Dei... Exaudi Deus *sive* L/ Ardua spes mundi *sive* P/ Clamemus omnes una voce *sive* P/ Dicamus omnes: Domine miserere *sive* P/ Miserere Pater juste et omnibus.

Feria III Rogationum.
A/ Exurge. Ps/ Deus auribus nostris.

Ad processionem:
A/ Annuntiate inter gentes (21). A/ Domine non est alius (13).
A/ De Hierusalem (11). A/ Cum jucunditate (4) *etc* (cf. TABLEAU I).
Missa in statione: I/ Exaudivit (ut in Feria II).

In reditu:
A/ Aufer a nobis *cum* L/ Exaudi, exaudi, exaudi preces nostras.
sive L/ Humili prece *sive* P/ Miserere Domine supplicantibus.

[2] voir note du Tableau I.

Feria IV Rogationum:
A/ Exurge Ps/ Deus auribus nostris.

Ad processionem:
A/ Hierusalem civitas sancta (37). A/ Dimitte Domine peccata (15).
Exaudi nos Domine qui exaudisti (32) *etc* (cf. TABLEAU I).
Missa in statione: Omnes gentes (AMS 101 bis).

In reditu:
L/ Agnus Dei... Exaudi Deus *sive* P/ Rogamus te Rex saeculorum.

TABLEAU III
PROCESSIONNAL A ANTIENNES
(D'après CAO II, nn^{os} 147-148 et divers MSS aquitains)[3]

In Adventu:
A/ Missus est angelus. A/ Venite omnes exultemus. O beata infantia. A/ O virgo super virgines. A/ O quam casta mater et virgo. A/ O quam casta mater quae nullam. A/ O beatum ventrem Mariae. A/ Jerusalem civitas sancta.

In Nativitate Domini:
A/ O beata infantia. A/ O Maria Jesse virga. A/ Hodie Christus natus est.

Dominica in Septuagesima:
A/ Cum sederit filius hominis.

Feria IV Cinerum:
A/ Exaudi nos Domine Ps/ Salvum me fac Deus. A/ Juxta vestibulum et altare. A/ Immutemur habitu.

In Quadragesima:
A/ Cum sederit Filius hominis. A/ Christe Pater misericordiarum.

[3] Concordance de ces antiennes avec Paris, B. N. F. lat. 903 et lat. 776 dans l'art. de Clyde W. Brockett, Jr. „Unpublished Antiphons and Antiphon Series found in the Gradual of St-Yrieix", *Musica Disciplina* XXVI (1972), 9-18. Voir aussi Charlotte D. Roederer, *Eleventh-Century Aquitanian Chant: Studies Relating to a Local Repertory of Processionnal Antiphons*. Ph.D. Diss., Yale University 1971. (UMI 72- 17163), Appendix G, 81-168: Concordance entre les mss Paris, B. N. F. lat. 776, 903, 909, 1120, 1121 et 1136 (les antiennes sont classées dans l'ordre alphabétique).- Michel Huglo, „The Cluniac Processionnal of Solesmes (Bibliothèque de l'Abbaye, Réserve 28)." *Opus Dei. The Divine Office in the Latin Middle Ages. A Monograph in Honor of Professor Ruth Steiner*, edited by Margot E. Fassler and Rebecca Baltzer (Oxford, in press). Ce manuscrit concorde avec Paris, B.N.F., nouv. acq. lat. 3001.

Dominica in Palmis, antiphonae de Passione Domini (AMS n° 213):
A/ Hosanna filio David. A/ Pueri Haebreorum. A/ Appropinquante Jesu filio Dei. A/ Salvator unigeniti. A/ Coeperunt omnes turbae. A/ Ante sex dies sollemnis Paschae. A/ Cum appropinquaret. A/ Cum audisset populus. A/ Collegerunt pontifices v/ Unus autem.

Feria V in Cena Domini, ad Mandatum:
A/ Mandatum novum do vobis. A/ Postquam surrexit Dominus a cena v/ Tu mandasti. A/ Si ego Dominus. A/ Ubi est caritas et amor. A/ Dominus Jesus postquam cenavit. A/ Domine tu mihi lavas pedes v/ Venit ergo ad Simonem Petrum v/ Quod ego facio. A/ Si ego Dominus. A/ In hoc cognoscent omnes v/ Dixit Jesus discipulis suis. A/ Maneant in vobis v/ Nunc autem manent. A/ In diebus illis, mulier.

Antiphonae de resurrectione Domini (AMS n° 214):
A/ Stans [Stetit] angelus ad sepulchrum. A/ Maria vidit angelus. A/ Maria et Martha dum venissent. A/ Longo contrito carcere.
A/ Vidi aquam A/ Locutus est ad me.

In tribus diebus Rogationum (cf. Tableau II).

In die sancto Pentecosten:
A/ Spiritus sanctus hodie.
Ab octavis Pentecosten usque ad Adventum:
A/ Asperges me A/ Omnipotens Deus, supplices. A/ Cum venerimus. A/ Oremus dilectissimi nobis. A/ Oportet nos mundum. A/ Deus qui es benedictus. A/ Signum salutis. A/ Sicut Pastor. A/ Benedic Domine domum istam. A/ Pax huic domui. A/ Pax aeterna ab aeterno. A/ Monasterium istud. A/ Custodi Domine gregem. A/ Intrantes in templum. A/ Custodi nos Domine. A/ Benedicat vos summa Majestas. A/ Ego sapientia v/ Beatus qui audit.

In nativitate sancti Johannis Baptistae:
A/ Johannes est nomen ejus.

In natale sancti Petri apostoli:
A/ Dum duceretur Petrus. A/ Ducti sunt Petrus et Paulus.

De sancto Michaele:
A/ Factum est proelium magnum v/ Propterea letamini.

De sancta Maria:
A/ Tota pulchra es. A/ Adjuro vos filiae Hierusalem.

De omnibus sanctis:
A/ Angeli, archangeli. A/ Salvator mundi.

TABLEAU IV
PROCESSIONNAL RESPONSORIAL
(à partir de la fin du XIIe siècle)

Ad aspersionem aquae benedictae:
A/ Asperges me. *Tempore paschali*: A/ Vidi aquam (cf. Tableau III).

TEMPORALE
A prima dominica de Adventu usque ad ultimam dominicam post Pentecosten.
Dominica I de Adventu: R/ Missus est v/ Dabit ei (CAO 4, n° 7170)[4]

In Nativitate Domini: R/ Descendit de caelis v/ Tamquam sponsus (CAO 4, n° 6410 [*versio correcta*], 6411 [*versio antiqua*].- Thomas F. Kelly, „Neuma triplex.“ AMl 60 (1988), 1-30)[4]
Dominica in Ramis palmarum: antiphonae sicut in Tabula III.
Dominica resurrectionis Domini: antiphonae sicut in Tabula III et R/.

SANCTORALE
A nativitate sancti Johannis Baptistae, die 24 mensis Junii:
R/ Inter natos mulierum v/ Hic venit (CAO 4, n° 6979)[4]

COMMUNE SANCTORUM
Commune apostolorum
Commune martyrum
Commune confessorum
Commune virginum

In anniversario Dedicationis ecclesiae: R/ Terribilis v/ Cumque evigilasset v/ Vidit Jacob scalam (CAO 4 n° 7763)[4]

PRO DIVERSIS CIRCUMSTANTIIS

[4] Les répons cités ici comptent parmi les plus souvent mentionnés dans la tradition du Processionnal responsorial: un certain nombre de processionnaux de ce tableau mélangent les antiennes de procession traditionnelles aux répons tirés de l'Antiphonaire.
Au début des processionnaux, il faut soigneusement distinguer le R/ Missus est Gabriel angelus ad Mariam Virginem... Altissimi filius v/ Dabit ei [VIIe t.] de l'A/ Missus est Gabriel a Deo... verbum tuum, alleluia [également du VIIe t.].

TABLEAU V
LE PROCESSIONNAL CISTERCIEN[5]

Processionnal-rituel primitif
In *Purificatione, dum cerei dividuntur*:
A/ Lumen *cum Cantico* Nunc dimittis. *In egressu*: A/ Ave Maria gratia plena. *In secunda statione*: A/ Adorna. *In tertia statione*: A/ Responsum. *In ingressu*: A/ Hodie beata virgo.

In die palmarum dum palmae dividuntur:
A/ Pueri Haebreorum. *In egressu*: A/ Occurrunt turbae. *In prima statione*: A/ Collegerunt. *In secunda statione*: v/ Unus autem. *In tertia statione, flexis genibus*: A/ Ave rex noster. *Duo fratres in ecclesia post exitum*: V/ Gloria laus et honor.
In ingressu: R/ Ingrediente domino.

Première addition (ca. 1150).
In die Ascensionis Domini:
In egressu: R/ Viri Galilaei. *In prima statione*: v/ Cumque intuerentur. *In secunda statione*: R/ Pater cum essem cum eis. *In tertia statione*: v/ Pater sancte. *In ingressu*: A/ O rex gloriae.

Additions postérieures (entre 1202 et 1225).
In assumptione Beatae Mariae Virginis (die 15 Augusti):
R/ Hodie Maria virgo v/ Regina mundi. *In secunda statione*: R/ Felix namque es v / Ora pro populo. *In ingressu*: A/ Ascendit Christus.

[Après 1202] *In festo sci Bernardi (die 20 Augusti)*:
R/ Beatus Bernardus quasi vas v/ Factus est.

[Après 1289] *In Nativitate B. Mariae Virginis (die 8 Sept.)*.
R/ Beata progenies v/ Regali v/ Gloria patri. *In ingressu*: A/ Nativitas tua dei genitrix virgo.

[Après 1318] *Corpus Christi (feria V post dom. Trinitatis)*:
In egressu: R/ Ave verum corpus v/ Et pius. *In prima statione*:
R/ Eduxit vos v/ Non Moyses. *In secunda statione*: R/ Verbum caro. v/ In principio.
In tertia statione: R/ O sacramentum pietatis v/ Tu es cibus *sive* R/ Melchisedech rex Salem v/ Introivit Jesus. *In ingressu*: A/ O panis vitae natus de virgine.
[Pièces diverses propres aux Processionnaux cisterciens allemands].
R/ Invitati festinemus (avec d'autres pièces tirées de l'Office cistercien allemand du Corpus Christi, AH 24, 26-28).

[Après 1476] *In Visitatione B. Mariae Virginis (die 2 Julii)*:
R/ O dies omni voto v/ Haec est dies. *In secunda statione*: R/ O praeclara stella maris v/ Ad te clamant. *In ingressu*: A/ Magnificet dominum totum genus.

[5] Mélodies dans le *Processionale cisterciense*, Westmalle, 1960.

TABLEAU VI
LE PROCESSIONNAL DE SARUM[6]
(après 1200)

Le Processional de l'Eglise d'Angleterre selon le rite de Sarum est un processionnal mixte, composé de grandes antiennes (Tableau III) et de répons (Tableau IV). Les manuscrits comportent ou bien le processionnal *complet* avec chants, rubriques détaillées et oraisons dites par le prêtre en fin de procession, ou bien le processionnal *abrégé*, très répandu, avec seulement les chants et quelques brèves rubriques directoires.

Dominicis diebus: A/ Asperges me A/ Vidi aquam (Henderson, p. 4).

TEMPORALE (p. 4-135)
Dominica prima de Adventu: A/ Missus est.
In natale domini: R/ Descendit [version corrigée], avec prosules.
Die 26 Decembris: sci. Stephani: R/ Sancte dei pretiose v/ Ut tuo propitiatus[7]. *Prosula* Te mundi climata (TROF 2, 136 n° 686)[8].
Die 27 Decembris: sci Johannis Evg.: R/ In medio v/ Misit. *Prosula* Nascitur ex Patre (TROF 2, 83 n° 420).
Die 28 Decembris: scorum Innocentium: R/ Centum quadraginta v/ Hi empti sunt. *Prosula* Sedentem in supernae (TROF 2, 119 n° 604)
Die 29 Decembris: sci Thomae martyris: R/ Jacet granum v/ Cadit custos. *Prosula* Clangat pastor (TROF 2, 24 no 120).
Die prima Januarii: Octava Nativitatis: R/ Verbum v/ In principio. *Prosula*: Quem aethera et terra (TROF 2, 106 n° 537).

Dominica in Septuagesima: A/ Ecce carissimi dies illa.
Dominica prima Quadragesimae: A/ Cum venerimus ante conspectum.

Feria V in Coena domini: Ablutio altarium.
Feria VI in Parasceve: Depositio crucis.
Sabbato sancto: H/ Inventor rutili [AH 50, 30]. Exultet[9].
L/ Rex sanctorum angelorum [AH 50, 242]

[6] Edition des textes par W. G. Henderson, *Processionale ad usum insignis et praeclarae Ecclesiae Sarum*, Leeds, 1882 (reprinted Farnborough 1969). Les mélodies figurent dans les vingt-six éditions du Processionale Sarum imprimées entre 1502 et 1558, et dans le *Processionale ad usum Sarum* Richard Pynson, 1502, edited by Leslie Hewitt, Kilkeny, Ireland, 1980 [= *Musical Sources*, 16].

[7] Ce verset est noté à deux voix en notation alphabétique dans GB-Ob Bodley 572, f.49v. Facsimilés cités par Marion Gushee, *Romanesque Polyphony: A Study of the Fragmentary Sources*. Ph. D. Diss. Yale, 1965 [UMI 65-9676], 115.

[8] TROF = H. Hofmann-Brandt, *Die Tropen zu den Responsorien des Offiziums*. Kassel, 1973, Teil 2.

[9] Sur la mélodie, voir G. Benoît-Castelli, „Le Praeconium paschale.“ *Ephemerides liturgicae* LXVII, 1983, 333.

Dom.Resurrectionis: Salve festa dies... qua deus infernum (AH 50, 79)
In Ascensione dni.: Salve festa dies... qua deus in caelum(AH 50, 80)
In Pentecosten: Salve festa dies... qua nova de caelo (AH 43, 30)
Corpus Christi: Salve festa dies... qua caro Messiae (AH 4, 32)
In Dedicatione: Salve festa dies... qua sponso sponsa (AH 52, 35)
A/A/ ante crucem. A/A/ de beata Maria virgine. R/R/ de Trinitate.
SANCTORALE (p. 136-161)
Le sanctoral, variable selon chaque église[10], commence au 29 novembre, *In vigilia sci Andreae*: R/ Vir iste v/ Pro eo [IV toni].
Die 25 Januarii: In conversione sci. Pauli: R/ Celebremus conversionem sci. Pauli v/ Gaudent angeli [I toni].
Die 2 Julii: In festo visitationis Mariae: V/ Salve festa dies... qua christi mater visitat Elisabeth (AH 11, 51).
Die 22 Julii: scae Mariae Magdalenae: R/ O felix sacrorum lacrimis v/ Angelico pollet [I toni].
In festo nominis Jesu: V/ Salve festa die... qua Jesus hoc nomen (AH 52, 23).
Die 21 Septembris: sci. Matthaei Apostoli et Evangelistae:
R/ Cum ambularent animalia [I toni] v/ Cum elevarentur (CAO 4, n° 6353).
Die 9 octobris: sci. Dionysii: R/ Beatus Dionysius [I toni] v/ Beatorum animae (CAO 4, n° 6202 B).
Die 13 octobris: sci Edwardi: R/ Sancte Edwarde Christi confessor [II toni] v/ O sancte Edwarde [CAO 4, 7580 A].
Die 16 octobris: sci Michaelis in monte Tumba: R/ Archangeli Michaelis interventione v/ Perpetuum nobis [VII toni].

COMMUNE SANCTORUM (p. 162).

Processio causa necessitatis (p. 164).
In exequiis
Antiphona de Beatae Mariae Virginis: A/ Salve regina, tropé (p. 170). A/ Regina caeli. A/ Nesciens mater virgo A/ Ave regina caelorum. R/ Sancta Maria non est tibi similis v/ Post partum virgo [VII toni].

[10] voir T. Bailey, *The Processions of Sarum and the Western Church*, Toronto, 1971 [Studies and Texts, n° 21].

TABLEAU VII

LE PROCESSIONNAL DOMINICAIN[11]

(après 1254)

De processione in genere: Cum imminet aliqua processio...[12]
Dominica in ramis palmarum:
A/ Pueri Haebreorum tollentes. A/ Pueri Haebreorum vestimenta. A/ Cum appropinquaret. A/ Collegerunt pontifices v/ Unus autem. A/ Cum appropinquaret. A/ Collegerunt pontifices v/ Unus autem. A/ Ave rex noster. [A/ Cum audisset populus]. V/ Gloria laus. R/ Ingrediente domino v/ Cumque audisset.

Feria V in cena domini ad altaria abluenda:
R/ In monte oliveti v/ Verumtamen. R/ Tristis est anima mea v/ Ecce appropinquabit etc (R/R/ de tempore Passionis).
Hic ponantur antiphonae et versiculi et orationes de sanctis secundum dispositionem altarium in quolibet conventu.[13]

Feria V in cena domini ad mandatum peragendum:
A/ Dominus Jesus postquam v/ Deus misereatur. A/ Postquam surrexit. v/ Audite haec omnes. A/ Si ego dominus v/ Exemplum enim dedi. A/ Vos vocatis me magister v/ Dixit Jesus discipulis A/ Mandatum novum do vobis Ps/ Beati immaculati in via. A/ In hoc cognoscent v/ Pacem meam do vobis. A/ In diebus illis mulier v/ Maria optimam partem. A/ Maria ergo unxit pedes v/ Dimissa sunt ei peccata. A/ Domine tu mihi lavas pedes v/ Domine non tantum pedes. A/ Diligamus nos invicem v/ Et hoc mandatum. A/ Ubi est caritas et. A/ Congregavit nos v/ Ecce quam bonum. A/ Maneant in vobis v/ Nunc autem maneant fides.

Feria VI in Parasceve, de adoratione crucis:
Improperia/ Popule meus quid feci tibi. A/ Ecce lignum crucis. A/ Tuam crucem adoramus. A/ Tuam crucem adoramus. A/ Adoramus crucis signaculum. A/ O admirabile pretium. A/ Cum rex gloriae Christus.

In die paschae et duobus sequentibus:
R/ Christus resurgens v/ Dicant nunc Judaei. A/ Regina caeli.

[11] Liste établie d'après l'Exemplar du Couvent St Jacques de Paris (Rome, Sta Sabina, Archivum FF. Praedicatorum XIV.L.1, ff. 58v-65v) et d'après le Livre portatif du Maître de l'Ordre (Londres, British Library, Add. MS 23935, ff.98vB-106v). Le relevé de C. Allworth in *Ephemerides liturgicae* 84 (1970), 182-185 (Table I) a fait l'objet de critiques de la part d' A.J. Dirks, *ibid.* 86 (1972), 76-79. Pour les mélodies, voir le *Processionarium juxta ritum S. Ordinis Praedicatorum*, Rome 1913, qui suit la version du Ms. de Ste. Sabine.

[12] La longue rubrique concernant les processions est rarement reproduite dans les copies portatives du Processionnal dominicain, sauf dans l'exemplaire du chantre.

[13] Les antiennes, versets et oraisons à l'adresse des titulaires de chaque autel ne figurent pas dans tous les processionnaux.

In die ascensionis:
R/ Viri Galilaei v/ Cumque intuerentur. R/ Omnis pulchritudo dni. v/ A summo caelo. R/ Non conturbetur v/ Ego rogabo patrem. A/ O rex gloriae.

[*In festo Corporis Christi (feria V post dominicam S. Trinitatis)*[14]]

In festo purificationis b. Mariae virginis (die 2 Februarii)[15]:
A/ Lumen ad revelationem *cum Cantico* Nunc dimittis. A/ Ave gratia plena. A/ Adorna thalamum. *Alia* A/ Responsum accepit Simeon. A/ Hodie beata virgo.

[*In festo beati Dominici (die 5 Augusti)*:]
A/ Transit pauper ad regni. R/ Granum excussum palea v/ Flos in florum. R/ Felix vitis v/ Ex ubertate palmitum. R/ Ascendenti de valle v/ Per quem multos. R/ O spem miram v/ Qui tot signis. A/ O lumen ecclesiae, doctor veritatis[16].

In festo assumptionis Beatae Mariae virginis (die 15 Augusti):
R/ Felix namque es v/ Ora pro populo. R/ Sicut cedrus v/ Sicut cinamomum. R/ Quae est ista v/ Et sicut dies. R/ Ibo mihi ad montem v/ Pulchrae genae tuae.

In sollemni receptione conventus: A/ Benedic Domine.

In receptione legatorum vel praelatorum: R/ Cives apostolorum v/ Audite.

In receptione regis vel imperatoris: R/ Tua est v/ Creator.

In exequiis:
R/ Subvenite sancti dei v/ Chorus angelorum. A/ Clementissime domine. Tr/ Ab hac familia.[17]

[14] L'office dominicain de la Fête-Dieu (AH 24, 30-33), composé en 1318 par démarquage des pièces de l'office de st Dominique, est dû à Hervé de Nédellec, Maître général des FF. Prêcheurs: il a été remplacé à partir de 1323, par l'office de St. Thomas d'Aquin, adopté par le Bréviaire romain.

[15] Quelques processionnaux portatifs replacent cette fête en tête du répertoire, comme dans le Processionnal romano-franciscain.

[16] Les pièces de l'office propre de st Dominique sont éditées dans AH 25, 239-242.

[17] Trope de l'offertoire *Recordare virgo* édité dans AH 49, 321.

TABLEAU VIII
LE PROCESSIONNAL ROMANO-FRANCISCAIN[18]
(XIIIe siècle)

In purificatione b. Mariae virginis (die 2 Februarii):
A/ Lumen *cum cantico* Nunc dimittis. A/ Exurge domine Ps/ Deus auribus nostris. A/ Adorna thalamum. *Alia* A/ Responsum accepit Simeon v/ Cum inducerent. R/ Obtulerunt v/ Postquam impleti sunt.

Dominica in palmis:
A/ Hosanna filio David. A/ Collegerunt v/ Unus autem. A/ Pueri Haebreorum portantes. A/ Pueri Haebreorum vestimenta. A/ Cum appropinquaret dominus. A/ Cum audisset populus. A/ Ante sex dies solemnis Paschae. A/ Occurrunt turbae. V/ Gloria laus (*cum 5 strophis*). R/ Ingrediente domino v/ Cumque audisset.

Les processionnaux franciscains ajoutent quelques strophes au V/ Gloria laus (cf. AH 50, 162), des pièces pour st François et des R/ pour les funérailles.

[18] Textes dans le *Missale romanum*, Mediolani 1474 (Henry Bradshaw Society, XVII & XXXIII); mélodies dans le *Liber processionum secundum usum romanum et potissime secundum usum fratrum minorum diligentissime castigatum*. Parisiis, apud Henricum Stephanum, 24 Aprilis 1507; Rotomagi, Olivier pro Fr. Regnault, 1513-1523 (?); dans le *Graduale romanum* de 1907.

TABLEAU IX
LE PROCESSIONNAL DES AUGUSTINS & PRÉMONTRÉS.

Le Processionnal des Chanoines augustins et des Prémontrés est généralement adapté sur celui du diocèse dans lequel le monastère est situé. Il se reconnait cependant grâce à quelques critères[19] qui ne sont pas toujours réunis ensemble dans un seul manuscrit:

1. L'usage de l'ablution des autels après la messe du Jeudi-saint, comme dans le Processionnal dominicain (Tableau VII).
2. Le chant de la Litanie des Ténèbres *Kyrie qui passurus* après les nocturnes des trois derniers jours de la Semaine sainte.
3. Procession aux fonts baptismaux durant toute l'octave de Pâques.
4. La célébration des fêtes de saint Augustin inscrites au calendrier des différentes branches de chanoines réguliers:
   28 février: translation de saint Augustin (fête imposée en 1343).
   5 mai: conversion de saint Augustin. Fête adoptée en 1341, puis en 1371.
   28 août: *natalis* de saint Augustin (fête imposée en 1343).
   11 octobre: seconde translation de saint Augustin (fête imposée en 1343).
   Cependant, il est rare de rencontrer ces quatre fêtes dans un même manuscrit.
5. L'antienne *Clementissime* dans le rituel des funérailles, comme chez les Cisterciens (Tabl. V) et Dominicains (Tabl. VII).

[19] Voir Pl. Lefèvre, *L'Ordinaire de Prémontré d'après les manuscrits du XIIe et du XIIIe siècle* (Louvain, 1941), Bibliothèque de la Revue d'histoire ecclésiastique, fasc. 22, p. 116 ss. [sur les funérailles des chanoines].
La liturgie de Prémontré. Histoire, Formulaire, Chant et Cérémonial (Louvain, 1957), Bibliotheca Analectorum Praemonstratensium, Fasc. 1, passim (voir la table, p. 171).
Coutumiers liturgiques de Prémontré du XIIIe et du XIVe siècle (Louvain, 1953), Bibliothèque de la Revue d'histoire ecclési-astique, fasc. 27, p. 116 ss. [sur les fêtes de saint Augustin].

BIBLIOGRAPHIE

I. Sources Primaires: Liste des processionnaux imprimés.

d'après *RELICS, Renaissance Liturgical Imprints. A Census* directed by David Crawford (University of Michigan) and Associate Directors James Borders (University of Michigan) and Barbara Haggh (University of North Texas) [= RELICS], et d'après le *Répertoire des Rituels et Processionnaux imprimés conservés en France* de Jean B. Molin et Annick Aussedat-Minvielle, Paris 1984 [pour les processionaux postérieurs à 1601, non cité ci-dessous].

1. Processionnaux diocésains

AMIENS, ca 1516: Processionale ad usum insignis ecclesie Ambianensis. Paris, Desplains 1516 (RELICS 5812).

ANVERS, 1574: Processionale Insignis Cathedralis Ecclesiae Antverpiensis. Anvers, Plantin 1574 (RELICS 5622).

AUGSBURG, 1566: Preces Ecclesiae in processionibus... Dillingen, Mayer 1566 (RELICS 4420).

AUXERRE, 1537: Processionale iuxta ritum insignis ecclesie et diocesis Antissiodorensis. Paris, Paquot 1537 (RELICS 5840).

BARCELONA, 1522: Processionale sanctae crucis... Barcinonae. Lyon, Myt 1522 (RELICS 6670).

BORDEAUX, 1662, 1708, 1728, 1777, 1844, 1861.

BOURGES, 1571: Processionale seu Orationale ad usum patriarchalis Aquitanie primatis alme Bituricensis ecclesie... Bourges, Bouclier 1571 (RELICS 6029).

BRUXELLES 1531 et 1544: Processionale ad usum insignis ecclesie dive Gudule et ceterarum ecclesiarum opidi Bruxellensiss... Anvers, Ruremunde 1531. 2d ed Anvers 1544. (RELICS 4494 & 4495).

CHALONS-SUR-MARNE, ca 1570: (fragment).

CHARTRES, 1559: Processionale recens insignis Ecclesiae et Diocesis Carnotensis. Paris, Kerver 1559 (RELICS 4485).

EVREUX, 1500 & 1525: Processional imprimé à Rouen en 1500 (?) (RELICS 6127 & 4101) et en 1525 (RELICS 5265).

GRANADA 1553: Incipit Ordo ad processiones faciendas... Granatensis... Granada, Nebrija 1553 (RELICS 2171).

LE MANS, 1518: Incipit Processionale secundum usum insignis ecclesie Cenomanensis. Paris, Kerver 1518 (RELICS 4539); Paris, Prevost 1525 (= 4540); Le Mans, Olivier 1575(?) (= 4544).
LERIDA, 1513: Cantanda in omnibus processionibus fiendis scdm usum insignis Illerdensis ecclesiae. Saragosse, Coci 1513 (RELICS 6152).
LISIEUX, 1531: Liber Processionalis ad usum insignis ecclesie cathedralis Lexoviensis. Paris, Petit et Rouen, Bouvet 1531. (RELICS 4519).

MEAUX, ca 1546: [Processionale Meldense]. Paris, Bonhomme 1546 (RELICS 4546).
MEISSEN, 1522: Libellus ad omnes... processiones ecclesiasticas Leipzig, Lotter I 1522 (RELICS 4755).
METZ, Processionale Metense, Mgr. de Montmorency-Laval. Metz, 1781.
MILANO, 1494: [Processionale Ambrosianum]...qui se incomentiano le letanie secundo l'ordine Ambrosiano. Milan, Zarotta 1494 (RELICS 5098).
Libro delle Littanie secondo l'ordine di santo Ambrosio per città di Milano. Milan, 1546.

NEVERS, 1535: Incipit processionale secundum usum insignis ecclesie et diocesis Nivernsis. Paris, Maheu 1535 (RELICS 4555).

PARIS, entre 1482 (?)-1496: Processionale noviter impressum Parisiis. Paris, Tholoze 1482-1496 (RELICS 4578).
PARIS, 1531: L'ordre de la Procession générale célébrée à Paris le xxie jour de janvier 1534... Paris, Veuve de Pierre Roffet 1534 (RELICS 5778).
PARIS, entre 1556-1559: Processionale recens emendatum, iuxta ritum insignis ecclesie et diocesis Parisiensis. Paris, André Roffet 1556-1559 (RELICS 4579).
PARIS, 1577: Processionale noviter emendatum et auctum, iuxta ritum insignis ecclesie, et diocesis Parisiensis. Paris, Roger et Kerver 1577 (RELICS 4579).
PARIS, 1588: Processionale noviter emendatum et auctum, iuxta ritum insignis ecclesie, et diocesis Parisiensis. Paris, Le Blant II 1588 (RELICS 4581).
POITIERS, Processionnal imprimé (Poitiers, 1771), classé parmi les manuscrits (Poitiers, Bibliothèque municipale 885: cf. Catalogue F-154/2).

REIMS, 1571: Processionale secundum usum insignis ac metropolis Ecclesiaee Rhemensis. Reims, Fogneux 1571 (RELICS 4600).
ROMAIN: Les nombreux exemplaires intitulés „Processionale Romanum" ont été imprimés à: Venise 1513 (RELICS 2192) et 1523 (= 8228), Barcelona 1527 (= 6674), Zaragoza 1535 (=5379), Mexico 1544 (= 7106), Salamanca 1557 (= 2581), 1564 (= 6586), Alcala 1573 (= 12834), Anvers 1574 (= 11707), 1579 (= 4712).
ROUEN, 1502: Processionale Rothomagense. Rouen, 1502 (RELICS 4618), Paris, 1528 (= 4619), 1588 (= 4620), 1645.

SAINT SÉEPULCRE, 1585: Ordo processionis quae fit per Ecclesiam Sancti Sepulchri D.N.J.C. Venise, Varisco 1585 (RELICS 6665).
SALISBURY 1501-1557: Processionale ad usum Sarum. Londres, 1501 (RELICS 10230), 1502 (= 6080), Rouen 1517 (= 6120), Paris 1519 (= 2193), Anvers 1523 (= 5401, 10233) et

1525 (= 5384), Rouen 1525 (= 10231-10232), Anvers 1528 (= 2194) et 1530 (= 5403), Paris 1530 (= 2863), Anvers 1532 (= 5404), 1540 (= 5365), 1542 (= 10234), 1544 (= 2196), 1545 (= 4842), Londres 1554 (= 4787), 1555 (= 2864, 7280, 7805), Rouen 1555 (= 4005), 1557 (= 5367), Anvers 1558 (= 5369).

SENS, entre 1510-1520 (?): Processionnaire à l'usaige de Sens (RELICS 4634), ca 1555 (= 4635).

TARRAGONA: Barcelona, Bornat 1568 (RELICS 12833).

TORTOSA, 1595: Processionarium juxta ritum ecclesiae Dertusensis. Valencia, Patricio 1595 (RELICS 11029).

TROYES, 1686: Processionale Ecclesiae Trecensis, Mgr. Monthillier, évêque de Troyes. S. l. 1686.

– Processionale Ecclesiae Trecensis. Troyes, 1769.

VALENCIA, 1578: Processionarium juxta ritum et usum metropolitanae Ecclesiae Valentinae. Valencia, Huete 1578 (RELICS 6671).

VERDUN, 1587: Ordo Divini Officii peragendi in Cathedrali Ecclesia Virdunensi in Processionibus et stationibus fieri solitis, a die veneris sancta, usque et per octavas Paschae, et tam eundo ad fontes, quam alibi per civitatem Virdunensem. Verdun, 1587 (RELICS 4672).

YORK: Processionale completum per totum anni circulum ad usum celebris ecclesiae Eboracensis. Rouen, Olivier; York, Gachet 1516-1517 (RELICS 5390), 1530 (= 2175), London, Kingstone 1555 (RELICS 2865).

2. Processionnaux des Ordres religieux.

ANNONCIADES CÉLESTES, 1629: Processional pour aucunes solemnitez de l'année, servante à l'usage des religieuses Annonciates coelestes. Tournay, 1629.

BÉNÉDICTINES, 1555: Processionale et Antiphonarium juxta regulam reformationis ordinis Fontisbraldi. Paris, Pacquot 1555 (RELICS 4717).

– Processionale Deo-dicatarum virginum ordinis Fontisbraldensis. Paris, Cavellat 1599 (RELICS 4718).

BÉNÉDICTINES, 1622: Proccessional dressé pour l'usage des dames religieuses du royal monastère de Saincte Trinité de Caen, conformément à celuy du S. Concile de Trente. Caen, 1622.

BÉNÉDICTINES, 1675: Processional monastique de l'Abbaye royale de Mont-Martre, ordre de S. Benoist. Paris, 1675. 2[d] ed. 1676.

BÉNÉDICTINS, 1500: Processionale secundum consuetudinem monachorum congregationis sancti Benedicti de Valladolid. Montserrat, Luschner 1500 (RELICS 2172).

BÉNÉDICTINS, 1523: Cantus monastici formula... Cantorinus et Processionarius... secundum ritum congregationis Cassinensis. Venise, Giunta 1523 (RELICS 5631), 1535 (= 646).

BÉNÉDICTINS, 1543: Processionale monasticum secundum consuetudinem... congre-

gationis cenobii S. B. Vallisoletani Valladolid, Fernandez de Cordova 1543 (RELICS 10405).
BÉNÉDICTINS, 1619: Processionale monasticum, ad romani ritus et politioris concentus normam diligenter accommodatum... St. Mihiel, 1619. Autres ed. 1626. Poitiers, 1629. Toul, 1632, 1636, 1683.
BÉNÉDICTINS, 1623: Processionale Ordinis Sancti Benedicti. Rouen, 1623.
BÉNÉDICTINS, 1634: Processionale monasticum. Paris, 1634. Autres ed. 1641, 1659, 1687, 1692. Solesmes, 1893.
BÉNÉDICTINS, 1674: Processionale cum Rituali ad usum ecclesiae regii monasterii S. Vedasti apud Atrebates, O.S.B. Lille, 1674.
BÉNÉDICTINS, 1678: Processionale particulare Abbatiae Regalis Sancti Petri Corbeiensis. Paris, MDCLXXVIII.
BÉNÉDICTINS, 1691: Processionarium monasticum juxta consuetudinem Monachorum nigrorum Ordinis S.P.N. Benedicti Regnorum Portugaliae. Coïmbra, 1691.
BÉNÉDICTINS, 1692: Directorium seu cantus et responsoria in processionibus ordinariis per annum, et exequiis defunctorum. St Gall, 1692.

CARMES, 1614: Directorium chori una cum processionali, iuxta ordinem, ac ritum Fratrum B. Mariae Virginis de monte Carmeli. Naples, 1614. 3[d] ed. Roma, 1699.
CARMES, 1626: Processionale Carmelitarum. Redon, 1626.
CELESTINS, [1500-1530]: Incipit ordo processionum: que fiunt in cenobiis fratrum Celestinorum secundum usum Romane curie per anni circulum. Paris (?) 1500.
CISTERCIENS, 1511: Processionarius totius anni secundum ordinem Cisterciensem. Zaragoza, Mager 1511 (RELICS 2860), Coci 1514 (= 6153), Najera 1550 (= 4723), Bernuz 1550 (= 4724).
CISTERCIENS, 1515: Processionarius secundum ordinem Cysterciensem Paris, Marnef 1515 (RELICS 3031).
CISTERCIENS, 1569: Liber Processionarius regularis observantiae ordinis Cisterciensis, in Hispaniarum Regis iussu capituli provinciae nuper correctus. Salamanca, Terranova 1569 (RELICS 2174). Madrid, 1649.
CISTERCIENS, 1572: Processionale ad usum sacri ordinis Cisterciensis. Paris, Cavellat 1572 (RELICS 4725), 1616, 1627, 1645, 1674, 1681, 1689, 1703, 1717, 1742. Madrid, 1752. Westmalle, 1908.
CROISIERS, 1695: Processionarium ad usum Canonicorum regularium congregationis S. Crucis Coimbrensis Ordinis S. Patris Augustini. Coïmbra, 1695.

DOMINICAINS, 1493: Processionarium ordinis Praedicatorum. Venise, Emerich 1493 (RELICS 2179), Sevilla, Polono & Meinhard 1494 (= 2180), Venise, Giunta 1498 (= 2183), 1509 (= 2184), 1517 (= 2185), Sevilla, Cromberger 1519 (=2186), 1545 (= 4440), 1560 (= 4446), 1563 (= 5283), 1569 (= 6673), 1573 (= 10418), 1590 (= 2862).
DOMINICAINS, 1609: Processionarium secundum ordinem fratrum praedicatorum... cum multis additionibus. Paris, 1609.
DOMINICAINS, 1610: Processionarium iuxta ritum sacri ordinis praedicatorum S. P. N. Dominici. Roma, 1610, 1638, 1746, 1754, 1861, 1913.
DOMINICAINS, 1647: Processionale sacri ordinis Praedicatorum, editum et emendatum. Paris, 1647, 1654, 1657, 1677, 1679, 1687, 1707, 1754.

DOMINICAINS, fin XVIIo siècle: Processionaire selon l'usage des FF. et Soeurs de S. Dominique.

ERMITES DE SAINT-AUGUSTIN, 1513: Processionale Romanum cum officio mortuorum et missa pro defunctis in cantu. Venise, 1513.

ERMITES DE SAINT-AUGUSTIN, après 1634: Processionarium ad usum ordinis Eremitarum S. Patris Augustini Provinciae Portugalliae. Paris, après 1634.

FRÈRES MINEURS, 1506: Manuale chori... ad processiones. Salamanca 1506 (RELICS 5405).

FRÈRES MINEURS, 1514: Liber processionum secundum usum romanum et potissime secundum usum fratrum minorum. Paris, après 1514-1515 (RELICS 6128), 1518 (= 4756), 1522 ? (= 6977).

FRÈRES MINEURS, 1586: Manuale chori secundum usum ordinis Fratrum Minorum... Salamanca, Foquel 1586 (RELICS 3614).

FRÈRES MINEURS, 1599 (?): Processionale secundum usum Romanae Ecclesiae ad formam Tridentini Breviarii restitutum. Paris, 1599.

FRÈRES MINEURS, 1612: Directorium et processionarium ordinis fratrum Minorum. Salamanca, 1612.

FRÈRES MINEURS, 1615 (?): Processionale iuxta ritum Sanctae Romanae Ecclesiae restitutum. Paris, 1615, 1619.

FRÈRES MINEURS, 1619: Processionale ad normam missalis ac ritualis... In usum FF. Minorum. Anvers, 1619. Cologne, 1683.

FRÈRES MINEURS, 1629: Processionale romanum ad usum Fratrum Minorum. Paris, 1629.

FRÈRES MINEURS, 1669: Rituel à l'usage des religieux et religieuses de l'ordre de St François. Paris, 1669.

FRÈRES MINEURS, 1682: Processionel disposé selon les règles du Missel et du Rituel Romain, à l'usage des Frères Mineurs Recollects. Tournay, 1682.

FRÈRES MINEURS, 1694: Processional où sont contenus les offices communs et particuliers. Paris, 1694.

FRÈRES MINEURS, 1715: Manuale seu Processionarium Ordinis Fratrum Minorum. Madrid, 1715.

GÉNOVÉFAINS, 1665: Processionale ad usum insignis et regalis ecclesiae Sanctae Genovefae Parisiensis. O.C.R. Paris, 1665.

GÉNOVÉFAINS, 1696: Processionale ad usum insignis ecclesiae Sancti Martini ad Gemellos Ambianensis. O.C.R. Paris, 1696.

HIÉRONYMITES, 1526: Incipit liber processionarius secundum consuetudinem ordinis sancti patris nostri Hieronymi. Alcala de Henares, Eguia 1526 (RELICS 2190, 2191), 1568 (= 6672).

PRÉMONTRÉS, 1584: Processionale, secundum ritum ecclesiae et ordinis Praemonstratensis. Paris, Bonhomme 1584 (RELICS 4759).

PRÉMONTRÉS, 1666: Processionale ad usum sacri et canonici Praemonstratensis Ordinis. O.S.A. Paris, 1666.

TRINITAIRES, 1589: Manual de la Orden de la sanctissima e individua Trinidad y redempcion de captivos. Barcelona, Cendrat 1589 (RELICS 4760).

II. Sources Secondaires:
ouvrages sur les processions et les processionnaux.

ALESSI, Giorgo de. Repertorio metrico del Manoscritto Paris, B.N. lat. 1139 (sezione antica). Torino, 1971.

ALLWORTH, Christopher. „The Medieval Processionnal: Donaueschingen Ms. 882.“ Ephemerides liturgicae 84 (1970), 169-186.

ANDRIEU, Michel. Les Ordines Romani du Haut Moyen Age. Louvain, 1931-1961. 5 volumes.

– Ordo qualiter in Purificatione sanctae Mariae agendum est (Ordo XX, t.III [1951], 235-236).

– Quando letania major debet fieri (Ordo XXI, t.III, 247-249).

– Incipit ad reliquias levandas sive deducendas seu condendas (Ordo XLIII, t.IV [1952], 411-413).

– Ordo romanus antiquus, Cap. xx: In purificatione scae Mariae. Cap. xxxv: De letania majore. Cap. xxxvj: De letania minore (Ordo L, t.V [1961], 97, 314, 315, 407, 413).

AUSTIN, Gérard. „Liturgical manuscripts in the United States and Canada.“ Scriptorium 28 (1974/1), 92-100.

BAILEY, Terence W. „The Ceremonies and Chants of the Processions of the Western Church: With Special Attention to the Practice of the Cathedral Church of Salisbury.“ Ph.D., Musicology, University of Washington, 1968 [UMI 69-01142].

– The Fleury Play of Herod. Toronto, 1965.

– The Processions of Sarum and the Western Church. Toronto, 1971.

BARBIER DE MONTAULT, Xavier. Processionnal de l'abbaye de St-Aubin à Angers. Bulletin historique et philologique du Comité des travaux historiques, 1 (1885), 132-141

BAROFFIO, Giacomo, ed. Il processionale benedittino della Badia di Sant'Andrea della Castagna. Milano, 1992.

BAUTIER, Geneviève. „Le St. Sépulcre de Jérusalem et l'Occident au Moyen Age.“ Ecole Nationale des Chartes, Position des thèses, 1971, 15-25.

BAYART, Paul. „Archives et musiciens.“ Tribune de S. Gervais 25 (1928), 181-184 et 26 (1929), 12-14.

BEER, Ellen J. Beiträge zur oberrheinischen Buchmalerei in der ersten Hälfte des 14. Jhdts. unter besonderer Berücksichtigung der Initialornamentik. Basel und Stuttgart, Birkhäuser 1959.

BENOÎT-CASTELLI, Georges. „Un processionnal anglais du XIVe s.: le processionnal dit de Rollington.“ Ephemerides Liturgicae 75 (1961), 281-326.

BERENDES, Sister M. Benedicta. „The Versus and its Use in the Medieval Roman Liturgy.“ Ph.D. Musicology. University of Pittsburgh, 1973 [UMI 74-7030].

BERGER, Blandine. Naissance et évolution du drame liturgique de Pâques du Xe au XIIe siècle. Thèse de 3ème cycle (Nanterre) 1973.
– Le drame liturgique de Pâques. Liturgie et théâtre. Paris, 1976 [Théologie historique, 37].
BERNARD, Madeleine. L'„Officium stellae" nivernais. RdM 51 (1965), 52-65.
BISCHOFF, Bernhard. Caritas-Lieder. Mittelalterliche Studien, II. Stuttgart, 1967, 56-77.
– Regensburger Beiträge zur mittelalterlichen Dramatik und Ikonographie. Mittelalterliche Studien, II. Leipzig 1967, 156-168.
BORDERS James, ed. Early Medieval Chants from Nonantola. Part III: Processionnal Chants. Madison, 1996. [Recent Researches in the Music of the Middle Ages and Early Renaissance, Volume 32].
BOUILLE, Michel. „Les anciennes processions du Jeudi-Saint et du Vendredi-Saint." Cahiers d'études et de recherches catalanes (Perpignan, Direction des Archives) 34-38 (1967), 133-136.
BOUTILLIER, abbé. Drames liturgiques et rites figurés ou cérémonies symboliques dans l'Église de Nevers. Nevers, 1880.
BOWLES, Edmund A. „Musical Instruments in the Medieval Corpus Christi Procession." JAMS 17 (1964), 254-260.
– „The Role of Musical Instruments in the Medieval Sacred Drama." MQ 45 (1959), 67-84.
BRAGANÇA, Joaquim O. Ritual de Santa Cruz de Coïmbra, Porto Bibl. mun. Ms. 858. Lisboa, 1976.
BRENET, Michel. Musiciens de la Sainte Chapelle. Paris, 1910.
BROCKETT, Clyde W. „Unpublished Antiphons and Antiphon Series Found in the Gradual of St-Yrieix." MD 26 (1972), 67-94.
– „Easter Monday Antiphons and the „Peregrinus Play." KmJb 61/62 (1977/78), 29-46.
– „A Repertory of Processional Antiphons in Vienna Nationalbibliothek MS 1888." Symposium ‚Austria 996-1996. Music in a Changing Society'. Ottawa, 1996.
– „Antiphons and Titles: Ambiguities for the Tenth-Century Quem Quaeritis." Kalamazoo, MI, Medieval Studies Congress, 1995.

CANELLAS, Angel. „Un processionnal de Saragosse (Bruxelles, Bibl. royale IV 473)." Texts and Manuscripts. Essays presented to G. I. Lieftinck II (Amsterdam, 1972), 34-46, 6 fig. et 1 pl.
CASTELLI POLIDORI, Ornella. „Gli ‚Ordinamenti' delle monache benedittine di Pontetetto (Lucca)". Cultura neolatina 26 (1966), 199-232.
CHAPEAU, G. „Les Processions des Rogations." Bulletin de la Société des Antiquaires de l'Ouest, 1932, 599-605.
COLETTE, Marie-Noël. Le répertoire des Rogations d'après un Processionnal de Poitiers (XVIe s.). Paris, 1976. [IRHT: Bibliographies, Colloques, Travaux préparatoires. Série Bibliothèques anciennes].
COLLINS, Fletcher, Jr. The Production of Medieval Church Music Drama. Charlottesville, 1972.
– Medieval Church Music Dramas. A Repertory of Complete Plays. Charlottesville, 1976.
CORBIN, Solange. „L'office portugais de la ‚Sepultura Christi'." RdM 26 (1947), 63-71.
– „Un jeu liturgique d'Hérode, Ms. Paris, Bibl. Mazarine 1712 (1316)". Mittellateinisches Jahrbuch 8 (1973), 43-52.

DAVID, Lucien. L'antienne ‚Ave gratia plena'." RCG 32 (1928) 1-8.
– „Les Rogations avant la lettre et le choeur des chantres au XVIe siècle avant Jésus-Christ." RCG 42 (1938), 112-120; 150-155.
DE BOOR, Helmut. Die Textgeschichte der lateinischen Osterfeiern. Tübingen, 1967. [Hermaea Germanistische Forschungen, N.F. 22].
DE BRUYNE, Donatien. „L'origine des processions de la Chandeleur et des Rogations." Revue bénédictine 34 (1922), 14-26.
DE CLERCK, Paul. La „prière universelle" dans les liturgies latines anciennes. Témoignages patristiques et textes liturgiques. Münster, 1977. [Liturgiewissenschaftliche Quellen und Forschungen].
DE MONTESSUS, Telchilde. „Note sur le rituel de 1315 de l'abbaye d'Origny Ste Benoîte." Revue bénédictine 82 (1972), 243-262.
DESTRAIT, L. „Le monastère de St-Vincent de Soignies, les chasses, les processions en 1654." Annales du Cercle archéologique du Canton de Soignies 8 (1938), 267-270.
DOLAN, Diane. Le drame liturgique de Pâques en Normandie et en Angleterre. Paris, 1975. [Publications de l'Université de Poitiers. Lettres et Sciences Humaines XVI].
DOLD, Alban. Lehrreiche Basler Brevierfragmente des 10. Jahrhunderts. Wege zu Ihrer Bestimmung und Erschliessung. Beuron, 1954. [Texte und Arbeiten herausgegeben durch die Erzabtei Beuron, 1. Abt. Heft 44].
DONOVAN, Richard B. The Liturgical Drama in Medieval Spain. Toronto, 1958. [Studies and Texts, 4].
DUCHESNE, Louis. Origines du culte chrétien. 5e éd. Paris, 1920.
DUMVILLE, David. „Liturgical Drama and Panegyric Responsory from the Eight Century? A Reexamination of the Origin and Contents of the Ninth Century Section of the Book of Cerne." Journal of Theological Studies 23 (1972), 374-406.

EDER, Christine E. „Eine noch unbekannte Osterfeier aus S. Nikola in Passau." Festschrift Bernard Bischoff zu seinem 65. Geburtstag dargebracht von seinen Freunden, herausgegeben von Jeanne Autenrieth und Franz Brunhölzl. Stuttgart, 1971, 449-456.
EDWARDS, Robert. The Montecassino Passion and the Poetics of Medieval Drama. Berkeley, 1977.
ELDERS, Willem. „Gregorianisches in liturgischen Dramen der Hds Orléans 201." AMl 36 (1964), 169-177.

FISCHER, Kurt von und LÜTOLF, Max. Handschriften mit mehrstimmiger Musik des 14., 15. und 16. Jahrhunderts. München-Duisburg, 1972. [R.I.S.M., B IV 3].
FLEMMING, Willi. Die Gestaltung der liturgischen Osterfeier in Deutschland. Mainz, 1971.
FRANZ, Adalbert. Die kirchlichen Benediktionen im Mittelalter, I (Freiburg in Breisgau, 1909. 2e Ausg. 1960).
FREELAND, Sister Jane Patricia. A Fifteenth-Century Cistercian Processionnal: Cistercian Ideals and Reality. Kalamazoo, 1978. [Cistercian Publications], 344-351.

GASTOUÉ, Amédée. „Un petit drame liturgique parisien pour Pâques." Tribune de St Gervais 9 (1903), 155-156.

– Le chant gallican. Grenoble, 1939 [extrait de la RCG 1937 et 1938].
GÉGOU, Fabienne. „Fragment de drame liturgique (?) découvert dans le manuscrit La Vallière de la Bibliothèque nationale.“ RdM 45 (1960), 76-83.
GESSLER, Jean. Le drame liturgique de Münsterbilsen. New York, 1928.
GHISI, Federico. „Un processionnale inedito per la Settimana Santa nel Opera del Duomo di Firenze.“ Rivista musicale italiana 55 (1953), 362-369.
GLEESON, Philip P. Dominican liturgical Manuscripts from before 1254. Archivum Fratum Praedicatorum 42 (1972), 81-135.
– Early Dominican Liturgical Documents from the Period before the Correction of Humbert of Romans. Diss. (Institut Catholique de Paris) 1969.
GRÄF, H. J. Palmenweihe und Palmenprozession in der lateinischen Liturgie. Kaldenkirchen, 1959.
GREENBERG, Noah and SMOLDON, William L. The Play of Herod: A Twelfth-Century Musical Drama. Performing Edition. New York, 1965.
GSCHWEND, Karl. Die Depositio und Elevatio Crucis im Raum der alten Diözese Brixen. Ein Beitrag zur Geschichte der Grablegung am Karfreitag und der Auferstehungsfeier am Ostermorgen. Sarnen, 1965.
GUSHEE, Marion. „A Polyphonic Ghost.“ JAMS 16 (1963), 205-211.
GY, Pierre-Marie. „Collectaire - Rituel - Processionnal.“ Revue des Sciences philosophiques et théologiques 44 (1960), 441-469 [art. reproduit dans GY, La liturgie dans l'histoire, Paris, 1990, 91-126].

HAGGH, Barbara. Music, Liturgy and Ceremony in Brussels, 1350-1500. Ph.D. Diss. Musicology, University of Illinois at Urbana-Champaign, 1988. 422-448 [UMI 89-08694].
– „Reconstructing the Plainchant Repertory of Brussels and its Chronology.“ Musicology and Archival Research, Colloquium Proceedings, Brussels, 22-23 April 1993, ed. Barbara Haggh, Frank Daelemans, André Vanrie (Archives et Bibliothèques de Belgique, Extranummer 46: Brussels, 1994), 177-213 (notamment 179-181).
– „Plays in Late Medieval Processions in the Low Countries: Music and Geography.“ *Tijdschrift van de vereniging voor Nederlandse muziekgeschiedenis* (sous presse).
HANDSCHIN, Jacques. „Das Weinachts-Mysterium von Rouen als musikgeschichtliche Quelle.“ AMl 7 (1953), 97-110.
– „Zur Geschichte von Notre-Dame.“ AMl 4 (1932), 5-17; 49-55.
HARDISON, O. B., Jr. Christian Rite and Christian Drama in the Middle Ages. Essays on the Origin and Early History of Modern Drama. Baltimore, 1965.
HÄRING, Nicolas M. „Die Gedichte und Mysterienspiele des Hilarius von Orléans.“ Studi medievali, 3a serie, 17 (1976/2), 915-963.
HARRISON, Frank SS. „Polyphony in Medieval Ireland.“ Festschrift Bruno Stäblein. Kassel, 1967, 74-78.
HARTL, Eduard. „Das Regensburger Osterspiel und seine Beziehugen zum Freiburger Frauleichnamspiel.“ Zeitschrift für deutsches Altertum und Literatur 78 (1941), 121-132.
HEGEL, Ernst. „Prozessionen und Wallfahrten im alten Erzbistum Köln im Zeitalter des Barock und der Aufklärung.“ Zeitschrift des Aachener Geschichts Vereins 84-85 (1977-78), 301-319.
HEINZ, Andreas. „Die Prümer Springprozession. Ihr Verbot durch Erzbischof Klemens

Wenzeslaus im Jahre 1778 und ihr Fortleben im Volk." Archiv für Musik und rheinische Kirchengeschichte 28 (1976), 83-100.

HEITZ, Carol. Recherche sur les rapports entre architecture et liturgie à l'époque carolingienne. Paris, 1963.

HENDERSON, William George. Manuale et Processionale ad usum insignis ecclesiae Eboracensis. Durham, 1875. [Publications of the Surtees Society, LXIII].

HOFMANN, Josef. „Die Fronleichnamsprozession in Aschaffenburg nach den Prozessionsbüchern des 14. bis 16. Jahrhunderts." Würzburger Diözesangeschichtsblätter 26 (1964), 109-125.

HOFMANN-BRANDT, Helma. Die Tropen zu den Responsorien des Officiums. Kassel, 1973.

HOLLERWEGER, Hans. „Konkrete Analyse von Phänomenen des Benedictionale und Processionale in Geschichte und Gegenwart." Liturgisches Jahrbuch 27 (1977), 42-63.

HOLSCHNEIDER, Andreas. Die Organa von Winchester. Studien zum ältesten Repertoire polyphoner Musik. Hildesheim, 1968.

HOLTHAUS, Sister Mary Joachim. Beneventan Notation in the Vatican Manuscripts. Ph.D. Diss. Musicology, University of Southern California, 1962 [UMI 62-6065].

HUGLO, Michel. „Les *Preces* des graduels aquitains empruntés à la liturgie hispanique." Hispania sacra 8 (1955), 361-383.

– Art. „Processional." The New Grove Dictionary of Music and Musicians, XV. London, 1980, 278-281.

– Les Livres de chant liturgique. Turnhout, 1988, 110 [Typologie des sources du Moyen âge occidental, LII].

– Art. „Liturgische Gesangsbücher, 3a Processionale." MGG Sachteil, V. Kassel, 1996, 1421-1423, 1435-1436.

IRTENKAUF, Wolfgang. „Das Seckauer Cantionarium vom Jahre 1345 (Hs. Graz 756)." AfMw 13 (1956), 116-141.

JANIN, René. „Les processions religieuses à Byzance." Revue d'études byzantines 24 (1966), 69-88.

JOHNSTON, Alexandra. „The Guild of Corpus Christi and the Procession of Corpus Christi in York." Medieval Studies 38 (1976), 372-384.

JUNGMANN, Josef A. Art. „Prozession". Lexikon für Theologie und Kirche, VIII (1963), 843-844.

KANTOROWICZ, Ernest H. Laudes regiae. A Study in Liturgical Acclamations and Medieval Ruler Worship. Berkeley, 1958. Appendix I by M.F. Bukofzer, „The Music of the Laudes."

KELLNER, Altmann. Musikgeschichte des Stiftes Kremsmünsters. Kassel, 1956.

KIESEL, Gunther. „Die Springprozession des hl. Willibrod in geschichtlicher und volkskundlicher Sicht." Saarbrücker Hefte 16 (1962), 35-47.

KLEIN, Theodor H. Die Prozessionsgesänge der Mainzerkirche aus dem 14. bis 18. Jhdt. Speyer 1962. [Quellen und Abhandlungen zur mittelalterlichen Kirchengeschichte, VII].

KREITNER, Kenneth. „Music in the Corpus Christi Procession of Fifteenth-Century Barcelona." Early Music History 14 (1995), 153-204.

KUIJPER, D. „De ludo Herodis liturgico." Mittellateinisches Jahrbuch 8 (1973), 53-57.
KURZEJA, Adalbert. Der älteste Liber Ordinarius der Trierer Domkirche, Brit. Mus., Harley 2958 (1305-1307). Münster in Westfalen, 1970. [Liturgiegeschichtliche Quellen und Forschungen, LII].

LECLERCQ, Henry. Articles „Procession", „Processionnal": Dictionnaire d'archéologie chrétienne et de liturgie, XIV, 2e partie (Paris, 1948), col. 1895-1896.
LECLERCQ, Jean. „Pour l'histoire de deux processions." Ephemerides liturgicae 62 (1948), 83-88.
– „Hymnaire et processionnal cistercien du XIIe siècle avec notation musicale." Analecta Sacri Ordinis Cisterciensis 10 (1954), 313.
LEGG, J. Wickham, ed. The Processionnal of the Nuns of Chester. London, 1899 [Henry Bradshaw Society, XVIII].
LENGELING, Ernst J. „Die Bittprozessionen des Domkapitels und der Pfarreien der Stadt Münster vor dem Fest Christi Himmelfahrt." „Monasterium", Festschrift zum 700jährigen Weihgedächtniss des Paulus-Domes zu Münster. Münster in Westfalen, 1966, 151-220.
LEROY, Albert. „Le Processionnal et l'office de St. Josse." Commission départementale des Monuments historiques du Pas-de-Calais. Bulletin, 8 (1967), 298-305.
LEVY, Kenneth. „A Gregorian Processional Antiphon." La Musique et le Rite sacré et profane, I. Strasbourg, 1986, 302-309. [Actes du XIIIe Congrès de la Société Internationale de Musicologie].
LIPPHARDT, Walther. „‚Christ ist erstanden'. Zur Geschichte des Liedes." Jahrbuch für Liturgik und Hymnologie 5 (1960), 96-114.
– „Das Herodesspiel von Le Mans nach den Handschriften Madrid, Bibl. nac. 288 und 289 (11. und 12. Jhdt.). Organicae voces. Festschrift Josef Smits van Waesberghe. Amsterdam, 1963, 107-122.
– „Die liturgische Funktion deutscher Kirchenlieder in den Klöstern niedersächsischer Zisterzienserinnen des Mittelalters." Zeitschrift für katholische Theologie 94 (1972/2), 158-198.
– „Die Mainzer ‚Visitatio sepulchri'" Mediaevalia litteraria. Festschrift H. de Boor. München, 1971, 177-191, 15 Tafeln.
– „Die ‚Visitatio sepulchri' in Zisterzienserinnenklöstern der Lüneburger Heide." Daphnis. Zeitschrift für mittlere deutsche Literatur, 1 (1972), 119-128.
– Die „Visitatio sepulchri" (III. Stufe) von Gernrode.
Daphnis. Zeitschrift für mittlere deutsche Literatur, 1 (1972), 1-13.
– Die Weisen der lateinischen Osterspiele des 12. und 13. Jahrhunderts. Kassel, 1948.
– Lateinische Osterfeiern und Osterspiele, VI. Nachträge. Handschriftenverzeichnis. Bibliographie. Berlin, 1981 [Ausgaben deutscher Literatur des XV. bis XVIII. Jahrhunderts, Reihe Drama, V].
– und BUZGA, Jaroslav. Art. „Liturgische Dramen". MGG VIII. Kassel, 1960, col. 1010-1051, Taf. 47-52.
– „Magnum nomen Domini Emmanuel". Zur Frühgeschichte der Cantio „Resonet in laudibus". Jahrbuch für Liturgik und Hymnologie 17 (1972), 194-204.
– „Studien zur Musikpflege in den Mittelalters Augustiner-Chorherrenstiften des deutschen Sprachgebietes." Jahrbuch des Stiftes Klosterneuburg, Neue Folge 7 (1971), 7-102.

MACÉ, Bénédic, éd. „Lumen ad revelationem gentium…" à 4 voix (Plainchant/ Dessus/Haute-contre/Basse-contre), dans: Instructions pour apprendre à chanter à quatre parties selon le plain-chant, les psaumes et cantiques. Caen, B. Macé, 1582.
Mc GEE, Timothy James. Liturgical Origin and Early History of the *Quem Quaeritis* Dialogue. Ph. D. Diss., Musicology. University of Pittsburgh, 1974 [UMI 75-18247].
Mc SHANE, Margaret. The Music of the Medieval Liturgical Drama. Ph. D. Diss., Musicology, Catholic University of America, Washington, DC, 1961 [UMI 62-1521].
MARCEL, Abbé Louis. Les Livres liturgiques du diocèse de Langres. Paris, 1892.
MAROSSZEKI, Solutor. „Origines du chant cistercien." Analecta Sacri Ordinis Cisterciensis 8 (1952), 156 ss.
MAYDESTON, Clement. Ordinale Sarum sive Directorium sacerdotum, transcribed by W. Cooke. London, 1901 [Henry Bradshaw Society, XXI].
MIAZGA, Tadeusz. Die Gesänge zur Osterprozession in den handschriftlichen Überlieferungen vom 10. bis zum 19. Jahrhundert. Graz, 1979.
MOELLER, E. „Litanie majeure et Rogations." Questions liturgiques et paroissiales 23 (1938), 75-91.
MOLIN, Jean-Baptiste et AUSSEDAT-MINVIELLE, Annick. Répertoire des rituels et processionnaux imprimés conservés en France. Paris, 1984.

NELSON, Alan and TAYLOR, Jerome. Medieval English Drama: Voir TAYLOR.
NIEDERMEIER, Hans. „Über die Sakramentsprozessionen im Mittelalter. Ein Beitrag zur Geschichte der kirchlichen Umgänge." Sacris Erudiri 22 (1974-75), 401-436.

OMLIN, Ephrem. „Das ältere Engelberger Osterspiel und der Cod. 103 der Stiftsbibliothek Engelberg." Corolla Heremitana. Festschrift L. Birchler, ed. A.A. Schmid. Olten, 1964, 101-126.

PATRICIA, Sister Jane. „Un processionnal cistercien du XVe siècle." Études grégoriennes 11 (1970), 193-205.
PAULY, Ferdinand. „Die Tholeyer Prozessionsliste von 1454." Rheinische Vierteljahrsblätter 29 (1964), 331-336.
PFAFF, Richard W. New liturgical Feasts in Later Medieval England. Oxford, 1970.
PLOCEK, Václav. „Die ältesten zweistimmigen Gesänge in den Handschriften der Staatsbibliothek der CSSR Universitätsbibliothek in Prag." Praha, 1966 [Musica Europae Orientalis. Tschechische Musikwissenschaft Geschichtliches], 65-109.
– Catalogus codicum notis musicis instructorum qui in Bibliotheca publica Rei publicae Bohemicae socialisticae et in Bibliotheca Universitatis Pragensis servantur. Praha, 1973.
POHL, Josef. „Ein Osterspiel enthalten in einem Prozessionale der alten Kapelle in Regensburg." KmJb 34 (1950), 35-40.
POTHIER, Joseph. „A propos des antiennes de processions." RCG 2 (1894), 84-87, 139-141.
– „Prières litaniales ou processionnelles." RCG 9 (1901), 113-121.
– „L'antienne de procession ‚Ego sapientia.'" RCG 15 (1906), 1-6.
– „L'antienne ‚Anima mea liquefacta est.'" RCG 18 (1909), 3-12.
– „Ancien chant de Litanies." RCG 18 (1910), 105-109.

QUARTI, Paolo Maria. Biga Aetherea, duplici sacro tractatu rapiens in coelum animo: in primo agitur de processionibus ecclesiasticis et de litaniis sanctorum; in altero de sacris benedictionibus.... Venetiis, apud Valvasensem, 1665.

RANKE, Friedrich. Das Osterspiel von Muri. Basel, 1967.
RANKIN, Susan. „Shrewsbury School, Manuscript VI: A Medieval Part Book?" Proceedings of the Royal Musical Association, 102 (1975-76), 129-144.
– Review of W. L. SMOLDON, The Music of the Medieval Church Dramas (1980), Early Music 10 (1982), 375.
RASMUSSEN, Niels Krog. „Les préfaces pascales du Pontifical de Poitiers (Paris, Bibl. de l'Arsenal 227)". Mélanges liturgiques offerts au R.P. Dom Bernard Botte. Louvain, 1972, 461-476.
RELICS. Renaissance Liturgical Imprints: A Census. Database Project directed by David Crawford (University of Michigan) and Associate Directors James Borders (University of Michigan) and Barbara Haggh (University of North Texas), 1988. [URL: http://www-personal.umich.edu/~davidcr].
REYNAUD, François. „Contribution à l'étude des danseurs et des musiciens des fêtes du Corpus Christi et de l'Assomption à Tolède aux XVIe et XVIIe siècles." Mélanges de la Casa de Vélazquez, publiés avec le concours du C.N.R.S., 10 (1974), 133-168.
– La polyphonie tolédane et son milieu, des premiers témoignages aux environs de 1600. Paris, 1996.
RODIÈRE, Roger. Les corps saints de Montreuil. Etude historique sur les trésors des abbayes de St. Saulve et de Ste Austreberthe. Paris, 1901.
ROEDERER, Charlotte D. „The Processionnal Antiphons of the St. Martial Repertory." Ph. D. Diss., Musicology, Yale University, 1971 [UMI 72-17163].

SALMEN, Walter. Geschichte der Musik in Westfalen. Kassel, 1963.
SCHÄFER, Thomas. Die Fußwaschung im monastischen Brauchtum und in der lateinischen Liturgie. Beuron, 1956 [Texte und Arbeiten, XLVII].
SCHÜLER, Ernst A. Die Musik der Osterfeiern, Osterspiele und Passionen des Mittelalters. Kassel, 1951.
SCHÜTZEICHEL, Rudolf. Das mittelrheinische Passionsspiel der St. Galler Hds. 919. Tübingen, 1978.
SIFFRIN, Petrus. Art. „Processione." Enciclopedia Cattolica, X (1953), 72-73.
SMITS VAN WAESBERGHE, Joseph. „A Dutch Easter Play." MD 7 (1953), 15-37.
SMOJE, Dujka. „Iconia Sci Nicholaï. Interprétation d'un miracle du XIIe siècle." Cahiers d'Études médiévales 1 (1974), 159-193.
SMOLDON, William L. and GREENBERG, Noah. Play of Herod. Voir GREENBERG.
SMOLDON, William L. „The Easter Sepulchre Music-Drama." ML 27 (1946), 1-17.
– The Music of the Medieval Church Dramas, ed. Cynthia Bourgeault. London, 1980.
STAPPER, Richard E. „Medieval Processionnal Hymns before 1100." Transactions and Proceedings of the American Philological Association 80 (1949), 375-392.
STÄBLEIN, Bruno. „Die deutschen Kirchenlieder in der Berliner Hds. Mus. Ms. 40095." KmJb 26 (1931), 51-58.
– Art. „Processionale." MGG X (1962), 1637.

– Art. „Versus.“ MGG XIII (1966), 1519-1525.
STEGALL, Richard Carroll. The Tours Easter Play: A Critical Performing Edition. Ph.D. Diss., Musicology, University of Iowa, 1974 [UMI 74-21945].
STICCA, Sandro. The Latin Passion Play: Its Origins and Development. Albany, 1970.
STRATMAN, Carl J. Bibliography of Medieval Drama. 2nd ed. New York, 1972.

TAYLOR, Jerome and NELSON, Alan H. Medieval English Drama: Essays Critical and Contextual. Chicago, 1972.
TEUSCHER, Hans. ‚Christ ist erstanden'. Stilkritische Studien über die mehrstimmige Bearbeitung der Werke von den Anfängen bis 1600. Kassel, 1930.
THIRY, Claude. Le ‚Jeu de l'Etoile' du manuscrit de Cornillon (Liège). Bruxelles, 1980.
THOMAS, Lucien-Paul. Le „Sponsus“. Mystère des Vierges sages et des Vierges folles. Etude critique, textes, musique, notes et glossaire. Paris, 1951. [U.L.B., Travaux de la Faculté de Philosophie et de Lettres].
TIBILETTI, Giuseppe. „Antifonario processionnale delle Litanie Triduane (manoscritto del 1492).“ Ephemerides liturgicae 87 (1973), 145-162.
TINTORI, Giuseppe. Sacre rappresentazioni nel ms. 201 della Bibliothèque municipale di Orléans. Cremona, 1958 [Instituta et Monumenta I, 2].
TORSY, Josef. „Zur Verehrung der Eucharistie im Spätmittelalter: eine Fronleichnamsprozession in Wittlar im Jahre 1436.“ Von Konstanz nach Trient. Festgabe für August Franzen. Paderborn, 1972, 335-342.

VOGEL, Cyrille et ELZE, Reinhard, eds. Le Pontifical romano-germanique du dixième siècle. Rome, 1963 et 1972 [Studi e Testi 226, 227, 269].
VOLK, Paulus. „La procession de saint Marc des Bénédictins de St-Arnould à Metz au XIIIe siècle.“ Revue liturgique et monastique 21 (1935-36), 209-219.
WAGENAAR-NOLTHENIUS, Hélène. „Der „Planctus Judaei“ und der Gesang jüdischer Märtyrer in Blois, anno 1171.“ Mélanges René Crozet, II (1966), 881-885.
– „Sur la construction musicale du drame liturgique.“ Cahiers de Civilisation médiévale 3 (1960), 449-456.

WAINWRIGHT, Elisabeth. Studien zum deutschen Prozessionsspiel. Die Tradition der Fronleichnamsspiele in Künzelsau und Freiburg und ihre textliche Entwicklung. Sachsenhausen, 1974 [Münchener Beiträge zur Mediävistik und Renaissance-Forschung].
WALCH, Doris. Caritas. Zur Rezeption des ‚Mandatum novum' in altdeutschen Texten. Göppingen, 1973 [Göppinger Arbeiten zur Germanistik, 62].
WERNER, Wilfried. Studien zu den Passions- und Osterspielen des deutschen Mittelalters in ihrem Übergang vom Latein zur Volksprache. Berlin, 1963 [Philologische Studien und Quellen, XVIII].
WEST, Larry E. The St. Gall Passion Play. Brookline, Mass., 1976. [Medieval Classics Texts and Studies, VI].
WILKINS, Nigel. „Music in the Fourteenth Century: Miracles de Nostre-Dame.“ MD 28 (1974), 39-75.
WILLMES, Peter. Der Herrscher „Adventus“ im Kloster des Frühmittelalters. München, 1976, [Münstersche Mittelalterliche Schriften, XXII].

WILMART, André. L'ancien Cantatorium (XIIe siècle) de l'Eglise de Strasbourg, Ms. Add. 23922 du Musée Britannique avec un Mémoire de M. l'abbé J. Walter et 3 planches hors texte. Colmar, 1928.

WIMMER, Ruprecht. „Deutsch und Latein im Osterspiel." Untersuchungen zu den völksprachlichen Entsprechungstexten der lateinischen Strophenlieder. München, 1974 [Münchener Texte und Untersuchungen zur deutschen Literatur des Mittelalters, XLVIII].

WORDSWORTH, Christopher. Ceremonies and Processions of the Catholic Church of Salisbury, Edited From the Fifteenth-Century MS. no 148, With Additions From the Cathedral Records and Woodcuts From the Sarum Processionale of 1502. Cambridge, 1901.

WORMALD, Francis. „A Medieval Processionnal [S. Giles, Norwich] and its Diagrams." Kunsthistorische Forschungen Otto Pächt zu seinem 70. Geburtstag. Salzburg, 1972, 129-134, 9 ill.

YATES, Frances A. „Dramatic Religious Processions in Paris in the Late Sixteenth Century." Annales musicologiques 2 (1954), 215-270.

YOUNG, Karl. The Drama of the Medieval Church. 2nd ed. Oxford, 1962. 2 volumes.

ZOVATTO, Pierluigi. „Il significato della basilica doppia: l'esempio di Aquileia." Rivista di Storia di Chiesa in Italia 18 (1964/3), 357-398.

CALENDRIER DU PROCESSIONNAL

TEMPORALE		SANCTORALE	
		30. XI:	sci Andreas, apostoli.
ADV:	In adventu.	6. XII:	sci Nicolai, episcopi.
NAT:	In nativitate dni. (25.XII)		
		26. XII:	sci Stephani, martyris.
		27. XII:	sci Joannis, evangelistae.
		28. XII:	scor Innocentium.
		29. XII:	sci Thomae Cantuariensis.
CIRC:	In circumcisione dni. In octava nativitatis (1.I).		
EPI:	In epiphania (6.I).		
		2. II:	In purificatione Beatae Mariae Virginis.
SEPT:	In septuagesima.		
SEX:	In sexagesima.		
QUINQ:	In quinquagesima.		
		25. III:	In annuntiatione Beatae Mariae Virginis.
CIN:	Feria IV Cinerum.		
QUADR:	In quadragesima.		
PASS :	[Dominica] passionis.		
RAM:	In ramis palmarum.		
CENA:	Feria V in coena dni.		
PAR:	Feria VI in parasceve.		
SAB:	Sabbato sancto.		
RES:	[Dom.] resurrectionis.		
		25. IV:	Litaniae majores.
ROG:	Rogationes seu Litaniae minores [Feria IIa, IIIa et IVa ante ASC.].		
ASC:	In ascensione domini.		
PENT:	Dominica pentecostes.		

TRIN: Dominica scae Trinitatis.
CORP. CHR: Corpus Christi
[Feria Va post TRIN.].

24. VI: sci Joannis Baptistae.
29. VI: sci Petri apostoli.
30. VI: commemoratio sci Pauli.
2. VII: In visitatione Beatae Mariae Virginis.
22. VII: scae Mariae Magdalenae.
25. VII: sci Jacobi apostoli.
1. VIII: sci Petri ad vincula.
10. VIII: sci Laurentii martyris.
15. VIII: In assumptione Beatae Mariae Virginis.
28. VIII: sci Augustini episcopi.
29. VIII: In decollatione sci Joannis Baptistae.
8. IX: In nativitate Beatae Mariae Virginis.
14. IX: In exaltatione scae crucis.
29. IX: sci Michaelis archangeli.
1. XI: Omnium sanctorum.
2. XI: Commemoratio omnium fidelium defunctorum.
11. XI: sci Martini episcopi.
6. XII: sci Nicolai.

ABRÉVIATIONS USUELLES

*	= Incipit
– – –	= melisma
A/	= Antiphona.
AC/	= Acclamatio.
add.	= addition.
AH	= *Analecta hymnica Medii Aevi*, ed. Clemens Blume und Guido Maria Dreves. Leipzig, 1886-1922, 55 volumes.
AM	= *Antiphonale monasticum*, Tournai, 1934.
AMS	= *Antiphonale Missarum sextuplex*, ed. René-Jean Hesbert. Bruxelles, 1935.
AQU	= Charlotte D. Roederer. *Eleventh-Century Aquitanian Chant*: Studies Relating to a local Repertory of Proceessional Antiphons. Ph. D. Dissertation, Yale University, 1971 [UMI 72-17163].
Auda	= Antoine Auda. *Etienne de Liège*. Bruxelles, 1923.
B/	= Benedicamus Domino.
C/	= Conductus.
Ct/	= Cantio, Canticum.
CAO	= *Corpus Antiphonalium Officii*, ed. René-Jean Hesbert. Rome, 1963-1979. 6 volumes. Vol. 3 [1968] Antiphonae.-Vol. 4 [1970] Responsoria.
Cat. gén. 4°	= *Catalogue général des Manuscrits des Bibliothèques publiques de France*. Paris, 1849-1885. Série in-4°, 7 volumes.
Cat. gén. 8°	= *Catalogue général des Manuscrits des Bibliothèques publiques de France*. Paris, 1886-1990. Série in-8°, 65 volumes.
Census	= Seymour De Ricci and W.J. Wilson. *Census of Medieval and Renaissance Manuscripts in the United States and Canada*. New York, 1935-1940. 3 volumes.
CT	= *Corpus Troporum* [Acta Universitatis Stockholmiensis], Stockholm, 1975 ➛.
De Clerck	= Paul De Clerck. *La „prière universelle“ dans les liturgies latines anciennes*. Münster in Westfalen, 1977.
GA	= Amédée Gastoué. *Le chant gallican*. Grenoble, 1939 [tiré-à-part de la RCG, 1937-1938].
GB	= *Graduel de Bénévent*, Biblioteca Capitolare VI 34, reproduit en facsimilé dans PM XV (1951); Tableau des antiennes de la Procession des Rogations, p. 108.

GR = *Graduale romanum*, Editio Vaticana. Rome, Tournai, 1908 [Processions du 2 février, du Mercreedi des Cendres et de la Semaine sainte].

H/ = Hymnus.
Haggh1 = Barbara Haggh. *Two Offices for St Elizabeth of Hungary*. Ottawa, The Institute of Mediaeval Music, 1995.
Haggh2 = Barbara Haggh & Ruth Steiner, ed. *Two Cambrai Antiphoners Cambrai, Mediathèque municipale 38 and Impr. XVI C 4. A Cantus Index*. Ottawa, The Institute of Mediaeval Music, 1995.
HdsC = Günter Gattermann, ed. *Handschriftencensus Rheinland*. Wiesbaden, 1993. 3 Bände.

I/ = Introitus (A/ ad introitum).

L/ = Litanae (sanctorum).
LOO = Walther Lipphardt, ed. *Lateinische Osterfeiern und Osterspiele*. Berlin, 1975-1981. 6 volumes.

MABK = *Mittelalterliche Bibliothekskataloge Deutschlands und der Schweiz*, Ergänzungsband I: Handschriftenerbe des Deutschen Mittelalters. München, 1989. 3 Teile.
MLO = Edward H. Roesner, ed. *The Magnus Liber Organi of Notre-Dame de Paris*. Volume I: The Parisian Organa Tripla and Quadrupla, with Appendix: Plainchant by Michel Huglo. Monaco, 1993.
MMMÆ = Monumenta Monodica Medii Ævi, Kassel, 1956 ➤.

Naughton = Joan Naughton. *Manuscripts from the Dominican Monastery of Saint-Louis de Poissy*. PhD. Diss. University of Melbourne, 1995. Typescript.
NON = James Borders , ed. *Early Medieval Chants from Nonantola*. Part III: *Processional Chants*. Madison, 1996 [Recent Researches in The Music of the Middle Ages and Early Renaissance, XXXII].

Ottosen = Knud Ottosen, *The Responsories and Versicles of the Latin Office of the dead*. Aarhus, 1993.

P/ = Preces (fidelium).
PB = Processional bénédictin: *Processionale monasticum*. Solesmes, 1893.
PD = Hyacinthe M. Cormier, ed. Processional dominicain: *Processionarium juxta ritum sacri ordinis Praedicatorum*. Rome, 1913.
PL = *Patrologiae latinae cursus completus*, ed. Jacques-Paul Migne.
Pl/ = Planctus.
PM = *Paléographie musicale. Les principaux manuscrits de chant grégorien publiés en facsimilés phototypiques*. Solesmes, 1889 – – –>.
PP = Marie Noële Colette, ed. *Processionnal de Poitiers. Le Répertoire des*

	Rogations d'après un processional de Poitiers (XVIe siècle). Paris, 1976 [IRHT. Bibliographies, Colloques, Travaux préparatoires].
ppp	= (nombre de) portées par page.
Pr/	= Prosa, prosellus, prosella, prosula (verbeta).
PS	= *Processional de Sarum*, d'après Terence Bailey, *The Processions of Sarum and the Western Church.* Toronto, 1971 [Studies and Texts, 21].
Ps/	= Psalmus.
R/	= Responsorium.
RCG	= *Revue du chant grégorien.*
RELICS	= *Renaissance Liturgical Imprints. A Census.* (voir Bibliographie)
RG	= *Revue grégorienne.*
RH	= *Repertorium hymnologicum. Catalogue des chants, hymnes, proses, séquences, tropes en usage dans l'Eglise latine depuis les origines jusqu'à nos jours*, ed. Ulysse Chevalier. Louvain, 1892-1921. 5 volumes.
S/	= Sequentia.
s.	= siècle.
Schlager	= Karl-Heinz Schlager, *Thematischer Katalog der ältesten Alleluia-Melodien.* München, 1965.
SMAH	= Albert Bruckner, *Scriptoria Medii Aevi Helvetica.* Genève, 1938-1978, 14 volumes.
s. n.	= sans notation.
T/	= Tropus.
t.	= tonus (ton du plain chant).
Tabl.	= Tableau (cf. p. xij ss.).
Tr/	= Tractus.
TROF	= Helma Hofmann-Brandt, *Die Tropen zu den Responsorien des Officium.* Kassel, 1973. 2 Teile.
V/	= Versus (pièce versifiée à refrain).
v/	= versiculus (verset d'alleluia, de répons, etc.).

CATALOGUE

Österreich

A-1 (*A-A* 323)

ADMONT, Benediktinerstift, Cod. 323.

131 ff.papier, 276 x 205 mm <210 x 150 mm>. Reliure cuir brun estampé à chaud (IHS). Ecrit et noté au XVIIe s. Grosse notation carrée sur portée de quatre lignes rouges; 6 ppp; guidon. Origine: Admont, sous le régime de l'Abbé Johann IV Hoffmann (1581–1614).

✧ Processionnal responsorial (Tabl. IV).

Seules les pièces propres à ce ms. sont signalées ici.

1	Ave vivens hostia (s.n.).
3	(NAT) A/ Ave spes nostra.
8	(29.XII: sci Thomae Cantuariensis) R/ Vir inclytus.
18v	(3.II: sci Blasii).R/ Vir Dei sanctus Blasius totum. R/ Dum decrevisset Dominus. R/ In hac quidem nocte.
20v	*Ad chorum* R/ Ad ultimum iratus praeses.
24	(25.III) R/ Vadis propitiator. RAM.
56v	(SAB) H/ Inventor rutili (AH 50, 30).
59v	L/ Rex sanctorum angelorum (AH 50, 242).
79	Feria III ROG. L/ Humili prece (AH 50, 253).
89v	*In redeundo* L/ Ardua spes (AH 50, 237. Stotz, 36).
92v	Feria IV ROG, stations aux sanctuaires des sts Florian, Marguerite et Pancrace.
109v	(CORP.CHR) R/ Melchisedech vero rex Salem.
111	R/ Melchisedech rex Salem typice panem.
113	(DED) R/ Visita quaesumus.
115	*Si agatur processio ad monasterium monialium* R/ Terribilis.
120	(2.VII) R/ En dilectus meus v/ Quam dulcia.
129	R/ Descendit
129v	*In die Natalis* T/ Missus ab arce veniebat.

Notice établie d'après les renseignements communiqués par Pia Ernstbrunner (3/VIII/1996).

A-2 (*A-A* 747)

ADMONT, Benediktinerstift, Cod. 747.

69 ff. parchemin, 150 x 120 mm. Reliure ais de bois endossée de cuir, restaurée en 1958; fermoirs de laiton. Ecriture du XVIe s. Notation à clous de l'Est de l'Europe; guidon à bec. Origine: le monastère cistercien de Syttich à Krain („Wir Johann Abbte zu Syttich

bekhennen…“ f. 48v). Provenance: Admont: le processionnal serait parvenu à Admont au temps de l’Abbé Laurent qui fut Prieur de Syttich.

✧ Processionnal cistercien (Tabl. V).

1	CENA.
10	RES.
39	2.II.
44	RAM.
51	*Ad suscipiendum episcopum.*
56	PAR.
63v	R/ Gaude Maria virgo v/2 Gloria, virtus, victoria.

Bibliographie: Cat. Wichner, 276. – Notice complémentaire de Pia Ernstbrunner (1/VI/1990).

A-3 (A-FKk 1)

FELDKIRCH, Kapuzinerkloster, Ms liturg. 1 rtr.

5 + 169 + 11 ff. de papier à filigrane (armoiries), foliotés de I–XCIV et de 95–169. 154 x 100 mm <110 x 70 mm>. Reliure en peau de truie estampée au début du XVIe s.: têtes en médaillon et, en rouge, les initiales M A H (Macharius ab Herpsthein). Ecriture gothique grèle pour les titres, cursive pour les textes. Notation à clous sur portée de quatre lignes rouges; 5 ppp (facsimilés dans Lipphardt, *Augsburger Osterspiel…* 30 ss.). Origine: Augsburg (d’après le Sanctoral et la date de Dédicace au 28.IX, comme dans le calendrier de Munich, Clm 6428). Provenance: Macharius von Herpstein („Macharius ab Herpsthein est verus possessor hujus libri, A.D. 1598“). Date d’acquisition par les Capucins de Feldkirch inconnue. En juin 1990, ce ms n’a pu être retrouvé ni à Feldkirch, ni aux Archives de l’Ordre des Franciscains à Innsbruck.

✧ Processionnal responsorial (Tabl. IV).

Temporal (1–133v).

1	NAT.
6v	1.I.
8v	(2.II) R/ Gaude Maria virgo.
10v	(3.II: sci Blasii) R/ Dum satellites v/ Surge [VIIe t.].
13	(24.II: sci Matthiae) R/ Gloriosus apostole Dei v/ Ut nos a dextris [Ve t.]
14v	25.III.
15v	RAM.
31v	(CENA) L/ des Ténèbres Qui discipulos, en partie en haut-allemand (cf. Lipphardt, 3–4).
36	*In Coena Domini cum venerabile sacramentum portatur ad sacrarium* R/ Recessit pastor noster.
37v	*Ad lustrationem altarium* A/ pour les saint(e)s Blaise, Marie Madeleine, Pierre et Paul, Sébastien, Tous les saints, Michel-

Gabriel, Raphaël, Jérôme, Anne, Simpertus [évêque d'Augsburg], Odile, Jean-Baptiste, Udalric [évêque d'Augsburg], Wolfgang, Jean l'Ev., Anne, les trois Rois mages, la ste Trinité, la ste Croix (Lipphardt, p. 4–5).

51 (PAR) L/ des Ténèbres Qui expansis, en latin et en haut-allemand, comme au f. 31v.

68v [Passionslied] Laus tibi Christe (rétroversion de Eya der große Liebe, ed. Lipphardt, 18).

68v (SAB) H/ Inventor rutili (AH 50, 242).

71 L/ Rex sanctorum angelorum (AH 50, 242).

74–92 [Visitatio sepulchri] *In sanctissima nocte Paschae, itur ad sepulcrum, organicen incipit* R/ Dum transisset sabbatum. *Angelus collocatur in altare sanctae crucis cum sceptro cantans* Silete, silete, silentium habete (facsimilé du Jeu pascal et commentaires, Lipphardt, 21–29).

92 (RES) V/ Salve festa dies (AH 50, 79).

102v (ROG) A/ Exaudi nos. A/ Exurge Domine. A/ Surgite sancti Dei. L/ Aufer a nobis.

113v ASC.

116 (PENT) S/ Sancti Spiritus assit (AH 53, 119). S/ Veni sancte Spiritus (AH 54, 234).

121 (CORP. CHR) R/ Immolabit hacdum.

123v TRIN. 126 [après lacune] /// firmiter credentibus cibaria vitae conferentia

126v *Angeli canunt* O dignum sacramentum. *Chorus* In quo est confectum istud quod fide creditur nec oculis conspicitur.

127 S/ Lauda Sion (AH 50, 584).

129v A/ O quam venerandus est sanguis iste.

130 A/ Ave vivens hostia (AH 50, 597).

131v S/ O panis dulcissime (AH 54, 259).

133 A/ O sacrum convivium.

Sanctoral (134–fin).

134 (24.VI) R/ Inter natos.

137v (2.VII) R/ Occasum virgo nescit v/ Spiritus rapit [VIIe t.].

138v (4.VII: sci Udalrici) R/ O sanctorum consules v/ Super virum [VIe t.].

140v (25.VII: sci Christophori) R/ Admirans Christi gratiam v/ Fundens preces [Ve t.].

143v (16.VIII: sci Theoduli) R/ Cui tibi Theodule v/ Ut eorum tibi [VIIIe t.].

145 (25.VIII) Praesenti Polymio rege v/ Afflictus.

146v	(28.VIII: sci Pelagii) R/ Beatus Christi martyr v/ Cum esset [VIIIe t.].
148	8.IX.
151v	DED.
155	29.IX.
156	(16.X: sci Galli) R/ Beatus Gallus (CAO 4, 6209).
157	28.X: scor. Simonis et Judae.
153	1.XI.
161	(19.XI: scae Elysabeth) R/ O caeli fulgens v/ Hujus ortu sideris [VIIIe t.]
162	(21.XI: Presentatio B. Mariae v.) R/ Recolamus virginis inclyta v/ Radiat.
163v	(25.XI) R/ Surge virgo v/ Pulchra Sion.
165	6.XII.
168v	(21.XII: sci Thomae apostoli) R/ Victam vi mortis v/ Fulgebunt salvi.
169v	H/ Ad coenam Agni providi (AH 51, 87).

Bibliographie: W. Lipphardt, „Ein lateinisch-deutsches Osterspiel aus Augsburg (16. Jhdt.) in der Bibliothek des Kapuzinerklosters Feldkirch“ *Jahrbuch des Voralberger Landesmuseumvereins-Freunde der Landeskunde* 1972, 14–27 (Faks. der ff. 92 [S.15] und 74 [S.21]). – Ders. *Das Lateinisch-Deutsche Augsburger Osterspiel* (Göppingen, 1978), 1–11; facs. des ff. 30–37, 49v–55, 66–69).

A-4 (*A-Gu* 1459)

GRAZ, Universitätsbibliothek, 1459.

116 ff. papier, 170 x 130 mm <135 x 104 mm>. Reliure de carton recouvert d'un feuillet de parchemin provenant d'un psautier et d'un bréviaire. Ecriture datée de 1571 (cf. f. 116). Notation carrée sur portée de quatre lignes rouges; barres verticales de division; 5 ppp; guidon. Origine: l'abbaye de St-Lambrecht (cf les L/ et le f. 72v).

✧ Processionnal responsorial (Tabl. IV).

Pour chaque fête: un ou deux R/, une A/ *ad stationem*, un v/ et l'oraison du jour.

1	NAT.
4	26.XII.
5v	27.XII.
7	H/ Solemnis dies advenit (AH 51, 184).
7v	A/ Domine suscipe me ut cum fratribus meis.
20v	(3.II: de sco Blasio) R/ Sancte Deo dilecte Christi Blasio [en interligne: Lamperte. Cf. CAO 4, 7576].
21	(25.III) R/ Salve nobilis virga [Ier t.]. v/ Odor tuus (cf CAO 4, 7564). R/ Christi virgo (CAO 4, 6278).

24	(RAM) A/ Collegerunt (sous le mélisme de Ab illo..., la rubrique: *Chorus canit*).
33	... *scolares canunt ante crucem* A/ Pueri Haebreorum. A/ Scriptum est enim, alternée entre *Cantor* et *Chorus*.
34v	(CENA) Bénédiction du feu nouveau.
37v	Mandatum.
39v	(PAR) Depositio crucis (LOO IV, 1350 n° 734; LOO VI, 109, add.).
46	(SAB) L/ Rex sanctorum angelorum (AH 50, 252): la str. 3, adressée à saint Gall, est omise ici.
49	L/ sanctorum (sce Lamperte).
51v	A/ Cum rex gloriae (dans la marge de pied, add. d'un motet (?) du XVIIIe s.).
54	Ad processionem sepulchri.
56v	... *A/ finita cantor incipit* Christ ist erstanden (s.n.). H/ Te Deum (LOO IV, 1351 n° 734).
56v	RES.
58v	1.V.
62	*In secundis vesperis ad processionem* A/ Vidi aquam. *Post geminos versus concrepent pueri clamorem illum* Christ ist erstanden (cf. LOO VI, 190 n° 731).
65v	(ROG)
66	L/ Aufer a nobis (67) sce Lamperte
72v	De sco Lamperto: R/ Sancte Deo dilecte (cf f. 20v). *Aliud* R/ Beatus Lampertus jam triumpho v/ Ut apud Christum (cf. CAO 4, 6222).
73v	ASC.
75v	PENT.
77v	TRIN.
79v	CORP. CHR.
80v	S/ Lauda Sion (AH 50, 584).
84	*Canticum Ambrosi*: Te Deum.
89v	V/ Ave vivens hostia (AH 50, 597), s.n.
90	V/ Ave virtus fortium (s.n.).
91	V/ Jesus Christus nostra salus (AH 1, 43, 192), s.n.
91v	R/ Melchisedech rex Salem.
94v	(15.VIII) A/ Gaudendum nobis est [IVe t.].
96	8.IX.
97v	14.IX.
100	(DED) R/ Terribilis.

Suppléments pour diverses fêtes:

104	Commun des Apôtres.

106	De sancta Margarita: R/ Quadam die Olibrius v/ Erat enim [Ier t.]. De sancta Magdalena: R/ Caelestis medicus v/ Fides etenim [Ve t.]
107v	De sca Catharina: R/ Surge virgo v/ Pulchra Sion filiae [IIIe t.]
108	De sca Anna: R/ Quadam die soli v/ Exauditas nuntiat [IIIe t.].
110v	(25.III) *Ad stationem* A/ Haec est dies (PB 147).
111v	De sco Lamperto: *Ad stationem* A/ Ad te clamantes.
113	R/ pro defunctis.
115v	*Responsoriis quibus fit in lavandis altaribus in Cena Domini ad utendum... Ad Capitulum... Ad scm Michaelem.*
116	Casparus Crans Hunc scripsit librum. Anno Domini 1571. [d'une autre main] le Rituel.

Bibliographie: A.Kern, *Die Hds...* II, 327; III, 114. – LOO VI, 285. – [M. Mairold] *Katalog der datierten Hds. in lateinischer Schrift in Österreich*, Bd. VI (Wien, 1979), 133, Abb. 355 (= f. 116).

A-5 (*A-Gu* 1537)

GRAZ, Universitätsbibliothek, 1537.

Processionnal de St-Lambrecht disparu au cours de la guerre 1939–1945. Voir Kern-Mairold, *Die Hds...* III (1967), 118. – LOO VI, 285.

A-6 (*A-KN* 995)

KLOSTERNEUBURG, Stiftsbibliothek, 995.

73 ff. parchemin, 180 x 135 mm (les quinions sont signés au début: Primus (f. 1), Scds (f. 11) etc. Reliure cartonnée récente. Au dos „Liber choralis". Au f. 1, de main récente: „Can. Reg. Claustroneoburg, 1656". Ecriture du XIV–XVe s.; initiales rouges avec ou sans filigrane; pas de rubriques. Notation messine de Klosterneuburg, sur portée de cinq lignes, avec lettres-clés C sur la ligne jaune, F sur la ligne rouge, D et a sur les deux lignes noires. Additions en notation allemande épaisse (ff. 8v–9 et 47). Origine et destination: les chanoines augustins de Klosterneuburg (cf. la date de DED et l'office de saint Léopold [d 1136], le fondateur de Klosterneuburg en 1106).

✧ Processionnal augustin (Tabl. IX).

Temporal (1–36v)

1	ADV.
3v	6.XII.
4v	(NAT) R/ Descendit (version ancienne avec *neuma* sur Fabricae).
6	26.XII.
10	27.XII.
10v	2.II. QUADR.

15v RAM.
20 (CENA) *Nach dem Mandat* H/ Tellus ac aethra (AH 51, 77).
21v (RES) V/ Salve festa dies (AH 50, 79).
24 (ASC: Anfart Tag) V/ Salve festa dies...qua Deus ascendit (AH 50, 80).
27 (ROG)
31v L/ Aufer a nobis.
33 L/ sanctorum.
34v TRIN.
35v CORP. CHR.

Sanctoral (36v–43v).
Du 24.VI au 11.XI.

37v 29.VI.
38 22.VII.
38v 1.VIII.
41 (28.VIII: scs Augustinus) R/ Invenit se v/ Nec tu me mutabis. R/ Verbum Dei v/ Testamentum. R/ Volebat enim v/ Displicebat.

Commun des Saints (44–46), avec additions et compléments.

46 A/ pour la B. Marie V., pour un martyr,
49v Hymnes.
51 R/ O Maria clausa porta, avec prosule T/ Stella maris (TROF 2, 131 nº 660).
53v A/ Oremus dilectissimi. R/ Beati estis.
55v [autre notation] H/ Caeli cives applaudite/ Et vos (AH 52, 111, pour st Augustin).
56 (3e main) Office de st Léopold au 15.XI Austriae decus (ed. Fr. Zagiba, *Die älteste musikalische Denkmäler zu Ehren des hl. Leopold*. Leipzig-Wien, 1954).
61 Petit office de la Vierge.

Bibliographie: AH 50, 82. – J. Hourlier, „Le domaine de la notation messine" *Revue grégorienne* 30 (1951), 151. – MMMAE I, 693. – TROF 2, 177.

A-7 (*A-KN* 998)

KLOSTERNEUBURG, Stiftsbibliothek, 998.

174 ff. papier, 200 x 155 mm. Reliure ais de bois couverts de cuir blanc estampé à froid; traces de deux fermoirs de laiton. Sur le plat supérieur, la date de 1569; sur le plat inférieur, la mention de provenance: „Can. Reg. Claustr/// 1656." Ecriture du XVIe s., avec initiales rouges. Grosse notation messine à clous sur portée de quatre lignes noires, 6 ppp.

✧ Processionnal augustin (Tabl. IX).

1 A/ Asperges me.

Temporal (5v–120v).

5v	ADV.
11v	NAT et 26.XII (choix de pièces différent de KN 995).
40v	Mandatum.
59	H/ Inventor rutili (AH 50, 30).
60v	RES.
62–66v	Jeu pascal (manque dans LOO).
86	(25.IV) L/ Aufer a nobis.
87v	ROG.
93v	(CORP. CHR.) R/ O coena magnifica v/ Esca tui sacri corporis. H/ Pange lingua et S/ Lauda Sion.
98v	R/ O manna deificum v/ Sic nos tui [Ve t.].
102	DED.
107v	R/ de l'office des défunts.

Sanctoral (121–170v).

A partir du 29.XI.

30v	(2.II) A/ Responsum avec la mention *Chorus* sous chaque mélisme cadentiel.
138	A/ O crux gloriosa (CAO 3, 4018) en alternatim (*Organum/Chorus*).
139v	(3.V: sci Alexandri) A/ Pretiosus Christi martyr Alexander.
145	(5.VIII: scae Afrae) R/ Martyr sancta (CAO 4, 7135).
149v	(28.VIII: sci Agustini) R1/ et R2 comme KN 995.
156	(3.III: sca Kunegundis) R/ O regina praedicanda.
156v	A/ Magnificat te.
158v	(11.X: Translatio sci Augustini).
159	(16.X: sci Galli) R/ Beatus Gallus cum (CAO 4, 6209).
165	25.XI.

Commun des Saints.

171	De Visitatione B.M.V. (fête introduite en 1442).
174	lacune de quelques ff.

A-8 (*A-KN* 1005)

KLOSTERNEUBURG, Stiftsbibliothek, 1005.

136 ff. papier, 212 x 142 mm <155 x 95 mm>. Reliure ais de bois couverts de cuir noir; 5 clous à bossoirs; traces de fermoirs de laiton. Sur le plat inférieur, fragments de Visitatio sepulchri, avec neumes messins du XIIIe s. (LOO III, 981 n° 593. Ecriture du XVe s.; initiales rouges. Notation messine tardive sur portée de cinq lignes noires; guidon en forme de 2.

✧ Processionnal augustin (Tabl. IX).

Temporal (1–62).
Même ordre des pièces que dans *A-KN* 995, quoique un peu plus complet.

53	Petit office de la Vierge, avec rubriques en allemand.

Sanctoral (62–76).
A partir du 24.VI.

69v	(28.VIII: sci Augustini) mêmes R/ que dans KN 995.

Commun des Saints et suppléments.

83–86v	Office Indutus dominus.
88v	Hymnes et séquences.
91	(2.VII: De Visitatione) Office Accedunt laudes (AH 24, 89): une des leçons mentionne l'institution de la fête par Urbain VI (1378–1389).
111–119	Office de st. Joachim.
119	Sca Dorothea.
124v	Historia de sca Elisabeth.

Bibliographie: TROF 2, 177. – LOO VI, 306.

A-9 (*A-KN* 1006)

KLOSTERNEUBURG, Stiftsbibliothek, 1006.

92 ff. papier, 215 x 145 mm. Reliure ais de bois couverts de cuir; dos ciselé portant une étiquette „Liber choralis XI...“; fermoirs de laiton. Sur les gardes finales, fragment d'un traité de liturgie du XIIe s. et l'office de la Trinité d'Etienne de Liège. Ecriture du XIVe s.; initiales rouges. Notation messine gothique sur portée de cinq lignes rouges; lettres-clés rouges; 7 ppp (1–46) puis 5 ppp jusqu'à la fin; guidon. Origine et provenance: Klosterneuburg (cf. f. 1: Lib. Choral. XI-Claust. 1656).

✧ Processionnal augustin (Tabl. IX).

Temporal (1–52).
Copie de *A-KN* 995.
Sanctoral (52v–73) à partir du 24.VI.

64	(28.VIII) mêmes répons que dans *A-KN* 995, f. 41.

Commun des Saints et suppléments (73v-fin).

79v–82	[autre main] A/ O Maria clausa porta et mêmes additions que dans le ms 995, f. 51–53v. Cependant, l'A/ Oremus dilectissimi n'a pas été recopiée, car elle a été remplacée par des additions empruntées à un autre manuscrit.

A-10 (*A-KR* 31)

KREMSMÜNSTER, Stiftsbibliothek 31 [N.V.4].

73 ff. parchemin, 234 x 168 mm. Reliure ais de bois couverts de peau de truie; traces de clous en diagonale sur les plats; trois fermoirs; les ff. de garde 1–2 et 72–73 proviennent d'un

commentaire de la Bible. Ecriture du XIVe s.; initiales simples bleues ou rouges. Notation messine de l'Est sur portée de quatre lignes rouges, 9 ppp. Origine et destination: St-Zeno von Reichenhall (cf. D-Mb Clm 16526). Nombreuses additions marginales en neumes diastématiques sans portée, pour adapter le processionnal à l'usage de Kremsmünster: pour quelques fêtes les chants de procession sont écourtés (R/ sans v/).

✧ Processionnal augustin (Tabl. IX).

Temporal (1–57).

3	ADV. 6 (NAT) R/ Descendit (version ancienne, PB 27).
9	31.XII: Sci Sylvestri.
9	EPI.
9v	A/ de la procession dominicale... A/ Monasterium istud.
12	(2.II) A/ Responsum, avec la rubrique *Cantores* sous le mélisme de chaque cadence.
14v	(6.II: sca Dorothea) R/ O flos virginitatis v/ O benigna [Ve t.]
15	(25.III) A/ Haec est dies (PB 147). A/ Christi virgo dilectissima.
15v	SEPT. QUADR.
22	RAM. 28 (CENA) Ad Mandatum A/ Coena facta.
29v	R/ Accessit ad pedes, T/ Unde promeruit (TROF 2, 138 n° 696).
31	H/ Tellus ac aethra (AH 51, 77).
32v	PAR. 36 (SAB) *Ymnus Prudencii* Inventor rutili (AH 50, 30).
37v	(RES)
38v	V/ Salve festa dies (AH 50, 79).
43	(ASC) V/ Salve festa dies...Qua Deus ascendit (AH 50, 80).
44	3.V.
45	(ROG)
47v	S/ Ave praeclara maris stella (AH 50, 313).
49v	Messe des ROG Exaudivit.
51v	(PENT) V/ Salve festa dies...qua Deus in sanctos (AH 4, 27).
52	L/ Rex sanctorum angelorum (AH 50, 242).
53	(TRIN).
54v	*Singulis diebus dominicis* R/ Benedic domum istam.
55v	Dominica infra octavam CORP. CHR. R/ Homo quidam, T/ Omnibus (TROF 2, 89 n° 448).
56v	R/ pour les dimanches d'été.

Sanctoral (57v–67v)

A partir du 24.VI.

58v	(20.VII: scae Margaritae) A/ Quadam die Olibrius [IIIe t.].
58v	(5.VIII: Afrae, martyris) A/ Martyr sancta Dei.
60v	(28.VIII) R/ Verbum Dei usque v/ Testamentum [Ier t.]. A/ Adest dies celebris.
61v	(28.VIII: scs Hermetis) A/ A quinto loco a beato Petro. [VIIIe t.].

63	(24.IX: scus Rudbertus) A/ Sanctus Rudbertus quai vas auri solidum [VIIe t.].
64	(21.X: Undecim millia virginum) A/ Audivi vocem de caelo [Ier t.]. 1.XI.
65v	25.XI.
60	6.XII.
67	(7.XII: In translatione sci Zenonis) R/ Justum deduxit v/ Immortalis.
67v	(8.XII: In festo autem sci. Zenonis) A/ Iste homo.
68	R/ Ingrediente sacerdote Christi v/ Etsi hunc. [Ve t.].

Commun des Saints (68v–77v).

Après les R/ du Commun et après la DED (71), addition de seconde main d'une A/ de sancto Paulo: A/ O gloriosum lumen.

Bibliographie: MMMAE I, 693. – TROF 2, 177.

A-11 (*A-KR* 102)

KREMSMÜNSTER, Stiftsbibliothek, 102 (G VIII 46).

135 ff. papier, 205 x 155 mm. Reliure ais de bois couverts de cuir fauve; deux minces fermoirs de laiton, un seul subsiste. Lettres de forme du XVIe s.; rubriques en cursive; initiales bleues, rouges, vertes ou noires. Notation carrée, tracée parfois à l'encre rouge, sur portée de quatre lignes mauves; 6 ppp; guidon en arc de cercle, rouge ou vert ou mauve. Au f. 1, au crayon: „Processionale Osterchorense".

✧ Processional responsorial (Tabl. IV).

Temporal (1–86).

1	(ADV) A/ Ecce carissimi dies illa.
3v	NAT.
36v	(CENA) Ablution des autels... Achacius, Wolfgang...
52	(SAB) H/ Inventor rutili (AH 50, 30). L/ Rex sanctorum angelorum (AH 50, 242).
59	(RES) Procession *ad fontes* avec V/ alléluiatiques.
63	(ROG)
67	L/ Exaudi, exaudi.
74	CORP.CHR.
83	DED.

Sanctoral (87–130).

87	21.I.
89	2.II.
90	(31.III: de sco Achacio: R/ O Achaci Deo grate.
103v	(20.VII: de sca Margarita) A/ Quadam die (cf KR 31, f. 58v).
107v	20.VII: de sca Brigida.
117	1.IX: de sco Egidio.

120 De sco Dionysio.
121 (21.X: Undecim millium virginum) R/ Audivi vocem (cf. KR 31, f. 64v).
Commun des Saints (131–fin).

A-12 (*A-KR* 309)

KREMSMÜNSTER, Stiftsbibliothek 309 (S.II.1).

243 ff. parchemin, 270 x 192 mm <117 x 105 mm>. Reliure ais de bois couverts de peau blanche; deux fermoirs cuir avec crochets de cuivre. Ecriture du XIIe s., 18 lignes par page, avec initiales rouges. Notation neumatique allemande (facsimilés dans MGG VII, Taf. 77 [= f. 227] et dans Kellner, 41). Le processionnal, combiné avec un tropaire-séquentiaire, a été complété par un versiculaire contenant des versus de procession composés pour la plupart à St-Gall (cf SG 381). Le ms 309 a été ultérieurement relié à un recueil de sermons et de traités théologiques. Origine (du ms. liturgique): Kremsmünster (mention du patron, st. Agapit: cf. Husmann, 19).

✧ Processionnal-Tropaire/Prosaire-Versiculaire.

PROCESSIONNAL (169–178v).
169 2.II
169v RAM.
170 PAR.
170v (RES)
171v *Inter communicandum* A/ Venite populi (PB 105).
173v (ROG) Feria II: A/ Clementissime exaudi.
174v Feria III: A/ Exaudi nos. Feria IV: A/ Exsurge Domine adjuva nos.
176v (ASC) R/ Christe qui regnas in caelis.
177 (PENT) R/ Miserere spiritus Paraclytus. R/ Benedicat nos.
177v R/ O pietatis Deus.
178 De sco Agapito (le titre prévu pour la décoration manque). R/ Martyr Christi Agapite. *Ad introitum ecclesiae* A/ Iniquitates nostras aufer a nobis.
178v *Ad suscipiendum episcopum vel abbatem. Post refectionem* A/ Tibi Christe referimus gratias.
TROPAIRE (179–192v) - SÉQUENTIAIRE (193–217v).
HYMNAIRE - VERSICULAIRE (218–fin).
218 H/ Anima redemptionis/Nos humanae gaudia.
221 NAT.
222v 2.II.
224 (RAM) *Versus* [add. *Theodolfi epi*] *in die palmarum* V/ Gloria laus (AH 50, 160).
225 H/ Magnum salutis gaudium (AH 51, 73).

225v	L/ Kyrie qui passurus advenisti.
226	H/ O Redemptor sume carmen (AH 51, 80)
226v	(CENA) *Versus* [add. *Flavii epi.*] *ad mandatum* Tellus ac aethra (AH 51, 77).
227	(PAR) A/ Populе meus.
227	*Versus* [add. *Fortunati*] *ante crucem* Crux fidelis.
228	*Versus ad eucharistiam* Laudes omnipotens ferimus (AH 50, 239).
229	(SAB) *Versus* [add. *Ambrosii*] *ad candelam* Inventor rutili (AH 50, 30).
230	*Versus ad fontem* Rex sanctorum angelorum (AH 50, 242).
230v–233	Versus Fortunati de resurrectione Domini V/ Salve festa dies (AH 50, 219).
233v	*Versus ante evangelium* V/ Sacrata libri dogmata
234	*Ymnum ante cibum* V/ O crucifer bone (AH 50, 37).
234	*Ymnum post cibum* V/ Pastis visceribus (AH 50, 40).
235v	(25.IV) V/ Psallat plebis sexus omnis (AH 51, 154).
236	De sco Agapito (le titre prévu pour la décoration manque) H/ Alma virgo sponsa (AH 4, 69, d'après ce ms.).
236v	(QUADR) L/ Aufer a nobis.
236v	(Dimanches per annum) *Versus Hartmanni* V/ Humili prece, avec mention de st. Agapit à la str.6 (AH 50, 253).
238v	(Dimanches per annum) *Versus Rathperti ad processionem* V/ Ardua spes mundi (AH 50, 237).
239v	*Letania unde supra* V/ Votis supplicibus (AH 50, 247).
241	[H] Kyrie eleison, Christus ad nostras veniat camenas (AH 50, 259; Stotz, 181).
242	*Versus in Ascensionem* H/ Ascensor sessorque poli (AH 4, 26, d'après ce ms.).
242v	(add. 28.X: Symonis et Judae apostolorum) S/ Gaude mater ecclesia tali partu (AH 44, 258).

Bibliographie: Cat. Hanke-Fill (1984), 411–415. – AH 4, 26, 69; AH 11, 25; 50, *passim*; 53, 15 etc. – A. Kellner, *Musikgeschichte des Stiftes Kremsmünster* (Kassel-Basel, 1956), 37–49 et facs., 41. – H. Husmann, *Tropen und Sequenzhandschriften* (RISM B.V.1, 1964), 18–19. – P. Stotz, *Ardua spes mundi* (1972), 11. – A. Haug, „Ein Hirsauer Tropus" *Revue bénédictine* 104 (1994), 330.

A-12/2 (*A-LA* 57)

LAMBACH, Stiftsbibliothek, Handschriften Sammlung LVII.

117 ff. parchemin, 275 x 195 mm. Cahiers signés par un chiffre ordinal (Is, IIs etc.). Reliure en peau de porc estampée à froid.

Ecriture du XIVe s.; initiales alternativement bleues ou rouges. Notation à clous sur portée de quatre lignes rouges; 7 ppp. Origine et provenance: Lambach (cf. f. 81: „In anniversario sci Adalberonis [d 1090] nostri fundatoris...“). Au f. 96, office des morts identique à celui de Kremsmünster, Hs. 239, de Lambach.

✧ Hymnaire de Lambach, avec chants de procession.

27	(SEPT) H/ Cantemus cuncti melodum (AH 53, 60).
35v	(CENA) H/ Rex Christe factor (AH 51, 71). *Post unumquemque versum respondent rustici in hunc modum*: Ist dew welt alle so wundern fro dass sey got erlöset von der Helle.
40	(RES) Christ ist erstanden von der Marter (W. Lipphardt, *Musicologia austriaca* II [1979], 63).
48	(PENT) L/ Rex sanctorum angelorum (AH 50, 242).
115	*V/ super Media vita* (cf CAO 3, 3732) V/ Ach homo perpende (AH 49, 386). V/ Ach seculi vana gloria (AH 49, 388). V/ Vae modo regnat (ibid., str.3).

A-12/3 (*A-LA* 73)

LAMBACH, Stiftsbibliothek, Handschriftensammlung, LXXIII.

89 ff + 1 f de garde provenant d'un antiphonaire), 255 x 160 mm. Reliure ais de bois couverts de peau blanche. Ecriture du XII-XIIIe s. due au prêtre Hasimo. Initiales et dessins en rouge et noir. Notation neumatique d'Autriche; neumes rouges sur les préfaces de consécration des cierges et des rameaux. (facsimilé dans MGG VIII, col. 115–116). Origine et provenance: Lambach (cf. invocations à st. Kylian, ff. 22, 31v et 38v).

✧ Rituel de Lambach avec chants de procession.

2v	2.II. 11v (RAM) A/ Collegerunt, etc.
22v	(RES) V/ Salve festa dies (AH 50, 79).
24	(PENT) L/ Rex sanctorum angelorum (AH 50, 242).
24v	*Ad processionem* V/ Sanctus terrarum qui reples (AH 11, 25, d'après KR 309).
25ss.	Rituel.

Bibliographie: MMMAE I, 620. – *900 Jahre Klosterkirche Lambach. Ausstellungskatalog* (Lambach, 1989), p. 209 (VIII 33) et 178 (facsimilé en couleurs).

A-12/4 (*A-LA* 73a)

LAMBACH, Stiftsbibliothek, Handschriftensammlung, Cod Ccl LXXIIIa.

78 ff. parchemin, 250 x 160 mm. Reliure ais de bois couverts de peau blanche. Ecriture du XIIe s. Le livre a été offert par Bernard de Lambach (1148–1167). Notation neumatique sur les récitatifs et les lectures (neumes à l'encre rouge aux ff. 8v, 9, 13–13v et 18). Origine et provenance: Lambach (cf invocations àst Kylian, ff. 29, 37, 43v, 64).

✧ Rituel de Lambach avec les chants de procession.

Ce rituel donne les chants de procession, mais non tous les Versus du ms précédent.

1 (2.II) A/ Ave gratia plena.
1v (RAM) A/ Cum appropinquaret.
18v V/ Gloria laus (neumes rouges).
78 (CENA) A/ Ante sex dies.

Bibliographie: *900 Jahre...*, 204 (VIII 17).

A-13

LAMBACH, Stiftsbibliothek, Cml CLIX. (*A-LA* 159)

88 ff. parchemin (non foliotés), 165 x 130 mm <120 x 85 mm>; les 3 premiers quaternions manquent. Reliure en parchemin avec vestige de la reliure du XVe s. Ecriture des environs de 1400; aux principales fêtes, grandes initiales multicolores. Notation à clous sur portée de quatre lignes rouges, due probablement au chantre: „Si non erraret cantor quandoque canendo/ Rusticus hanc artem diceret esse levem", f. 64v, en marge). 6ppp. Origine: Lambach. La présence de la fête de st. Adalbéron de Würzburg (6/X) est due au fait que la vie de ce saint a été rédigée par Jean, Abbé de Lambach (cf. BHL 30–31).

✧ Processionnal responsorial (Tabl. IV).

//// [la]bia tua mel et lc. R/ Super salutem v/ Paradisi portae. R/ Visita quaesumus v/ Benedic. 25.III R/ Ingressus angelus v/ Benedicta tu. *Ad stationem* R/ Haec est dies v/ Ave Maria. *Ad chorum* R/ Christi virgo dilectissima v/ Quoniam peccatorum.

10r RAM V/ Gloria laus (AH 50, 160). *Puerorum* A/ Pueri Haebreorum. (CENA) *In Coena Domini benedictio ignis. Ad mandatum pauperum* Ante diem festum Paschae... (Jo XIII, 1–15). *Ad Mandatum dominorum* R/ Accessit ad pedes v/ Dimissa sunt ei. (PAR) *Ad sepulchrum* R/ Agnus Dei Christus. *Ad chorum... Ad crucem...* (SAB) Sabbato ad ignem. *Ad sublevationem crucifixi* R/ Surrexit pastor bonus. v/ Surrexit Dominus.

37v *Ad visitationem sepulchri* R/ Cum transisset sabbatum v/ Et valde mane (manque dans LOO: cf LOO VII 515).

39v (RES) A/ Cum rex gloriae. *Ad stationem* V/ Salve festa dies (AH 50, 79). ROG.

56 *Per ecclesiam* R/ De ore prudentis *Post missam* A/ Salvator mundi L/ Aufer a nobis.

63r CORP. CHR. 8.VII: de sancto Kyliano R/ Sint lumbi vestri. 15.VIII. 8.IX.

76 (6.X: Adalberonis) R/ Vir Israhelita.

82v (1.XI: de sco Kyliano) R/ Praecelsi meriti praesulem Kylianum v/ O beatam [add.].

85–86 blanc.

86v (8.XII: de conceptione Mariae) R/ Fulget dies hodierna v/ Hermine regali. R/ Cordis ac votis v/ Suscipe devote praeconia [add.].

Bibliographie: K. Holter, „Das mittelalterliche Buchwesen des Benediktinerstiftes Lambach.“ *900 Jahre Klosterkirche Lambach. Katalog zur Oberösterreichischen Landesausstellung 1989*, 218, n^{o} X.03. – Notice établie sur la collation du ms. par le Dr. Martin Czernin (14/V/1998).

A-14 (*A-LA* 239)

LAMBACH, Stiftsbibliothek, Handschriftensammlung, Cod. Ccl 239.

123 + 1 ff. parchemin, 215 x 145 mm. Le feuillet de garde final (124) provient d'un antiphonaire neumé. Ecriture du XVe s. Notation gothique allemande épaissie sur portée; 4 ppp.

✧ Processionnal et Rituel des défunts.

Après le 2.II et les RAM,

61 *In susceptione principis.*
63 *In susceptione episcopi.*
67 *De sco Kyliano et sociis* R/ Isti sunt sancti.
78 *Exequiae mortuorum.*
69v Office des morts noté.
122 (Sci Kyliani) A/ Praecelsi meriti praesulem.

A-15 (*A-LA* 471)

LAMBACH, Stiftsbibliothek, Handschriftensammlung, Cod. 471 (470).

112 ff. papier, 135 x 100 mm. Processionnal identique au précédent.

A-16 (*A-LIs* 209)

LINZ, Studienbibliothek 209 (290).

4 + 164 + 2 ff. papier 200 x 145 mm <160 x 110 mm>. Reliure peau de porc estampée avec l'inscription „Abrahan Antzengrueber, D[ei] G[ratia] Praepositus S. Nicolai, 1593.“ Ecriture datée de 1593. Notation rhomboïdale épaissie, 6 ppp.

✧ Processionnal de la collégiale St-Nicolas de Passau.

I–IV Table du contenu.
Temporal (1–113v).
1 A/ Asperges me. ADV.
66v–69 Depositio crucis.
72v–73v Elevatio crucis (LOO VI, 167 n° 656a). ASC. PENT.
Sanctoral (114–164v).
Chants de procession pour les principales fêtes du Sanctoral, et notamment pour le 6.XII et le 9.V (st Nicolas).
163 DED.

Bibliographie: Cat. dactylographié de K. Schiffmann, 210. – LOO VI, 316.

A-17 (*A-M* 931)

MELK, Stiftsbibliothek 931 (1094).

120 ff. papier (foliotés en chiffres romains), 217 x 146 mm. Reliure ais de bois couverts de peau blanche; fermoirs en laiton. Ecriture du XVe s., due au diacre Christian (f. 120), au temps du prieur (et non de l'Abbé) Gottschalk von Landfriedstetten (d 1433). Initiales noires relevées à l'encre rouge. Notation rhomboïdale d'Autriche-Hongrie sur portée de quatre lignes noires; 7 ppp; guidon. Origine: Melk (pièces pour le patron de Melk, st. Coloman, d 1012).

✧ Processionnal responsorial (Tabl. IV).

1 (en marge) Assit principio Maria meo.

Temporal (1–78).

1	ADV.
6v	(NAT)
8v	*Prosa ad Magnificat* T/ Quem aethera et terra (TROF 2, 106 n° 537).
13v	RAM
23v	(CENA) H/ Tellus ac aethra (AH 51, 77).
27	(SABB) *Ymnus ad ignem* Inventor rutili (AH 50, 30). Exultet jam angelica.
36	(RES) *Ad visitandum sepulchrum* Quis revolvet lapidem (LOO II, 336 n° 265).
38v	*Ad visitandum sepulchrum post matutinos in die sancto* A/ Cum transisset sabbatum.
40	*Ad processionem per ambitum* A/ Cum rex gloriae Christus.
41v	V/ Salve festa dies (AH 50, 79).
45	DED.
47v	(ROG)
56v	S/ Ave praeclara maris stella (AH 50, 313).
60	L/ Exaudi. Aufer a nobis.
69	CORP.CHR.
77	R/ pour les dimanches d'été.

Sanctoral (78v–111v).

76v	26.XII.
81	2.II.
83	(add. marginale) A/ Ora pro nobis beate Cholomane.
85	(3.II: sci Blasii) A/ Adest nobis celeberrimus dies.
86	(6.II: sca Dorothea) R/ O flos virginitatis v/ O benigna [Ve t.]
89	21.III: sci Benedicti.
90v	25.III.
91	CIN.
94v	9.V: sci Nicolai.

97	(13.X: sci Cholomani) A/ Magnificeris Domine...qui beatum Cholomannum humilem [Ve t.]
98	1.XI.
100v	29.IX.
101v	5.VIII: de sca Afra.
102	15.VIII.
104v	11.XI.
106	25.XI.
109	6.XII.
110	(8.XII: Conceptio beatae Mariae) R/ Cordis ac vocis jubilo v/ Suscipe [Ve t.].

Commun des Saints (112–120).

117	Ps. invitatoire (Ps 94) noté.
120	(En vert) Regnante Abbate piae memoriae dno Gogi...alco. (En rouge) Explicit processionale per manum Christianni professi eo tempore dyaconi OSB.
120v	(add.) Ite missa est: 7 mélodies différentes, dont une tropée.

Bibliographie: LOO VI, 323. – *900 Jahre Benediktiner in Melk. Ausstellungskatalog* (Melk, 1989), n° 24.05, mit Faksimile.

A-18 (*A-M* 1251)

MELK, Stiftsbibliothek, 1251 (743).

58 ff. parchemin (paginés), 200 x 142 mm. Reliure en parchemin (un feuillet provenant d'un missel écrit en lettres de forme). Ecriture du XVe s.; petites initiales bleues et rouges. Notation carrée (avec brèves et minimes) sur portée de cinq lignes rouges; barres de division; 5 ppp. Les additions sont en notes carrées (f. 58), mais plus souvent en notation à clous (f. 26, 36, 48, 54–57). L'origine est déterminée par les mentions de st. Choloman, patron de Melk (f. 5 et 32).

✧ Processionnal rituel (cf. Tabl. VIII).

Ce processionnal, intitulé „Rituale Mellicensis," ne contient que les processions prescrites par le *Missale Romanum* (1474), adopté par le *Missale Mellicensis* (Nuremberg, 1495).

1	2.II.
5	A/ Ora pro nobis beate Cholomanne (cf. M 931, f. 83).
7	RAM.
15	(2.XI) Procession au cimetière.
25	CORP. CHR.
28	Rituel des malades.
32	L/ pour les agonisants (sce. Cholomanne).
36	Office des morts, série romaine.
48	Alleluia des antiennes suivant les VIII tons.
58	R/ pour le CORP. CHR (notation carrée, d'une main différente).

A-19 (*A-M* 1722)

MELK, Stiftsbibliothek 1722 (939).

41 ff. parchemin, 170 x 123 mm. Reliure ais de bois couverts de peau teintée à la myrtille, comme les processionnaux dominicains de D-FR et de F-CO. Ecriture du XVe s. Initiales rouges ou noires relevées de rouge. Notation carrée sur portée de quatre lignes rouges; barres de division; 6 ppp. Origine allemande. Provenance: un couvent de soeurs dominicaines à Tülln („E libris sororum s. Dominici quae fuerunt Tullnae", f. 1, de main récente).

✧ Processionnal dominicain (Tabl. VII).

Le début manque. (CENA) A/ pour l'ablution des autels de ste Catherine [de Sienne?], de la Vierge et de st Jean l'Evangéliste.

28v DED.
32 2.II.

A-19/2 (*A-MB* 1)

MICHAELBEUERN, Stiftsbibliothek, MS Cart. 1.

114 ff. papier, sans filigrane, 420 x 285 mm. Ecriture datable de 1450–1480. Notation carrée et notation mesurée, 15 ppp. Ce recueil liturgique de grand format comporte un tonaire, un antiphonaire partiel, un hymnaire et un processionnal. Destination: le ms a été compilé pour un monastère salzbourgeois ayant adopté l' observance de Melk en 1431: soit St-Pierre de Salzbourg (cf. f. 94v: „In dedicatione ecclesiae sci Petri"), soit Michaelbeuern.

Le répertoire du processionnal, analysé par Lipphardt (464–465), comporte trois R/ par fête, des chants en allemand à Noël (f. 85), à Pâques (f. 89bis) et le Te Deum/Dich Gott loben wir (f. 114v).

Bibliographie: W. Lipphardt, „Mensurale Hymnenaufzeichnungen in einem Hymnar des 15. Jahrhunderts aus St Peter, Salzburg (Michaelbeuern, Ms Cart.1)." *Ut mens concordet voci. Festschrift Eugène Cardine zum 75. Geburtstag* (St-Ottilien, 1980), 458–487.

A-20

MICHAELBEUERN, Stiftsbibliothek, MS 136. (*A-MB* 136)

Feuillets de parchemin non foliotés, 155 x 95 mm. Reliure de cuir craquelé avec médaillon sur les plats. Fermoir cuir et cuivre. Ecriture datée de 1721. Notation carrée sur portée de quatre lignes noires; 5 ppp. Origine et provenance: Michaelbeuern.

Titre: „Processionale pro Monasterio San Michael Burano per PAL Feb. Ano 1721" CIN. 2.II. RAM. (CENA) Mandatum. Funérailles. 10.II Sta Scolastica.

A-21 (*A-MB*)

MICHAELBEUERN, Recueil de fragments sans cote.

Volume de format in-folio contenant un feuillet noté pour la procession des RAM: les rubriques sont identiques à celles de Salzburg (Dom, St-Peter et Nonnberg).

A-22 (*A-Sn* 23 C 1)

SALZBURG, Nonnberg, Stiftsbibliothek, 23 C 1.

115 ff. papier, 230 x 160 mm. Réclame à la fin des cahiers. Reliure de cuir rouge estampé; traces de fermoirs. Ecriture du milieu du XVIe s. L'initiale de la p. 1 comporte des feuilles effilées en forme de lanières bleues et rouges. Rubriques rares; l'ordre des fêtes est souvent dérangé. Origine, destination et provenance: le monastère des moniales de Nonnberg à Salzbourg.

✧ Processionnal responsorial (Tabl. IV).

Temporal (1–39; 50–81v).

1 RAM.

21v (RES)

22v V/ Salve festa dies (AH 50, 79), 14 strophes; sous la première, add. pour l'ASC: Ascendit victor et astra tenet (AH 50, 80).

37v CORP. CHR.

Le début du Temporal (ADV, NAT,...CORP. CHR) est reporté à la fin du Sanctoral, f. 48v.

Sanctoral (39v–48v).

Commence au 24.VI.

40v DED.

41v (30.VI: de sca Erentrudis) R/ Sancta deo dilecta v/ Sancta et gloriosa [VIIIe t.]. R/ Sancta praeconia recolentes.

42v R/ O --- laudanda sanctae Erentrudis merita v/ Inter choros virginum (Niiyama, 176).

43v (20.VII: de sca Margaretha) R/ Virgo veneranda v/ Caelestis praemii.

44 A/ Magnificemus Dominum salvatorem.

47v (24.IX: de sco Rudberto) R/ Benedic regem cunctorum [Ve t.] v/ Corde et lingua (Niiyama, 220).

48v 1.XI. 56 (29.XII: sci Thomae Cantuariensis) A/ Felix locus, felix ecclesia [IIe t.]. R/ Jacet granum.

57 A/ Pastor caesus.

62 (21.III: sci Benedicti) R/ Florem mundi [Ier t.] v/ Pennas sumens (AH 25, 146).

81v Messe des défunts, I/ Si enim credimus (Cl. Gay, *Etudes grégoriennes* II [1957], 126).

Commun des Saints (91 ss.).

97 (4.IX: de sca Erentrude) R/ Sancta Erentrudis Christi virgo v/ O sancta mater (Niiyama, 177).

100 A/ Media vita. 102 (4.IX: DED).

104 A/ Salve regina [mélodie du IIIe t., attribuée à Hermann Contract, ed. J.de Valois, *Autour d'une antienne* (Paris, 1912),42].

111 Tons uusuels de l'Office, avec deux intonations différentes pour l'H/ Te decet laus (cf. M. Huglo, „Les diverses mélodies du ‚Te decet laus'..." *Jahrbuch für Liturgik und Hymnologie* 12 [1967], 111–116).

Bibliographie: F. Niiyama, *Zum mittelalterlichen Musikleben im Benediktinerstift Nonnberg zu Salzburg* (Frankfurt am Main, New York, Paris, 1994), 17.

A-23 (*A-Sn* 23 C 6)

SALZBURG, Nonnberg, Stiftsbibliothek, 23 C 6.

122 ff. papier, 215 x 163 mm. Reliure de cuir fauve estampé, avec sur le plat supérieur les initiales H.B. et la date de 1619. Rubriques en allemand très détaillées. Notation à clous tardive, 5 ppp. Contenu semblable à celui du ms précédent., avec en plus l'Office „De conceptione Mariae" (Niiyama, 246).

A-24 (*A-Sn* 23 C 20)

SALZBURG, Nonnberg, Stiftsbibliothek, 23 C 20.

63 ff. papier sans filigrane (plusieurs arrachés), 205 x 153 mm. Reliure de cuir ciselé; deux fermoirs laiton. Ecrit au XVIIe s. Rubriques en allemand. Notation à clous sur portée de quatre lignes rouges; 6 ppp; guidon à bec. Origine, et destination: Nonnberg.

✧ Processionnal responsorial (*Pars hiemalis*).

1 (8.XII: de conceptione B. Mariae V.) R/ Celebris dies colitur v/ Ista (Niiyama, 251). A/ O Maria clausa porta.
3 ADV. 7 (NAT) Après la généalogie de J.C. selon Mt., H/ Te decet laus, avec deux intonations différentes (cf. le Ms 23 C 1, f. 111).
18 29.XII. Mêmes pièces que dans A-22.
42 RAM.
60v SAB.

Niiyama, *Zum ma. Musikleben*, 17.

A-25 (*A-Sn* 23 C 21)

SALZBURG, Nonnberg, Stiftsbibliothek, 23 C 21 [ol. 28 C 7].

72 ff. papier, 200 x 143 mm. Reliure en basane datée de 1609, estampée à chaud: initiales B.G.; en médaillon, sur le plat supérieur, le crucifix; sur le plat inférieur, la Vierge à l'enfant. Ecriture de la fin du XVIe s. ou du début du XVIIe, sur lignes réglées à la mine de plomb. Notation à clous sur portée de 4 lignes rouges; 6 ppp. Origine et destination: Nonnberg.

✧ Processionnal responsorial (*Pars estiva*).

1 TRIN.

3	CORP. CHR.
7v	(30.VI: In dedicatione scae Erentrudis) R/ O rex caelorum v/ Nos prece. Office diurne de ste Erentrudis. R/ O --- laudanda (comme dans le Ms 23 C 1, f. 42v).
21	(20.VII: sca Margaretha) comme dans le Ms 23 C 1, f. 43v.
29v	(24.IX: In translatione sci. Rudperti) comme dans le Ms 23 C 1, f. 47v.

Commun des Saints et suppléments (32v-fin)

42v	ADV. 65 (2.II)
67v	A/ Responsum: rubrique *Chorus* sous chaque mélisme cadentiel.

Niiyama, *Zum ma. Musikleben*, 17.

A-26 (*A-Sn* 23 C 23)

SALZBURG, Nonnberg, Stiftsbibliothek, 23 C 23.

80 ff. papier, 205 x 150 mm. Reliure de peau blanche estampée, portant la date de 1599 et les initiales C M.; deux fermoirs. Ecriture et initiales de la même main que le ms. précédent. Notation à clous sur portée de quatre lignes rouges; 6 ppp; guidon à bec. Origine et destination: Nonnberg.

✧ Processionnal responsorial (Tabl. IV).

Mêmes pièces que dans le processionnal précédent, mais dans un ordre différent. Au CORP. CHR., lecture du début des quatre évangiles.

Niiyama, Zum ma. Musikleben, 17.

A-27 (*A-Sn* 23 E 7)

SALZBURG, Nonnberg, Stiftsbibliothek, 23 E 7 [ol. 28 C 8].

37 ff. papier, 210 x 155 mm. Reliure portefeuille avec étiquette: „Procession Büchl. C XXXV" (1535). Ecriture du début du XVIe s.; initiales faites probablement au pochoir. Notation à clous sur portée de quatre lignes rouges; 6 ppp; guidon à bec. Origine et destination: Nonnberg.

✧ Processionnal responsorial (Tabl. IV).

1	(8.XII: conceptio B. Mariae V.) R/ Celebris dies.
1v	(18.XII) R/ O Maria clausa porta.
20	(2.II)
23	R/ Responsum avec la rubrique *Chorus* répétée en interligne sous les mélismes.
30	[autre main] *Ad processionem contra pestilentiam* R/ Afflicti.
33	A/ Media vita.

Niiyama, *Zum ma. Musikleben*, 18.

A-28 (*A-Sn* 28 B 8)

SALZBURG, Nonnberg, Stiftsbibliothek, 28 B 8.

87 ff. papier, 135 x 195 mm. Reliure de basane noire comme le Ms 23 C 21, mais sans dorure; traces de fermoirs. Ecriture du XVIe s.; rubriques en haut-allemand. Notation à clous sur portée de quatre lignes rouges; 6 ppp; guidon à bec.

✧ Processionnal responsorial (Tabl. IV).

1 TRIN.
6v (CORP.CHR) Rubriques sur la lecture du début des quatre évangiles.
11 24.VI.
12 (30.VI: In dedicatione scae Erentrudis) R/ O rex caelorum.
12v R/ Terribilis.
15v De sca Erentrude: A/ Ista est speciosa.
17 R/ Sancta deo dilecta v/ Sancta et gloriosa virgo (Niiyama, 176).
33v (20.VII: de sca Margaretha) comme dans le Ms 23 C 1, f. 43v.
43 (24.IX: sci Rudperti) A/ Benedic regem cunctorum.
44v R/ Conversos jam ad Christum (Niiyama, 220–221).
62v NAT. H/ Te decet laus et office de Laudes de la NAT.
71 B/ Benedicamus in laude Jesu...domino.
77 (29.XII) comme dans le Ms 23 C 1, f. 56.
82 (2.II) 85 R/ Responsum avec la rubrique *Chorus* sous le mélisme de fin d'incise; dernier mélisme développé (86–86v).

Niiyama, *Zum ma. Musikleben*, 18.

A-29 (*A-Sn* ol.1)

SALZBURG, Nonnberg, ol. 1.

135 ff. parchemin, 195 x 141 mm. Reliure estampée portant la date de 1591 et les initiales M.V.K (Margaretha von Küenburger). Ciselures; dans le bandeau central, crucifix; bandeaux latéraux, les apôtres; deux fermoirs laiton. La décoration exceptionnelle est composée de quatre lettrines historiées avec rinceaux et feuillages en marge: 1 (RAM) Jésus, assis sur un âne, entre à Jerusalem. 52 (20.VII: scae Margarethae) L'abbesse Margaretha von Küenberg, agenouillée devant ste Marguerite, avec ses armoiries à ses genoux. Notation à clous sur portée de quatre lignes rouges; 6 ppp; guidon à bec. Origine et destination: Nonnberg. Ce beau processionnal a été cédé en 1989 à un Antiquariat, mais a été filmé auparavant par Hill Monastic MS Library de St John University de Collegeville, Minn.

70 (2.II) Présentation de l'enfant Jésus au temple.
72 (21.III: st. Benoît) R/ Florem mundi periturum (AH 25, 146). Le R/ Sancta Erentrudis commence par un S encadré, mais sans décoration spéciale.

Bibliographie: Antiquariat Heribert Tenschert, Katalog XX (Rothalmünster, 1989), Nr 22.

A-29/2 (*A-Su* 161)

SALZBURG, Universitätsbibliothek, M II 161.

128 ff. 295 x 200 mm. Reliure de cuir ciselé. Ecriture du XIIIe s.; initiales noires ou rouges. Notation neumatique allemande incomplète, car le rituel est destiné non au chantre, mais au prêtre. Origine et provenance: Salzburg, St-Peter.

✧ Processionnal rituel (cf. Tabl. VIII).

Processions rituelles seulement:

79 (2.II) *Ad stationem* A/ Responsum, neumes sur la seule finale ...in pace: la place des neumes cadentiels avait cependant été prévue.

81 RAM.

100v *Ex scola pueri juxta crucem hunc hymnum cantent* V/ Gloria laus.

A-30 (*A-SF* 434)

SANKT FLORIAN, Stiftsbibliothek, XI 434.

267 ff. parchemin, 265 x 200 mm. Ecriture de la première moitié du XVe s. Notation messine de l'Est de l'Europe sur portée de quatre lignes avec guidon. L'origine est déterminée par la présence de la Règle de st Augustin (ff. 245–257v) et du Livre de confraternité des Augustins de St-Florian avec les abbayes de St-Nicolas de Passau, St-Pölten, Seckau, Waldhausen, et Kremsmünster (ff. 258v–261).

✧ Processionnal-Rituel augustin (Tabl.IX).

Antiennes dominicales A/ Benedic Domine domum istam.

16v 2.II.

43 CIN.

55 RAM.

80v (CENA) Mandatum.

93v (PAR) Depositio crucis (LOO IV, 1325 n° 723: rectifier la référence au Ms.).

123 (SAB)

128 Exultet.

161v–164v Elevatio crucis (LOO IV, 1326).

165–170 Visitatio sepulchri (LOO IV, 1326–1329).

193 L/ Rex sanctorum angelorum.

217 Rituel des funérailles.

Bibliographie: Cat. Czerny, 161. – A. Franz, *Das Rituale von St Florian* (Freiburg in Br., 1904), 21–23. – LOO VI, 417.

A-31 (*A-SF* 438)

SANKT FLORIAN, Stiftsbibliothek, XI 438.

91 ff. parchemin, 160 x 115 mm. Reliure cartonnée. Ecriture du XVe s. Notation carrée sur portée de quatre lignes rouges, sans guidon; barres verticales d' intonation et de division; 6 ppp (5 ppp à partir du f. 54). Provenance: Wiblingen bei Ulm.

✧ Processionnal dominicain (Tabl. VII).

1	(RAM) A/ Pueri Haebreorum.
6	(CENA) Ablution des autels de la Vierge, des sts Thomas (apôtre), Nicolas, Pierre (martyr), Dominique, Augustin, Felicitas et Regula.
90–91v	(add) R/ Johannes postquam senuit.
91v	A/ Regina caeli.

Cat. Czerny, 162.

A-32 (*A-SF* 450)

SANKT FLORIAN, Stiftsbibliothek, XI 450.

52 ff. parchemin, 75 x 50 mm (ff. 1–12); 97 x 75 mm (ff. 13–52). Ecriture du XVe s. Notation carrée sur portée de quatre lignes noires repassées en rouge; 4 ppp (ff. 1–12), sans guidon, et ensuite 5 ppp.

✧ Processionnal dominicain (Tabl. VII).

1	(RAM) A/ Pueri Haebreorum. Les ff. 13 et ss. proviennent d'un autre processionnal dominicain qui commence au milieu de l'ablution des autels au Jeudi saint (rubriques au f. 17).
41	Ter terni sunt modi (GS II, 152).
42	A/ du Cantique. A/ de B.Maria Virgine.
48v	R/ Candida virginitas.

Cat. Czerny, 164.

A-33 (*A-SF* 458)

SANKT FLORIAN, Stiftsbibliothek, XI 458.

142 ff. parchemin, 65 x 50 mm (format poucet). Reliure cartonnée. Ecriture de la fin du XVe s. Notation carrée sur portée de quatre lignes rouges; 3 ppp; petit guidon en fin de ligne. Même origine et même provenance que SF 438: Wiblingen bei Ulm.

✧ Processionnal dominicain (Tabl. VII).

1	(RAM) A/ Pueri Haebreorum.
33v	Rubriques pour le Jeudi-saint: Hic ponantur A/ et R/ et orationes... (cf. SF 438, f. 6).
99	Rituel des fins dernières.

Bibliographie: Cat. Czerny, 165. – B. Stäblein, Art. „Processionale" (MGG XI, 458).

A-34 (*A-SF* 467)

SANKT FLORIAN, Stiftsbibliothek, XI 467.

166 ff. parchemin, 244 x 180 mm. Reliure ais de bois recouverts de peu de truie. Traces d'un seul fermoir. Ecriture du XIIIe s. (facs. Franz, Taf. 2); initiales rouges. Notation neumatique de l'Allemagne du sud (facs. Franz, Taf. 1). Provenance: Iste liber est sci Floriani, Patav. diocesis (f. 1, marg.).

✧ Rituel-Processionnal.

Dans ce livre réservé au célébrant, seul l'incipit des chants est neumé.

9	CIN.
10	RAM (chants neumés en entier).
67	Rituel des fins dernières
99	Bénédictions diverses du Rituel.

Bibliographie: Cat. Czerny, 167. – A. Franz, *Das Rituale von St. Florian aus dem zwölften Jahrhundert*, Freiburg im Breisgau, 1904, 13–20 (description), 31–144 (édition). – *Kirche in Oberösterreich. 200 Jahre Bistum Linz.* Oberösterreichische Landesaustellung 1985, 26. April bis 27. Oktober, 1985 im ehemaligen Benediktinerstift Garsten, 595, n° 17.37.

A-35 (*A-SF* 491)

SANKT FLORIAN, Stiftsbibliothek, XI 491.

178 ff. papier, 220 x 145 mm. Reliure ais de bois recouverts de cuir estampé; traces d'un seul fermoir. Ecriture du milieu du XVIe s. (date de 1551 sur le plat supérieur de la reliure); initiales à l'encre rouge ou parfois verte (f. 95 ss). Notation messine de l'Europe de l'est sur portée de quatre lignes noires; guidon à bec (changement de notateur du f. 93, lin. 3, au f. 95. Origine: St Florian (d'après le Sanctoral). Provenance: le livre a peut-être été copié à l'extérieur de l'abbaye: „Jacobus Eschenperger comparavi" (f. 169v).

✧ Processionnal augustin (Tabl.IX).

1	A/ Asperges me et A/ dominicales.
Temporal (6–125).	
6	ADV.
13v	NAT-28.XII.
25v	CIN.
66v	(RES) A/ pascales.
67v–73v	*In visitatione sepulchri* A/ Dum transisset (LOO IV, 1332 n° 725).
82	25.IV et ROG.
87v	R/ Beate martyr Floriane v/ Quid enim [VIe t. transposé]
104	(CORP.CHR) R/ O coena magnifica qua carne v/ Esca tui sacri [VIe t. transposé].
115	DED.
Sanctoral (125v–159v).	
A partir du 30.XI.	

130 (2.II) A/ Responsum avec la rubrique *Chorus* sous chaque mélisme cadentiel.
139v (3.V) R/ Preciosus Christi martyr Alexander.
140 (4.V: sci Floriani) renvoi au f. 87v.
144 5.VIII: sca Afra.
147v 28.VIII.
Commun des Saints (161-fin).
166v [add. récente] Magnificat.
170v–178 blancs.

Bibliographie: Cat. Czerny, 171 (rectifier: „Processionnal" au lieu d'„Antiphonaire"). – TROF 2, 185. – LOO VI, 418.

A-36 (*A-SPL* 74/6)

SANKT PAUL IM LAVANTTAL, Stiftsbibliothek, 74/6 (XXXIX.1.1).

130 ff. papier (+ feuillets de remplissage) 96 x 66 mm. Reliure de peau blanche estampée, tranches rouges, deux fermoirs. Ecriture datée de 1729. Notation allemande à clous très soignée; 5 ppp. Origine et provenance: St Blasien im Schwarzwald (cf. f. 72v): le Ms est à St Paul in Lavanttal depuis l'Aufhebung de 1802.

✧ Processionnal.

1 NAT.
72v *In festo sci Patris nostri Blasii* R/ Sancte Deo.
124 A/ Salve regina, avec la traduction allemande (Gegrußt säyest du Königin) sous la même mélodie que celle du texte latin, mais en notation moderne.

Bibliographie: K. Holter, *Kunsttopographie*...37 (1969), 387.

A-37 (*A-SPL* 213b/4)

SANKT PAUL IM LAVANTTAL, Stiftsbibliothek, 213b/4 (26.3.2).

35 ff. papier à filigrane (P surmonté de deux S et avec un balance), 260 x 190 mm. Plusieurs feuillets déplacés et lacunes. Reliure cartonnée. Ecriture des environs de 1500 (Holter). Grosse notation à clous lisible à distance; 5 ppp; guidon. Origine: une église dédicacée entre le 15 août et le 8 septembre, où le culte de st Henri (cf. f. 19v) était en honneur.

✧ Processionnal.

1 ADV.
3 NAT.
4 Dimanches de janvier. Lacune entre 4v et 5. 6 SEPT et QUADR.
12 RAM.
14 RES.
15 (ROG) L/ Aufer a nobis. Lacune entre 16v et 17.
19v (13.VII: de sco Henrico) R/ Converso ad summum v/ Cursu tandem [Ier t.].

20v	(25.XI) R/ Costi virgo.
21v	TRIN.
22v	15.VIII.
25	DED.
26	8.IX.
27	1.XI.
32	Add.

Bibliographie: K. Holter, *Kunsttopographie*... 37 (1969), 412.

A-38 (*A-SP* 13)

SANKT PÖLTEN, Diözesanarchiv, Ms 13.

103 ff. parchemin, 300 x 210 mm <240 x 173 mm>. Ecriture du XIV–XVe s. Notation rhomboïdale sur portée de quatre lignes rouges; 9 ppp; guidon. Origine et destination: St Pölten (ff. 34v, 64, 67v).

✧ Processional augustin (Tabl. IX).

3v	[add] R/ Surrexit pastor bonus.
4v	ADV.
7v	(NAT) C/ Ecce novus annus est (AH 20, 131, 252*).
8	C/ Dies ista colitur (AH 20, 107, 258*).
9	C/ Praesens festum laudat clerum.
9v	C/ Mater summi Domini (AH 20, 189).
10v	C/ Patrem parit filia (AH 20, 221).
11	C/ Ecce venit de Syon (AH 20, 59).
11v	C/ Tribus signis deo dignis (AH 20, 128).
12	C/ Nos respectu gratiae (AH 1, 160).
12v	C/ Gaude Sion, jubila.
13v	C/ Verbum Patris humanatur (AH 20, 104, 254*)
14	C/ Stella nova radiat (AH 20, 132, 254*).
15	C/ Missus est Emmanuel fuso caeli rore.
27v	*Depositio crucis et hostiae ...versus sepulchrum humili voce cantant* R/ Ecce quomodo (LOO IV, 1354 n° 736).
35	L/ Rex sanctorum angelorum (AH 50, 242).
37v	*Visitatio sepulchri*, distribuée entre *rectores, sacerdotes, diaconus* et *scholares* (LOO IV, 1355).

Sanctoral (55 ss.).

Le Sanctoral en désordre commence au 25.X: de sca Catharina.

63v	(13.VIII: In festo sci Ypoliti) A/ Venerande Christi testis. R/ Beatissimus Christi martyr v/ Caeco illuminato.
64v	R/ Coepit Ypolitus tristis v/ Respondens Ypolitus. R/ Suadens Decius Ypolitus v/ Jussit Decius.

65v	15.VIII.
67v	(28.VIII) R/ Invenit se Augustinus v/ Nec tu me mutabis. R/ Sensit igitur et expertus v/ Propter iniquitatem. R/ O gloriose Pastor.
69	R/ Dum vero invisibilia.
69v	8.IX. DED.
75v	24.VI.
81v	CORP. CHR.
85	TRIN.
96v	S/ Mundi renovatio (AH 54, 224).
98	S/ Stabat mater (AH 54, 312).
99	S/ Virginis in gremio (AH 54, 376).
101v	De sco Udalrico.

Bibliographie: W. Graf, „Stifts- und Dommusik in St Pölten" *Festschrift anläßlich der Weihe der Domorgel zu St Pölten 1973*, 7–8. – LOO VI, 425–426.

A-38/2 (*A-SP* 68)

SANKT PÖLTEN, Diözesanarchiv, Ms 68.

136 ff. parchemin, 210 x 153 mm. Reliure de cuir estampé avec fermoirs. Rituel de St Pölten daté de 1372 (f. 127). Les rubriques mentionnent les *scolares* (f. 20v), les enfants chanteurs (f. 64v), les *rectores chori* et *cantores chori* (f. 122v).

✧ Rituel.

6	*Benedictio in scriptorio.*
10	Incipit Ordo processionum sive benedictionum (s.n.).
36v	L/ Rex sanctorum angelorum (s.n.).
43	L/ sanctorum notée, comme dans les autres mss. de St Pölten.
61	(13.VIII: In festivitate sci Ypoliti): mêmes R/ que dans le Ms 13, f. 63v.
62v	28.VIII.
64	DED.
66	Rituel du Baptême.

Bibliographie: *Katalog der datierten Handschriften in lateinischen Schrift in Österreich*, Bd. VIII: *Datierte Handschriften in niederösterreichischen Archiven und Bibliotheken bis zum Jahre 1600* von F. Lackner (Wien, 1988), 89 n° 95.

A-39 (*A-SP* 76)

SANKT PÖLTEN, Diözesanarchiv, Ms 76.

136 ff. parchemin, 210 x 150 mm <157 x 110 mm>. Reliure de cuir noir estampé: crucifix en médaillon et inscription CANTION:SAC:MS:COD:MEI///; coins en cuivre. Ecriture du XVe s. Notation rhomboïdale de Haute Autriche sur portée de quatre lignes rouges; 7 ppp; guidon. Origine et destination: le monastère des chanoines augustins de Reichersberg (cf.

LOO VI, 426): le processionnal n'a pas les R/ propres de st Hypolite comme les mss précédents. Cependant, les nombreuses rubriques concernant l'exécution des chants de procession correspondent souvent à celles du Ms. 13 de St Pölten.

✧ Processionnal augustin (Tabl. IX).

Temporal (3–83v).

3	(ADV) *In circuitu* R/ Jerusalem cito.
8	NAT.
9v	R/ Verbum caro T/ Quem aethera et terra (TROF 2, 106 n° 537).
16v	(2.II) R/ Gaude Maria virgo.
19	*Cantores* R/ Responsum... *Chorus* sous la première vocalise.
32	(RAM)
32v	*Incipit chorus* A/ Collegerunt... Ne forte. *Deinde cantores* Unus autem. *Postea praelatus vel alius cantat* Expedit vobis. *Chorus* Ab illo. *Chorus subjungit repetitionem* Ne forte. (34) *Praecantor* Coeperunt.
36	*Duo pueri* A/ Pueri Haebreorum.
41v	(CENA)
42	*Praelatus exit cum ministris ad monasterium...interim cantant* A/ Coena facta.
47	(PAR)
47v	A/ Populе meus. *Deinde tres scolares induti cappis greco sermone succinunt* Agyos o theos. *Chorus respondeat* Sanctus Deus.. (49v) *Novissime vero omnes una voce expressius reincipiant. Ad sepeliendum crucem: ... portant imaginem crucifixi versus sepulchrum lugubri voce cantant* R/ Ecce quomodo (LOO IV, 1255, n° 692).
51v	(SAB) *Ad levandam crucem in sancta nocte* (LOO IV, 1256).
55	T/ Quem quaeritis (LOO IV, 1257–59).
62v	ROG (70) ...*Deinde si placet cantetur* Christ ist erstanden *per populum*.
77	(CORP. CHR)
82v	Ave vera hostia/ Veritas et vita/ in qua sacrificia/ cuncta sunt finita (16 strophes, s.n.).

Sanctoral (84–125v).

A partir du 29.XI.

90	(27.III: sci Ruperti episcopi) R/ Beatus Rupertus quasi vas auri solidum v/ Factum est [VIIe t.].
100	(20.VII: sca Margaretha) R/ Quadam die Olibrius.
101v	(26.VII: scae Annae) R/ Jesu Christe nepos cujus.
103	(7.VIII: scae Afrae) R/ Martyr sancta v/ Crescat.

108 (28.VIII) R/ Invenit se Augustinus.
114v (11.X: In translatione sci Augustini) R/ Volebat enim v/ Displicebat [Ve t.]
119v (19.XI: Elysabeth lantgraviae) R/ Benedictus sit Dominus Deus v/ Mulieres [Ve t.]
122 DED.
Commun des Saints (126) et suppléments divers.
132 A/ des ROG.
136 A/ Haec est dies quam fecit Dominus (PB 147)

Bibliographie: LOO VI, 426.

A-40 (*A-SP* 111)

SANKT PÖLTEN, Diözesanarchiv, Ms 111.

165 ff. parchemin, 170 x 130 mm. Reliure originale ais de bois couvert de cuir estampé à froid; 2 fermoirs restaurés. Ecriture du XVe s. Notation à clous sur portée de quatre lignes rouges. Origine et provenance: le noviciat (add. du XVIIIe s., à l'intérieur du plat supérieur) du couvent des soeurs dominicaines d'Imbach (rubriques du Rituel en allemand aux ff. 81, 83v, 95v etc.).

✧ Processionnal et rituel dominicain (Tabl. VII).

Notice établie d'après les renseignements communiqués par Eugen Novak (lettre du 31/III/1992).

A-41 (*A-SCH* 253)

SCHLÄGL, Stiftsbibliothek, Ms Cpl 253.

74 ff. parchemin, 205 x 165 mm. Reliure en peau de truie estampée tendue sur ais de bois; traces de deux fermoirs. A l'intérieur des plats, feuillets d'un incunable (Bible apostillée par Nicolas de Lyre, 1493). Ecriture en lettres de forme. Notation carrée sur portée de quatre lignes rouges; 6 ppp; quelques corrections en notation messine de l'Europe de l'Est. Origine et destination: Schlägl, monastère de prémontrés ayant pour patronne la Vierge Marie dans son Assomption (f. 53).

✧ Processionnal prémontré (Tabl. IX).

Temporal (1–50v).
Lacune initiale (ADV).
1. NAT.
2v 2.II.
35 Procession des Vêpres pascales.
37 (DED) Titre en grandes lettres bleues.
38 A/ Pax aeterna (PB, 240).
44v (CORP.CHR) R/ Homo quidam.
48 *Quattuor initia evangeliorum* (Jo, Mc, Lc, Mt).

Sanctoral (51–70v).
Commence au 24.VI: R/ Inter natos.

51v (2.VII) R/ O praeclara stella maris v/ Ad te clamant.
53 (15.VIII) *Item propter patrocinium nostri monasterii* R/ Felix namque.
54v (28.VIII) R/ Verbum Dei v/ Tuba clangit. R/ Nos ad pugnam v/ Pie doctor. *Ad introitum* A/ Adest dies celebris.
62 (CENA) *Incipiuntur responsoria in Coena Domini ad lavandum altaria: Primo in sanctissimo altari. In ambitum sci Viti, de sco Leonhardo, ad scam Barbaram, ad scm Nicholaum, ad scm Florianum.*
70 *In antiqua capella.*

Divers

71 *Pro omnibus fidelibus defunctis* R/ Libera me Domine de morte, avec 5 v/.
72v A/ Asperges me.

Cat. Vielhaber-Indra (1918), 351 n° 27.

A-42 (*A-SCH* 258)

SCHLÄGL, Stiftsbibliothek, Cpl 258 (825, 258).

296 ff. papier, 187 x 145 mm. Reliure ancienne en chagrin noir avec ciselures dorées: crucifix en médaillon avec le monogramme IHS; tranches dorées et ciselées. Ecrit par le Fr. François en 1623, soit trois ans avant la destruction du monastère durant la Bauernkrieg. Notation à clous sur portée de quatre lignes rouges; 6 ppp; guidon à bec.

✧ Processionnal prémontré (Tabl. IX).

2 L/ de la Vierge.
9 A/ Asperges me.

Temporal (10v–154).

10v (ADV) A/ Ecce carissimi dies illa.

La suite est identique au répertoire du Ms. précédent, mais un peu plus développé pour les Vêpres pascales.

81–89v A/ v/ et oraisons à la Vierge.

Sanctoral (155–216v).

Commence au 21.I (sta Agnes). Répertoire identique à celui du Ms. précédent.

178v (2.VII) Mêmes R/ que le Ms. précédent, avec en plus: *Responsorium quod sequitur est Ordinis Praemonstratensis* Elisabeth ex opere signorum v/ Nullus diffidat [VIe t. transposé]

Commun des Saints (217–223v) et divers.

224 Gloria Patri des R/ suivant les VIII tons.
225–227 Psalmodie suivant les VIII tons.

235	Office des défunts, suivant l'usage des Prémontrés (Ottosen, 142, 277).
260	Ablution des autels, comme précédemment, mais sans la mention de ste Barbe et en plus la mention de l'église paroissiale extra claustrum et ste Marie de l'Annonciation.
263v	Incipit des IV évangiles.
270	Index alphabétique.
275-fin	blanc.

Cat. Vielhaber-Indra, 376 n° 247.

A-42/2 (*A-Wn* 843)

WIEN, Österreichische Nationalbibliothek 843 (Philos. 105).

A la fin des „Categoriae" (Xe s.) du Ps-Aristote, add. des neuf premiers vers des V/ Laudes omnipotens ferimus (Stotz, 76) avec notation neumatique.

Bibliographie: L. Minio-Paluello, *Aristoteles latinus, Supplementa altera* (Bruges-Paris, 1968), 58 n° 2023. – Stotz, 14, Sigle *ViB*.

A-43 (*A-Wn* 1888)

WIEN, Österreichische Nationalbibliothek, 1888 (Theol. 685).

227 ff. 203 x 155 mm <160 x 120 mm>. Reliure en peau de truie estampée à chaud: en médaillon E A B C V (Ex Augusta Bibliotheca Cesarea Vindobonensis) et, en bas, 17-GLOBUS-55 (initiales de Gerhard van Suiten, troisième bibliothécaire de la Bibliothèque impériale, de 1777 à 1803). A la fin (f. 227v), M 3861 (de la numérotation d'H. Blotius, 1576); au f. 1, M.353 (de la numérotation de Sebastian Teknagel, d 1636). Ecriture d'une seule main du second tiers du Xe s., entre 936 et 962, selon Hoffmann, à rapprocher de celle du Tropaire-Séquentiaire de Londres, Br. Libr. Add. MS 19768. Notation neumatique allemande: 16 lignes neumées par page. Origine: St Alban de Mayence (cf. ff. 8, 19v, 110v, 111 etc) au temps d'Otton Ier, roi. Provenance: St Margareth in Waldkirch. Intitulé Rituel-Missel (O. Mazal) ou Sacramentaire-Rituel (Kl. Gamber), ce livre composite est à considérer, en raison de sa richesse en chants de procession, comme l'ancêtre du processionnal du XIIe s.

◊ Rituel processionnal.

1v	Missa greca (Doxa, Credo/Pisteuo is ena, Agyos, O amnos tu theu), ed. Atkinson, *Km Jhb.* 65 (1981), 27; *AfMw* 39 (1982), 125, 127, 139 etc.
3	T/ Kyrie o theos critis (AH 47, 94).
3v–4	Gloria in excelsis T/ Odas pangimus tibi almus (AH 47, 251).
4	T/ Dies nostros Domine dispone (AH 47, 282).
8	(21.VI: sci. Albani) Office neumé de st Alban R/ Sancti Albani cujus festa.
9	(CENA)

9v–11	(SAB) Exultet jam angelica (mélodie allemande: G. Benoît-Castelli, *Ephemerides liturgicae* 67 [1953], 331).
19v	L/ sanctorum (le nom de st Alban est écrit en petites capitales).
45	Rituel des fins dernières.
64v	Bénédiction des lieux monastiques.
72v	(2.II) A/ Ave gratia plena.
73	A/ Responsum (avec T): *Versiculi* Qui sine peccato templi est oblatus ad aram (facs. Mazal, Abb. 63).
73v	A/ Adorna.
76v	RAM.
78v	*Versus in Coena Domini et Parasceve et Sabbato sancto.*
102v	RES.
103v	L/ Ardua spes (AH 50, 237), avec l'invocation Sce Albane (104).
105	L/ Humili prece (AH 50, 253; cf Andrieu, 501–504).
107v	*Item metrica litania* V/ Salve festa dies (AH 50, 79).
108	L/ Rex salvator alme suscipe (AH 43, 65).
109	*Preces ante altare prima die* Clamemus omnes una voce. *In die secunda* L/ Tibi laus, tibi gloria. *In die tertia* L/ Aufer a nobis.
110	L/ Dicamus omnes: Domine miserere. Ex toto corde (ed B. Capelle, *Revue bénédictine* 46 [1934], 129; De Clercq, 190).
110	*Letania gallica* Pater de caelis Deus (ed. Gerbert, 90). *Letania gallica* Agnus Dei qui tollis (ed. Gerbert, 90).
114	*In die ad missam* I/ Exaudivit (AMS, 94).
115	L/ Votis supplicibus (AH 50, 247; cf. Andrieu, 413 et 503).
116	V/ Homo quidam erat dives valde (ed. Gerbert II, 91–92).
116v	*In letania majore, die prima antequam crux elevetur* A/ Exaudi nos (AMS, 37; cf Gerbert, 91–92).
123	Douze A/ O (CAO 3, 4075 ss.).
185 ss.	Office des morts (Ottosen, 128, 268).
197	(RES) T/ Quem quaeritis in sepulchro (ed. Lipphardt, *Mediaevalia litteraria. Festschrift für H. de Boor*, [München, 1971], 177–191, avec facs.; LOO I, 88 n° 76).
197v	Office de la Trinité à 12 R/.
203v	Office de la DED.
226v	(fragment d'un autre Ms. plus récent) Ordo pour RAM.

Bibliographie (limitée aux éditions et descriptions partielles du Ms.): M. Gerbert, *Monumenta veteris liturgiae alemannicae*, t.II (St Blasien, 1779/ Nachdruck, Hildesheim, 1967), 74–75; 84–93 [reproduit dans la PL 188, c.1080 ss.]. – M. Andrieu, *Les Ordines romani du Haut Moyen Age*, Vol. I (Gembloux, 1931 [réimpression Louvain, 1984], 404–419. – R. Amiet, „Trois manuscrits carolingiens de St Alban de Mayence“ *Ephemerides liturgicae* 71 (1957), 101–102. – K. Gamber, *Codices liturgici latini antiquiores* (Fribourg/S,

1963), Pars 2a, 568 n° 1580 (Spicilegium Friburgense, 1). – P. Stotz, *Ardua spes mundi* (Bern, 1972), 14, sigle ViA. – LOO VI, 464. – O. Mazal, *Byzanz und das Abendland. Katalog einer Ausstellung* (Wien, 1981), 279, n° 208 u. Abb. 63. – Ch. M. Atkinson, „O amnos tu theu: the Greek Agnus Dei..“ *Km Jhb* 65 (1981), 7–30. – Id. „Zur Entstehung und Überlieferung der ‚Missa greca‘“ AfMw 39 (1982), 113–145. – H. Hoffmann, *Buchkunst und Königtum im ottonischen und frühsalischen Reich* (Stuttgart, 1986), Textband, 265–266. – C. Brockett, [Paper] „A Repertory of Processional Antiphons in Vienna National Bibliothek 1888.“ *Austria 996–1996. Music for a Changing Society* (Ottawa, January, 1996).

A-44 (*A-Wn* 1894)

WIEN, Österreichische Nationalbibliothek, 1894.

101 ff. parchemin, 210 x 157 mm. Reliure ais de bois couverts de cuir teinté à la myrtille; traces de deux fermoirs. Au dos, étiquette portant le n° 3528. Ecriture allemande du XVe s. Notation carrée tracée sur portée de quatre lignes rouges; guidon en forme de virga retournée vers le haut; 7 ppp. Add. en notation allemande (ff. 44–46v). Origine: un couvent dominicain viennois. Provenance: Schottenstift (f. 1: „Dz puech gehort zu Sant Maria Magdalen von Schottn zu wienn“).

✧ Processionnal dominicain (Tabl. VII).

1–25	Rubriques directoires *Cum imminet aliqua processio...*
26	(RAM) A/ Pueri Haebreorum. Pièces ajoutées au Processionnal dominicain (Tabl. VII):
42	(RES) S/ Victimae paschali (AH 54, 12).
43	S/ Virgini Mariae laudes (AH 54, 31).
43v	(PENT) S/ Veni sancte Spiritus (AH 54, 234).
44v–46	[add. en notation germanique sur lignes] Leçons de l'Office des Ténèbres à deux voix: Consolamini, consolamini...
45	Vox clamantis (A. Geering, 31, qui donne comme concordance Berlin, Mus. Ms 40580, provenant du Minoritenkloster de Vienne).
46	S/ Imperatrix angelorum (AH 54, 360).
47	[autre main, notation carrée sur portée de cinq lignes rouges] A/ Dominus Jesus.
58	2.II.
74	Office des morts selon l'usage dominicain (Ottosen, 108–110).
80	*De officio sepulturae.*
96v	A/ Clementissime Domine.
100	O scriptor cessa/ qui manum est tibi fessa/ Explicit, explicit/ ludere scriptor eat.
100v	A/ Regina caeli.
101	A/ Una sabbatorum.
101v	A/ Surrexit pastor bonus.

Bibliographie: *Mittelalterliche Bibliothekskataloge Österreichs*, I, 434. – C. Schneider, *Geschichte der Musik in Salzburg von der ältesten Zeit bis zur Gegenwart* (Salzburg, 1935), 18–19 und Bild 3. – A. Geering, *Die Organa und mehrstimmigen Conductus in den Handschriften des deutschen Sprachgebietes vom 13. bis 16. Jahrhundert* (Bern, 1952), 31. – K. von Fischer und M. Lütolf, RISM B IV 3, 97.

A-45 (*A-WIL* 49)

WILHERING, Stiftsbibliothek, Cod VI/49.

63 + 32 + 4 ff. papier (paginés). Notation à clous sur portée de cinq lignes. Ce processionnal a été copié Ebrach en 1681, par le Fr. U. H. P. E., sur le *Processionale Ordinis Cisterciensis* (Paris, Cramoisy, 1674), édité par l'Abbé général de Citeaux, qui ajoute au Processionnal cistercien (Tabl. V) plusieurs fêtes d'Apôtres et la fête de st. Louis, protecteur de l'Ordre cistercien.

Bibliographie: O. Grillnberger, *Die Hds... Wilhering* in *Xenia Bernardina* II (Wien, 1891), 82. – Cette notice et celle des trois Mss. suivants a été établie d'après les notes de Martin Czernin (février 1991).

A-46 (*A-WIL* 118)

WILHERING, Stiftsbibliothek, Cod IX/118.

49 ff. parchemin, 205 x 153 mm. Reliure de cuir noir, datée de 1618, avec les initiales G G A Z W (celles de l'Abbé de Wilhering?). Ecriture de la main du fr. Nicolas Preusser, datée de 1617 (f. 1). Notation gothique de l'Europe de l'Est; 6 ppp; guidon en forme de punctum messin. Les chants du Processionnal cistercien (Tabl. V), sont suivis des oraisons dites en fin de procession par l'hebdomadier. La fête de st Bernard a été ajoutée à la fin par une autre main. Origine et destination: l'abbaye cistercienne de Wilhering.

Grillnberger, *Xenia Bernardina*, II, 61.

A-47 (*A-WIL* 119)

WILHERING, Stiftsbibliothek, Cod IX/119.

77 ff. papier, 204 x 130 mm. Reliure cartonnée. Ecrit en 1639 par le fr. Augustin Kempff (cf. Cat. cit.). Notation de l'Europe de l'Est. Processionnal cistercien (Tabl. V).

46 *Sanctorum Augustini et Ambrosii canticum* H/ Te Deum.

Grillnberger, *Xenia Bernardina*, II, 61.

A-48 (*A-WIL* 123)

WILHERING, Stiftsbibliothek, Cod IX/123.

35 ff. parchemin + 1 f. papier, 208 x 150 mm. Reliure en parchemin. L'écriture, de la main du fr. Nicolas Preusser est datée de 1615. Notation de la même main que celle du IX/118. Même contenu que dans ce Ms. sauf pour le R/ Melchisedech du CORP. CHR. qui remplace le R/ Homo quidam, déplacé sur le f. de garde. Pas d'oraisons en fin de volume. Au f. 24v, fête de st Bernard (à l'encre verte).

Grillnberger, *Xenia Bernardina*, II, 63.

Australia

AUS-1 (*AUS-Psl* 1)

PERTH, State Library of Western Australia, MS 1.

58 ff. parchemin tronqués, 170 x 120 mm. Ecriture et décoration du XVIe s. Notation carrée sur portée de quatre lignes rouges; 7 ppp.

Origine: Paris (?), pour l'usage des soeurs dominicaines de Poissy (d'après la liste des autels dépouillés le Jeudi-saint).

✧ Processionnal dominicain (Tabl. VII).

Commence au 2.II et non aux RAM.

24 (CENA) Ablution des autels de l'église des dominicaines de Poissy (liste dans S. Moreau-Rendu, *Le Prieuré royal de Saint-Louis de Poissy*. Colmar, 1968, 56). Au 26.VIII, sti Ludovici.

Bibliographie: K. V. Sinclair, *Descriptive Catalogue*... 405–407 n° 431 („Breviarium"). – Naughton, n° 62.

AUS-2 (*AUS-Ssl* 223)

SYDNEY, State Library of New South Wales, Rare Books and Special Collections, Richardson 223.

63 ff. vélin + gardes papier, 155 x 115 mm. Reliure ais de bois recouverts de parchemin. Ecriture de la seconde moitié du XVe s. Notation carrée sur portée de quatre lignes rouges; guidon. Les rubriques (ff. 26 et 42v) et l'office des morts indiquent un couvent de soeurs dominicaines, probablement celui des Emmurées de Rouen. Provenance: collection I. S. Doxey (1870), puis Nelson Richardson, qui offrit son Ms. à la State Library of South Wales en 1928.

✧ Processionnal dominicain (Tabl. VII).

Commence au 2.II (et non aux RAM). Après le 5.VIII (st Dominique), fête de st Louis (26.VIII).

63v R/ Cum esset in accubitu rex (AH 13, 186).

Bibliographie: K. V. Sinclair, *Medieval and Renaissance Miniated MSS in Australian Collections* (London, 1984), 228 n° 250 (communiqué par Joan Naughton, le 31/V/1996).

Belgique

B-1 (*B-As* 57)

ANTWERPEN, Stadsbibliotheek, Cod.57.

88 ff. parchemin, 188 x 128 < 125 x 81 mm>. Reliure XVIIe s. en veau raciné; deux fermoirs cuir et laiton. Au verso de la feuille de garde initiale, titre d'une main récente: „Processionnal de l'ordre de st Dominique.“ Ecriture et initiales à large plume noire, du XVIe s. Pour les grandes fêtes, initiales et décoration plus soignées, sauf aux ff. 1 et 7 (demie page blanche). Notation carrée sur portée de quatre lignes rouges; 5 ppp; guidon rare. Origine: un couvent dominicain (bien que le ms commence au 2.II et non aux RAM). Provenance: ms acheté à Gènes le 1er Juin 1872.

✧ Processionnal dominicain (Tabl. VII).

1 (2.II) A/ Lumen.
7 (RAM) A/ Pueri Haebreorum.
17v (CENA) Pas de pièces propres pour l'ablution des autels.
54 (22.I: de sco Vincentio) R/ O Christi miles v/ Inter hacc [Ier t.].
73v Commun des saints et compléments.
88v [add. plus récente, titre gratté: *Tempore belli*] R/ Congregati sunt.

Cat. A. Dermul (1939), 66.

B-2 (*B-BRgs* 394)

BRUGGE, Grootseminarie 394.

39 ff. papier (paginés) de 197 x 130 mm. + 28 ff. de papier blanc pour gonfler la reliure de basane usée. Ecrit en 1756 par Jean-Baptiste Bart, prêtre de St Bavon. Notation carrée sur portée de quatre lignes rouges; 6 ppp. Origine: St-Bavon. Provenance: A. Loos, canonicus sci Bavonis, 1765.

✧ Processionnal pour les fêtes propres de St Bavon de Gand.

Titre (en capitales): Parvum Processionale continens responsoria propria SS. Patronorum ecclesiae cathedralis S. Bavonis Gandavensis. Quibus adjuncta sunt Responsoria Propria Festorum Principalium pro Processionibus quae fiunt in dicta ecclesia cathedralis.

2 (6.II: sci Amandi) R/ Gloriose ac semper venerande v/ Sancte Amande [Ier t.].
4 (9.V: In elevatione sci Macharii) R/ Generosae indolis v/ Ex Armeniae [Ier t.].

5	(13.VI: In elevatione sci Landoaldi episcopi) R/ Gaude desiderator v/ Ecce etenim [Ier t.].
8	(1.VIII: In elevatione sci Bavonis episcopi) R/ Quocumque divinisator v/ Gratiae caelestis [IIe t.].
10	(1.X: In depositione sci. Bavonis) R/ Exultemus omnis cordis v/ Susceptus est [Ier t.].
12	(12.XI: In depositione sci Livini, martyris pontificis) R/ Electus Christi martyr Livinus v/ Intendens [Ier t.].
14	NAT.
16	EPI.
18	2.II.
21	RAM.
26	RES.
30	ASC.
33	(9.V: In elevatione sci. Macharii) R/ Ecce sacerdos v/ Benedictionem
35	ROG.
53	CORP. CHR.
64	24.VI.
70	29.VIII.
79 - fin	(blanc).

Bibliographie: R. van der Plaetse, „Index van de handschriften van het Grootseminarie te Brugge.“ *De Duinenabdij en het Grootseminarie te Brugge*, ed. by A. Devaux and E. van den Berghe (Bruges et Tielt, 1984), 131. – B. Haggh, „Sources for Plainchant and Ritual from Ghent and London. A Survey and Comparaison.“ *Handelingen der Maatschappij voor Geschieedenis en Oudheidkunde te Gent*. Nieuwe Reeks 50 (1996), 61. – B. Haggh, *Of Abbeys and Aldermen: Music in Ghent before 1536* (In progress).

B-3 *(B-BRm)*

BRUGGE, Museum van het Heilig-Bloed.

57 ff. parchemin + 107 ff. papier, 163 x 110 mm. Reliure du XVIIIe s., cuir sur plats de carton. Ecriture du XVe siècle par quatre mains différentes (1–54v; 55–56v; 1–96v et 97–106v: cette dernière partie est de la main du fr. Dassonville, de St-André de Bruges, datée de 1609); initiales bleues ou rouges; miniatures à pleine page aux ff. Ov St Jean à Patmos et ste Marguerite avec le dragon; 3 la Trinité; 19v les Onze mille vierges; 41 David en prière. Notation carrée sur portée de quatre lignes noires; 4 ppp. Origine brugeoise (rubriques en flamand mentionnant les églises et portes de la ville). Agnete Carlier, Jonckvrouwe in d[en] Wy[n]gaert (f. 40) serait, selon Cuvelier, la béguine miniaturiste. Donateurs: Jean et Catherine. Provenance: Emerent(ienne) Bultynck (f. 55). Archives de la Confrérie du Saint Sang, près de la chapelle du Saint Sang de Bruges. Ce processionnal pour les Rogations a servi de cadre à la célèbre procession folklorique du Saint Sang de Bruges, commencée en 1303.

✧ Processionnal pour les Rogations à Bruges.

1	A/ Exurge Domine (facs dans Arnould, p.80).
5	*Sint Julien inde Capelle* Ave virgo gloriosa. R/ Solem.
11	*S. Salvator* A/ Salvator mundi.
15	*Up de mart* A/ Regina caeli.
15v	*De sco Basilio* [crypte de la chapelle] R/ Miles Christi v/ Ut caelestis.
18	*Omtrent de blenden ezel thans grende antiphon* A/ Confessor Domini pater Donatiane.
21	Eglise Notre-Dame et St-Julien.
24	R/ Ante diem v/ Jam (B. Haggh, *Two Offices for St. Elizabeth of Hungary*, Ottawa, 1985, 13).
25v	A/ O beata sponsa Christi (*ibid.* 46).
30v	Porte Maréchale, Porte des ânes, Porte Sta Clara R/ Regnum mundi.
33v	Porte St. Léonard R/ Inter natos.
35	Porte Ste Croix. A/ O crux gloriosa. Porte de Gand.
37	Porte Ste Catherine.
39v	Porte de la Bouveri A/ Mediatrix nostra.
41	Ps de la Pénitence, L/ sanctorum.
87	(sur papier).
93	Table des A/ et R/.
96	Scripsit F. A. Dassonville, R.S.A(ndrea) juxta Brugas anno 1609.
106	*Tempore pestis* R/ Recordare.

Bibliographie: J. Cuvelier, *Inventaire analytique des Archives de la Chapelle du Saint Sang à Bruges* (Bruges, 1900), 139–140. – A. J. de ter Beerst, *L'insigne relique du Saint Sang à Bruges* (Bruges, 1955), 40. – Al. Arnould, „De Handschriften in het Museum van het Heilig-Bloed.“ *Het Heilig Bloed te Brugge* (Bruges, 1990), 79–87; facs.: p.80, n.8, 83 nn. 9–10. – R. Strohm, *Music in Late Medieval Bruges* (Oxford, 1985), 5–6, 160.

Ce manuscrit de la collection privée du Musée du Saint-Sang a pu être examiné grâce à l'intervention de Daniel Lievois, chercheur à Gand, et de Barbara Haggh.

B-4 (*B-BRs* 342)

BRUGGE, Stadsbibliotheek 342.

80 ff. parchemin, 171 x 116 mm. Reliure cuir sur plats de carton; au dos: „CHOOR BOEK O.P./ PARKEMEN Hds“. Ecrit en 1645 (f. 1); initiales rouges avec arabesques aux principales fêtes. Notation carrée sur portée de quatre lignes rouges; 7 ppp; guidon (2e m.?). Nombreuses rubriques en néerlandais, transcrites dans le catalogue cité. Origine: un couvent de dominicaines de Flandres (Suster Anna Nollet, Suster Anna de Smidt). Provenance inconnue.

✧ Processionnal dominicain (Tabl. VII).

4 RAM.
16v (CENA) L/ des Ténèbres Qui passurus.
27 2.II.
31 (4.VIII: st. Dominique) R/ Granum.
40 Vêture novitiale: R/ Regnum mundi.
49 Rituel des malades et de l'enterrement.
58v *Oratio Jeremiae prophetae* Recordare Domine.
62v Hier volghen de acht toonen op Benedictus oft Magnificat.
80–81r Intonations diverses.

Catalogue A. De Poorter (1934), 380–381.

B-5 (*B-Br* 1799)

BRUXELLES, Bibliothèque Royale, 1799.

149 + 4 ff de parchemin, format cantatorium (155 x 265 mm). Cahiers signés de I' à XVI'. Pagination ancienne à l'encre rouge, comme dans plusieurs livres liturgiques de Notre-Dame de Paris (par ex. *F-Pn* l.15615, XIIIe s.; *F-Pm* 411, XIVe s.; *US-BAw* 302, XVe s.). Reliure ancienne en veau brun estampé. Ecriture du XVe s., postérieure à 1472, date de la mort de l'évêque de Paris Guillaume Chartier (cf. f. 146), selon Van den Gheyn; datée du XIIIe s. par Leroquais. Il semble que ce processionnal a été copié à la fin du XIIIe s. d'après les données d'un Ordinaire de Notre-Dame: nombreuses rubriques directoires concernant le trajet des processions et l'exécution des pièces de chant, avec mentions de l'organum (rubriques identiques à celles des Ordinaires de Paris (*F-Pn* l.16317 et l.978). Initiales bleues ou rouges à filigranes. Notation carrée sur portée de quatre lignes rouges; 13 portées par page, sans guidon; barres verticales de division comme dans les livres notés parisiens de la fin du XIIIe s.; epiphonus en forme de plique longue ascendante comme dans les missels notés cités plus haut. Sur le premier feuillet des gardes finales, on lit le nom de Joannes Dia(conus?) 1688: parmi les nombreuses traces d'usage, on relève (f. 100) quelques traces de chant néo-gallican qui figurent dans l'*Antiphonale Parisiense* de 1681 (cf. M. Huglo, *Les Tonaires* [Paris, 1971], 442). Aux ff. 2 et 147v, estampille rouge de la Bibliothèque impériale de Paris, avec l'aigle couronné: ce Ms., le 4334 et plusieurs autres „prises révolutionnaires" durent être restitués à la Bibliothèque de Bourgogne (f. 1), après la Conférence de Paris en 1815. Origine: Notre-Dame de Paris. D'après les rubriques, ce processionnal a été copié pour l'usage du choeur de Notre-Dame et non (suivant LOO) pour celui des Augustins de Ste Geneviève.

✧ Processionnal responsorial de la cathédrale Notre-Dame de Paris.

1–6 Add. diverses:
2 Fondation de 1392 pour la procession de la chasse de Ste Geneviève en cas de péril pour la Cité (cf. Cat.).
6 A/ Asperges me.

Temporal (6v–102v).
6v (ADV I et II)) A/ Missus est.
7v (ADV III et IV) R/ Ecce dies veniunt.

8 (NAT) R/ Descendit* (s.n.). *Sequitur A/ per coream* Alma redemptoris mater.

9 (EPI) A/ O beata infantia.

10 (SEPT) A/ Ecce carissimi.

12 (QUADR) *Prostrata* et (15v) Mandatum (quotidiens)

18v Processions pénitentielles du lundi, du mercredi et du vendredi dans diverses églises de Paris (modifications d'itinéraire par une main du XIVe s., aux ff. 23v et 24v): St-Etienne, Ste Geneviève, St-Vincent, St-Merry, St-Martin [des Champs], St-Magloire, St-Denis *ad radicem montis* et St-Denis *ad superiorem ecclesiam* (cf. Leroquais *Le Bréviaire*.. 232 ss.).

26v L/ sanctorum.

31v (RAM) Bénédiction des rameaux à Ste-Geneviève: au retour, *ante portam civitatis... a quattuor pueris* V/ Gloria laus (AH 50, 160).

35 (CENA) Consécration du St Chrême V/ O Redemptor sume carmen (AH 51, 80).

38 Ablution des autels de la cathédrale: la Ste Trinité, la Vierge Marie, st Marcel, (38v) ste Marie Madeleine, les sts Pierre et Paul, Côme et Damien, Maurice, (39) Michel, st Jean-le-Rond, (39v) Jean l'évangéliste, Martin, Ste Geneviève, st Denis-du-Pas.

40 Lecture du discours après la Cène (Jean XIII, 16- XIV, 31: Surgite eamus hinc). Complies récité en privé. Le trait Domine audivi est chanté *a duobus canonicis*.

47v V/ Pange lingua (AH 50, 71), chanté en alternance par deux sous-diacres et par le choeur.

51v (SAB) Exultet.

58 Baptême des enfants. V/ Tibi laus perhennis auctor (AH 50, 84):

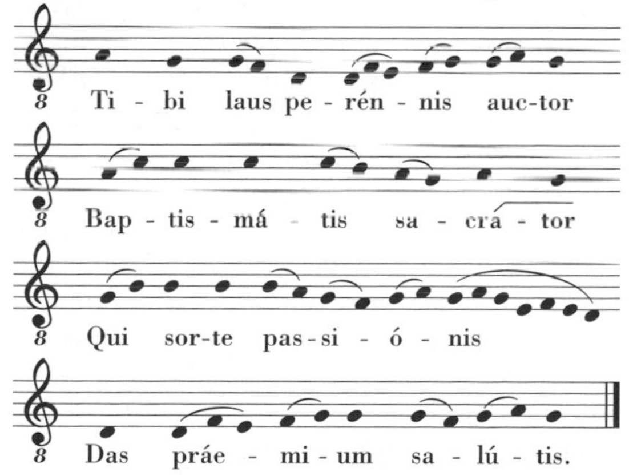

	(sur la pièce, voir M. Huglo, „Les Versus de Venance Fortunat…“).
60v	(RES) T/ Quem quaeritis (comme dans l'Ordinaire de Paris, LOO I, 148 n° 123a).
61v	Procession avant la messe: *Ante crucifixum* R/ Et valde. *Ibi organizetur vel cantetur a sex* v/ Et respicientes.
62–63v	[Laudes regiae] Christus vincit, alternées entre trois chanoines et les enfants (ed. Kantorowicz-Bukofzer, 192).
63v	A/ Christus resurgens.
64v	A/ Stetit angelus. *Organizatur vel cantatur* v/ Crucifixum. in carne.
65v	A/ Sedit angelus (incipit noté). *Et debet organizari vel cantari* (mêmes prescriptions aux ff. 66, 67 et 85v).
67v	(ROG) A/ avec rubriques sur l'itinéraire de la procession à travers une vingtaine d'églises parisiennes.
75–80	L/ sanctorum.
82v	(2e jour des ROG) L/ Kyrie eleison. Domine miserere.
84v	L/ Sancte sanctorum Deus.
88	(3e jour) L/ Aufer a nobis.
92v	ASC.
98	PENT
98v	R/ Advenit v/ Invenit eos. *Debet organizari [vel cantari] a sex clericis.*
101v	Dimanches après la Pentecôte.

Sanctoral (102v–133v).

Ordo processionum in festis per totum annum de sanctis.

103	(1.XII: de sco Eligio) R/ Sint lumbi vestri. *Ante introitu chori organizetur* v/ Vigilate *a quattuor clericis. Finito organo intrat processio chorum cantando* Et vos similes [reprise du R/]. Messe de st Eloi avec la S/ Christo inclyta (AH 53, 201).
108	Bénédiction des cierges à St-Jean le Rond. Au retour de procession: *fit statio ante crucem et organizatur vel cantatur* v/ Hodie Maria virgo.
117	(8.V: sci Victoris) *Processio ad scm Victorem per aquam.*
120	(10.VIII) Messe de st Laurent avec la S/ Stola jucunditatis (AH 54, 86).
122v	(15.VIII) R/ Stirps Jesse. *Et debet ibi v/ organizari vel cantari a sex.*
122v	(24.VIII: sci Bartholomaei) *fit processio ad ecclesiam ipsius* (123) R/ Qui sunt isti v/ Candidiores. *Et organizatur v/ aut [cantatur] in introitu chori. Finito organo, reincipitur finis responsorii. Et*

	intratur in chorum. Statim incipitur missa quae cantatur a monachis et R/ similiter. Alleluia vero vel organizatur a duobus de nostris vel cantatur a quattuor canonicis.
124	(29.VIII) *Fit processio ad scm Medericum.* R/ Sint lumbi. *Organizatur versus a duobus vel cantatur a quatuor. Finito organo reincipitur finis responsorii.*
124v	(8.IX) R/ Solem *et organizatur* v/ Cernere.
126	14.IX.
126v	(9.X: sci Dionysii) R/ Pretiosus *v/ organizatur.*
130	*Ad pluviam postulandam.*
133v	fin de la partie ancienne du Ms.
134	blanc.
134v–145v	[Cahier ajouté au XIVe s. par le même notateur que *F-Pn* l.8885]: notation intégrale de pièces citées en incipit dans le corps du processionnal.
146–148	[trois ff. montés sur onglets] Fondation de Guillaume Charretier, évêque de Paris (1447–1472).
148	(2.VII: In visitatione B.M.V.: fête adoptée à Notre-Dame en 1359) R/ Surgens Maria gravida.
148v	R/ Ingrediente sponsa Christi (pour ste Geneviève).

Bibliographie: Cat. Van den Gheyn I, 402 n° 643. – V. Leroquais, *Le Bréviaire de Philippe le Bon* (Paris, 1929), 232. – J. Handschin, „Zur Geschichte von Notre Dame" *AMl* 4 (1932), 5–17. – Kantorowicz, 31 n° 60 et 192. – LOO VI, 243. – M. Huglo, „Structure et fonction" [de l'A/ Crucifixum], Kongressbericht Berlin 1975 (Kassel, 1980), 90–92. – R. Baltzer, „The Geography of the Liturgy at Notre-Dame Paris" *Plainsong in the Age of the Polyphony*, T. F. Kelly, ed. Cambridge, 1992, 61–64 [ed des ff. 31–31v]. – E. H. Roesner, ed., *Le 'Magnus Liber Organi' de Notre-Dame de Paris*. Volume I: les Quadrupla et Tripla de Paris (Monaco, 1993), lxxxj. – M. Huglo, „Principes de l'ordonnance des répons organisés à Notre-Dame de Paris." *RdM* 83 (1987), 85. – Id., „Les versus de Venance Fortunat pour la procession du Samedi-saint à Notre-Dame de Paris." *Le drame liturgique. Rdm* 86 (2000/1).

B-6 (*B-Br* 4334)

BRUXELLES, Bibliothèque Royale, 4334.

163 + 4 ff. parchemin (+ 2 papier), format cantatorium (150 x 260 mm). Reliure en veau raciné, avec écoinçons; sur les plats, en lettres dorées: „M. M. Le Masle cantor ecclesiae Parisiensis, 1647" (cf F-Pa 158, fin du XVe s.). Notation analogue à celle du Ms. précédent, mais moins soignée; 13 ppp. Nombreuses corrections et modifications dans le corps du Ms. Origine: Notre-Dame de Paris. Provenance: Ecclesiae Parisiensis (f. 1). Hervé 1650, Spé des enfants de Charles (2e f. de garde, v°). Traces d'usage jusqu'au milieu du XVIIIe s. Aux ff. 1 et 163v, timbre rouge de la Bibliothèque impériale de Paris.

✧ Processionnal responsorial de la cathédrale Notre-Dame de Paris.

Mêmes pièces, mêmes rubriques que dans le Ms. précédent. Cependant, le Ms. 4334 n'a pas les add. figurant au début du Ms. 1799; par contre, il ajoute à la fin des pièces qui ne figurent pas dans le précédent, notamment:

141v S/ Mittit ad virginem (AH 54, 296).
142 A/ Ad te confugimus virgo flos Franciae.
149 In die cinerum fit processio apud scm Christoforum (XVIe s.).
161 L/ des Ténèbres.

Bibliographie: Cat. Van den Gheyn, I, 402 n° 642. – Mêmes travaux que pour le Ms. précédent, sauf LOO qui omet le présent Ms. – Baltzer, „The Geography..." édite les ff. 31–32. – Roesner, *Le Magnus Liber...* lxxxj. – Huglo, *art. cit.*

B-6/2 (*B-Br* 4826)

BRUXELLES, Bibliothèque Royale 4826.

179 ff. papier + 2 f. de g., 200 x 135 mm. Reliure veau brun estampé. Ecrit au XVIIe s. Notation carrée et messine de Gand, sur portée de quatre lignes noires. Origine: Het Rijke Gasthuis (dépendance de St Bavon). Provenance: Collège des Jésuites de Louvain. – Ce recueil d'antiennes, répons, hymnes etc. ne rentre pas dans la catégorie du processionnal: c'est un supplément à l'antiphonaire.

Bibliographie: Cat. Van den Gheyn I, 436–437, n° 704. – B. Haggh, „Sources for Plainchant and Ritual from Ghent and London: A Survey and Comparison" *Handelingen der Maatschappij voor Geschiedenis en Oudheidkunde te Gent.* Nieuwe Reeks 50 (1996), 49 (facs. des ff. 89v–90), 63.

B-7 (*B-Br* 4836)

BRUXELLES, Bibliothèque Royale, 4836.

97 ff. parchemin, 200 x 140 mm. Réclame en fin de cahier. Foliotation primitive en haut des versos. Reliure ancienne ais de bois couverts de cuir fauve; traces de fermoirs. Ecriture du XIVe s. Notation lorraine sur portée de quatre lignes noires écartées; 6 ppp; guidon, tracé obliquement en fin de ligne. Origine: un monastère d'Augustins (dédié à st Martin?) en Flandres (Johannes de Poperinghe est meus preceptor, f. 97v). Provenance: Jésuites de Bruges (f. 1).

✧ Processionnal augustin (Tabl. IX).

1 [add. R/ Tua est potentia v/ Creator.
Temporal (2–30).
2–5 Dimanches du Temps pascal. A/ Vidi aquam.
5v (25.IV) Lacune entre 5v et 6.
6v L/ Dicamus omnes: Domine miserere. Ex toto corde. L/ sanctorum (Amande, Gertrudis).
10v A/ Pax aeterna (PB 240).
11 (ROG)
12 L/ abécédaire Clamemus omnes una voce.

16v L/ Aufer a nobis.
18 (ASC) V/ Salve festa dies...astra scandit (AH 50, 80).
20 (PENT) V/ Salve festa dies... qua Deus e caelo.
Sanctoral (30v–56).
Du 25.IV au 25.XI.
40 (28.VIII) R/ Invenit se Augustinus v/ Nec tu.
42 A/ Gloriosus Pater Augustinus.
42v *Dominica infra octavam.*
50v (21.X: Undecim millium virginum) R/ Millibus undenis.
52v 11.XI, avec octave.
57 (DED) R/ Terribilis est v/ Cumque.
Supplément au Temporal, pour la partie d'Hiver:
59 (= 63 de la foliotation récente) 2.II.
62 CIN.
67v RAM.
65 (CENA)
73 Dépouillement des autels (domnus abbas...).
75v Mandatum.
80 (PAR)
83 Sépulture de la croix.
Derniers suppléments: *A/ ad ingressum chori* ou *ad I Vesperas*.
98v R/ graduels et v/ d'alleluia pour les vêpres pascales.

Bibliographie: Cat. Van den Gheyn I, 401 n° 641. – De Clerck, 188, 214.

B-8 (*B-Br* 4849)

BRUXELLES, Bibliothèque Royale, 4849.

72 ff. vélin + 1 f de garde en papier. 190 x 140 mm. Reliure en veau brun, dos en maroquin rouge; monogrammes du Christ sur le plat supérieur, de la Vierge sur le plat inférieur; initiales en couleurs avec une image imprimée collée à l' intérieur (ff. 46v, 49v). Notation carrée sur portée de quatre lignes rouges; guidon. Ce processionnal dominicain a été copié par le fr. Christoph Weissenfelder, moine de St Udalric et Afra d'Augsburg, pour la soeur Magdalena Kraelin du couvent des Dominicaines de Ste Catherine d'Augsburg (cf. f. 72v: collophon reproduit dans les *Manuscrits datés...*).

✧ Processionnal dominicain (Tabl. VII).

L'index final (70v–71) indique le contenu des 80 ff. de la *Prima pars*, aujourd'hui disparue ou conservée ailleurs.
1 *Altera pars... de sanctis hujus sacri ordinis*
2–9 2.II.
16 (18.VIII: In festo coronae Domini) R/ Coronat regem omnium v/ Sub decore.
19v (26.VIII: de sco Ludovico) R/ Cum esset in accubitu v/ David.

21	5.VIII: de sco Dominico.
23	29.IV: de sco Petro martyre.
25	(7.III: de sco Thoma Aquinate) R/ Sextum gestans v/ Thomas.
27v	1.XI.
41	L/ des Ténèbres Qui passurus.
46v–70	*De officio sepulturae.*

Bibliographie: Cat. Van den Gheyn I, 409–410 n° 654. – *Manuscrits datés conservés en Belgique*, t. VI, 72 n° 996; pl. 1442 (f. 72v).

B-9 (*B-Br* 4860)

BRUXELLES, Bibliothèque Royale, 4860.

94 + 8 ff. parchemin, 175 x 130 mm. Reliure veau raciné, dos chagrin brun avec titre doré „Antiphonarium"; traces de fermoirs. Ecriture du XVIe s.. Initiales rouges et bleues avec or (E de Ecce, f. 5). Notation rhéno-mosane à clous sur portée de quatre lignes noires; 6 ppp; guidon (de 2e m.) en forme de quilisma dentelé. Origine: le diocèse de Malines (?). Provenance, d'après les armoiries du 3e f. de garde, repeintes sur une couronne comtale renversée d'or et surmontées d'un chapeau épiscopal. Le Ms aurait appartenu à un prélat avant de passer aux Jésuites de Bruxelles (f. 1).

✧ „Processionale Romanum" (titre de la p. 4).

1–4	Table alphabétique des pièces du ms.
5	(ADV) A/ Ecce carissimi dies illa.
9	(17.I: sci Anthonii) R/ Vir Dei Anthonius v/ Ubi eras [Ve t.].
35v	(RES)
39	Vêpres pascales avec v/ d'alleluia et (41) le Psaume CXIII (In exitu) antiphoné.
49v	3.V.
50v	(4.V: de spinea corona) A/ Gaude felix mater ecclesia (AH 5, 45).
63	(2.VII) R/ Rex inspirator cordium v/ Surge ferventer Aquilo.
66	(8.IX: sci Hadriani) R/ Benedictus Dominus sit v/ Divites [VIe t.]. A/ O beate martyr Christi qui credendo.
68	DED
68	(14.IX: sci Cornelii) A/ Insignium virorum miracula.
72	(2.XI: In die animarum) R/ Domine qui creasti. R/ Manus tuae. R/ Memento quaeso (R/ du Ier nocturne de l'Office des morts d'Utrecht et de Windesheim: cf Ottosen, 175).
77v	CORP. CHR.
80	B/ Benedicamus in laude crucis.
80v	A/ Alma, avec T/. A/ Salve virgo.
81v	A/ Ave regina caelorum, avec T/.
84–88v	H/ Te matrem Dei laudamus.
88v–93	Collectes pour la conclusion des processions.

93–94 *Sepelitio Domini in die sancto Parasceves et Resurrectio Domini* (cf. S. Corbin, *La Déposition liturgique...*, 60).

Cat. Van den Gheyn I, 403 n° 644.

B-10 (*B-Br* 5066)

BRUXELLES, Bibliothèque Royale, 5066.

58 ff. parchemin, 170 x 115 mm, numérotés en chiffres arabes rouges. Reliure originale du XVIe s., provenant de Bois-le-Duc, en veau brun estampé avec ferrures décorées (identique à celle du Ms 5068 [Cat. 649]): sur le plat supérieur, le Christ devant le tombeau ouvert. Ecriture datée de 1527 F.A. (f. 58). Notation carrée franciscaine sur portée de quatre lignes rouges; 6 ppp; guidon en forme de plique ascendante.

✧ Processionnal franciscain (Tabl. VIII).

Processions rituelles du Missel romano-franciscain (2.II, RAM).
24v Funérailles.
24v–25 Table du processionnal.
25v–26 blancs.
Suppléments pour diverses processions: TRIN. CORP.CHR. 2.VII. 15.VIII.
33v Tempore pestis.
36v *De sca cruce.*
37–42v *De sancto Francisco* R/ Franciscus ut in publicum v/ Deum.
47v *De sco Rocho* A/ O quam magnum est nomen tuum (cf Mss. 5067 et 5068)
48 DED.
Commun des saints et divers (51v–54v).
55–58 *Benedictio mensae.*

Bibliographie: Cat. Van den Gheyn I, 407–408 n° 650. – P. Verheyden, „Boekbanden vit's Hertogenbosch." *Het Boek* 21 (1933), 209–239. – *Manuscrits datés conservés en Belgique*, t.V, 1481–1540 (Bruxelles, 1987), 85 n° 770 et pl. 1170.

B-11 (*B-Br* 5067)

BRUXELLES, Bibliothèque Royale, 5067.

65 + 4 ff. parchemin, 170 x 120 mm. Reliure identique à celle du Ms. précédent. Ecriture datée de 1540. Notation carrée franciscaine sur portée de quatre lignes rouges, 6 ppp; guidon.

✧ Processionnal franciscain (Tabl. VIII).

Processionnal identique au précédent: il donne en plus le Te Deum (48) et les L/ sanctorum notées (52).

Bibliographie: Cat. Van den Gheyn I, 406 n° 648. – Verheyden, *art. cit.* – *Manuscrits datés conservés en Belgique*, t. V, 105 n° 818 et pl. 1232.

B-12 (*B-Br* 5068)

BRUXELLES, Bibliothèque Royale, 5068.

69 + 4 ff. parchemin, 170 x 120 mm. Reliure artistique identique à celle des deux précédentes. Ecriture de la même main que celle du Ms 5067. Notation carrée sur portée de quatre lignes rouges; 6 ppp; guidon différent des deux précédents.

✧ Processionnal franciscain (Tabl. VIII).

Processionnal identique aux deux précédents. A la fin (69), A/ Media vita in morte sumus.

Bibliographie: Cat. Van den Gheyn I, 406–407 n° 649. – P. Verheyden, „Boekbanden vit's Hertogenbosch." *Het Boek* 21 (1933), 209–239. - *Exposition de reliures*, I. *Du XIIe siècle à la fin du XVIe* (Bruxelles, 1930), 96 n° 199.

B-13 (*B-Br* 5069)

BRUXELLES, Bibliothèque Royale, 5069.

58 ff. parchemin, 166 x 115. Mêmes caractéristiques que le Ms. 5066. Contenu identique à celui des trois Mss. précédents. Ecriture datée de 1527.

✧ Processionnal franciscain (Tabl. VIII).

Bibliographie: Cat. Van den Gheyn I, 408 n° 651. – P. Verheyden, „Boekbanden vit's Hertogenbosch." *Het Boek* 21 (1933), 209–239. - *Manuscrits datés conservés en Belgique*, t.V, 85 nn^{os} 770–771; pl. 1170–1171.

B-14 (*B-Br* 11359)

BRUXELLES, Bibliothèque Royale, 11359.

126 ff. papier, 140 x 100 mm. Reliure moderne en maroquin rouge: au bas du dos, couronne d'or. Ecriture de mains différentes du XVe et XVIe s.: une d'elles, celle de la Sr. Elisabeth Van der Beke, est datée de 1498 (cf *Scriptorium* 12 [1958], 62). Notation carrée sur portée de quatre lignes rouges; 6 ppp; guidon. Origine et destination: le carmel de Pentie près de Vilvorde. Provenance: Troost (XVIIIe s.).

✧ Prosaire-processionnal carmélitain.

Le prosaire (1–90v), décrit par H. Husmann, est suivi d'A/ pour les fêtes d'apôtres et de neuf A/ pour le Mandatum du Jeudi-saint (f. 111–115): A/ Mandatum novum.... A/ Dominus Jesus postquam surrexit.

124v H/ Jesu dulcis memoria (AH 1, 114. Cf. A. Wilmart, *Le ‚jubilus' dit de st Bernard* [Rome, 1944]).

Bibliographie: Cat. Van den Gheyn I, 429–430 n° 692. – H. Husmann, Die Tropen- und Sequenzhds. [RISM B V 1], 22–23. – *Mss datés conservés en Belgique*, t.V, 47 n° 669 et pl. 1052.

B-15 (*B-Br* 21122)

BRUXELLES, Bibliothèque Royale, 21122.

63 ff. papier, 220 x 145 mm. Reliure veau. Ecriture imitant les caractères d'imprimerie, daté de 1740. Au f. 38, dessin à l'encre (stigmates de st François); au f. 50 Ecce homo. Notation carrée sur portée de quatre lignes rouges; 8 ppp; guidon. Plusieurs pièces notées à 2 voix.

✧ Processionnal franciscain (cf. Tabl. VIII).

1–11	Processions rituelles (2.II. RAM. PAR).
54	*De sco Francisco* H/ Decus morum, dux minorum (AH 52, 182).
62	DED.
65	*Exequiarum ordo.*
110–111	A/ Tota pulchra es Maria (à 2 vx., en notation carrée avec b et #).
113	Tantum ergo, à 2 vx.
118	R/ Homo quidam, (à 2 vx.) v/ Venite, comedite (à 2 vx.).
124	H/ Tantum ergo, à 2 vx. (1a pars, lin. 1; 2a pars, lin.5.
127	Motet Quemadmodum desiderat cervus (notation proportionnelle).
128	H/ Tantum ergo, à 2 vx.
130	Motet Si quaeris miracula (pour st Antoine de Padoue).

Cat. Van den Gheyn I, 409 n° 653.

B-16 (*B-Br* 21138)

BRUXELLES, Bibliothèque Royale, 21138.

81 + 2 ff. papier, 235 x 175 mm. 81 + 2 ff. papier, 235 x 175 mm. L'ancienne foliotation suivie par le Catalogue a été biffée et remplacée. Reliure maroquin noir à tranches dorées. Ecriture datée de 1646: „Scribebat domicella Maria Wivina Montpesson, religiosa Maioris Bigardiae, Anno 1646." Notes rectagulaires; barres de division noires ou rouges; 7 ppp; mélismes de R/ cancellés ou grattés. Entré à la Bibliothèque Royale le 10 mars 1854.

✧ Processionnal.

Processions rituelles (2.II, RAM) et pour les grandes fêtes du Temporal et du Sanctoral.

38v	(21.III: sci Patris nostri Benedicti): office propre.
76	(17.XII: In festo scae Wivinae virginis [fondatrice du Grand-Bigard]) H/ Jesu corona virginum.
81v	*In publica necessitate* R/ Tribulationes.
87v	[en noir, de 2e main] Ry/ Stella caeli extirpavit (AH 31, 210: tempore pestilentiae. Cf *B-Br* II 2726).

Cat. Van den Gheyn I, 410 n° 655.

B-17 (*B-Br* II 262)

BRUXELLES, Bibliothèque Royale, II 262.

117 ff. vélin, 150 x 95 mm <111 x 68 mm>. Reliure de maroquin noir à filets d'or en bordure; sur les plats, monogrammes du Christ et de Marie, entourée d'une couronne d'épines. Ecriture des années 1320, due à six mains différentes. Notation carrée soignée (sauf aux cahiers III et IV = ff. 17–31), sur portée de quatre lignes rouges, sans guidon; 8 ppp. Origine: le couvent de St-Louis de Poissy. Provenance: collection d'Edmond de Coussemaker (Catalogue de vente, 17–20 avril 1877, n° 739).

✧ Processionnal dominicain (Tabl. VII).

1–16	[cahiers I et II]: office des morts, selon l'usage dominicain (Ottosen, 108–109).
17–31	[cahiers III et IV] Funérailles des soeurs.
29v et 52v–53	A/ Clementissime.
33–35v	H/ Te Deum (même notation qu'aux ff. 1–16).
35v–43	Processionnal dominicain (Tabl. VIII), avec en plus les pièces propres suivantes: (26.VIII: sci Ludovici regis) R/ Felix regnum v/ Rex erigit. R/ Regnum mundi v/ Peregre Jacob. R/ O sparsor divitiarum v/ Qui tot aegris
50v	A/ O decus ecclesiae.
72	(CORP.CHR) R/5 Panis oblatus et R/6 et R/8 de l'Office composé par Hervé de Nedellec, O.P. (AH 5, 31–33).
88v	S/ Sancti Spiritus assit (AH 53, 119). S/ Veni sancte Spiritus (AH 54, 234).

Bibliographie: Cat. Van den Gheyn I, 405 n° 647. – Naughton, n° 9.

B-18 (*B-Br* II 264)

BRUXELLES, Bibliothèque royale II 264 (2 volumes).

67 + 12; 45 + 10 ff. papier (paginés), 230 x 170 mm. Reliure en maroquin noir avec filets d'or en bordure. Titre au dos: *Processionale dominicarum* (vol. 1); *Processionale sanctorum* (vol. 2). Origine: la collégiale St-Pierre de Lille (cf. titre du volume 1 au Catalogue). Ce processionnal est à comparer à celui de Douai 1481; rubriques à comparer au texte de l'Ordinaire (ed. Hautcoeur, 1895). Les dates des fêtes propres n'étant pas indiquées au vol. II, il faut recourir à l'Ordinaire et au calendrier des Heures de Lille (US-BAw 39). Les deux volumes ont été écrits par Dominique Quoillio (Coyaux) en 1732 (cf. Cat.): imitation des lettres d'imprimerie de l'époque. Notation carrée sur portée de quatre lignes rouges; 9 ppp. Origine: la collégiale St-Pierre-de-Lille, fondée vers 1050 par Baudouin V, dit Baudouin de Lille, comte de Flandres (cf. vol. 2, p.30).

✧ Processionnal de St-Pierre-de-Lille.

Volume 1 (Temporal):
Processionale juxta ritum insignis ecclesiae collegiatae Sci Petri Insulensis, etc...(cf. Cat.). ADV R/ Ecce virgo.

2	A/ Ecce charissimi dies illa.
12	NAT V/ Salve festa dies... qua deus illuxit lux et imago Patris...(AH 43, 18). R/ Hodie nobis *v/ per quattuor canonicos*.
13	EPI V/ Salve festa dies... inclyta miraclis concelebrata tribus.
14	... *deinde organista incipit* A/ Inviolata, *choro alternatim respondente*.
42	RAM H/ Magno salutis gaudio (AH 51, 73).
59	RES V/ Salve festa dies... qua renovat populo Pascha fidelis homo (inédit?).
60	A/ Sedit angelus. *Versus per duos canonicos et duos capellanos: hodie vero cantatur musice per chorales* v/ Crucifixum in carne.
63	25.IV.
72	(ASC) V/ Salve festa dies... qua Deus ad caelos scandit et astra tenet (AH 4, 26)
77	(PENT) V/ Salve festa dies ... qua nova de caelo gratia fulsit homo (AH 43, 30).
83	(CORP. CHR.) V/ Salve festa dies... qua renovat populo Pascha fidelis homo (cf f. 59).
93–131	R/R/ pour les dimanches d'été.
68–fin:	blancs.

Volume 2 (Sanctoral):

7	1.II: sci. Euberti.
12	*In repositione feretri sci Euberti.*
14	*Per quattuor canonicos* v/ Crucifixum in carne.
17	(29.VI) V/ Salve festa dies... qua Christi subiit Roma superba jugum (inédit?).
25	6.VII: octava Apostolorum. *In festo oblationis scae crucis* R/ Gloriosum diem sacra veneratur ecclesia v/ In ligno.
29	(1.VIII: sci Petri ad vincula) V/ Salve festa dies... qua Deus illaesum fecit abire Petrum (inédit?).
30	(2.VIII: *In dedicatione hujus ecclesiae*) V/ Salve festa dies... aedem Baldwwinus quam dicat hancce deo (inédit).
37	(6.VIII) V/ Salve festa dies... qua paruit Christi gloria magna Dei (inédit?).
46	(15.VIII) R/ Beata es virgo Maria *v/ per quattuor canonicos* Ave Maria. *Deinde organista incipit Prosam sequentem choro versiculatim respondente* Inviolata, (cf. Vol.1, p.14).

51 (21.X) *In repositione feretri scae Ursulae et sociorum virginum et martyrum* A/ O clemens deitas tibi psallentium voces.
52 (1.XI) V/ Salve festa dies... qua Deus in sanctis pangitur esse suis (cf. AH 11, 62).
65 COMMUNE SANCTORUM.
83 Index.

Bibliographie: Cat. Van den Gheyn I, 412, n° 658. – Ed. Hautcoeur, *Documents liturgiques et nécrologiques de l'église collégiale de Saint-Pierre-de-Lille* (Lille, 1895).

B-19 (*B-Br* II 265)

BRUXELLES, Bibliothèque Royale, II 265.

96 + 1 ff. parchemin + 5 ff. papier, 163 x 115 mm. Reliure du XIXe s. en chagrin noir à tranches rouges: au dos, titre doré Processionale MS. Ecriture du XVe s. Notation gothique allemande sur portée guidonienne: ligne du F en rouge et ligne du C en jaune, sans guidon. Origine: l'abbaye des Augustins de Remiremont (cf. L/ f. 44, 53v, 83, 83v etc). Provenance: collection d'Edmond de Coussemaker (ex-libris et Catalogue de vente, 17–20 avril 1877, n° 752).

✧ Processionnal augustin (Tabl. IX).

Temporal [amp] Sanctoral mélangés (1–78v).
1 (ADV) A/ Ecce carissimi dies illa v/ Ecce mater nostra.
15v (QUADR) A/ Cum sederit filius hominis.
26v (CENA) Mandatum
30v A/ Discipulorum nos hoc exemplum.
31 A/ Caput nostrum Domine respice.
40v (25.IV et ROG)
44 L/ sanctorum (sce Romarice).
50–58 (Feria IV ROG)
53v R/ Sancte Romarice Christi confessor.
57 L/ Sancte sanctorum Deus (ed. M. Gerbert, *De cantu et musica sacra* I, 542)
61v (CORP.CHR) A/ Ave verum corpus.
62 R/ Ad tam solemne gaudium. v/ Mira res.
63 R/ Rex sedet in cena v/ Se tenet in manibus.
63v Dimanches d'été A/ Oremus dilectissimi nobis. A/ Salvator mundi. Salva nos.
67 (28.VIII) R/ Verbum Dei usque v/ Testamentum.
68v A/ In diebus illis obsessa est.
71 DED. A/ à la Vierge
75 A/ Aula Maria Dei casta.
76v A/ Audi mater gloriosa.

83–89v	Litaniae manuscriptae ad usum ecclesiae de sancto Monte [titre du XVIIIe s.].
87	L/ des saints en Carême (sce Romarice, 83v et 87).
88	L/ Qui passurus.
90–96	Eau bénite.

Cat. Van den Gheyn I, 404 n° 645.

B-20 (*B-Br* II 267)

BRUXELLES, Bibliothèque Royale, II 267.

3 + 71 + 4 ff. parchemin et 19 ff. papier, 135 x 95 mm. Reliure maroquin, dos et coins cuir fauve. Ecriture des XV et XVIe s.; quelques notes marginales du chef de scriptorium, concernant les rubriques (ff. 13, 15 etc.); mention de révision au f. 4: „Desen bouck is correcht". Notation carrée sur portée de quatre lignes rouges; demi-barres de division rouges; 5 ppp; guidon en forme de virga retournée. Origine: un couvent de cisterciennes en Flandres (cf. ff. 4 et 71). Provenance: collection d'Edmond de Coussemaker (Catalogue de vente, 17–20 avril 1877, n° 755).

✧ Processionnal cistercien (Tabl. V).

1v–3	Add.
3v	Processionnal cistercien.
37v–42	[autre copiste, autre notateur]
43v–46r	R/ de l'office de la Trinité pour les dimanches d'été.
49v–53v	[main différente] autres pièces pour le CORP. CHR.
62	(21.XI: in Presentatione B. Mariae V.).
69–71	DED.

Cat. Van den Gheyn I, 404–405 n° 646.

B-21 (*B-Br* II 1377)

BRUXELLES, Bibliothèque Royale, II 1377.

60 ff. papier (foliotation récente au crayon), format album 950 x 150 mm. Reliure cuir noir avec deux fermoirs. Ecrit au XVIIIe s. Notes rondes encadrées de deux petits traits verticaux; 3 ppp. Origine et provenance: le couvent des chanoinesses de Ste Gertrude de Nivelles (à comparer aux mss de Louvain B-40 – B-43. Nombreuses indications sur le parcours des processions: églises St Maurice, St-Georges, St-Jacques etc.

✧ Processionnal pour les Rogations (Tabl.II).

1	H/ O nimis felix (AH 2, 5).
2v–6	Table du processionnal.
7	blanc.
8–28	ROG.
26	H/ Ut queant laxis (mélodie non-solfégique: cf *AMl* 56 [1984], 62–65).
29	Commun des saints.

46v	R/ O Gertrudis speculum pietatis v/ O gemma.
52	R/ Media nocte clamor.
53	R/ Virgo sacrata v/ Austrasiorum [IIe t.].
54	R/ Ammonuit v/ Orta est [VIe t.].
57–60	[autre main] R/ Venerabilis virgo Gertrudis (AH 26, 60).

Bibliographie: Cat. Van den Gheyn I, 411–412 n° 657. – „La procession de Ste. Gertrude.“ *Annales de la Société archéologique de Nivelles*, t. V (1895), 81–159.

B-22 (*B-Br* II 1715)

BRUXELLES, Bibliothèque Royale, II 1715.

32 ff. papier, 210 x 130 mm. Reliure en vélin; cordelettes fermoirs. Ecriture du XVIIe s. Notation carrée sur portée de quatre lignes noires; 5 ppp.

✧ Processionnal réduit.

Ce Ms. comporte une seule pièce de chant par fête.

29v	Mandatum.

Cat. Van den Gheyn I, 413 n° 660.

B-23 (*B-Br* II 1729)

BRUXELLES, Bibliothèque Royale, II 1729.

4 + 121 + 2 ff. papier à filigrane, 190 x 140 mm. Signature des cahiers de Aiij à r3. Reliure de parchemin blanc; fermoir en cuivre sur le rabat. Ecriture datée de 1532. Notation carrée sur portée de quatre lignes rouges; 6 ppp. Notation mesurée noire, éventuellement avec clé g pour la seconde voix (ff. 51v, 52, 56v); notation blanche (ff. 46–46v). Origine: Bois-le-Duc. Le Ms a été achevé par le Fr. Potteymo à Porsoet, le 1er janvier 1532 et mis à l'usage de la soeur Anna Spirinck, soeur d'un couvent de franciscaines dédié à ste Catherine (cf. ff. 54–55 et litanies au f. 60v). Provenance: vente Bluff à Bruxelles (mars 1869).

✧ Processionnal franciscain (Tabl. VIII) supplémenté.

2–40	Processions rituelles du Missel romain.
40–50	Suppléments divers.
50	*De sco Francisco Minorum* T/ Kyrie lux sempiterna qui luminarium.
50	Benedicamus Domino tropés: B/ Benedicamus in laude Jesu Christo qui arcana (2e vx., f. 52).
52v	(24.VI) B/ Benedicamus summo Deo patri nato.
53v	B/ Benedicamus in ejus laude.
53v	(22.VII) Benedicamus Jesu quem Maria Magdalena.
54	(25.XI) B/ Benedicamus regem caeli dans cuncta.
54v	B/ Benedicamus coronantem Katharinam.
55	(25.XI, *ad matutinos)* B/ Benedicamus largitori aeternorum.
55v	(4.XII) B/ Benedicamus sancto Christo qui Barbarae precibus.
	(CORP.CHR) B/ Benedicamus in laude panis.

56	(15.VIII) B/ Benedicamus in laude Jesu Christo (2e vx. f. 56v).
65	*Cantica et versus de Beata virgine super Salve Regina* (T/ du Salve).
80–101v	Office des morts (usage de Rome).
102–120v	[de la main du Fr. Potteymo, fin 1531] Office des morts (usage de Rome) et collophon.

Bibliographie: Cat. Van den Gheyn I, 408 n° 652. – *Catalogue des Mss. datés conservés en Belgique*, t.V, 93 n° 790 et pl. 1193–1194.

B-24 (*B-Br* II 2042)

BRUXELLES, Bibliothèque Royale, II 2042.

76 ff. papier, 143 x 110 mm. Reliure veau. Ecrit au XVIIIe s., d'après un modèle de 1530. Notation carrée et losangée sur portée de quatre lignes rouges; 4 ppp; guidon; sans notation du f. 56 à la fin. Origine: écrit en Flandres (rubriques en néerlandais (ff. 20, 37, 64, 67...) pour l'usage de l'abbaye de Groenenbriele à Gand.

✧ Processionnal rituel (cf. Tabl. VIII).

1	2.II.
10v	RAM.
20	(CENA) *Op den witten donderdach* A/ Mandatum novum.
28	CORP. CHR.
37	De ordonnantie van t'profes der religi-eu(sen): R/ Regnum mundi.
42	R/ Libera me domine.
56-fin	s.n.

Cat. Van den Gheyn I, 411 n° 656. – B. Haggh, „Sources for Plainchant and Ritual from Ghent and London. A Survey and Comparison." *Handelingen der Maatschappij voor Geschiedenis en Oudheidkunde te Gent. Nieuwe Reeks*, Deel I (1996), 61.

B-25 (*B-Br* II 2048)

BRUXELLES, Bibliothèque Royale, II 2048.

48 ff. papier (paginés), 265 x 205 mm. Reliure en veau avec filets dorés sur les plats; lacets verts en guise de fermoir. Ecriture achevée le 29 août 1718. Notation carrée sur portée de cinq lignes rouges; 6 ppp; guidon. Origine: un couvent de religieuses en Flandres (rubriques en néerlandais).

✧ Processionnal rituel (cf. Tabl. VIII).

Processions rituelles (2.II. CIN. RAM. CENA).

70	DED.
83	Profession d'une soeur. *Naer de eerste en tweede vespers van de H. Moeder Anna*: CHOR Salve matrona nobilissima. ORG Anna

lilium et rosa vernans. CHOR Alma mater...ORG Eia ergo o domina nostra (cf *B-Br* II 1377).

87 R/ Libera me. H/ Te Deum.

Cat. Van den Gheyn I, 412–413 n° 659.

B-26 (*B-Br* II 2726)

BRUXELLES, Bibliothèque Royale, II 2726.

156 ff. papier (en filigrane HONIG sur la f. de garde finale), 195 x 140 mm. Reliure parchemin; signets. Ecrit et noté au XVIIIe s. Notation carrée sur portée de quatre lignes rouges; 7 ppp. Origine: probablement pour une béguine d'obédience franciscaine de Bruges. Provenance: acquis chez Fiévez en 1901.

✧ Processionnal franciscain (?).

Processions rituelles (2.II. RAM. CENA).

15v *De processie van H. Bloedt-dagh* H/ Vexilla regis.

26 *Processie van Portiuncula* H/ Veni Creator.

27v A/ Salve sancte Pater patriae, lux forma Minorum (AH 5, 178).

28 (DED) *De processie Kerk Wydinghem* A/ Celestis urbs Jerusalem.

36 Ry/ Stella caeli extirpavit (AH 31, 210: *Tempore pestilentiae*. Cf. *B-Br* 21138).

41 Als meneen dochter kleed.

Cat. Van den Gheyn I, 588 n° 899.

B-27 (*B-Br* II 5600)

BRUXELLES, Bibliothèque Royale II 5600.

59 ff. papier à filigranes, 215 x 160 mm. Reliure carton couvert de cuir. Ecriture du début du XVIe s. Initiales peintes aux grandes fêtes (ff. 1, 10, 20, 28, 35): grotesques, fleurs, fruits, insectes; rinceaux d'or pour le **L** du f. 1 et pour le **D** du f. 48. Notation carrée à „cornes" sur portée de quatre lignes rouges; 6 ppp. Destination: „à l'usage de la seconde chantre" (f. de garde) d'un monastère cistercien du Brabant. Provenance: Lucie Ghislain, Bruxelles.

✧ Processionnal cistercien (Tabl. V).

20v (CORP.CHR) Les R/ sont empruntés à *L'Office de la Fête-Dieu primitive* (ed C. Lambot et I. Fransen, Maredsous, 1946) composés en 1246: R1/ Accepit Jesus calicem.

22 R/2 Dixit Jesus discipulis suis (*op. cit*, 47).

23 R/3 Quia idem Dominus v/ Jesus panis angelorum.

24 R/4 O vere miraculum (*op. cit.*, 60).

25v R/5 Sacerdos summus (*op. cit.*, 55). A/ Panus vitae panis angelorum (op. cit., 65). Les R/1 et 3 proviennent de l'office monastique de la Fête-Dieu, inédit à ce jour.

B-28 (*B-Br* IV 7)

BRUXELLES, Bibliothèque Royale, IV 7.

103 ff. papier (paginés), 230 x 170 mm. Ecrit en 1741. Notation carrée sur portée de quatre lignes noires; 5 ppp; guidon. Origine: Andenne (cf. pp. 129, 140, 145). Provenance: „ce livre est passé de la comtesse de Berlaymont à la comtesse Antoinette de Frankenberg..." (f. de g.). „Ce livre de chant appartient à Françoise Fontaine" (ibid. verso).

✧ Processionnal d'Andenne.

129	(17.XII: de sca Begga) R/ Beata Begga plena erat v/ Voce [VIe t. transposé].
140	*Le jour de la fête d'Andenne ...on chante le R/ suivant après la fête des pélerins* (141) R/ Cum jam Dei amica v Ut exultans [VIIe t.].
142	R/ Gloriose regum rex v/ Cujus prece [Ier t.].
174	A/ Ave virgo stella maris... salve Begga stirps regalis.
188	(17.IX: st Lambert) R/ Sacerdos Dei mitissimus v/ Caelum ejus [VIe t.].

B-29 (*B-Br* IV 25)

BRUXELLES, Bibliothèque Royale, IV 25.

141 ff. parchemin raide et jauni, 223 x 163 mm. Réclames. Reliure récente (1954).Titre sur le plat supérieur. Armoiries sur les plats supérieurs et inférieurs: trois feuilles de trèfle séparés par une bande hachurée.. Ecrit en 1463 par Pierre de la Fita (f. 141); initiales avec grotesques (ff. 62, 63, 112...). Notation carrée avec vestiges de notation aquitaine (podatus) sur porté de quatre pages. Origine: la cathédrale de Bordeaux, nanti d'un nombreux clergé: canonici, capellani, presbyteri, clerici..). Dans les rubriques, mention de nombreuses églises et lieux-dits de Bordeaux (cf. *Mss. datés*, 24 ss.). Provenance: la collection du comte Chandon de Briailles (armoiries). Ce processionnal est identique à celui de Bordeaux, Archives de la Gironde Ms.54, (F-23).

✧ Processionnal augustin (Tabl. IX), à antiennes (Tabl. III).

1–3	Table des chants.
3v–4	A/ Asperges me.
4v	A/ Signum salutis.
5	A/ Missus est angelus.
16	(2.II)
16v	A/ Venite et accendite lampades vestras.
20v	(SEPT) A/ Cum venerimus.
25	A/ Cum sederit filius hominis.
28	A/ Christe pater misericordiarum.
30	(PASS) A/ In die quando venerit.
32	(RAM) Rubriques sur le parcours de la procession: *porta bas-*

	sa... porta Jovis... porta sci Germani... ad cordariam... portam Medoco.
56v	(SAB)
57	L/ *septena.*
57v	L/ *quina.*
58	L/ *trina.*
59	(RES)
62v	Vêpres pascales. A/ Alleluia. v/ d'alleluia.
64	S/ Clara gaudia festa paschalia (AH 53, 71)
66v–70v	Ps CXIII (In exitu) antiphoné, entièrement noté:

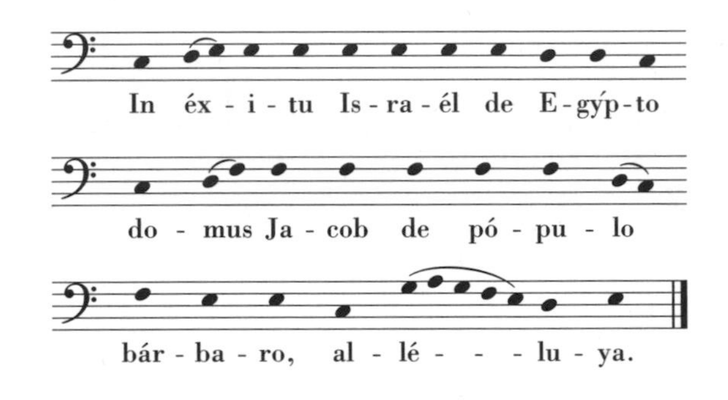

72v	S/ Victimae paschali (AH 54, 72).
76	Dimanches du Temps pascal et mardi de Pâques: procession à Ste-Croix de Bordeaux et réception par les moines.
83–84	(25.IV et ROG)
90	L/ Rex Kyrie eleison.
92v	(Feria IIIa ROG)
94	L/ Agnus Dei.
99v	(ASC)
102	R/ O claviger, T/ Judaea incredula cur manes adhuc (manque dans TROF).
106	L/ Rex sanctorum angelorum (AH 50, 242).
115v	A/ Oremus dilectissimi. A/ Pax aeterna.
119v	A/ E---go sapientia.
122v	(28.VIII) A/ Domino regnanti. R/ Civitas vobis Tagaste v/ Honesta [IIe t.] et 3 autres R/.
125v	(1.XI) A/ Te gloriosus apostolorum chorus.
126v	*Duo cantores dicant in choro* A/ Princeps ecclesiae pastor ovilis. *Diaconus*: Cum mansuetudine et caritate humiliate vos ad benedictionem. *Chorus* Humili voce psallentes...Deo gratias.
128–132v	*In receptione regis.*

132v	(De sco Amando) R/ Amandus ergo v/ Convocata plebe [VIIIe t.]
133	(De sco Marciale) R/ O vere sanctum v/ Vere per omnia.
135–139	L/ sanctorum.
141	Colophon (cf *Manuscrits datés*...t.IV, pl. 733).
141v	add. différentes jusqu'au XVIIe s.
146	(f. de garde) Johannes de la Mare.

Bibliographie: *Troisième catalogue de livres rares*. Paris, Librairie A. Blaizot, 1955, n.1686. – *Manuscrits datés conservés en Belgique*, t.IV: 1461–1480 (Bruxelles, 1982), 24 n° 418 et pl. 733–734.

B-29/2 (*B-Br* IV 41)

BRUXELLES, Bibliothèque Royale, IV 41.

Ce manuscrit liégeois, daté de 1574–75, parfois présenté comme processionnal (De Clerck, 271 n. 9), est en fait un livre de dévotion privée contenant les VII Psaumes de la pénitence, les litanies et oraisons. Il a été écrit par Robert Chesnea qui copia également le processionnal de New York, Union theological Seminary 79 (US-35). Cf. *Manuscrits datés conservés en Belgique*, t. VI, 47 n° 932, pl. 1364, 1365.

B-30 (*B-Br* IV 112)

BRUXELLES, Bibliothèque Royale, IV 112.

114 ff. parchemin, 19 x 14 cms. Reliure cuir ciselé remplacée en 1965 par une reliure à l'ancienne: plats formés d'ais de bois, dos cuir. Ecriture du XVe s., sauf pour les ff. 46–50 et 53–54 refaits au XVIIIe s. Notation à clous sur portée de quatre lignes noires: la ligne du fa, repérée par un point, est colorée en rouge par dessus les notes noires; celle du do en jaune. Origine: St-Pierre de Liège. Noter la mention de la „corona sci Lamberti“ (f. 52), de la crypte (ff. 12v, 21v etc.) et d'autres églises de la ville (f. 25). Fonctions: *custos chori* (f1v), *scolares* (f. 58v etc.). Provenance: acheté à Londres chez Fletcher en 1960.

✧ Processionnal de St-Pierre de Liège.

Temporal (1–95).

1v	(ADV) A/ Ecce carissimi.
2v	A/ Ecce mater nostra, puis R/.
8v	(SEPT) A/ Oremus dilectissimi.
52v	Vêpres pascales du lundi de Pâques au vendredi, avec rubriques mentionnant des lieux précis de la ville.
58v	Feria II Paschae: *Tres scolares cantent Benedicamus Domino*.
67v	(ROG) avec mention des oratoires de la ville de Liège: St-Pierre, St-Barthelémy, St-Lambert etc.
78v	L/ Exaudi, exaudi. L/ Miserere nostri pie rex domine Jesu Christe.
79	Feria IIIa ROG. L/ Aufer a nobis.
92	Dimanches d'été.

Sanctoral (95–139v).
Commence au 30.XI.

96	(8.XII) R/ Cordis ac vocis jubilo pangamus laudes Domino (cf AH 25, 89). v/ Suscipe devote [VIIIe t.].
108	(13.V: sci Servatii [Tungrensis epi.]) R/ Dum beatus Servatius v/ Continuas [IIIe t.].
108v	(30.V: sca Petronilla) R/ Nicomedes v/ Quorum apud Dominum. [UIer t.].
114v	(De sco Lamberto) R/ Sacerdos Dei mitissimus v/ Caelum ejus patuit (Auda, 191).
118v	*In ecclesia sci Jacobi* R/ Admirans Christi gratiam v/ Fundens preces.
121	(3.XI: de sco Huberto) A/ O Huberte Deum ora.
133v	(1.X: DED de St-Pierre de Liège [en 1117]. A/ Pax huic domui.
135	(1.X: sci Remigii) R/ O praesul Christi Remigi v/ Precibus [Ier t.].
136	(21.X: XI M Virginum) R/ Innumerabiles virginum chorus v/ Ecce florentem.

Commun des Saints (140) et suppléments.

143v	Supplément pour le 3.XI (cf. f. 121) *Si festum sci Huberti dominica evenerit* R/ Praecipuus meritis v/ Inclitus et mitis Hubertus [VIe t. transposé].

B-31 (*B-Br* IV 210)

BRUXELLES, Bibliothèque Royale IV 210.

61 ff. parchemin, 160 x 105 mm. Réclames en fin de cahier. Reliure portefeuille en cuir estampé à froid due à Ludovic Bloc. Ecriture du XVIe s.; bordures (ff. 5v, 6, 8, 12, 24 et 46v) et enluminures peintes à pleine page: ff. 5v [première p.] st. O.... et ste Catherine d'Alexandrie; 8 la Trinité, 12 la Pentecôte. 24 les Onze mille vierges et l'Assomption. 46 David en prière. Notation carrée sur portée de quatre lignes rouges; 4 ppp. Origine: Bruges (rubriques en flamand mentionnant les églises et portes de Bruges). Donateurs prénommés O... et Catherine: Katherina Buekels, Jonck in de Woynghaert (ff. 45 et 58v), serait la miniaturiste. Provenance: date 1693 (f. de g.) et texte en flamand (f. 2v). Ex-libris de William Stirling. Acquis en 1962 par la Bibliothèque Royale.

✧ Processionnal de Bruges pour les Rogations. (Procession du Saint-Sang dès 1303)

5	H/ Vexilla regis.
6	*Edestre en de ter tweastre processie van den Helighen Bloede.* A/ Exurge Domine.
10	*Sinte Julie in de Capelle* A/ Ave virgo gloriosa.
13	R/ Solem.

16	A/ Salvator mundi.
20	*Op de mart* A/ Regina caeli.
20v	*De sancto Basilio* R/ Miles Christi gloriosa v/ Ut caelestis.
21	*Omtrent de blenden ezel thuus graende* A/ Confessor Domini pater Donatiane.
29	R/ Ante diem (Haggh 1, 13)
30	A/ O beata sponsa Christi (*ibid.* 46).
34	*Ter trocestre processien van de Helighen Bloede...*(rubriques).
35v	*...poorte Ghaen na dhesel poorte...*
38v	*Comende na sinte Lenaerts poorte* R/ Inter natos... *na de Cruce poorte*
40	*...na de Ghent poorte* etc. (mêmes portes que dans Brugge, Museum van het Heilig-Bloed, supra B-3).
44	A/ Laetare Germania (Haggh 1, 25).
46	[autre MS] Les VII Psaumes de la Pénitence.
54	*Incipiunt Letaniae quae cantantur in processione cruoris Christi in villa Brugensis.*

Bibliographie: M. Wittek in *Bulletin de la Bibliothèque Royale de Belgique*, VI 11 (Novembre 1962), 104. – Ph. Webber, „A Medieval Netherlandic Prayer Cycle on the Life of Christ, Princeton, University Library Garrett MS 63.“ *Ons Gesterlijk Erf*, LII 3/4 (December 1978), 314. – I. Hottois, *L'iconographie musicale dans les manuscrits de la Bibliothèque royale Albert Ier*. Bruxelles, 1982, 126 n° 208. – R. Strohm, *Music in late Medieval Bruges* (Oxford, 1985), 5–6, 160. – Al. Arnould, „De Handschriften in het Museum van het Heilig-Bloed.“ *Het Heilig Bloed te Brugge* (Brugge, 1990), 84 ftn.8 et 85, ill. 11–12 (fol.5v–6).

B-32 (*B-Br* IV 473)

BRUXELLES, Bibliothèque Royale, IV 473.

149 ff. parchemin (paginés). 220 x 145 mm. Réclames en fin de quaternion. Reliure restaurée par Dubois d'Enghien en 1967. Au dos de la reliure, date de 1380. Nombreuses traces d'usage dans les coins de pages. Ecriture méridionale de la fin du XIVe s. Notation carrée avec de nombreux vestiges de la notation aquitaine (podatus et scandicus en „escalier“); liquescence en forme de plique; 6 ppp; guidon losangé. Lettre p pour la reprise (*presa*) des répons (cf. *Hispania Sacra* VIII [1955], 366). Origine: Saragosse (cf.f. 60v et 72). Provenance: Librairie William Salloch à Ossining. Acquis en 1967 par la Bibliothèque royale.

✧ Processionnal augustin (Tabl. IX).

Temporal (1–48v).

Ce processionnal donne une ou deux pièces pour chaque procession et une dernière qui se chante au retour *in introitu (ecclesiae)*.

1	(ADV) A/ Missus est. A/ Venite ascendamus.
2v	(NAT)
5	A/ O Maria Jesse virga.
12	(CIN) Christe pater misericordiarum.

18 (RAM)
18v A/ Veniente Domino Jesu Iherosolimam..
19 sed ---[neuma]-- Haebreorum.
19v A/ Dominus mecum est.
31v (RES) A/ Vidi aquam.
34 V/ Maria vidit angelum amictum splendore. R/ Alleluia. V/ Quem cum lacrimis interrogat de Christo Salvatore.

R/ Al - le - - - - lúy - a.

R/ Al - le- luy - a. (Pas de mention des ROG, notées à part).
39v (PENT) Alleluia, alleluia, hodie omnes apostoli (PB 88).
43 *Dominicis per annum* A/ Omnipotens Deus supplices te rogamus.

Sanctoral (49–114v).

49 *Incipiunt processiones sanctorum.* (26.XII) R/ Ec --[neuma] ce jam coram te v/ Caritatis.
57 (22.I: sci Vincentii) R/ Martir insignis [IIe t.] v/ Incessanter.
60v (28.I: sci Valerii [ep. Caesaraugustensis]) R/ Valerius igitur episcopus v/ Tanto namque [Ier t.].
61v R/ Ecce homo qui toto corde v/ Erat autem [VIIIe t.].
72 16.IV: scae Engratiae (virg. Caesaraugustensis).
73 (entre le 16.IV et le 23.IV: DED).
78 (en marge, add. De sco Raymundo [de Peñafort, d 1275]: renvoi à 142v.
83 [add. de la même main]: 2.VII.
85 (6.VIII: Transfiguratio) R/ Si ministratio mortis v/ Amplius. A/ Et audientes discipuli.
91v (28.VIII) R/ Tertio obsidionis v/ Debellatis. *In introitu* Augustine summe doctor.
93v (29.VIII) R/ O praeco luminis v/ Perpetuus [Ier t.].
107 (29.XI: sci Saturnini) R/ Benedicti viri corpus v/ Christianis.
108 O fortis athleta Saturnine.

Commun des Saints (115–126v) et suppléments.

126v A/ des Premières Vêpres des fêtes.
142v (Sci Raymundi) R/ Digna loquens v/ Hic est vir prudens [Ier t.].
145 L/ sanctorum [s.n.] ...Geralde... Eulalia... Leocadia... Engracia... Nunillo et Alodia.

Bibliographie: *Quinze années d'acquisition* (Bruxelles, Bibliothèque Royale, 1969), 44–45, n° 63. – A. Canellas, „Un processionnal de Saragosse.“ *Texts and Manuscripts presented to G.I Lieftinck*, II (Amsterdam, 1972), 34–46, avec pl.

B-33 (*B-Br* IV 482)

BRUXELLES, Bibliothèque Royale, IV 482.

101 ff. parchemin, 195 x 125 mm. Reliure ais de bois couverts de cuir brun foncé; dos à quatre nerfs; deux fermoirs. Ecrit ca. 1520. Notation gothique messine sur portée de quatre lignes rouges; 5 ppp. Origine: un couvent d'Augustines de Flandres (rubriques en flamand, ff. 14 ss.), dédié à la Ste Croix ou à ste Marguerite. Provenance: Collection du Major J.R. Abbey. Acquis par la B.R. en 1967.

✧ Processionnal augustin (Tabl. IX).

1	2.II.
5	RAM.
17v	(RES) V/ Salve festa dies (AH 50, 79), avec adaptations à l'ASC et à la PENT.
35	(5.V)
38	H/ Signum crucis mirabile (AH 51, 85).
40	24.VI.
42	(20.VII: sca Margarita [de Ypris?] R/ Carcer quo virgo v/ In virtutum [Ve t].
43	H/ Ave gloriosa virgo (inédit?).
45v	(15.VIII)
48	H/ O quam glorifica (AH 51, 146).
50	(28.VIII: In festo patris nostri Augustini)
51	A/ O rex altissime.
52v	H/ Magne pater Augustine (AH 52, 110).
54v	DED.
60	(1.XI)
62	H/ Jesu Salvator saeculi (AH 14a, 127).
71	Vêture.
79	Funérailles et add. diverses (64v R/ Melchisedech).

Bibliographie: *Catalogue of the celebrated Library of Major J.R. Abbey. The third Portion, 19–21 June 1967* (London, Sotheby and Co. 1967) nr. 1934. – *Gent Duizend Jaar Kunst en Cultuur*. Bijlokemuseum Gent, 21 Juin–31 Août 1975, 16 n° 24.

B-34 (*B-Br* IV 1116)

BRUXELLES, Bibliothèque royale, IV 1116.

136 ff. papier à filigrane (Briquet 8209), 195 x 145 mm. Reliure peau de truie estampée à froid sur ais de bois; deux fermoirs, dont un brisé. Ecriture datée de 1511 au f. 125v: „fr.G. B. 1511.“ Notation carrée sur portée de quatre lignes rouges; 5 ppp; barres verticales rouges de division; guidon. Origine: les Hospitaliers de St-Jean de Jérusalem à Strasbourg (cf. ff 1, 54v, 72, 82v etc.). Mention du Ms dans le catalogue de Witter (1749), n° C 178 ou C 179.

✧ Processionnal responsorial (Tabl. IV).

1	*Incipit Processionale secundum ordinem sancti Johannis Iherosolimitani domus Argentoratensis.* A/ Asperges me. *In Quadragesima* A/ Sanctus Deus, sanctus fortis, sanctus immortalis.
2	(ADV) R/ Missus est et ensuite R/R/ pour toutes les fêtes.
32	(RAM) A/ Ave rex noster. *Deinde officians cum ministris parum alios praecedens cum trina genuflexione ter incipiens* Ave rex noster. *Postea totus chorus cantet* fili David *perdurans in genuflexione...*
Rubriques suivantes: *diaconus, prior, fratres...*	
39	(CENA) Mandatum pour XIII pauvres (non XII).
43	Ad abluenda altaria: Smi. Salvatoris, Scae Crucis, B. Mariae virg., Scae Annae, Scor. Angelorum, Scor. Jo. Baptistae et Joannis Evg. (les années paires R/ Inter natos et R/ Iste est Joannes; le contraire les années impaires). *Ad altare [XI M] virginum.*
54v	*Post haec itur ad Hospitalem cantando* R/ Revelabunt caeli. *Deinde processio revertatur in chorum cantando* R/ Circumdederunt.
65	SAB.
66	(RES)
68	*Ad introitum capellae sancti Sepulchri* R/ Et valde mane. *Eundo ad hospitalem* R/ Dum transisset.
72	mention des V/ Salve festa dies.
Entre 82v et 83	mention de l'*ecclesia scae Margarithae.*
87	(avant le 1.V: DED).
94	(2.VII) R/ Elisabeth ex opere v/ Nullus diffidat.
94v	(22.VII) R/ Accessit ad pedes Jesu v/ Dimissa sunt [Ve t.].
95v	(2.VIII: Inventio sci Stephani) R/ Cum scirem ego Gamaliel v/ Auditor (Auda, 61).
102	(29.VIII: Decollatio sci Jo. Baptistae) R/ Angelus cognomine v/ Erat enim [IVe t.].
106	(22.IX: sci Mauricii) R/ Fidelis sermo.
106v	(Mémoire d'Abraham, Isaac et Jacob) R/ Dum staret Abraham v/ Dixitque (CAO 4 n° 6563).
107	(9.X: sci Dyonisii) R/ Beatus Dionisius v/ Beatorum [Ier ton].
108	(21.X: XIM virginum) R/ O felices virgines v/ O beatae [Ve t.].
113	(19.XI: Elisabeth viduae) R/ O lampas ecclesiae v/ Tu dei [Ve t.].
114	*Commune sanctorum.*
119	A/ Salvator mundi salva nos.
121	A/ de B. Maria virgine.
126	R/ Summae Trinitati.

127 ROG. Add. finales (fin XVIe s.): Mémoires et suffrages.

Bibliographie: *Cinq années d'acquisition, 1974–1978* (Bruxelles, 1979), 166 n° 73. – *Manuscrits datés conservés en Belgique*, t.V, 62 n° 707.

B-35 (*B-Br* IV 1253)

BRUXELLES, Bibliothèque Royale IV 1253.

200 ff. parchemin, 170 x 120 mm. Cahiers signés au début par une lettre. Reliure cuir estampé à chaud; étiquette du dos: „Process. 1525". Ecrit en 1525 par Servatius Audiaens (f. 200v). Lettrines dorées sur fond vert, encadrées. Notation carrée sur portée rouge de quatre lignes; 7 ppp; guidon. Origine et provenance: le monastère de Parc (Prémontrés): 77v Blason de Parc avec la devise „Spes mea Deus"; 95v *id.*, avec un chanoine prémontré agenouillé). Dernier possesseur: Oswald Mangin-Holden.

✧ Processionnal prémontré de Parc (Tabl. IX).

Temporal (3–104).

3	A/ Asperges me.
3v	(ADV) A/ Ecce carissimi.
5	A/ Ecce mater nostra.
7	(25. XII) R/ Verbum.
8	R/ Descendit (version corrigée).
14v	2.II.
23	CIN.
30	RAM.
41–46	(CENA) Mandatum.
43	(page refaite en 1600) A/ Ante diem festum. PAR. SAB.
55–56 bis	(pages refaites): RES
65–77	Vêpres pascales avec les v/ d'alleluia, suivant l'usage des Prémontrés;
58v	*Iste versus cantatur a tribus sacerdotibus in janua juxta crucem versis vultibus ad conventum* v/ Recordamini.
77v	(DED) R/ Terribilis
80	A/ Pax eterna.
81v	ROG.
95	A/ Ibo michi.
95v	CORP.CHR.

Sanctoral (105–150).

105	(24.VI) R/ Inter natos.
109	(2.VII) R/ Magnificat v/ Ecce enim (VIe t.). R/ O praeclara stella v/ Ad te clamant. (22. VII) R/ Armilla.
113v	15.VII.
115v	R/ Verbum Dei.

122v (17.IX) De sco Lamberto: R/ Sacerdos dei mitissimus [VIe t.] v/ Caelum (Auda, 191).
124 (1.XI) R/ Concede nobis.
Commun des Saints (150v–153).
Entre 153 et 154, un cahier blanc.
Rituel (154-fin)
154 Extrême onction.
162 R/ Libera me.. de morte avec 8 v/.
180 Office des morts, suivant l'usage des Prémontrés (Ottosen, 141). Les leçons suivant l'ordre du groupe 1 (*ibid.*, 67).

Bibliographie: *Bulletin codicologique* de *Scriptorium* 1994, p. 89* n° 406 (simple mention). – Non mentionné dans les Mss datés conservés en Belgique, t. V:1481–1540.

B-36 (*B-Gu* 184)

GENT, Rijksuniversiteit, Centrale Bibliotheek, 184 (St.Genois, 473).

156 ff papier sans filigrane, 181 x 122 mm. Reliure restaurée en 1977: cuir fauve, estampé de fleurs de lys. Ecriture cursive du XVe s.; initiales noires avec touches de couleurs. Notation messine sur portée de quatre lignes noires; guidon à bec; barres verticales de division assez irrégulièrement tracées; 7 ppp (= 7 portées par page). Origine: la collégiale de St-Bavon de Gand (cf. f. 97v In elevatione sci. Macharii, célébrée depuis 1067).

✧ Processionnal responsorial (Tabl. IV).

Les deux ff. de garde contiennent les Versus du Jeudi-saint O Redemptor sume carmen (AH 51, 80), alternés entre CHOR(us), pour le refrain et CANT(or) pour les versets (notation de Gand sur portée de deux lignes). *Hic incipiuntur responsoria in processione per totum annum decantanda ad ritum ecclesiae collegiatae divi Bavonis Gandavi.*

Temporal (1–80v).
1 (ADV) R/ Ecce dies veniunt. A/ Sancte Bavo confessor eximie (cf CAO 3, 4717).
7v (27.XII) R/ In medio.
8 (28.XII) R/ Cantabant sancti.
10v (EPI) R/ Videntes stellam
15v (SEPT) R/ Ubi est Abel.
24v (RAM) R/ Dominus mecum est.
25 A/ Collegerunt.
26v V/ Gloria laus.
29 (CENA) A/ Dominus Jesus postquam.
29v A/ Postquam surrexit.
31v *Versus Flavii in Cena Domini* Tellus ac aethra jubilent (AH 51, 79).
55 (RES) R/ Dum transisset.

41	(ROG) *In choro* A/ Exurge.
42	*In capella sci Amandi* R/ Gloriose (cf. f. 89v). *Sequitur missa*, Intr. Exaudivit.
44v	Feria IIIa ROG A/ Cum jucunditate.
45	Feria IIIIa ROG A/ In nomine Domini Dei nostri.
46	(ASC) R/ Omnis pulchritudo.
49v	(PENT) R/ Dum complerentur.
53v	(CORP.CHR) R/ Homo quidam et 5 R/ de l'office du jour.
73v	*Hic finiuntur responsoria dominicalia per totum annum ad processionem.* [Supplément] *Sequuntur aliquot neglecta in praemissis.*
74	A/ Vidi aquam (CAO 3, 5403).
76	*Sanctus et Agnus ferialis. Letaniae habentur in fine libri.*
76v	R/ supplémentaires pour le CORP.CHR.
80r et v	blancs.
Sanctoral (81–135v)	
81	(30.XI) R/ Vir iste.
81v	6.XII.
84	(22.I: sci. Vincentii) R/ Gloriosus Dei amicus v/ Felici [Ier t.].
85v	2.II.
89v	(6.II: sci Amandi) R/ Gloriose ac semper venerande v/ Sancte Amande [Ier t.].
90v	R/ Sancte Amande confessor Christi v/ Persistens [Ier t.]
91	21 III: sci Benedicti.
93	23.IV: sci Georgii.
96	3.V.
97v	(10.IV: In elevatione sci Macharii archiepiscopi et confessoris) R/ Generosae indolis v/ Ex Armeniae [Ier t.].
98v	*Aliud* R/ Electo v/ Medelam praebens [IIe t.].
98v	A/ Sanctissime archipraesul [IVe t.].
99	(19.III: In elevatione sci. Landoaldi) R/ Prudens adolescens v/ Repletus [IIe t.]
100	*Aliud* R/ Gaude desiderator v/ Ecce etenim [Ier t.]. A/ Exulta et laetare [IIIe t.].
102	24.VI.
105	29.VI.
107v	(2.VII) R/ Dixit verba prophetica v/ Venit ex te [IIe t.].
108v	R/ Elisabeth ex opere v/ Nullus diffidat [Ve t.].
111	(1.VIII: In elevatione sci. Bavonis) R/ Quocumque divini sator v/ Gratiae caelestis [IIe t.]. *Aliud* R/ Omnis carnis v/ Ut hominem [IIIe t.]. A/ Sancte Bavo confessor.
116	15.VIII.

120 8.IX.
123 (1.X: In depositione sci Bavonis) R/ Pater insignis Bavo v/ Ad patriam [Ier t.].
124 *Aliud* R/ Exultemus v/ Susceptus est hodie [Ier t.].
125 (1.XI)
127 A/ Salvator mundi salva nos (CAO 3, 4689).
129 (12.XI: In depositione sci Livini) R/ Electus Christi martyr v/ Intendens [Ier t.] *Aliud* R/ Inter proceres v/ Nondum incedens.
130v *Aliud* R/ Gemma Dei martyr v/ Qui super mare [VIIIe t.].
131 A/ Magnificet sanctum devotio.
133 (10.V: DED) R/ Fundata est.
Commun des Saints (135v–148v) et suppléments divers.
148v *Responsoria decantanda ad processionem quando funus efficitur* (liste de huit R/ de l'Office des morts).
153v A/ Clementissime.
155v additions récentes.

Bibliographie: J. de Saint-Genois, *Cat.* 346 no 473. - A. Derolez, *Inventaris van de Handschriften in de Universiteitsbibliotheekte Gent*, Gent 1977, 16. – J. Hourlier, „Le domaine de la notation messine" *Revue grégorienne* 30 (1951), 104. – B. Haggh, „Sources for Plainchant and Ritual..Gent..." *Handelingen..* [cf. B-24], 61.

B-37 (*B-Gu* 188)

GENT, Rijksuniversiteit, Centrale Bibliotheek, 188 (St.Genois, 474).

150 ff. (le f. cxlviij a été coupé) parchemin, 125 x 98 mm. Réclame à la fin des cahiers. Reliure restaurée en 1972; deux fermoirs cuivre. Ecriture cursive du XVIe s., due à deux mains différentes: la première pour le Temporal; la seconde pour le Sanctoral, proche de celle du ms. 184. Notation messine verticale, sur portée de quatre lignes rouges; guidon à bec; 5 ppp (cf. PM III, pl. 177 B). Origine: probablement St-Bavon (répertoire et surtout date de la DED). Provenance: l'abbaye de St-Pierre au Mont-Blandin (f. 1, sur grattage). Les rubriques mentionnent les lieux réguliers suivants: major ecclesia, chorus (ff. 13v, 16...), navis ecclesiae (f. 17, 31, 40), crypta (ff. 6, 15, 27), crypta inferior (f. 126v), claustrum (ff. 2v, 28 etc.); Sctum Christum [Heilig Kerst ou St-Sauveur] (f. 34, 36v, 76v); ecclesia scae Pharahyldis (f. 72v: collégiale); la capella sci Benedicti (f. 119v) et la capella sci Amandi (f. 64) étaient dans l'enceinte de St-Bavon (UB 184, f. 42).

✧ Processionnal responsorial (Tabl. IV).

Trois processions sont prévues pour les grandes fêtes: après les Premières Vêpres, après les Laudes et enfin, suivant l'usage universel, avant la Messe conventuelle après Tierce. Les R/ ne sont pas toujours accompagnés de leur verset et sont de ce fait intitulés A/.
Temporal (1–96), de la première main.
1 (ADV) A/ Ave Maria.

2 A/ Missus est.
3 A/ Venite omnes exultemus (CAO 3, 5354). A/ O beata infantia (*minor:* CAO 3, 3993).
5 A/ Sancte Bavo, confessor eximie.
5v A/ Sanctum est verum lumen (CAO 3, 4768).
6 R/ Jerusalem plantabis vineam (sans v/). *A/ dicenda eundo ad criptam* [R/] Virgo Israhel.
15 (NAT) A/ O beata infantia (*major:* CAO 3, 3994).
17 *In navi ecclesiae* R/ Descendit (version corrigée: CAO 4, 6410).
19v A/ O Maria Jesse virga (CAO 3, 4036).
21 (5.I: in vigilia EPI) *Ad processionem post vesperos* R/ Tria sunt.
23v (SEPT) A/ Cum sederit Filius hominis (CAO 3, 2032). *A/ dicenda ad processionem eundo ad criptam* Exaudi nos.
28 *Ad processionem per claustrum* A/ Christe pater misericordiarum (CAO 3, 1784).
31 *Ad processionem in navi ecclesiae* R/ Minor sum cunctis miserationibus (CAO 4, 7156), sans v/.
34 (RAM) *Ad processionem ante majorem missam eundo ad sanctum Christum* A/ Cum audisset.
35v *Deinde dicitur sequentem responsorium cum versu et repetitione* [R/] Dominus mecum est.
36v *A/ dicitur in choro sci. Christi* Salvator mundi salva nos.
37v *A/ dicenda exeundo chorum sci Christi* Ante quinque dies sollemnitatis Paschae (cf. CAO 3, 1437).
38v A/ Collegerunt (CAO 3, 1852).
40 *A/ dicenda in navi...flexis genibus* A/ Ave rex noster (CAO 3, 1543).
41v *Versus sequentes dicantur a quinque cantoribus* V/ Gloria laus (AH 50, 160).
43 *R/ incipiendum a cantoribus in reditu chori* R/ Ingrediente Domino.
43v *A/ ad Mandatum* Dominus Jesus.
46v *Versus Flavii in Coena Domini* V/ Tellus ac aethra jubilent (AH 51, 77).
40v A/ Mandatum novum.
50 A/ In diebus illis (CAO 3, 3224).
55 (RES) A/ Dum transisset sabbatum (CAO 4, 6565: R/ sans v/).
56 A/ Vidi aquam.
58v A/ Sedit angelus (CAO 3, 4858). *Hic versus dum intratur dicitur a tribus cantoribus, deinde dicitur a toto conventu* v/ Crucifixum.

60 A/ Christus resurgens.
63v A/ De Jerusalem.
64 *In capella sci. Amandi dicitur* R/ Gloriose, f. cxij. *Introitus missae sequentis dicendum est in capella sci Amandi* Intr. Exaudivit.
67 L/ sanctorum.
67v L/ Agne Dei...Sancte sanctorum Deus. Saints invoqués: Livine,.. Bavo, Landoalde,.. Machari, Amanti... Landrada,.. Pharahyldis, Barbara.
69v Feria IIIa ROG A/ Cum jucunditate.
72v *R/ dicendum ad ecclesiam scae Pharahyldis* R/ Quocumque divini sator germinis ibat Amandus [IIe t.].
73v Intr. Omnes gentes.
75v *In vigilia Ascensionis ad processionem post vesperos* R/ Viri Galilaei.
76v (ASC) *Eundo ad scm Christum ante majorem missam* R/ Omnis pulchritudo.
79 *In vigilia Pentecostes ad processionem post vesperos* R/ Spiritus sanctus.
80v (PENT) *In die eundo ad criptam... deinde per claustrum* R/ Dum complerentur.
84 TRIN.
85v (CORP. CHR) *In die Sacramenti ad processionem post missam* R/ Coenantibus illis.
92 Processions dominicales: A/ Ibo michi ad montem.
93v Oremus dilectissimi.
96v blanc.
Sanctoral (97–144), écrit par la seconde main.
97 30.XI.
98 (4.XII: de sancta Barbara) R/ Regnum mundi [Ve t.].
99 6.XII
100v 8.XII.
101v 21.XII: de sco Thoma apostolo.
102v 26.XII.
103v 27.XII.
104v (22.I: de sco Vincentio) R/ Christi miles pretiosus.
105v R/ Agnosce o Vincenti.
107v (2.II) *Ad processionem post Vesperos* R/ Gaude Maria virgo (sans v/: cf 128v).
112 (6.II: in depositione sci Amandi) *Ad processionem post vesperos* R/ Gloriose ac semper venerande.
112v *Post matutinos* R/ Miles Christi Amandus.

113v	(22.II: In cathedra sci Petri) R/ Cornelius centurio.
114v	21.III: sci Benedicti.
118	(3.V) A/ O crux admirabilis.
119v	10.V: DED.
147	*Eundo ad scam Mariam ... ad capellam sci Benedicti...* R/ Terribilis est.
120v	Rubriques au sujet de l'occurrence de la DED avec l'ASC.
126v	(29.VI) Rubriques au sujet *in dedicatione criptae inferioris: ad processionem post vesperos* : R/ Terribilis, f. cxx.
122	R/ Domus mea.
123v	22.VII.
124	10.VIII.
125v	15.VIII R/ Gaude Maria *cum* v/ Gabrielem *qui dicitur in navi ecclesiae a tribus cantoribus.*
129v	29.VIII.
131v	8.IX.
132	14.IX.
138	(1.X: In depositione sci Bavonis) R/ Pater insignis Bavo (cf. Brugge, Grootseminarie et Gand, UB 184, f. 123).
139v	1.XI.
141v	11.XI.
142v	(12.XI: sci Livini) R/ Gemma Dei martyr Livine v/ Qui super mare (cf Gand, UB 184, f. 130v). R/ Ingrediens (sans v/).
144v	blanc.
145	Oraisons et lectures de la Messe des Litanies majeures (25.IV).
149v	[add. récente, notation carrée et triangulaire, évidées] R/ Congregati sunt (*In Agenda mortuorum*, Tournai, 1944).

Bibliographie: J. de Saint-Genois, *Catalogue*, 346 n° 474. – PM III, pl. 177 B. – Derolez, *Inventaris*, 17. – PM III, pl. 177 B. – Hourlier, „Domaine...", 104. – Notes complémentaires dues à Barbara Haggh.

B-38 (*B-Gu* 1015)

GENT, Rijksuniversiteit, Centrale Bibliotheek, 1015.

52 ff. numérotés + 4 ff. de g. + 3 ff. de g. non numérotées. 229 x 173 mm. Ecrit au XVIIIe s. Notation carrée sur portée de quatre lignes rouges (lignes noires aux pages collées sur 52r et 54r). Origine: soeurs franciscaines flamandes (de Bruges?). Provenance: Sr M. Magdalena Vlistinck.

✧ Processionnal franciscain (Tabl. VIII).

1	2.II.
5v	RAM.

11v	CENA. Mandatum als men de voeten wast.
16	[3.V] De processie van H. Bloet dagh.
18	(A/) Hoc passionis tempore in hac triumphi gloria. A/ Hoc est praeclarum vas.

(cf. US-BEm 745, processionnal franciscain à l'usage de Bruges).

Bibliographie: A.Derolez, *Inventaris* , 82. – cf. R. Strohm, *Music in Late Medieval Bruges* (Oxford, 1985), 5–7, 62–63, 145 [pour la procession du Saint Sang]. – Notice établie d'après la description de Barbara Haggh, *Of Abbeys and Aldermen: Music in Ghent before 1536* (In progress).

B-39 (*B-Gu* 1395)

GENT, Rijksuniversiteit, Centrale Bibliotheek, 1395.

58 ff. parchemin, 146 x 107 mm. Reliure souple en parchemin. Ecriture du XIVe s. Notation carrée sur portée de quatre lignes rouges (ou noires, ff. 56v–57r), 6 ppp. Origine: une abbaye de cisterciennes en Flandres (au verso de la couverture „hier is do goodwecke is“). A comparer à Bruxelles II 267, cisterciennes de Flandres. Provenance: (l'Abbesse?) Antonia de Staelandt, fuelaten bidt voor hoer. 34v un écusson pour C.D. de Brabant (l'Abbesse?).

✧ Processionnal cistercien supplémenté (Tabl. V).

1	2.II.
5v	25.III
7	R/ Gaude Maria virgo
8v	RAM.
15v	ASC.
19	CORP. CHR.
22	(2.VII) R/ O dies omni voto recolenda v/ Haec est dies. [lacune entre 22v et 23] A/ du Mandatum et diverses.
[Supplément]	
33	TRIN.
35–38	[add. sur papier] 21.XI: *In die presentation(is) beatae Mariae.*
38v	[add. avec portées de quatre lignes noires] R/ Ego sum panis.
39v	[1.XI] R/ Beata vere mater v/ Quam inviolatae.
43	R/ Terribilis.
45	[sur parchemin, portées rouges] CORP. CHR.
47	R/ Melchisedech rex Salem.
50v	(2.VII) R/ O dies omni voto v/ Haec est dies (cf. f. 22).
53	(21.VIII) R/ Beatus Bernardus v/ Factus.
55	R/ Nos alium deus nescimus v/ Indulgenciam
56	[add.] (26.VII: scae Annae) A/ Recordare Anna mater.
58	R/ ou A/ O radix viva mirae pietatis oliva (AH 25, 59).

Bibliographie: A. Derolez, *Inventaris*...112. - Notice établie d'après la description de Barbara Haggh, *Of Abbeys and Aldermen: Music in Ghent before 1536* (In progress).

B-40 (*B-LVu* 91)

LEUVEN, Bibliotheek van der Katholieke Universiteit, Fonds de Malines, Grand Séminaire, Cod 91.

224 ff. papier, 211 x 140 mm (format album). Reliure basane rouge avec encadrements dorés en bordure. Ecrit en 1706 par Thomas Hierscus, Liège, pour Mademoiselle Marie M. J., née d'Oijembruge, Chanonesse (*sic*) du Chapitre de Nivelles (f. 4). Notation carrée; 3 ppp. Origine: le chapitre des chanoinesses de Ste Gertrude à Nivelles. Provenance: transféré de Malines à Louvain en 1972.

✧ Processionnal

Temporal (1–361)

Les chants sont alternés entre *Les Chantres* et *Les demoiselles*. Rubriques en français.

1 Table des matières.
6 (ADV) R/ Ecce dies veniunt.
193 (CENA) *Quand Madame lave les mains aux demoiselles, on chante les Antiennes suivantes*: Postquam surrexit.
249 (ASC) *En montant les degrés du choeur* A/ Ascendo.
323 (15.VIII) *Les demoiselles montant les degrés* A/ Hodie Maria virgo caelos ascendit.

Commun des Saints (361–371) et Sanctoral (372 ss.).

408 (ste Gertrude) A/ In jubilo vocis.

Cat. C. De Clercq (1937), 135–136.

B-41 (*B-LVu* 92)

LEUVEN, Bibliotheek van der Katholieke Universiteit, Fonds de Malines, Grand Séminaire, Cod. 92.

112 ff. parchemin, 200 x 135 mm. Reliure veau sur ais de bois. Ecrit au XVIe s. Notation messine anguleuse; 7 ppp. Origine: le chapitre des chanoinesses de Ste Gertrude de Nivelles. Provenance: transféré de Malines à Louvain en 1972.

✧ Processionnal.

Temporal (1–79v)

1 (ADV) R/ Ecce dies veniunt.
9 NAT et 26.XII.
15v 2.II.
18v *Capellanus dominarum incipit responsorium et domini cantant residuum* R/ Videte miraculum.
19v 10.II: *In elevatione sanctae Gertrudis virginis cantor* R/ Venerabilis virgo v/ Dum [Ier t.]. R/ Virgo sacra v/ Austrasiorum [Ier t. transp.]. R/ Ubi pater virginis v/ Matrem [IIIe t.].

21 R/ Ammonuit v/ Hortata [Ve t.].
22 R/ O Gertrudis speculum v/ O gemma dominici [V/VI t.].
22 L/ Agne Dei: sca Gertrudis III.
25 V/ Generosa virgo Gertrudis.
25 SEPT.
36 (IVa Dom Quadr.) H/ O Nazarene lux (AH 50, 42).
38v (RAM) *Cantor in ostio graduum versus organa quando inchoatur processio* A/ Cum appropinquaret.
45v SAB.
47v (RES) V/ Salve festa dies.
53–57v *Domini incipiunt* Alleluia, *organa prosequuntur* In exitu (Ps 113, entièrement noté).
57v 25.IV.
63 ASC.
64v *In vigilia PENT eundo ad fontes* L/ Rex sanctorum angelorum (AH 50, 242).
66v *Ingressi ostium chori cantores incipiant Kyrie eleison sub nota paschali* PENT.
69v DED
71 R/ Terribilis (71v) v1/ Cumque evigilasset Jacob a somno v2/ Cumque evigilasset Jacob quasi de gravi somno.
72–79v CORP. CHR.
73v R/ Melchisedech rex Salem v/ Benedixit.
Sanctoral (80–92).
80 24.VI.
80–83v 15.VIII.
84 dimanches d'été
Commun des Saints (93 ss.) et suffrages.
99 R/ Surge Gertrudis virgo v/ Pulchra Sion filia (Ve transposé).
99v–101 et
112–113v *Prosa contra pestilentiam* S/ De profundis ad te clamat plebs (AH 10, 58).
101v A/ de procession
102v et 114v L/ Domine miserere v/ Ex toto corde (ton simplifié).
116 *De omnibus sanctis* R/ Tua sunt haec Christe.
116v *Pro pace.*
117 A/ Da pacem.

Cat. C. De Clercq (1937), 136.

B-42 (*B-LVu* 94)

LEUVEN, Bibliotheek van der Katholieke Universiteit, Fonds de Malines Grand Séminaire, Cod. 94.

41 ff. papier (paginés), 195 x 152 mm (format album). Reliure de basane, datée de 1779. Ecrit au XVIIIe s., un peu avant 1779. Notation carrée; 4 ppp. Origine: le chapitre des chanoinesses de Ste Gertrude à Nivelles: le ms fut préparé pour Mademoiselle //// de Turheim, chanoinesse. Provenance: transféré de Malines à Louvain en 1972.

✧ Processionnal pour les offices propres de sainte Gertrude.

Rubriques en français.

1 10.II: Elévation de ste Gertrude. A Vêpres A/ Solaris dum volvitur.
49 17.III: fête de ste Gertrude A/ Laudemus Domino.
53 2.XII: Consécration de ste Gertrude A/ Venerabilem virum beatum Amandum praedicantem.
78 8.VII: jour de la vision de ste Gertrude (sans chants).
79 4.VIII: jour du miracle de ste Gertrude (sans chants).
82 blanc.

Cat. C. De Clercq (1937), 137.

B-43 (*B-LVu* 101)

LEUVEN, Bibliotheek van der Katholieke Universiteit, Fonds de Malines, Grand Séminaire, Cod. 101.

93 ff. papier (paginés), 231 x 136 mm (format album). Reliure basane. Ecrit en 1775: ms semblable au 91 (B-40). Origine: le chapitre des chanoinesses de Ste. Gertrude à Nivelles: à l'usage de la chanoinesse Anne Marie Vandergracht (f. 1). Provenance: transféré de Malines à Louvain en 1972.

✧ Processionnal.

Les chants sont alternés entre Les Chantres et Les Dames. Rubriques en français.

2 ADV.
40 *Au jour de l'Elevation de ste Gertrude* (10.II) R/ Venerabilis virgo. R/ Virgo sacra. R/ O Gertrudis speculum. (cf. Ms 92, f. 19v ss.). L/ Agne Dei.
98 A/ Generosa virgo.
142 *Aux dimanches entre Assomption et Nativité* R/ Beata Dei Genitrix Maria v1/ Rogamus te virgo virginum v2/ Rogamus te mundi regina (ce R/ est formé d'une A/ (Ms 92, f. 83v; cf AM 714) avec deux v/.

185	B/ alleluia.

Cat. C. De Clercq (1937), 140.

B-44 (*B-Lu* 1315)

LIÈGE, Bibliothèque de l'Université, 1315.

82 ff. papier, 183 x 140 mm. Reliure couverte de vélin, ornée de fers jadis dorés avec la date de 1618; restes de fermoirs de laiton. Ecriture de la fin du XVIe s. Notation carrée sur portée de quatre lignes rouges; 6 ppp. Origine: monastère des cisterciennes de la Paix-Dieu (Principauté de Liège). Acquis par la Bibliothèque universitaire en 1901 à la vente Vierset-Godin.

✧ Processionnal cistercien (Tabl. V).

1	(2.II) A/ Lumen.
5v	25.III.
8	(RAM)
12	*Duae moniales*: V/ Gloria laus.
23v	(2.VII) R/ O dies omni voto [VIe t. transposé] v/ Haec est dies.
33	A/ [amp] R/ pour diverses circonstances:
39v	Pro pace: A/ Da pacem.
40v	Suffragia defunctorum:
44v	A/ Clementissime.
49v	(CENA) A/ Dominus Jesus.
62–82	blanc.

Bibliographie: J. Brassinne, Annexes au Catalogue des mss de la B.U. (1904), 10. – M. E. Montulet, *Filles de Citeaux au pays mosan. Catalogue d'Exposition à la Collégiale Notre-Dame de Huy*, 30 juin-15 septembre 1990 (Bruxelles, 1990), 113 n° 119.

B-45 (*B-Lu* 1316)

LIÈGE, Bibliothèque de l'Université, 1316.

57 ff. papier, 202 x 130 mm. Reliure en veau brun avec filets dorés et fers dorés au milieu des plats. Gravure représentant les sts Pierre et Paul et signée: „Fait à Liège par J(ean) W(aldor)“ (reproduction dans le *Catalogue d'exposition*). Ecriture du XVIe s. Fol. 1, encadré de rinceaux et L initial doré sur fond bleu. Initiales courantes sur fonds jaune. Notation carrée sur portée de 4 lignes rouges. Ce processionnal a été exécuté pour l'abbesse de La Paix-Dieu, Dame Agnès de Corbion 1597 et 1600; et ses successeurs (cf. *Catalogue*). Même provenance que le ms 1315.

✧ Processionnal cistercien (Tabl. V).

1	(2.II) A/ Lumen.
6	25.III etc. comme dans le ms 1315.

Bibliographie: Brassine, *Annexes*..., 11. – Montulet, *Filles de Citeaux*, 113, n° 119.

B-46 (*B-Lu* 1317)

LIÈGE, Bibliothèque de l'Université, 1317.

51 ff. papier, 212 x 130 mm. Reliure veau brun avec filets dorés, cartouche doré au centre des plats. Ecriture du XVIe s. Notation carrée sur portée de 4 lignes rouges. Origine: La Paix Dieu (ex-libris de 1721 à 1769). Même provenance que les mss précédents.

✧ Processionnal cistercien (Tabl. V).

1 2.II.
5v RAM etc., comme dans les mss précédents.

Bibliographie: Brassine, *Annexes*... 13. – M.E. Montulet, *Filles de Citeaux*... 113, n° 119 a.

B-47 (*B-Lu* 1318)

LIÈGE, Bibliothèque de l'Université, 1318.

48 ff. papier, 202 x 130 mm. Reliure veau brun, avec filets et fers dorés et décorés sur les plats. La transcription, faite par Henri Hankart, curé de Wettine, pour les moniales de La Paix-Dieu, a été achevée le 31 août 1618 (colophon transcrit dans les Annexes de Brassine, p. 15). Notation carrée sur portée de 4 lignes, clé de fa en rouge et clef de do en vert. Le livre, en possession de la soeur Florance Omalius, a été donné à soeur Louise de Villiers en 1754.

✧ Processionnal cistercien (Tabl. V).

1 2.II.
5v RAM etc. comme dans les mss précédents.

Bibliographie: Brassine, *Annexes*... 14–15.

B-48 (*B-Lu* 2122)

LIÈGE, Bibliothèque de l'Université, 2122 (Hoyoux, n° 1299).

122 ff. (double foliotation, ancienne et moderne) papier, 193 x 140 mm. Reliure en veau brun, avec filets en bordure. L'écriture du processionnal (f. 1–81v) a été achevée en 1588 (fol. 81v: Finis 1588). Notation gothique allemande sur portée de 4 lignes noires; 5 ppp; guidon. Origine liégeoise. Ancien possesseur: Processionale Leodiense ad usum Bertrandi de Waseige canonici Mohlaniensis (intérieur du plat). Entré à l'Université de Liège le 18 mai 1928 (leg du Baron Adrien Wittert).

✧ Processionnal responsorial (Tabl. IV).

1 (s.n.) Puer nobis nascitur/ Rector angelorum (6 strophes).
1v–7v (de main récente) Table du processionnal.
8–81v: Processionnal noté avec un ou deux R/R/ par fête.
Temporal (8–72v)
13v (PAR) *Duo presbiteri cantent*: Popule meus. *Pueri*: Agyos o theos. *Chorus*: Sanctus deus..
27 A/ Dum fabricator.
28v (SAB) V/ Inventor rutili.
39 (RES) Vêpres pascales: une A/ alléluiatique et un v/ d'Alleluia.

44v	(ROG)
50	L/ sanctorum: Sancte Lamberte.
54	(feria IIIa) Aufer a nobis.
60	(Sab in vigilia PENT) L/ Rex sanctorum angelorum (AH 50, 242).
64v	(CORP. CHR) 7 R/R/.

Sanctoral (73–81v).

73	(24.VI) R/ Inter natos.
79	(après le 11.XI: DED) R/ Terribilis.
82–104	(nombreuses traces d'usage) Office des morts selon l'usage de Liège (Ottosen, 176–177).
104v–110v	additions diverses très mal écrites.
111–117	*Preces extractae ex Processionali romano.*
117v	*Absolutio.*
118–119	*Jubilus ad elevationem.*

Bibliographie: Hoyoux, *Catalogue*, ..., n° 1299.

B-49 (*B-Lu* 2123)

LIÈGE, Bibliothèque de l'Université, 2123 (Hoyoux n° 1298).

46 ff. parchemin, 267 x 192 mm (nombreuses traces d'usage dans les angles). Reliure XVIIIe s. en veau noir, orné de fers et de filets dorés; tranche dorée. Scriptum A.D. 1746 (fol. 1). Aucune notation musicale, car ce processionnal ne contient que les oraisons dites par le célébrant en fin de procession. Titre (en rouge): „Processionale perillustris ecclesiae Leodiensis scriptum A.D. 1746." Origine: la cathédrale St. Lambert de Liège. Provenance: leg du Baron Adrien Willaert à l'Université, 18 mai 1928.

✧ Processionnal de la cathédrale de Liège, à l'usage du célébrant:

2	Table.
3–7v	Ordo benedicendi aquam.
7v–46	Oraisons du Processionnal.
17	De sancto Lamberto patrono nostro.
46	Veni creator spiritus.

Bibliographie: Hoyoux, *Catalogue*... n° 1298.

B-50 (*B-Lu* W 12)

LIÈGE, Bibliothèque de l'Université, W.12.

74 ff. parchemin, 189 x 130 mm. Reliure ancienne en veau brun estampé; dos à 4 nerfs; fermoirs en cuir avec crochet en laiton. Ecriture du XVe s., due probablement à un religieux (fol. 73: Madonne couronnée avec l'enfant Jésus) Bittend Got für den Schriber); initiales rouges et bleues; au fol 1, l' initiale P est historiée (entrée de Jésus à Jérusalem) et doublée d'un écusson „portant d'argent à la bande d'azur chargée de trois croissants d'or"; fol. 53v, Rituel de la sépulture. N historié: le Jugement dernier (facs. dans Opsomer-Halleux, n° 26). Notation carrée large, sur portée de 4 lignes rouges; 5 ppp; guidon. Origine: un couvent de

dominicaines (*ancilla, soror* dans les oraisons) allemandes (rubriques en allemand); au fol.1, les initiales S(oror) M.D.K.D.SP. et S(oror) AB.P.; au fol. 72: Rosina von Ulm 162///. Probablement le couvent de Münsterlingen (cf le ms frère de Zürich, Schweizerisches Landesmuseum, L.M. 2799). Provenance: leg du Baron Adrien Wittert, 1903.

✧ Processionnal dominicain (Tableau VII).

1	(RAM) A/ Pueri Haebreorum.
9	(CENA) Ablution des autels de Notre-Dame, de Tous les saints, des saints Dominique et Augustin, des Apôtres, de st.Nicolas et de st. Rémi (même liste d'autels que dans Zurich, Schweizerisches Landesmuseum L.M. 2799, provenant de Münsterlingen).
48	(rubriques en allemand) *Commendacio animae.*
53v	Sépulture.
72v	A/ Regina caeli.

Bibliographie: J. Brassine, *Catalogue des mss légués à la Bibliothèque de l'Université de Liège par le Baron Adrien Wittert*. Liège, 1970. – C.Opsomer-Halleux, *Trésors manuscrits de l'Universitè de Liège*. Liège, 1989, n⁰ 26 (facs. du f. 53v).

B-51 (*B-Ls* 32)

LIÈGE, Grand Séminaire, MSS 23 T 32.

62 ff. papier, 204 x 131 mm. Reliure de veau brun aux fers dorés. Ecrit et noté en 1602. Processionnal cistercien de La Paix-Dieu (cf. Tabl. V). Ex libris mentionnant l'échange de ce „processionaire" contre un autre donné par l'Abbesse Agnès de Corbion (cf. B-Lu 1316).

Bibliographie: E. Montulet, *Filles de Citeaux*, 113 n⁰ 120b.

B-52 (*B-Ls* 33)

LIÈGE, Grand Séminaire, MSS 23 T 33.

74 ff. papier, 224 x 136 mm. Reliure de veau brun aux fers dorés. Ecrit et noté en 1644. Processionnal cistercien de La Paix-Dieu (cf. Tabl. V). Ex-libris d'Ignace Darquenne.

Bibliographie: E. Montulet, *Filles de Citeaux*, 113 n⁰ 120c.

B-53 (*B-Ls* 34)

LIÈGE, Grand Séminaire, MSS 23 T 34.

139 ff. papier, 210 x 145 mm. Reliure de vélin aux fers dorés („D.A.F. Gosin"), avec deux fermoirs. Ecrit et noté au XVIIe s. Processionnal de La Paix-Dieu (ex-libris): cf. Tableau V.

Bibliographie: E. Montulet, *Filles de Citeaux*, 114 n⁰ 120d.

B-54 (*B-Ls* 31)

LIÈGE, Grand Séminaire, MSS 27 T 31.

37 ff. papier, 205 x 160 mm. Reliure de vélin munie de deux fermoirs. Ecrit et noté par une religieuse (cf. f. 37v). Processionnal cistercien de La Paix-Dieu (cf. Tabl. V).

Bibliographie: E. Montulet, *Filles de Citeaux*, 113 n⁰ 120a.

B-55 (*B-Na* 20)

NAMUR, Archives de l'Evêché, 20 (Inv. n° 590).

102 ff. papier (paginés), 195 x 155 mm. Reliure en basane du XVIIIe s., avec rinceaux et palmettes gravées à la roulette. Ecrit en 1727. Notation carrée sur portée de quatre lignes rouges; 6 ppp. Origine: les chanoines réguliers de Bois-Seigneur (Congrégation de Windesheim).

✧ Processionale Busco-Isaacanum usibus sacris canonicorum regularium S.P. Augustini capituli Windesemensis.

Temporal (1–80)

67	(CENA) Consécration du Saint-Chrême.
70	S/ Ave panis angelorum/Ave manna celicum (AH 54, 263).

Sanctoral (81–152)

Fêtes du Missel romain de Pie V, mais avec les trois fêtes de saint Augustin: 28.II, 5.V et 28.VIII (cf. Tabl. IX): R/ Vulneraverat caritas Christi v/ Ascendenti [VIIe t.]. A/ In diebus ejus.

Commun des Saints (153–193)

182	Ry/ Adoro te devote.
196	Gloria Patri selon les VIII tons.
194	Index des fêtes.

Cat. Faider, 409.

B-56 (*B-Na* 25)

NAMUR, Archives de l'Evêché, 25 (Inv. n° 351).

99 ff. papier, 227 x 140 mm. Reliure basane. Ecrit au XVIIIe s. Notation carrée sur portée de quatre lignes rouges. Origine: Malines.

Cat. Faider, 412. Ce ms est resté introuvable le jour de ma visite à Namur le 25/03/1996

B-57 (*B-Na* 44)

NAMUR, Archives de l'Evêché, 44 (Inv. n° 518).

67 ff. papier sans filigrane, 240 x 185 mm. Reliure en basane. Ecrit en 1706 en lettres d'imprimerie. Notation carrée sur portée de quatre lignes rouges; 5 ppp; guidon. Origine: le prieuré augustin d'Oignies (f. 30).

✧ Processionnal augustin (Tabl. IX).

1	6.I 2.II. RAM CENA
20	(RES) A/ Cum rex gloriae.
23	*Cantores in navi canunt* V/ Salve festa dies (AH 50, 79).
30	*Scae Mariae Oigniacenae* R/ Regnum mundi.
48	(28.VIII: sci Augustini) A/ Adest nobis dies celebris [Ve t.]
50	(Dominica IIa Octobris: DED) R/ In dedicatione templi.
53	In exequiis.

Cat. Faider, 420.

B-58 (*B-Tc* 39)

TOURNAI, Bibliothèque de la cathédrale, Ms A 39 [ol. 489].

82 + 2 ff. parchemin, 160 x 115 mm. Reliure de maroquin rouge à ciselures d'or; sur le plat supérieur: „AD USUM D. CANTORIS TORN. MDCCL". Notation carrée tardive; 6 ppp. Origine: la cathédrale de Tournai, à l'usage du chantre: ce livre servait peut-être au cours de la Grande Procession de Tournai.

✧ Processionnal de la cathédrale de Tournai.

1 *In depositione defuncti* R/ Libera me Domine.
3 (2.II) Exurge Domine.
5 (CIN) A/ Exaudi nos.

Bibliographie: Jean Dumoulin, Jacques Pycke, Susan Boynton et al. *La Grande Procession de Tournai (1090–1992).* Tournai et Louvain-la-Neuve, 1992, p.69, fig.37 et 38. – Notice complétée par la lettre de Jacques Pycke (4/IX/1997).

B-59 (*B-Ts* 39)

TOURNAI, Séminaire, Cod. 39.

51 ff. papier, 190 x 150 mm. Reliure de parchemin. Ecriture du XVIe s. Notation carrée; 5 ppp (sauf ff. 41v–48, 7 ou 8 ppp). Origine et provenance indéterminée.

✧ Processionnal pour le 2.II et les Rameaux.

1–3v (2.II) A/ Adorna.
4–23 (RAM) A/ Cum appropinquaret.
23–40v H/, Sanctus, Agnus dei etc.
41v–48 (al. m.) H/ Te Dei matrem laudamus.

Sur les gardes initiales ou finales, add. div. A/ In paradisum. A/ O caeli lampas radians. A/ Ave Roche sanctissime. A/ Tota pulchra es.

Cat.P. Faider (1950), 232.

Canada

CDN-1 (*CDN-Tu E-6 201*)

TORONTO, University of Toronto, Faculty of Music,
Rare Book Room E-6 201

39 ff. vélin (incomplet), in-12°. Ecriture du XIVe s. Notation carrée sur portée de quatre lignes rouges. Origine allemande. Provenance hongroise (?).

✧ Processionnal dominicain (Tabl. VII).

1	(RAM) A/ Pueri Haebreorum.
13v–18	(CENA) Ablution des autels des saints <Nicolas, Jacques, Laurent> Dominique, Pierre martyr, la Vierge Marie, sainte Catherine.
39v	[autre main] st Etienne [roi de Hongrie]. A/ du Commune sanctorum et non de l'office propre de st Etienne de Hongrie (ed. Z. Falvy).

Notice établie d'après les renseignements donnés par John Haines (22/VI/1996), auteur de la restitution des trois premiers noms de la liste des titulaires des autels.

Schweiz

CH-1 (*CH-A* F 82)

AARAU, Aargauische Kantonsbibliothek, MsMurF 82.

93 + vij ff. parchemin 270 x 190 mm. Processionnal écrit en 1599 par Jean Christophe Manhard et noté en Hufnagelschrift, provenant de Muri.

✧ Processionnal.

1–50v Temporal.

33v	(RES) *Visitatio sepulchri* A/ Quis revolvet nobis lapidem? T/ Quem quaeritis in sepulchro? (non édité dans LOO).
37	*In die* A/ Cum rex gloriae.
38	V/ Salve festa dies (AH 50, 79).

51–92 Sanctoral.

Bibliographie: SMAH VII (1955), 88. – Notice établie d'après le microfilm partiel conservé au Filmarchiv de l'Université d'Erlangen-Nürnberg et d'après la lettre du Dr. Werner Dönni (11/VIII/1998).

CH-2 (*CH-A* Z 36)

AARAU, Aargauische Kantonsbibliothek, ZQ 36.

109 + II ff. Ecriture ornementée du XVIe s. Grosse notation à clous du XVIe s. 5ppp. Provenance: Muri-Gries (?)

✧ Processionnal.

22v	PAR.
25v	(RES) *Visitatio sepulchri* A/ Quis revolvet. T/ Quem quaeritis in sepulchro (non édité dans LOO).
28	*In die* A/ Cum rex gloriae.

Notice établie d'après le microfilm de l'Université d'Erlangen-Nürnberg.

CH-3 (*CH-Bu* B IX 28)

BASEL, Universitätsbibliothek, B IX 28.

172 ff. parchemin, 170 x 115 mm. Reliure du XVe s. ais de bois couverts de peau de truie. Ecriture du début du XIIIe s., avec additions du XVe s. Notation carrée sur portée de quatre lignes rouges; 8 ppp, sans guidon. Les ff. de garde proviennent d'un antiphonaire avec notation à clous. Provenance: Dominicains de Bâle et (f. 170v) Johannes Meyger (d 1485). Au Psautier dominicain fait suite (ff. 135–172) un processionnal qui ne donne pas la succession des pièces propres au Processionnal dominicain (Tabl. VII): les rubriques mentionnent

cependant les *fratres* et indiquent des chants pour les trois stations habituelles aux processionnaux cisterciens et dominicains. Il s'agit peut-être d'un processionnal antérieur à celui d'Humbert de Romans (1254).

✧ Processionnal pré-dominicain(?): cf Tabl. VII.

1–134	Psautier dominicain.
135	(NAT) R/ Descendit (version ancienne CAO 4, 6411).
136v	(EPI) R/ Omnes de Saba.
138v	2.II.
140v	RAM.
146	(CENA) *Ablutio altarium* pas d'A/ pour les titulaires de chaque autel.
147v	Mandatum.
156v	(RES) *Dicta tertia et aspersis fratribus cum* A/ Vidi aquam *et collecta itur ad processionem* A/ Cum rex gloriae.
158v	V/ Salve festa dies (AH 50, 79).
161	Après l'A/ Regina caeli, B/ ajouté en partie en marge.
161	(ASC) R/ Post passionem.
162v	V/ Salve festa dies ... ascendit (cf. AH 50, 80).
163	PENT.
165v	15.VIII.
167	(1.XI) R/ Summae Trinitati.
169	A/ Salva nos.
170	(DED) R/ In dedicatione templi.
171v	R/ Ibo mihi ad montem.

Cat. Meyer-Burckhardt II (1966), 370–377.

CH-4 (*CH-BEb* 726)

BERN, Burgerbibliothek, 726.

II + 20 ff. parchemin, 150 x 100 mm <115/120 x 75 mm>. Reliure chagrin noir du XIXe s. Ecriture datée de 1517 (f. 10v–20). Notation carrée sur portée de quatre lignes rouges; doubles barres d'intonation et barres verticales de division; 6 ppp; guidon. Provenance: Oberst Gerz, Muri (1933).

✧ Processionnal de l'Ordre des Frères mineurs (Tabl. VIII).

Ne contient que les processions rituelles du Missel romain.

10v	*1517*. [autre main] Sequitur Ordo ad sepeliendos fratres.
11v	R/ Subvenite etc.
20v	[add. du XVIIe s.] R/ Homo quidam sans v/.

Bibliographie: *Katalog der datierten Handschriften in der Schweiz in lateinischen Schrift vom Anfang des Mittelalters bis 1550. Band II: Die Handschriften der Bibliotheken Bern-Porrentruy* (Dietikon-Zürich, 1983), 26 und Abb. 606.

CH-5 (*CH-BO* 4)

BOUVERET (LE), Foyer St-Benoît, Ms 4.

178 ff. parchemin, 114 x 80 mm. Cahiers numérotés en chiffres arabes. Reliure du XVIIIe s.; sur le plat supérieur, les lettres M.R. –IHS- Barberet (sur ce nom, voir Huot, 158); dos à quatre nerfs; fermoirs de laiton. Ecriture du XVe s.. Notation carrée sur portée de quatre lignes rouges; 6 ppp (sauf dans les add. des ff. 146 et ss. 4 ppp); guidon en fin de ligne et guidon de transposition en cours de pièce (ff. 2v, 6, 6v, 26, 37v, 38, 43...53v) comme dans la plupart des mss notés lyonnais. Origine: Lyon. L'ordonnance des pièces est la même que dans le Ms. 547 de Lyon. et que dans l'Ordinaire (F-Pn 1017). Destinataire: la collégiale St-Just (cf. Huot, 158). Provenance: ce Ms avait été acheté en 1925 par G. Beyssac pour le compte de J.M. Faulkner qui le lui légua: à sa mort (6/08/1965), le Ms. passa au Foyer St-Benoit de Port-Valais au Bouveret (Lac Léman).

✧ Processionnal responsorial (Tabl.IV).

1	(RAM) *In exitu claustri* A/ Pueri Haebreorum. A/ Cum appropinquaret (plusieurs guidons de transposition).
4v	A/ Collegerunt v/ Unus autem (guidon dans la notation d'expedit vobis).
6v	R/ Locuti sunt etc. (mêmes pièces que dans le Ms *F-Pn* lat. 1017, f. 47v).
8	(CENA) Mêmes A/ que dans *F-Pn* lat. 1017, f. 50.
12v	(PAR) *In adorandam crucem.* A/ et R/ comme dans *F-Pn* lat. 1017, f. 31v.
18	(RES) *Ad vesperas* A/ Dixit Dominus, alleluia. R/ Haec dies.
19	Alleluia v/ Pascha nostrum.
20	S/ Victimae paschali. *Duplicatur antiphona [ad Magnificat]* Et respicientes. *Oratio* Concede quaesumus etc.
36v	3.V.
42	(ROG) *Prima die Rogationum post Tertiam* A/ Exaudi nos.
43–46v	L/ Sanctorum (Huot, 155). *Statio ad sanctam Eulaliam* L/ Agnus Dei.
55	*Statio ad scm Hyreneum.*
57	*Statio ad scm Justum...(57v) hic cantatur nona et missa.*
67v	*Die secunda Rogationum.*
80v	*Feria IV Rogationum.*
127v	*De beata Maria virgine et de sanctis* A/ et v/ d'alleluia (Huot, 157).
146	[de deuxième main, XVIe s., 4 ppp] *In die Corporis Christi ad processionem.* Les XII R/ de l'office du jour au rit monastique.
173	R/ Christus resurgens.
175v	Cinq v/ du R/ Libera me... de morte (Huot, 158).

Bibliographie: J. Pothier „Les antiennes des Rogations." *Revue du chant grégorien* II

(1894), 84 ss. et 139–142. – J. Leisibach, *Iter helveticum*, Teil IV (Freiburg/S., 1984), 154 n° 31 (Fr. Huot) et pl. 30 [= ff. 36v–37]. – R. Amiet, *Répertoire général des Mss liturgiques du diocèse de Lyon* (Paris, 1998), n° 214.

CH-6 (*CH-E* 630)

EINSIEDELN, Stiftsbibliothek, 630 (914).

188 ff. parchemin, 193 x 145 mm. Reliure ais de bois couverts de peau de truie blanche; fermoirs de laiton. Ecrit au XVIIe s. par le fr. Placidus Reinmann (plat supérieur et p. 2, initiales P.R.). Notation carrée sur portée de quatre lignes rouges; 7 ppp; guidon. Ce Ms. est une copie du suivant: Cf. SMAH 5 (1943), 81.

CH-7 (*CH-E* 631)

EINSIEDELN, Stiftsbibliothek, 631 (915).

183 ff. parchemin, 180 x 135 mm (erreurs de pagination dues au manque des onze premières pp., de la p. 152 et à la disparition de la p. 159). Reliure en peau de truie estampée; coins de laiton ciselé avec cabochons; traces de fermoirs. Ecriture régulière du début du XIVe s. (vers 1314): commandé par l'Abbé Ulrich III, le Ms. fut exécuté par le fr. Placidus Reinmann, qui fut ensuite élu Abbé d'Einsiedeln. Encadrements bleus, rouges et verts. Notation carrée sur portée de quatre lignes rouges; fines barres de division; guidon de deuxième main; 7 ppp. Origine et destination: l'abbaye d'Einsiedeln.

✧ Processionnal responsorial (Tabl. IV).

Aux grandes fêtes, le capitule et le R/ des Premières Vêpres est toujours indiqué ainsi qu'une pièce à chanter *In capella* (ff. 30v, 35 etc.), c'est-à-dire dans la chapelle de la vierge du bas de la nef de l'église abbatiale, et une autre *Ad sanctam crucem* (118v, 137, 173 v ...).

Temporal (1–101)

Le début manquant est à suppléer par le ms 630 (CH-6).

27	(NAT) R/ Verbum caro: *neuma* sur ‚veritate' et T/ Quem aetherea et terra (TROF 2, 106 n° 537).
32	S/ Laetabundus (AH 54, 5).
70	(RES) V/ Salve festa dies (AH 50, 79), coupé toutes les 4 ou 5 strophes, par un R/ du Temps pascal.
85	(ROG) A/ Oremus dilectissimi. Mention des stations, par ex. *Ad sci Gangolphi [capellam]*.

Sanctoral (101–179v).

Commence au 30.XI.

120v–125v	Série de R/ brefs du Temporal.
128	(1.V: sci Sigismundi regis) R/ Sancte Sigismunde a Deo coronato [IVe t.].
132	(3.V: sci Alexandri) A/ Beatus Alexander dixit.
145	(5.VIII: scae Afrae) A/ Gratias tibi Domine Jesu referimus immensas.

160 (8.IX: DED).
164v 22.IX: sci Mauricii.
170v (16.X: sci Galli) A/ Gallus Dei famulus (CAO 3, 2918).
171v 1.XI.
Commun des Saints (179v) et suppléments divers.
190v A/ à la Vierge.
192 S/ Ave praeclara maris stella in lucem (AH 50, 313). Lacune après le f. 194.

Bibliographie: L. Birchler, *Die Kunstdenkmäler des Kantons Schwyz, 1* (Basel, 1927), Abb. 179. – SMAH 5 (1943), 81, 82, 88, 126. – M. Mencelin-Roeser, „Der Einsiedler Cantus paschalis und die Alphornweise." *AfMw* 29 (1972), 209–212. – TROF 2, 175. – O. Lang, *Operi Dei nihil praeponatur. Ausstellung* (Einsiedeln, 1986), 21 n° 22.

CH-8 (*CH-E* 635)

EINSIEDELN, Stiftsbibliothek, 635 (1301).

33 ff. parchemin, 130 x 87 mm. Reliure en parchemin tendu sur plats de carton. Ecriture datée de 1603 (f. 18v); la première initiale L est en or sur fonds bleu. Notation carrée sur portée de quatre lignes rouges; barres verticales de division; 7 ppp; guidon crochu. Origine: un monastère cistercien de la Suisse allemande.

✧ Processionnal cistercien (Tabl. V).

1 (2.II) A/ Lumen.
28v [add. faite en 1614 par le copiste F.C.H.S.: cf. f. 31v]: *In Visitatione* A/ Virga Jesse jam floruit.

CH-9 (*CH-E* 636)

EINSIEDELN, Stiftsbibliothek, 636 (1016).

49 ff. parchemin, 187 x 127 mm. Réclames en fin de cahiers. Reliure de cuir brun estampé; deux fermoirs de laiton. Ecriture datée de 1489 (f. 49v), anguleuse comme celle du Processionnal dominicain de Bâle B IX 28 (CH-3). Notation carrée sur portée de quatre lignes rouges, à larges interlignes; 5 ppp; guidon crochu. Origine: un couvent de soeurs (Schwester... Sengerin, f. 34) dominicaines de Bâle (ou de Strasbourg ? Cf. f. 6: st Arbogast), et non les cisterciennes de Kalchrain (O. Lang).

✧ Processionnal dominicain (Tabl. VII).

1 (RAM) A/ Pueri Haebreorum.
6 (CENA) Ablution des autels de la Vierge, des sts Dominique, Augustin, Pierre le martyr, Nicolas, Rémi, Ambroise, Arbogast, Luc, Laurent, Etienne, Oswald, Josse (Judocus), Leonhard.
22v Funérailles des soeurs et (34) *Commendatio animae*: rubriques en allemand.
49v (en rouge) Anno 89, In crastino sci Lucae evangelistae (= 19 octobre 1489).

Bibliographie: SMAH 5 (1943), 96, 116. – *Katalog der datierten Hds. in der Schweiz ... bis 1550.* Band II (1983), Nr. 185. – O. Lang, *Nihil operi Dei...* 18 n° 11 [indication d'origine erronée].

CH-10 (*CH-E* 637)

EINSIEDELN, Stiftsbibliothek, 637 (1132).

75 ff. papier à filigrane, de format album, 160 x 200 mm. Reliure plats de carton couverts de cuir estampé à chaud. Ecriture datée de 1591 (ff. 4 et 6). Initiales à l'encre de couleurs. Notation carrée avec minimes, sur portée de cinq lignes de couleur bistre; barres verticales de division; 4 ppp; guidon à queue crochue. Origine: Münsterlingen (f. 1): cf. CH-23.

✧ Processionnal responsorial (Tabl.IV)

1	Liber continens responsoria quae in precipuis anni sollemnitatibus....coenobii Munsterlingensis. Scriptum per fratrem Laurentium Bruder Constantiense minoris (Ne comporte qu'un seul R/ par fête).
6	CORP. CHR.
41v	Psaumes de Vêpres, Hymne et Magnificat de Noël en *alternatim*, plain chant et polyphonie (notation moderne du XVIIIe s.).
58v	(add.) *De sco Meinrado* R/ Sci Meginradi patroni nostri (le fr. Meinrad Eugster, convers d'Einsiedeln).

CH-11 (*CH-E* 757)

EINSIEDELN, Stiftsbibliothek, 757 (821).

139 ff. papier, 207 x 145 mm. Reliure de cuir avec cadre estampé en bordure; deux lacets en guise de fermoirs. Ecriture postérieure à 1573 (f. 69) et antérieure à 1612 (f. 17). Notation rhomboïdale allemande sur portée de quatre lignes noires; 6 ppp; guidon. Origine: Rheinau (ff. 8v, ...69, 112, 114).

✧ Processionnal responsorial (Tabl. IV).

1	[titre de 2e main, en cursive] Dies est laetitiae in ortu regali (s.n.). *Sequuntur aliquae cantiones toto tempore natalitio*: les strophes paires, en allemand, sont écrites d'une main différente.
2v	Puer natus in Bethleem, unde gaudet Hierusalem (s.n.): les strophes paires en allemand.
4	In dulci jubilo (s.n.).
4v	*Alia* Resonet in laudibus (s.n.): strophes alternativement en latin et en allemand.

Temporal (9–92v)

9	(NAT) R/ Verbum caro factum est.
38	(CENA) Mandatum.
48–56	Depositio crucis (LOO II, 406 n° 316).

56v–59v *Versus in tribus matutinis cantandi.*
57v *Versus germanici sequentes cantantur a pueris...* Mitt danke.
60–65v *Elevatio crucis* et *Visitatio sepulchri* (LOO II, 408–414). 6 (intonation):

Christ ist erstanden... : ici d'après W. Lipphardt, *Musica Austriaca* 2 (1979), 62–63. Les rubriques mentionnent à trois reprises l'alternance entre l'orgue (*in organis*) et le choeur pour la S/ Victimae paschali (cf. LOO II, 412–413). *Feria IV Paschatis erit Rhinoviensium, Fästettensium... A.D. MDLXXIII ...processio peragenda...*
83 (CORP. CHR) R/ Homo quidam. H/ Ave vivens hostia veritas et vita (AH 50, 597).
Sanctoral (93–118v).
Commence au 24 VI.
102v (16.X: sci Galli abbatis) R/ Beatus Gallus zelo pietatis [VIIe t.] v/ In conspectu (CAO 4, 6210).
113 (15.XI: sci Findani monachi) R/ Tanta ei erat abstinentia [Ve t.] v/ Non in solo pane (CAO 4, 7751). *Sumitur* A/ In divinis laudibus (CAO 3, 3225) *in ipso festo post habitas stationis finem redeundo per sacellum sci. Findani in chorum.*
114 (16.XI: sci Othmari abbatis) R/ Sint lumbi vestri.
Commun des Saints et divers (119-fin).
131 Procession des vendredis per annum et ROG.
132 L/ Miserere, miserere, miserere.
132v A/ Aufer a nobis et L/ Exaudi, exaudi, exaudi.
133v A/ de beata Maria V.
135v A/ Media vita.
138 L/ Lauretana.

Bibliographie: SMAH 5 (1943), 101. – LOO VI, 260 (avec bibliographie du Ms.).

CH-11/2 (*CH-EN* 55)

ENGELBERG, Stiftsbibliothek, 55 (4/6).

119 ff. parchemin, 262 x 160 mm. Reliure ais de bois couverts de cuir brun, endosséde peau blanche; traces de clous-bossoirs sur les plats et d'un fermoir. Ecriture du XIIe s. Notation neumatique germanique.

Ce livre liturgique pour l'Office de Prime au chapitre contient, après le Martyrologe d'Usuard (1–92v) et l'Office des morts neumé (93–119), les A/ *Ad Mandatum pauperum* (f. 118: SMAH 8, Taf. XLI) et les A/ du Mandatum du Jeudi-saint (118v *Ad cenam Domini*).

Bibliographie: Cat. Gottwald (1891), 92. – SMAH 8, 121 et Taf. XLI (= f. 118).

CH-11/3 (*CH-EN* 314)

ENGELBERG, Stiftsbibliothek, 314 (4/25).

132 ff. papier de Haute-Italie à filigrane, 215 x 145 mm. Reliure du XVe s., ais de bois recouverts d'une peau blanche très usée; un fermoir. Ecriture due à huit copistes différents, dont l'un d'eux est identifiable avec celle de Walter Mirer, Abbé d'Engelberg de 1398 à 1420, qui poursuivit son travail pendant 40 ans, à partir de 1360. Notation germanique sur portée de quatre lignes noires avec barres de division.

✧ Cantionale d'Engelberg.

29	Quomodo sedet sola (Lamentation).
53v–54v	Primo tempore alleviata est (leçons de Noël).
75v	*Visitatio sepulchri* (LOO V, 1517–1521; Omlin, 114, Abb. 39).
79–80v	Leçons de Noël à 2 voix.
87	*V/ super* Media vita. T/ Ach homo perpende (AH 49, 386).
127 et 180v	(NAT) Cantio à deux voix Procedentem sponsum de thalamo... Benedicamus Domino (RISM B IV 2, 57 60 n° 31).
174	v/ Dicant nunc Judaei.

Bibliographie: Cat. Gottwald, 216–222. – G. Reaney, RISM B IV 2, 57–60. – LOO VI, 261. – E. Omlin, „Das ältere Engelberger Osterspiel und der Cod. 103 der Stiftsbibliothek Engelberg" *Corolla Heremitana. Festschrift L. Birchler,* hrsg. von A.A. Schmid-Olten (Freiburg in Br., 1964), 101–126. – W. Arlt und M. Stauffacher, *Engelberg Stifts-Bibliothek 314,* kommentiert und in Faksimile herausgegeben (Winterthur, 1986), Schweizerische Musikdenkmäler, 110.

CH-12 (*CH-FFm* K.6)

FRAUENFELD, Historisches Museum des Kantons Thurgau, Inv T 1588, Kultg. 6.

2 ff. papier + 81 ff parchemin + 24 ff papier, 193 x 120 mm. Reliure de cuir brun ciselé, avec coins et fermoirs de laiton. Ecriture de la seconde moitié du XVe s. (f. 1–81). Petites initiales rouges et bleues; initiales historiées pour les fêtes: 1 Entrée de Jésus à Jerusalem. 39 La Cène. 49 Crucifixion. 52 Ascension. 56v Autel et monstrance. 71v Présentation au Temple. 77 Mort de la Vierge Maria. Notation sur portée de quatre lignes rouges; 5 ppp; guidon. Destination: le couvent dominicain de Katharinenthal (cf ablution des autels au Jeudi-saint).

Le rituel comporte des prières pour le repos de l'âme de la soeur Barbara von Payern (d 1564), prieure de Katharinenthal. Au f. 56v, armes de la famille von Bonstetten. Provenance: le ms a été racheté à Helbling de Munich en 1912.

✧ Processionnal dominicain (Tabl. VII).

1	(RAM) A/ Pueri Haebreorum.
38v	CENA.
77	15.VIII.
82	Suppléments: A/ Exultabimus.
88	(21.X: de sca Ursula) R/ Regnum mundi.
89	(25. XI: sca Katharinatag) A/ Ave gemma caritatis.
90v	(6.XII) Sant Nicolas der ist ain grosser here.
104	Procession de CORP. CHR. (cf Lötscher, *art. cit.* 85–86).

Bibliographie: A. Lötscher, „Das Prozessionale von St Katharinenthal." *Thurgauische Beiträge zur vaterländischen Geschichte*, 52 (1912), 82–86 [art. communiqué par Frau Marianne Lüginbuhl]. – Notice complétée sur place par le Professeur Max Lütolf (Zürich).

CH-13 (*CH-Gpu* l.155)

GENÈVE, Bibliothèque publique et universitaire, Cod. lat. 155 (ol. 30a).

181 ff. parchemin, 75 x 50 mm <47 x 30 mm>. Reliure XVIe s., cuir teinté à la myrtille; 2 fermoirs cuir. Ecriture du processionnal, XIIIe s., les autres parties ayant été ajoutées jusqu'au XVIe s. (cf. Huot). Notation carrée, très menue sur portée de quatre lignes rouges (changement de main 163v 172v); 5 ppp. Origine: un couvent de soeurs dominicaines du sud de l'Allemagne ou de Suisse alémanique: le Ms. est apparenté à celui de Donaueschingen (D-54), provenant de Brunnenhof, près de Mohringen.

✧ Processionnal dominicain (Tabl. VII) supplémenté.

2–40	Processionnal dominicain: la table de toutes les pièces figure dans Allworth, 182–185, Table I, sigle „Gen."
178v–179v	*Ordo ad altaria abluenda*: autels de la Vierge, de Tous les saints, des SS Dominique, Jean-Baptiste, Nicolas et Rémy (liste des pièces dans Huot, 349).
130v–134	B/ Ad cantum laetitiae nos invitat hodie (AH 20, 80), à 2 voix.
135	B/ Flori (h)orto, prévu pour notation à deux voix, mais s.n.
138–140	B/ Ad laudes Mariae, à 2 voix.
159–160v	B/ Nova laude terra plaude soli, à deux voix (transcription d'Arnold Geering, *Appendix*, n° 9).

Bibliographie: A. Geering, *Die Organa und mehrstimmigen Conductus* (Berne, 1952), 7. – H. Husmann, RISM. B V 1 (1964), 34–35. – G. Reaney, RISM. B IV 1 (1965), 53. – C. Allworth, „The Medieval Processionnal" [Donaueschingen, 882] *Ephemerides liturgicae*, 84 (1970), 171. – F. Huot, *Iter italicum*, V: *Les manuscrits liturgiques du Canton de Genève* (Fribourg/S., 1989), 345–351 [Spicilegii Friburgensis Subsidia, Volume 19].

CH-14 (*CH-GSBh* 7)

GRAND-SAINT-BERNARD, Bibliothèque de l'Hospice, Ms. 7 (2038).

74 + 11 ff. parchemin, 220 x 155 mm <190 x 120 mm>. Ecriture du XVe s. qui rappelle celle des processionnaux d'Aosta. Notation carrée sur portée de quatre lignes noires; 6 ppp (facsimilé dans Leisibach, *loc. cit.*). Origine: le monastère du Grand-Saint-Bernard (Augustins), à destination de la paroisse d'Orsières (?).

✧ Processionnal responsorial (Tabl. IV).

Processionnal (1–56).

A partir de NAT: analyse détaillée dans l'*Iter helveticum* IV, 99–101.

26	(27.VII: In festo sci Panthaleonis) R/ Mox ut caecus vidit Eustorgius v/ Quod cum Panthaleon.
31	ROG.
47	De sco Panthaleone et Benigno.
54	(17.I: De sco Anthonio) R/ Plaude Vienna manu tanto dotata patrono v/ Ardentesque minas.
55v	20.I: de sco Sebastiano.

Tropaire (56v–74v).

69	T/ Lugentibus in purgatorio (RH 10723), à 2 voix (Stenzl, Abb. 78 et 302–303).

Bibliographie: J. Stenzl, *Repertorium der Musikhandschriften der Diözese Sitten, Lausanne und Genf*. Band I: *Diözese Sitten* (Freiburg/S., 1972), 152–153 und Abbild. 78 [décrit seulement le tropaire]. – SMAH XIII (1973), 135 et 146, note 35. – J. Leisibach, *Iter helveticum*, Teil IV: *Die liturgischen Hds. des Kantons Wallis* (Freiburg/S., 1984), 99 n° 19 und Abbild. 19 (= f. 41).

CH-15 (*CH-LAcu* 4698)

LAUSANNE, Bibliothèque cantonale et universitaire, IS 4698.

90 ff. parchemin, 175 x 128 mm <125 x 75 mm>. Ecriture du XVe s. Notation carrée sur portée de quatre lignes rouges; 6 ppp. Origine: le diocèse de Lausanne, à l'usage de la paroisse de Corsier, près de Vevey (signature des curés de Corsier en 1512 et 1523). Provenance: acquis par Kurt von Steiger, le Ms. a été offert à la Bibliothèque cantonale et universitaire de Lausanne.

✧ Processionnal.

Temporal (1–34).

9	(RAM)
14v	*Ad fenestras cantent pueri sequentes laudes* Gloria laus (AH 50, 160).
19v	(ASC) A/ Hodie secreta caeli caro Christi petiit.

Sanctoral (34v–55v).
Commence au 30.XI.

40v (25.III)
42 *Post Pascha... intrando chorum prosa* S/ Virginis in laude plebs fidelis (AH 54, 403).
44v (25.VII) R/ Veritatis assertor Jacobus v/ Non abscondi [IIIe t.].
45 (2.VIII: In inventione sci Stephani) R/ Igitur dissimulata v Cui sacerdos (Auda, 59).
48 (26.VIII: sci Theodoli: R/ Non latebit ei v/ Crimen [VIe t.].
50v (22.IX: sci Mauricii) R/ Post praeceptum v/ Sola inter martyres [Ve t.].
56 DED.

Commun des Saints et divers.

64 *De sancta cruce prosa* S/ O crux lignum triumphale (AH 54, 192).
73 Missa sci Theodoli: I/ Statuit.
75 L/ Aufer a nobis.
76v L/ sanctorum (sce Theodole).
81–84v H/ pour les grandes fêtes du Temporal.
85v–86v (RES) *Visitatio sepulchri* (LOO III, 1030 n° 607a).
88v (De sca Clara) A/ Salve sponsa Dei.

Bibliographie: J. Stenzl, „Osterfeiern aus den Diözesen Basel und Lausanne" *Km Jhb* 55 (1971), 1–11. – LOO VI, 267.

CH-16 (*CH-SGs* 360)

St. GALLEN, Stiftsbibliothek, 360.

17 ff. parchemin (paginés), répartis en deux cahiers de 8 et 9 ff. 253 x 82 mm (format Cantatorium). Reliure formée d'un boitier de bois de 295 x 110 mm couvert de plaques d'ivoire ciselé, articulé au moyen de charnières de laiton et de cuir (facsimilédans SMAH III, Taf. LIV). Ecriture du XIIe s. Notation neumatique sangallienne aux formes anguleuses, 21/22 lignes neumées par page. Ce cantatorium de procession contient les Versus de procession composés par Ratpert (d après 884), Hartmann (d 925) etc. Origine: St-Gall.

✧ Cantatorium de procession.

1 (NAT) *Versus in natale in processionibus vel infra canendum:* V/ Salve mirificum semper deus in patre... Salve... Venisti... (SMAH III, Tafel LIV).
2 (28.XII) V/ [en marge, add. réc.: *Hartmanni*] Salve lacteolo decoratum (AH 50, 25; MGH *Poetae* IV, 318).
3 (EPI) Salve mirificum semper Deus... Hoc fecundata.
5 (RES) Salve festa dies (AH 50, 79).
11 (25.IV et *Prima die ROG*) L/ Christe audi nos.

13	*Secunda die* Salva nos, salva nos Salvator mundi... Rex benigne, rex miserere.
14	*His ab omnibus percantatis duo melius cantantes praecinant hanc letaniam...* Exaudi, exaudi, exaudi. Aufer a nobis. Les rubriques suivantes mentionnent plusieurs sanctuaires de St-Gall.
16	L/ Rex angelorum deus. [Second cahier du Ms.]
17	(ASC) XPC ad nostras veniat (AH 50, 259; Stotz, 181).
18	*Ad scm Othmarum* Nunc sacerdotes.
20	*Versus ad baptismum* [en marge, add. réc.: *B. Ratperti*] V/ Rex sanctorum angelorum (AH 50, 242).
21	(PENT) V/ Pneumatis aeterni (AH 51, 100).
23	[en marge, add. réc.: *B. Ratperti*] V/ Ardua spes mundi (AH 50, 237; Stotz, 36).
25	(16.X: In festo sci Galli) V/ Annua sancte Dei celebramus festa (AH 50, 241; Stotz, 114).
27	(16.XI: sci Othmari) V/ [en marge, add. réc.: *B. Ratpertus*] Festum sacratum psallimus (AH 51, 215).
29	V/ [en marge, add. réc.: *Hartmanni*] Sacrata libri dogmata (AH 50, 250; MGH *Poetae* IV, 317).
31	(RES) *In visitatione sepulchri* T/ Quem quaeritis in sepulchro? (LOO II, 430 n° 327).
32	*Ad vesperas per totum ebdomada Paschae* A/ Christus resurgens* (s.n.) v/ Dicant nunc Judaei. Alleluia v/ Aemulor enim vos (Schlager, *Thematischer Katalog...* D 45). B/ alleluia (3 fois).
33	[add.] *In susceptione principum* V/ Salve festa dies laudabilis atque beata (RH 17926).

Bibliographie: Cat. Scherrer, 125. – SMAH III, 99, Taf. LIV. – K. Young, *The Drama of the Medieval Church*, I (Oxford, 1962), 246. – LOO VI, 419. – P. Stotz, *Ardua spes mundi* (Bern, 1972), 13 (sigle SF). – TROF 2, 185.

CH-17 (*CH-SGs* 486)

St. GALLEN, Stiftsbibliothek, 486.

123 ff. parchemin, format poucet 74 x 55 mm <55 x 42 mm>. Reliure plaquettes de bois couvertes de cuir brun et attachées ensemble par 3 nerfs. Au dos: „Antiphonarium.“ Ecriture du XIVe s.; initiales rouges. Notation „rectangulaire“ sur portée de quatre lignes rouges; 4 ppp, sans guidon.

✧ Processionnal et Séquentiaire dominicains (Tabl. VII).

Processionnal:

1	(2.II) A/ Lumen etc.

24v et ss. Séquentiaire:
24v S/ Salvatoris mater pia (AH 54, 424).
96 *De sci Petri martyris* S/ Adest dies celebris quo lumen (AH 55, 325).

Bibliographie: Cat. Scherrer, 156. – H. Husmann, RISM B V 1, 48–49.

CH-18 (*CH-SGs* 1897)

St. GALLEN, Stiftsbibliothek, 1897.

197 ff. parchemin (paginés), 90 x 70 mm <55/60 x 40/45 mm>. Reliure du XVe s., ais de bois couverts de maroquin rouge. Ecriture de plusieurs mains de la fin du XVe s.; (p. 214), de première main: 1495. Notation carrée sur portée de quatre lignes rouges; 4 ppp. Origine: un couvent de la Suisse alémanique . Marques d'appartenance du XVIIe s.: Soror Maria Johanna Welserin (p.3); Soror Magdalena von Grüth (?). Provenance: propriété de la Bibliothèque épiscopale de St-Gall, déposé le 16 septembre 1930 à la Stiftsbibliothek.

✧ Processionnal dominicain (Tabl. VII).

Incipit cantus processionum secundum modum ordinis fratrum predicatorum. (RAM) A/ Pueri Haebreorum. (CENA) Ablution de tous les autels du couvent: la Vierge Marie, Tous les saints, st(e)s Paul, Nicolas, Marguerite, Dominique, Catherine, les XM martyrs [de Sébaste], Jean l'Ev., Marthe, Michel, Jean Baptiste, Etienne, Marie-Madeleine.
171 Rituel de la mort et des funérailles.
386 H/ Ecce panis angelorum.
390 H/ O salutaris hostia.

Cat. B.M. Scarpatetti (1983), 163–164.

CH-19 (*CH-Sk* 46)

SION-EN-VALAIS, Archives du Chapitre, 46.

148 + 2 + 2 ff. parchemin, + 5 ff. papier, 250 x 175 mm <195 x 125 mm>. Réclames. Reliure: ais de bois couverts de cuir brun foncé; fermoirs. Ecriture de la fin du XIIIe s. ou du début du XIVe. Petite notation carrée sur portée de quatre lignes noires (portées rouges aux ff. 108–148). Origine: la cathédrale de Valère à Sion. Ce Ms. est mentionné dans l'inventaire des biens de la cathédrale en 1364 (SMAH XIII, 94).

✧ Processionnal.

L'ordonnance de ce processionnal suit de près celle de l'Ordinaire de Sion au milieu du XIIIe s. (ed. F. Huot, 1973). Suivant l'usage de cette cathédrale, le R/ de procession est habituellement le 9e R/ de l'office nocturne du dimanche ou de la fête.
Temporal (1–45v).
1 (ADV) R/ Ecce dies veniunt.
13v (SAB) Exultet noté.

18	(RES) Vêpres pascales (F. Huot, *Ordinaire*, 306–309).
21v	R/ Christus resurgens et la prosule T/ Virginis in laude (TROF 2, 143 n° 723).
22v	(ROG) Le lundi des ROG, procession à Bramois (Huot, *Ordinaire*, 316); le mardi à Savières (*ibid.*, 318) et le mercredi, procession générale (*ibid.*, 320).

Sanctoral (45–74v).
Pièces propres:

46	(28.I: sci Karoli magni) R/ Gloriose Christi confessor Karole v/ Ut post hujus (E. Jammers, *Das Karls-Offizium ‚Regali natus'...* [Straßburg, 1934], 16).
53v	(15.VIII) R/ Rosa fragrans lux solaris T/ Templum pudicitiae (TROF 2, 136 n° 685).
56	(16 ou 26.VIII: de sco Theodolo [episcopo Sedunensi]) R/ Qui tibi Theodule.
59	(8.IX)
60v–61	A/ Salve regina T/ Virgo mater ecclesiae (AH 23, 82; mélodie transcrite par Stenzl I, 291.).
63	(16.X: DED) 3 R/ et A/ Pax aeterna (Leisibach, *Iter helveticum* III, 193).
65	(16.X: de sco Gallo) R/ Beatus Gallus zelo pietatis [VIIe t.] v/ In conspectu (CAO 4, 6210).
71	(De sco Jacobo) R/ O columna v Accingere [Ier t.].

Commun des Saints et suppléments.

74v–105	Pièces diverses pour l'office.
105v–107	*Ordo altaria abluenda in ecclesia Valeriae* (Huot, *Ordinaire*, 275 ss.).
107–107v	*Ordo sepulturae [crucis]*: facsimilé Stenzl, Abb. 45; ed. LOO IV, 1405, n° 747).
108–148	[autre main] Hymnaire, analysé par Stenzl, 74–75, et par Leisibach, *Iter helveticum* III, 194–195.
148v	[add.] T/ du B/ Alleluia dic Domino/ C(h)orus de more pristino (ed. Leisibach, *ibid.*, 195).

Bibliographie: J. Stenzl, *Repertorium...* I, 74 n° 29. – F. Huot, *Ordinaire de Sion, passim* (ms J). – J. Leisibach, *Iter helveticum* III (Fribourg/S., 1979), 191–196. – SMAH XIII, 94 et 107. – LOO VI, 429. – Notice révisée par le fr. Fr. Huot.

CH-20 (*CH-Sk* 62)

SION-EN-VALAIS, Archives du Chapitre, 62.

156 + 2 ff. papier à filigranes (paginés), 105 x 155 mm (format album). Reliure du XVIe s., ais de bois couverts de cuir fauve. Ecriture cursive de la main du chanoine Johannes Huser (d 1570), qui a fait des essais d'initiales avec masque sur la f. de garde (SMAH XIII, Taf. XLIV). Ce copiste a également transcrit le prosaire Ms. 78 des Archives du Chapitre. Adrien de Ridmatten, évêque de Sion de 1604 à 1613, a inscrit son nom au début du Ms. et a fait des additions aux ff. 22, 251 etc. (cf Leisibach, *Iter...*). Notation gothique sur portées de cinq lignes; 4 ppp.

✧ Processionnal responsorial (Tabl. IV).

Temporal (1–90).

1	(ADV) R/ Ecce dies veniunt.
34, 48, 54	L/ des Ténèbres.
53	*In sepulchro Domini* (LOO IV, 1410 n° 752).
63–66	*Visitatio sepulchri* (LOO IV, *ibid.*).

Sanctoral (97–120).
Commence au 30.XI.

148	(22.VII) R/ Accessit avec la prosule T/ Unguento nardi pistici (TROF 2, 139 n° 697).
151	(26.VII: de sca Anna) R/ O decus mundi v/ Gaudens namque.
153	R/ Adesto mettercia inclita v/ Adesto diva (à 3 voix).
162	(26.VIII: de sco Theodolo).
199	R/ Surge virgo, avec la prosule T/ Paradisi januas (TROF 2, 95 n° 483).

Commun des Saints (201–212).
A/ mariales avec ou sans tropes (liste dans Stenzl et dans Leisibach, *Iter...* III, 268).

244	T/ du R/ Libera me: Audi tellus (AH 49, 369).
248–250	A/ Ave sanctissima Maria (Stenzl, 295).
252–282	ROG (Huot, *Ordinaire*, 316–322).
283–284	RAM.

Bibliographie: Stenzl, *Repertorium* I, 164 n° 74, Abb. 83 (= p. 239–240) et 84 (= p. 241–242). – SMAH XIII, 79 n° 127 et p.107; Taf XLIV (= f. de garde). – TROF 2, 186. – LOO VI, 430. – Leisibach, *Iter helveticum*, Teil III (1979), 266–270.

CH-21 (*CH-Sk* 64)

SION-EN-VALAIS, Archives du Chapitre, 64.

351 ff. 185 x 150 mm. Processionnal de 1790, précédé de l'Office des morts selon le rit romain.

CH-22 (*CH-Sk* 80)

SION-EN-VALAIS, Archives du Chapitre, 80.

61 ff. 165 x 210 (format album). Processionnal de Sion écrit en 1734: ce Ms. ne figure pas dans le *Repertorium* de J. Stenzl ni dans l'*Iter Helveticum*, III de J. Leisibach.

CH-23 (*CH-Zm* 2799)

ZÜRICH, Schweizerisches Landesmuseum, LM 2799.

3 ff. papier + 74 ff. parchemin, 188 x 125 mm. Reliure de cuir brun restaurée en 1973; traces de fermoirs. Le livre a été achevé le 20 février 1487 (f. 72v). Initiales rouges et bleues; initiale d'or au f. 1; initiales historiées, exécutées à Konstanz: monstrance (f. 30v), mort de la Vierge (f. 43), st. Michel (f. 54v). Origine: un couvent de soeurs dominicaines de Suisse alémanique (rubriques en allemand). Provenance: Münsterlingen (canton de Thurgau). Acheté en 1875 par le Landesmuseum.

✧ Processionnal dominicain (Tabl. VII).

1	(RAM) *An dem Palmtag wan die priester...* A/ Pueri Haebreorum.
12	(CENA) Ablution des autels de Notre-Dame, de Tous les saints, des saints Dominique et Augustin, des Apôtres, des sts Nicolas et Rémi (même liste que dans *B-Lu* W 12).
54v	*De officio sepulturae. Dis sol der priester anfahen..*

Bibliographie: Cat. Mohlberg (Z.B. Zürich] I, 298, n° 633. – *Katalog der datierten Handschriften in der Schweiz*, Band III (1991), Nr. 432. – *Himmel, Hölle, Fegefeuer. Das Jenseits im Mittelalter*. Katalog von Peter Jezler (Zürich, 1994), 27 n° 83.

CH-24 (*CH-Zz* 197)

ZÜRICH, Zentralbibliothek, C.174 (Cat. 197).

51 ff. parchemin, 120 x 90 mm. Reliure ais de bois couverts de peau teintée à la myrtille; traces de fermoirs. Ecriture du XIIIe s. (en bas du f. 34, la date [?] de 1234). Notation neumatique allemande épaisse; 14 lignes neumées par page. Ce recueil d'offices propres et de chants de procession provient d'un couvent de soeurs dominicaines (probablement Ostenbach, suivant Mohlberg, comme le Ms. C 172): mais l'office des morts (ff. 41–44) ne se rattache à aucune liste identifiée par Ottosen et, d'autre part, le répertoire des chants de procession n'est pas celui de l'Ordre des Prêcheurs (Tabl. VII).

✧ Recueil d'offices propres et de chants de procession.

1–10	Psaume invitatoire (Ps. 94) neumé. Offices propres: *De sco Gregorio* Gloriosa sanctissimi (AH 50, 303; voir M. Bernard, *Etudes grégoriennes* 16 [1977], 158).
13v–16v	*De annuntiatione.*
16v–21	*De sca Maria Magdalena.*

Chants de procession:

21v	(2.II) A/ Ave gratia plena.
22	(RAM) A/ Collegerunt.

23	V/ Gloria laus. A/ Pueri Haebreorum.
24	(PAR) *Obprobrium Judaeorum* Popule meus.
24v	A/ Dum fabricator mundi.
26	(SAB) Exultet.
29	L/ Rex sanctorum angelorum (AH 50, 242).
31v	Alleluia V/ Erue Domine animas eorum.
32v	Off. Recordare virgo mater (cf AH 49, 321). Antiennes mariales.
35v	A/ Media vita (CAO 3, 3732).
36v–39v	*De sco Gallo.*
40–41	*De sco Petro* In plateis (Y. Chartier, *L'oeuvre musicale d'Hucbald de Saint-Amand*, Québec 1995, 392–399).
41–44	*Vigilia mortuorum.*
44v–45v	DED.
45v	*De sca Afra.*
46v	*De sancta Elisabeth* A/ Laetare Germania (Hagghl, 25).

Cat. Mohlberg I, 76 n° 197.

CH-25 (*CH-Zz* 560)

ZÜRICH, Zentralbibliothek, Rh 188 (Cat. 560).

226 ff. (195 ff. parchemin + 31 ff. papier) 123 x 90 mm. Reliure ais de bois couverts de cuir teinté à la myrtille; deux fermoirs. Ecriture de deux mains différentes (3–194; 196–224v). Titres rubriqués; quelques initiales d'or avec arabesques dans les marges. Origine: un couvent de soeurs dominicaines du sud de l'Allemagne. Provenance: „Emit Philipp Jacob abb. 1781" (f. 1). Il s'agit de Philipp-Jakob Steyrer (d 1795), Abbé de St-Pierre en Forêt Noire, dont la collection de processionnaux est conservée à Karlsruhe (cf. D-105 ss).

✧ Processionnal dominicain (Tabl. VII)

3	*Incipit libellus qui processionarius dicitur: de processionibus in genere* Cum imminet aliqua processio...
4v	(RAM) A/ Pueri Haebreorum.
91v	L/ sanctorum: invocation à st Vincent Ferrier (d 1419).
146–159	(CENA) Ablution des autels de ste Catherine, st Michel, ste Cécile, la ste Croix, la Trinité, ste Anne et *de sancto cujus est ecclesia.*
196–220v	Rituel des funérailles des soeurs en allemand.

Cat. Mohlberg I, 255 n° 560.

CH-26

Collection privée.

6 ff. parchemin, environ 150 x 100 mm provenant d'un livre complet, dont on n'a gardé que les ff. comportant des dessins à la plume qui représentent des instruments de musique. Traces d'une ancienne reliure. Ecriture et dessins (ajoutés) au XVe s. La nuance violette de

l'encre dénote une origine mediterranéenne. Notation carrée sur portée de cinq lignes rouges, comme dans la plupart des processionnaux d'Espagne. Origine: un monastère aragonais d'après l'inscription du début du Ms. (El proceso de un bispe...). Provenance: Tarazona, d'après les armes (datées de 1460) tracées sur le dernier folio.

✧ Processionnal aragonais à l'usage d'un prélat.

Aucune pièce de chant identifiable sur le facsimilé cité ci-dessous: l'A/ Lumen, ajoutée au XVIIe s., au verso du dernier feuillet, n'est pas notée. Le seul interêt de ce fragment réside dans sa collection de dessins d'instruments de musique, copiés d'après les Cantigas d'Alphonse le Sage (Ms b I 2 de l'Escorial).

Bibliographie: C. Homo-Lechner, „Une copie inconnue des miniatures musicales des Cantigas de Santa Maria de l'Escorial" *Revista de Musicologia* 10 (1987), 151–159.

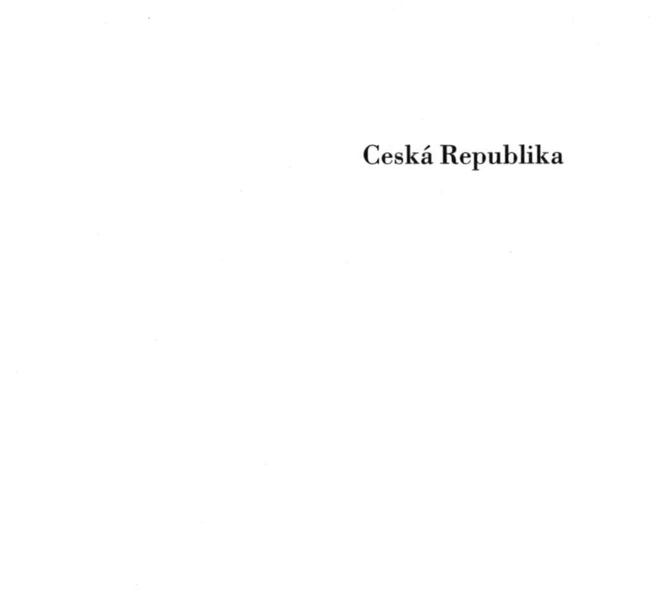

Ceská Republika

CZ-1 (*CZ-Pak* P III)

PRAHA, Archiv Pražkého hradu: Knihovna metropolitní kapituly hudební sbírka (sv. Vít) – hudební Kaple sv. Kríže, P. III (1671).

165 ff parchemin (paginés de 1–329), 275 x 200 mm. Ecriture datée de 1294 par la mention dans l'Exultet de Wenzeslas II, roi de Bohème (1278–1305) et de la reine Gutha. Notation lorraine de l'Est de l'Europe, régulière et bien formée, sur portée de cinq lignes rouges; 6 ppp. Cet Agenda, ou Rituel-Pontifical, destiné à la cathédrale de Prague, contient les chants, les rubriques et les oraisons des processions rituelles indiquées au missel.

✧ Agenda de la cathédrale de Prague.

191	(SAB) L/ sanctorum notée (SS. Wenzeslae, Adalberte, Vite, sca. Ludmilla.
204	(RES) Ad processionem: A/ Cum rex gloriae avec T/ Triumphat dei filius de hoste superbissimo
208	Alle--luja (précédemment tropé) de la fin de l'A/.
324	R/ Vere felicem presulem, vere fidei doctorem v/ A domino factum est istud.
325	v/ Ecce sacerdos magnus... Alleluia (Alleluja du Commun des Confesseurs, précédé de son v/).
326	In receptione regis: v/ Domine in virtute tua letabitur rex... Alleluia (Alleluia des dimanches d'été précédé de son v/).
328	A/ Ornatam monilibus.
329	A/ Salve nobilis virga. Dans la marge inférieure: Corde et lingua rogamus te sce Wenzeslae, memento plebis catholicae (s.n.).

Cat. Podlaha, 566 n° 1671.

CZ-2 (*CZ-Pnm* 3460)

PRAHA, Knihovna Národního muzea, XIV D 8 (3460).

92 ff. parchemin, 220 x 150 mm. La foliotation ancienne,en chiffres romains, cesse au f. LXIV. En garde, fragments de bréviaire neumé du XI-XIIe s. (29.VI ou 1.VIII). Ecriture: lettre de forme du XIVe s. Notation rhomboïdale de l'Est de l'Europe sur portée de quatre lignes; 9 ppp. Ce manuscrit, préparé à l'usage d'une grande église de Prague (d'après les litanies) est un Agenda ou Rituel-Pontifical contenant les rubriques, oraisons et chants des fonctions qui comportent une procession rituelle, ainsi que les processions du Temporal.

✧ Agenda-Rituel de Prague.

i	Bénédiction dominicale de l'eau.
vi	A/ Asperges me.
vi v	ADV.
ix	(NAT) R/ Descendit, version antique (CAO 4, 6411).
xv v	(EPI) Bénédiction de l'eau baptismale.
xix r	(2.II) A/ Lumen.
xxx v	(RAM) A/ Hosanna. Bénédiction des rameaux.
xxxvii	A/ Ave rex noster.
xlv	(SAB) H/ Inventor rutili (AH 50, p. 30). Exultet (mélodie allemande): les noms de l'évêque, de l'empereur etc. ne sont pas précisés.
xlix	L/ Rex sanctorum angelorum (AH 50, 242).
lv	(RES) A/ Vidi aquam. A/Cum rex gloriae...alle [T/] Triumphat dei filius...alleluia (cf. CZ-1).
lviii	ROG.
lxiii	L/ Aufer a nobis.
lxiv	L/ Ardua spes mundi (Stotz, 36)... ...Praesul Adalberte, dux Wenzeslae.
68	L/ Rex salvator alme suscipe (AH 43, 65). ASC. PENT. Dimanches d'été. Rituel des défunts: R/ Antequam nascerer. R/ Qui Lazarum. R/ Subvenite.
91	A/ Clementissime.

Cat. Bartos, 300 n° 3460.

CZ-3 (*CZ-Pnm* 3734)

PRAHA, Knihovna Národního muzea, XVI G 2 (3734).

76 ff. 130 x 90 mm. Ecriture datée: „Pars estivalis processionum sacre metropolitanae Pragensis S. Viti martyris Ecclesiae. Anno 1745 quo favente celi gratia electus et coronatus Caesar Franciscus primus extiterat. Conscripta a Thoma Summerauer seniore choralista." Notation lorraine de l'Europe de l'Est, sur portée de quatre lignes; 6 ppp. Origine et provenance: l'église métropolitaine St. Guy de Prague.

✧ Processionnal.

1	H/ Te deum laudamus.
4v	(CENA) V/ O redemptor sume carmen (AH 51, 80).
5	A/ Mandatum novum.
9	(SAB)
10v	L/ Rex sanctorum angelorum (AH 50, 242).
16	*Finita oratione, accepto Sanctissimo, D. Sacrista intonat:* Anstalt' gest teto Chwile... (11 strophes).
11	RES.

19v A/ Cum rex gloriae.
22 V/ Salve festa dies (AH 50, 79).

Cat. Bartos, 367 nº 3734.

CZ-4 (*CZ-Pnm* 3749)

PRAHA, Knihovna Národního muzea, XVI G 17 (3749).

106 ff. parchemin, non foliotés, 120 x 90 mm. Ecrit en 1507. Initiales à rinceaux et palmettes pour les grandes fêtes. Notation carrée sur portée de quatre lignes rouges; barres verticales d'intonation et de division, 4 ppp; guidon. Origine: un couvent dominicain de Saxe ou de Bohême. Provenance: la collection du Dr. Ferdinand Nathe. Le Musée royal de Prague en fit l'acquisition en 1519.

✧ Processionnal dominicain (Tabl. VII).

Le manuscrit commence au 2.II et non aux RAM. (RES) S/ Laus tibi Christe qui es creator (AH 50, 346), au lieu de la S/ Victimae paschali laudes.

Cat. Bartos, 371 no 3749.

CZ-5 (*CZ-Pnm* 3754)

PRAHA, Knihovna Národního muzea, XVI G 22 (3754).

77 ff. papier (paginés), 140 x 90 mm. Ecrit au XVIIe/XVIIIe s. Notation ‚rectangulaire' sur portée de quatre lignes; 6 ppp.

✧ Processionnal.

Responsorium per totum annum sub processione generali pro defunctis cantari solitum: R/ Libera me de morte eterna.
2 v/ Dies illa.
3 v/ Tremens.
4 v/ Quid ego miserrimus.
5 v/ Nunc Christe te deprecor.
6 v/ Creator omnium.
9 v/v/ et oraisons.
11 A/ O sapientia (ADV: 23.XII). (La suite n'est pas analysée).

Cat. Bartos, 372 nº 3754.

CZ-6 (*CZ-Pu* 1167)

PRAHA, Universitní knihovna, VI G 3b (1167).

224 ff. parchemin, 190 x 135 mm. Ecriture de diverses mains du début du XIVe s. Petites initiales bleues ou rouges au début des pièces; deux grandes initiales en dentelles (f. 3v et 98v). Notation rhomboïdale de l'Europe de l'Est sur portée de quatre lignes: deux noires, une jaune (C) et une rouge (F); 6 ppp. Origine et provenance: le monastère de moniales bénédictines de St-Georges de Prague dans le Hradschin: d'après les fonctions indiquées dans les rubriques (abbatissa, cantrix, ebdomadaria, lectrix, priorissa, sanctimoniales, servitrices); d'après les

litanies (f. 45, 109v etc) et la place très large donnée à la fête de st. Georges (98v ss.). Ce processionnal comporte, outre les processions usuelles, une procession après les premières Vêpres des fêtes, une procession In capella les jours de fête, et encore une procession en l'honneur de st. Georges aux très grandes fêtes. Comme la description de V. Plocek est assez détaillée, on ne donnera ici que les pièces rares et quelques rubriques concernant l'exécution du chant.

✧ Processionnal responsorial (Tabl. IV).

1	[add.] ROG: A/ De Hierusalem. A/ Ego sum deus. A/ Populus Syon. A/ Exclamemus.

Temporal (3v–133).

3v	(ADV) R/ Missus est *cum versu in directum* Ave Maria.
19	(NAT) R/ Hodie nobis.
29	(2.II) A/ Lumen.
31v	A/ Responsum avec T/ Pro eo quod Christum rogabat (TROF 2, 103 nº 524).
42v	(CIN)
45	*Cantrices incipient letaniam*: L/ sanctorum: Kyrie eleyson (mélodie dans Plocek, 208).
48v	Feria VI: L/ Audi nos Christe Jesus deus excellentissime, miserere te rogamus pater clementissime (9 v/v/).
63v	(RAM)...*quatuor cantrices imponent* [A/] Collegerunt.
68v	(CENA) *Cantrix incipiet* A/ Ante diem festum Paschae.
72	V/ Ymno dicto exierunt R/ O Juda (mélodie dans *A-GRu* 807 [PM. XIX, f. 93]).
75	*Ordo minoris Mandati* A/ Mandatum novum do vobis.
84v	(RES) *Visitatio sepulchri* (LOO V, 1593–1596 nº 803)
90	A/ Vidi aquam
90v	*Conventus cantet* A/ In die resurrectionis.
91	V/ Salve festa dies (AH 50, p. 79).
93	*Sacerdos imponat* A/ Cum rex gloriae.
94v	T/ Triumphat Dei filius (incipit de la mélodie dans Plocek, 209).
96	*In vesperis* B/ Exultemus et letemur hodie (AH 21, p. 29; incipit de la mélodie dans Plocek, 210). Post vesperas A/ Christus resurgens v/ Dicant nunc Judaei.
98v	(22.IV: In vigilia sci. Georgii) *Ad processionem* R/ Egregii martyris Christi Georgii festivitas (sans le v/). *Cum Magnificat* A/ Sancte Georgii preciose martyr Christi.
100	*Ad processionem secundo die* R/ Benedic domine domum istam. *A/ cum Magnificat* Egregius dei martyr.
106	(ROG) A/ Exurge. A/ Sancti dei.
109v	L/ Ardua spes (AH 50, 237; Stotz, 36; incipit de la mélodie dans Plocek, 210).

113v *Tercia feria* Clementissime exaudi. A/ Cum iocunditate.
115v L/ sanctorum.
119 L/ Humili prece (AH 50, 253; incipit de la mélodie dans Plocek, 210).
129v Processions hebdomadaires du mercredi (A/ Propitius esto, domine) et du vendredi (A/ Omnipotens deus).
132v A/ Media vita.
Sanctoral (133v–154).
Commence au 24.VI.
146 *In dedicacione capellae*: H/ Hoc in templo (division de Urbs beata Jerusalem, AH 51, 110).
147 (28.IX: de sco. Wenzeslao) R/ Justum deduxit v/ Immortalis.
148v (1.XI) R/ Beati pauperes.
152 (12.XI: sci. Brictii) *Laudes omnes sex antiphonas*: A/ Post decessum (CAO 3, 4327) etc: même usage que dans *F-VE* 139, f. 47.
154 30.XI.
Suppléments divers.
155 Messe votive de la Vierge, avec sept séquences (incipit des mélodies dans Plocek, p. 211).
180v Office des morts (Ottosen, 180, liste Prag 3).
201 *Minores vigiliae* (leçons seulement).
203v messe des défunts.
216v add. de diverses mains: R/ Dies sanctificatus (CAO 4, 6444). R/ Hic est dies praeclarus (CAO 4, 6821). R/ Spiritus sanctus procedens (CAO 4, 7693).
217v R/ Crux tua domine fons omnium est v/ O mirabilis potentia.
218v A/ Dixit Ypolitus (CAO 3, 2292).
219v R/ Tua est potentia (CAO 4, 7793).

Bibliographie: Cat. Truhlář I, 469 n° 1167. – Cat. Plocek I, 207–213 n° 54 et pl. p.821. – MMMAE I, 696. – TROF 2, 183. – LOO VI, 398.

CZ-7 (*CZ-Pu* 1170)

PRAHA, Universitní knihovna, VI G 5 (1170).

258 ff. parchemin, 155 x 120 mm. Cahiers signés à la fin d'un chiffre romain (XII' ⌊93v⌋ ...XIIII' ⌊109v⌋ etc.). Ecriture du début du XIVe siècle; le titre des fêtes manque souvent. Notation rhomboïdale de l'Europe de l'Est sur portée de quatre lignes: deux noires, une jaune (C) et une rouge (F); 5 ppp; quelques barres verticales de division. Origine et provenance: le monastère de moniales bénédictines de St. Georges de Prague. Ce processionnal étant semblable au précédent, on ne signalera que les pièces rares et les pièces qu'il donne en plus du précédent.

✧ Processionnal responsorial (Tabl. IV).

18	(NAT) *In capella* A/ Haec est dies.
19	R/ Verbum caro (19v) *Trophos Clerici* T/ Quem ethera et terra atque mare (TROF 2, 106 n° 537; incipit de la mélodie dans Plocek, 214).
32	(2.II)
36v	A/ Responsum avec trope sur les mélismes cadenciels: *Trophos Clerici* T/ Pro eo quod (TROF 2, 103 n° 524).
70v	(Vendredis de Carême: L/ Audi nos Christe Jesus, deus excelsissime (cf. CS-6, f. 48v).
88v	(CENA)
94v	V/ Ymno dicto R/ O Juda (cf. CS-6, f. 72).
109v	(RES) A/ Cum rex gloriae: le trope est reporté au f. 242).
158v	(ROG) L/ Ardua spes (AH 50, 237: ms. collationné).
168	L/ Humili prece (AH 50, 253).
174	Messe votive de la Vierge avec 5 séquences (Plocek, 216–217).
223	Puer natus in Bethleem (AH 1, 163–164; incipit de la mélodie dans Plocek, 218).
224v–242	série de B/ tropés et (233v) non tropés (liste dans Plocek, 218–219).
243v–250	Éléments non ordonnés de la Visitatio sepulchri.
257v	B/ Festivali melodia (AH 1, 156; incipit de la mélodie dans Plocek, 220).
258	H/ Virgo mater ecclesia, eternae porta (AH 23, 57).

Bibliographie: Cat. Truhlář I, 470 n° 1170. – Plocek I, 213–219 n° 55 et pl. p. 822. – MMMAE I, 696. – TROF 2, p.183.

CZ-8 (*CZ-Pu* 1175)

PRAHA, Universitní knihovna, VI G 10a (1175).

194 ff. parchemin, 160 x 125 mm. Cahiers signés à la fin d'un chiffre romain (f. 110v: xiiij). Reliure du XIVe s., ais de bois couverts de cuir brun; quatre nerfs. Ecriture de trois mains différentes mains du début du XIVe s.(cf. Plocek, 222). Initiales à filigranes, indiqués en marge par une lettre d'attente (cf. par ex. f. 152). Notation rhomboïdale de l'Est de l'Europe sur portée de quatre lignes: deux noires, une jaune (C) et une rouge(F); 6 ppp. Origine et provenance: le monastère de moniales bénédictines de St-Georges de Prague. De ce processionnal décrit en détail par Plocek, et semblable à CZ-6, on ne signalera que les pièces rares et les pièces qu'il donne en plus du précédent.

✧ Processionnal responsorial (Tabl. IV).

Temporal (1–59).

1v	ADV. Le 2.II est reporté au f. 124v.
45v	PASS. RAM est reporté au f. 140. RES est reporté au f. 150.
58v	TRIN.

Sanctoral (60–76v). Commence au 24.VI.
76 DED.
Compléments et suppléments (cf. Ms VI G 5, f. 64).

103v	Messe des défunts.
114–124	B/ tropés ou Cantiones, classés suivant l'ordre de l'année liturgique (liste des pièces dans Plocek, 224–225).
114v–115	B/ Procedentem sponsum de thalamo, Prophetavit scriba cum calamo, à 2 voix (RISM B IV 3, 254; Plocek, 224 et 822).
115v	Puer natus in Bethleem (Plocek, 224).

Suppléments et compléments (124v–160v):

127v	(2.II) A/ Responsum avec le T/ Pro eo quod christum rogabat iugiter (TROF 2, 103 n° 524).
136–138v	R/ et A/ de l'office de la ste. Couronne (cf. AH 24, 34–36; Plocek, 227).
145	RAM.
146v	(RES)
149	*Visitatio sepulchri* (LOO VI, 1581 n° 799).
154v	A/ Cum rex gloriae, avec (156) T/ Triumphat dei filius (cf. CS 6, f. 94v).
160v	B/ Exultemus et letemur hodie.
160v–178	Deuxième série de B/ tropés et (172–175) non tropés.
179	ROG.
185	A/ du Temps pascal et A/ à la Vierge.
192	B/ Amor Patris et Filii (Plocek, 232). Add. diverses en langue bohémienne (Truhlář, 470–471).

Bibliographie: Cat. Truhlář I, 470–471 n° 1175. – Plocek I, 222–232 n° 57. – RISM B IV 3, 254–255. – LOO VI, 399. –

CZ-9 (*CZ-Pu* VI G 10b)

PRAHA, Universitní knihovna, VI G 10b.

244 ff. parchemin, 170 x 130 mm. Cahiers signés à la fin (II', f. 15v; XI', f. 86v etc.). Ecriture d'une main du XIII–XIVe s. et 4 pages (175–177v) d'une main du XIVe; grandes initiales (f. 2v, 3 etc). Notation rhomboïdale de l'Europe de l'Est sur portée de 4 lignes: deux noires, une jaune (C) et une rouge (F). Clés C, F et g; pas de guidon; 6 ppp (7 au f. 136). Origine et provenance: le monastère de moniales bénédictines de St-Georges de Prague dans le Hradschin. Ce processionnal, décrit en détail par Plocek, est semblable aux précédents: on ne signalera donc ici que les pièces rares et celles qu'il donne en plus des précédents.

✧ Processionnal responsorial.

1	B/ en notation lorraine de l'Est, très épaissie.
1v	V/ de sco Benedicto et V/ de sca Ludmilla, en cursive, s.n.

Temporal (2v–122v).

2v (ADV)

11 (NAT)

15v prosules du R/ Verbum caro, sur la même mélodie: T/ Quem ethera (cf. CZ-7, f. 19v). T/ Gloria superno (incipit dans Plocek, 233).

29v (2.II) R/ Responsum, avec majuscule à chaque incise et prosule T/ Pro eo quod (TROF 2, 103 *no* 524).

72v (RES) *Visitatio sepulchri* (LOO VI, 1597, n° 804). Le v/ Christus dominus resurrexit est emprunté au chant ambrosien, mais avec une mélodie un peu plus ornée (M.Huglo et al., *Fonti e paleografia del Canto ambrosiano*, Milano, 1956, 12).

81v A/ Cum rex gloriae, avec alleluia tropé (83): T/ Triumphat dei filius (incipit de la mélodie dans Plocek, 234).

92v (ROG)

96 L/ Ardua spes mundi...v/ Martir sce. Georgi... v/ Viteque Wenzeslae pariter cum martire Adalberto (MMMAE, I 490, Mel. 1019, d'après ce ms.).

102 L/ sanctorum notée.

105 L/ Humili prece (MMMAE, I 493, Mel. 1021, d'après ce ms).

114v *Dominicis post Pentecosten.*

118 (Feria IV) L/ sanctorum.

121 (Feria VI) L/ Audi nos Christe Jesu, deus excellentissime (incipit de la mélodie dans Plocek, p. 235).

Sanctoral (123–148v).

Le Sanctoral commence au 24.VI: les R/ ne comportent habituellement pas de v/

125 (11.VII: sci. Benedicti abbatis) R/ Alme Pater qui praescius [VIIIe t.].

126 (22.VII: scae Magdalenae] R/ Flavit Auster.

Commun des Saints et divers.

149 Messe des défunts.

158–177v B/ tropés (Cantiones) et (f. 174v–176) sans trope, pour toutes les fêtes de l'année (cf. Plocek, 236–238).

165v B/ Festivali melodia... *Chorus* Regem regum peperisti.

177–201 Office du CORP. CHR. avec deux R/ supplémentaires: R/ Granum dat cibum v/ Iste cibus [VIe t.]. R/ Corpus ave Christi v/ Ave vita humani generis [Ier t.].

201–228v *Historia de Corona domini* Adest dies letitiae (AH 5, 42–44).

228v–241 Office de st Georges.

241–242v H/ à ste Madeleine Lauda mater ecclesia (incipit noté dans Plocek, 239).

Bibliographie: Cat. Truhlář I, 471 n° 1176. – Plocek I, 232–239 n. 58. – LOO VI, 399. – J. Černy, „Mittelalterliche Mehrstimmigkeit in den böhmischen Ländern.“ *Miscellanea musicologica* XXVII (1975), 84 (Ms. A). – V. Plocek, „Svatojirske Skriptorium.“ [= „Das Scriptorium des St Georg Kloster“]. *Documenta Pragensia* X/1 (1990), 23–29.

CZ-10 (*CZ-Pu* 1181)

PRAHA, Universitní knihovna, VI G 15 (1181).

145 ff. parchemin, 145 x 110 mm. Ecriture du XIVe s. Initiales historiées aux grandes fêtes: 1v M (Annonciation). 3 A (Isaïe). 18v H (Nativité). 26 U (st Jean l'évangéliste; moniale agenouillée à ses pieds). 38v P (Isaïe ?). 68 E (st Georges). 89 V (Vierge à l'enfant). Notation gothique allemande, sur portée de quatre lignes: deux noires, une jaune (C) et une rouge (F); 5 ppp sans guidon. Origine et provenane: le monastère de moniales bénédictines de St. Georges de Prague dans le Hradschin. Ce processionnal, décrit par Plocek, est très semblable aux prècèdents, mais il ne comporte pas les séries de Benedicamus domino tropés et non tropés figurant dans les mss précédents.

✧ Processionnal responsorial (Tabl. IV).

Temporal (1–79v).
Sanctoral (80 ss.) à partir du 24 juin.
Suppléments (103–145v).
121-fin: Mandatum.

Cat. Truhlář I, 472 n° 1181. – Plocek I, 241–243 n° 60.

CZ-11 (*CZ-Pu* 1338)

PRAHA, Universitní knihovna, VII F 19 (1338).

16 + IV ff. parchemin + papier, 210 x 150 mm. Ecriture du XVe s. Notation carrée sur portée de cinq lignes rouges; 5 ppp; guidon en forme de plique. Origine et provenance: un couvent de franciscaines. Sur le plat inférieur, le nom de Margaretha Malterin (ou Malterni).

✧ Processionnal franciscain (Tabl. VIII).

1	(2.II) A/ Ave gratia plena (entre 1v et 2, bifolium additionnel avec l' A/ Lumen et le cantique Nunc dimittis).
5	(RAM)
12v	V/ Gloria laus.
16v	A/ Pueri Haebreorum.

Cat. Truhlař I, n° 1338. – Plocek I, 271 no 71.

CZ-12 (*CZ-Pu* 1363)

PRAHA, Universitní knihovna, VII G 16 (1363).

248 (et non 238) ff. parchemin, 160 x 120 mm. Cahiers signés à la fin (I', f. 18v; II', f. 25v; III', f. 33v etc.) avec en plus une réclame. Erreur de la foliotation moderne: on a inscrit deux fois la série 160–169. Reliure identique à celle du VI G 10a (CZ-8). Ecriture anguleuse du début du XIVe s. Rubriques. Notation gothique allemande de l'Est (facsimilé: Plocek II, 823)

sur portée de 4 lignes: deux noires, une jaune (**C**) et une rouge (**F**). Clés **C**, **F** et une fois **g** (f. 238); **b** indiqué rarement (f. 97); 6 ppp. Origine et provenance: le monastère des moniales bénédictines de St-Georges de Prague dans le Hradschin. De ce processionnal, semblable aux manuscrits CZ-7–CZ-9 et décrit en détail par Plocek, on ne signalera que les pièces rares et celles qu'il donne en plus des précédents, ainsi que ses rubriques directoires concernant l'exécution du chant.

✧ Processionnal responsorial (Tabl. IV).

Sur cahier ajouté:

7v	S/ Sancte Anne sonorus decantet chorus, alleluia (AH 9, 102. Mélodie: Laetabundus). V/ Virgo mater ecclesiae (AH 23, 57. Cf. CZ-7, f. 258a).
9v	Alleluia v/ Felix et beata es Anna.

Temporal (1–150).

10v	ADV.
20v	(NAT)
25	R/ Verbum caro, avec les deux prosules T/ Quem ethera et terra (TROF 2, 106 n° 537); T/ Gloria superno genitori (TROF 2, 55 n° 272)
29	(27.XII) *Conventus* R/ Domine suscipe me (29v en marge) *Canonici* v/ Tu es enim.
34	(2.II)
37	A/ Responsum avec T/ Pro eo quod (TROF 2, 103 n° 524).
54v	(Feria VI post Cineres) L/ Audi nos Christe Jesu deus excelsissime (incipit de la mélodie dans Plocek, 276).
66	(RAM) A/ Sitientes.
66v	*Tres cantrices* Collegerunt...et dicebant. *Conventus* Quid facimus quia hic homo... *Canonici* Unus autem ex ipsis... *Clericus stantem ante aram sci. Michaelis cantet* Expedit vobis ut unus...pereat. *Usque huc. Canonici* Ab illo ergo die... *Conventus* Ne forte.
88v	(PAR) *Canonici sacerdotes* Popule meus... *Conventus* Agyos o theos.
95v	*Visitatio sepulchri* (LOO V, p. 1598–1602, n. 805).
101	(RES) A/ Christus resurgens v/ Dicant nunc Judaei T/ Qui crucifixerunt filium dei. /Quomodo milites T/ Scelerum suorum complentes. /Custodientes etc.
103	*Ad processionem* A/ Cum rex gloriae...alleluia. T/ Agye rex glorie. *Item alius trophus* Triumphat dei filius (cf. Plocek, 277).
114v	(DED)
116v	B/ Hoc in templo sonet melos.
121	(ROG)

125 L/ Ardua spes (AH 50, 237–239; Stotz, 36).
133v L/ *(H)ebdo(madaria)* Humili prece (AH 50, 253).
139 *In allatione capillorum scae Mariae* A/ Vidi aquam* V/ Salve festa dies. *In reditu* R/ Christi virgo dilectissima v/ Quoniam (CAO 4, 6278).
140 (PENT)
142v B/ Amor patris et filii.
145 (TRIN)
146 *In reditu* R/ Summe Trinitatis (146v) T/ O lux sempiterna.

Sanctoral (150 v–170).
Commence au 24.VI.
162v (28.IX: sci Wenzeslai) R/ Martyr Dei Wenzeslaus (adapté sur la mélodie du R/ suivant:)
164 (29.IX) R/ Paradisi praepositus Michael.

Compléments:
170v–191v B/ tropés ou cantiones (même série que dans CZ-9: liste des incipit dans Plocek, 280–281).
170v B/ Procedentem sponsum de thalamo à 2 voix (Plocek, 279; RISM. B IV 3, 254).
172 Puer natus in Bethleem unde gaudet.
192 B/ non tropés (25 mélodies).
195 Messe pour les défunts et messes votives.
232 (16.IX: de sca Ludmilla) S/ Pleno cantu cordis oris (AH 55, 255).
234 4 B/ non tropés.
234v [add. d'une autre main] S/ Vito plaudat omnis aetas (AH 55, 385).
237v Sanctus et Agnus dei.

Bibliographie: Cat. Truhlář I, 516 n° 1363. – Plocek I, 274–284 n° 75. – MMMAE I, 696. – TROF 2, 196. – LOO VI, 401. – RISM B IV 3, 255. – Černy, „Ma. Mehrstim.“, 85 (C). – Plocek, Svatojirske..., 23–29.

CZ-13 (*CZ-Pu* 1377)

PRAHA, Universitní knihovna, VII G 27 (1377).

140 ff. parchemin (f. 137–139, papier), 170 x 115 mm. Reliure du XVIIe s. Ecriture de quatre mains; la première (ff. 1–116v, 118–129v) du XVe s., les trois autres du XVIe (cf. Plocek, 292). Notation rhomboïdale de l'Est de l'Europe sur portée de quatre lignes rouges (ou noires dans les parties du XVIe s.); guidon. Origine et provenance: le monastère de prémontrés de Chotiessowskeho (f. 136v).

✧ Processionnal prémontré (Tabl. IX).

Temporal (1–76v).	
1	(ADV) A/ [Ecce carissimi dies illa...adve]nit preclarus adventus.
5v	(NAT) R/ Descendit (version corrigé)
9v	EPI.
19	(RAM)
27	*Abbas incipiat* A/ Ave rex...flexis genibus...A/ Ave rex noster.
29	*In statione* A/ Collegerunt.
31	(CENA) Ad Mandatum: A/ Mandatum novum.
39v	(RES) A/ Vidi aquam.
41	A/ Cum rex gloriae.
45v	Vêpres pascales.
51	(ROG) A/ Exurge. A/ Surgite.
60v	(DED) R/ Terribilis.
62	A/ Pax eterna.
66	(PENT) R/ Jam non dicam vos
68v	TRIN.
70	(CORP.CHR.)
71v	R/ Homo quidam v/ *a duobus canitur* Venite.
Sanctoral (77–108).	
A partir du 30.XI.	
85v	(25.III) R/ Christi virgo dilectissima.
87	(24.VI) R/ Inter natos. 2.VII R/ Magnificat.
93	22.VII.
98	28.VIII: R/ Verbum dei.
100	*Ad introitum* A/ Adest dies.
108	23.XI: sci. Clementis.
Commun des Saints (108v–114v) et additions diverses.	
114–116v	Vêpres pascales: Ps. 112 et 113 antiphonés.
116v–117v	(28.IX: de sco Wenzeslao) A/ Laus alme sit Trinitati (AH 5, 263).
118–129v	Funérailles.
127	A/ Clementissime (incipit de la mélodie dans Plocek, 293).
130	R/ Gaude Maria virgo, avec le T/ Inviolata.
132v–134	(28.IX: de sco Wenzeslao) R/ Castus mente corpore (AH 5, 262).
137–139	A/ Ave stella matutina mundi princeps (cf. AH 48, 243; incipit de la mélodie dans Plocek, 294).

Cat. Truhlář I, 518 n° 1377. – Plocek I, 292–294 n° 80.

CZ-14 (*CZ-Pu* 2182)

PRAHA, Universitní knihovna, XII E 15a (2182).

240 ff. parchemin, 220 x 160 mm. Cahiers signés (I' f. 8v; III' f. 24v etc.). Ecriture du début du XIVe s. Initiales bleues et rouges à filigranes et rinceaux marginaux. Notation lorraine de

l'Europe centrale sur portée de trois lignes noires et une rouge, celle du **F** ; 8 ppp. Origine et provenance: le monastère de moniales bénédictines de St-Georges de Prague dans le Hradschin. Ce processionnal, décrit en détail par Plocek, étant semblable à ceux qui précèdent, sa description se limitera à la mention des pièces rares ou de celles qui lui sont propres.

✧ Processionnal responsorial (Tabl. IV).

Temporal (1–113).

1	ADV.
21	(2.II)
23v	A/ Responsum accepit avec tropes (TROF 2, 103 n° 124).
38v	(Feria VI post Cineres) L/ Audi nos Christe (9 v/v/).
47	(RAM) R/ Collegerunt: rubriques au sujet de la distribution des incises entre le choeur et les différents ministres (cf. CZ-12, f. 66v).
59bis	V/ Ymno dicto R/ O Juda (4 v/v/): cf CZ-6, f. 72.
62	*Ordo minoris mandati* A/ Mandatum novum.
69v–74	Visitatio sepulchri (LOO 5, 1585–89 n° 801).
72v	*Sacerdos cum trina flexione imponit* Christus dominus resurrexit.
75	(RES)
78v	T/ Triumphat.
87	(ROG)
93	L/ Ardua spes...Wenceslae Pater cum martire Adalberto (AH 50, 237; Stotz, 36).
101	L/ Humili prece (AH 50, 253; MMMAE I, Mel. 1021, d'après ce Ms.).

Sanctoral (114–131v) et Suppléments divers.

Commence au 24.VI.

131v	30.XI.
132v	Messes votives de la Vierge, avec les séquences (liste dans Plocek, 465–466).
154	Office et messe des défunts (cf. CS 6)
179v	A/ *ad Comm.* Tuam deus deposcimus pietatem avec v/v/ (ed. Cl. Gay, *Etudes grégoriennes* II [1957], 100 n° 33).
185v	Messes votives de la Croix.
190	B/ tropés ou Cantiones et (194v) B/ non tropés (cf. AH 1, 156 ss, Ms P; Plocek, 467–469).
213v–239v	Hymnaire (cf. MMMAE I, 532 ss, 582 ss. etc.).

Bibliographie: Cat. Truhlář II, 198 n° 2182. – Plocek II, 462–470 n° 128. – C. Blume, *Rassegna gregoriana* VI (1907), c.412. – MMMAE I, 696. – TROF 2, 184. – Černy,“ Ma. Mehrstimm.“ 85 (F). – LOO VI, 402.

CZ-15 (*CZ-Pu* 2393)

PRAHA, Universitní knihovna, XIII H 3c (2393).

272 ff. parchemin, 130 x 110 mm. Cahiers signés à la fin et une fois au début (XIX': f. 266). Ecriture du début du XIVe s.(ca 1320, selon AH 1, 23–24), tracée par deux mains différentes: la main principale (A) et la main B qui a écrit seulement les ff. 105v–106v et 252v–256v; initiales simples à filigranes; pas de rubriques ni indications de fêtes. Notation lorraine de l'Est, épaissie, tracée sur portée de quatre lignes, l'une d'elle est repassée en rouge (F); lettres-clés C, F, g ; 5 ppp. Origine et provenance: St-Georges de Prague dans le Hradschin. Ce processionnal, décrit en détail par Plocek, est plus bref que les précédents: il ne donne qu'un ou deux répons par fête et pas d'antienne pour le retour (*In reditu*) de la procession.

✧ Processionnal responsorial (Tabl. IV).

1	ADV.
107	*Visitatio sepulchri*, sans rubriques (LOO V, 1583–1585 n° 800). Supplément au Temporal:
115	[changement de notation] 2.II.
152	(RES) B/ Exultemus et letemur hodie (161) *Responsio c[h]ori* Resurrexit dominus.
165	(ROG)
171v	L/ Ardua spes mundi.
193	L/ Humili prece.
203	Messes votives de Beata avec séquences (liste dans Plocek, 570); de Spiritu sancto (217v); de sco. Wenzeslao (225) avec la S/ Christe tui praeclari militis Wenzeslai (AH 54, 118: sigle A pour ce ms.; incipit de la mélodie dans Plocek, 571).
222v	Hymnes (Plocek, 571–572; MMMAE I, 534 ss.).
240–247	Kyriale non tropé.
247v	Alleluia v/ Angelus domini.
257–272	B/ tropés ou Cantiones et (280) B/ sans trope (AH 1, 156 ss., Ms J; Plocek, 573–574).

La fin manque.

Bibliographie: Cat. Truhlář II, 272 n° 2396. – Plocek II, 567–574 n° 168. – Černy, „Ma. Mehrstimm.", 85 (D). – LOO VI, 403. – Plocek, „Svatojirské...", 23–29.

CZ-16 (*CZ-Pu* 2529)

PRAHA, Universitní knihovna, XIV D 21 (2529).

44 ff. parchemin, 280 x 220 mm. Ecriture du XVe s. Notation messine de l'Est de l'Europe, aux formes anguleuses, sur portée de quatre lignes rouges; 6 ppp; guidon. Origine et provenance: sur le revers de la couverture,--faite d'un feuillet de parchemin provenant d'un évangéliaire du XI–XIIe s. —on lit la note suivante: „ Hic liber debet esse monasterii s. Geor[g]ii in castro Pragensi, fuit enim alienatus, sed anno 1507 in manus meas traditus...etc." (Plocek, 656). En fait, il s'agit d'un processionnal abrégé, contenant seulement les processions

rituelles du Missel. Les rubriques sont au féminin, mais le livre semble avoir été copié pour l'usage d'une paroisse de Prague, plutôt que pour celui des moniales de St-Georges de Prague: Lipphardt (LOO VI, 403) fait remarquer que la 'Depositio crucis' et la 'Visitatio sepulchri' ne représentent pas l'usage de St-Georges et que le patron de l'abbaye du Hradschin n'est pas invoqué dans les litanies notées (f. 7).

✧ Processionnal abrégé de Prague.

1	(2.II) A/ Ave gratia plena. A/ Lumen.
5	A/ Responsum avec T/ et avec rubriques au sujet de l'alternance entre *Duae sorores* et *Conventus*.
7	CIN.
10	(RAM) A/ Collegerunt alterné entre le clergé et les soeurs.
13v	V/ Fulgentibus palmis / Tellus ac aethra (AH 51, 77).
30	(PAR)
32v	Depositio crucis: *Quattuor scolares...Ebdomadaria imponat antiphonam...* (33v) R/ Vadis propitiator...(LOO II, 528 n° 387)
35v	(RES) A/ Vidi aquam. Visitatio sepulchri: *In sacra nocte... Conventus cantet cum populo circumstante* Buoh wssemohuczy (s.n.): *quibus finitis Abbatissa imponat* Te deum laudamus (LOO, 529).

Bibliographie: Cat. Truhlář II, 305 n° 2529. – Plocek II, 656–659, no 212. – C. Young, *The Drama of the Medieval Church*, I (Oxford, 1962), 625. – LOO VI, 403.

CZ-17–CZ-31 (*CZ-Pu* 2504–2601)

PRAHA, Universitní knihovna, XIV F 13a-p (2504–2601).

Série de 15 processionnaux cisterciens du XVIIIe s. (Tabl. V), identiques entre eux (sauf le XIV F 13 i, qui est noté en notation moderne). Provenance: Sedlitz.

Description par Truhlář II, 326 et par Plocek (nn. 214–228).

CZ-32 (*CZ-Pu* 2643)

PRAHA, Universitní knihovna, XIV G 51 (2643).

20 ff. parchemin, 190 x 140 mm. Ecrit en lettres de forme du XVe s. Notation carrée sur portée de quatre lignes rouges; 4 ppp; guidon. Origine: le couvent Ste-Claire des soeurs franciscaines d'Eger (Cheb), suivant la note en allemand du f. 17v.

✧ Processionnal franciscain (Tabl. VIII)

1	(2.II) A/ Ave gratia plena.
15v	(RAM) A/ Cum appropinquaret.
18	[changement de notateur] v/ Israhel es tu (des V/ Gloria laus).
18v	(2.II) *An der Lichtmess Tag* psalmodie notée pour le Cantique Nunc dimittis.

Cat. Truhlář II, 341 no 2643. – Plocek II, 717 n° 237.

CZ-33 (*CZ-Pu* XIV G 55)

PRAHA, Universitní knihovna, XIV G 55.

43 ff. papier (paginés), 160 x 112 mm. Début du XVIIIe s. Notation de l'Europe de l'Est sur portée de 4 lignes rouges. Origine: un monastère cistercien de Bohème. Provenance: entré à la Bibliothèque de l'Université de Prague avec toute la collection Gropp en 1945.

✧ Processionnal cistercien (Tabl. V).

1	(2.II) A/ Ave gratia plena.
24	T/ Triumphat dei filius (cf. CS-6, CS-7, etc.).
24bis-28	V/ Salve festa dies (AH 50, 79), avec interpolation de paroles en allemand: Also heylig ist der tag das ihn Niemandt mit loben erfüllen mag.
29–35	S/ Victimae paschali laudes (AH 54, 12), avec interpolation du cantique en allemand: Christ ist erstanden/ Von der marter allen (Wackernagel, *Deutsches Kirchenlied* II, 726; W. Lipphardt, *Musicologica Austriaca* 2 [1979], 62–63).
54–83	R/ rituel de la sépulture.

Cat. Plocek II, 718–719, n° 238.

CZ-34 (*CZ-Pnm VIFc 35*)

PRAHA, Národní knihovna, deponat Roudnicke Lobkowiczke knihovny, Ms VI Fc 35.

82 ff. (paginés) parchemin, 270 x 190 mm. Ecriture datée de 1400–1419 d'après la mention dans l'Exultet du roi Wenceslas IV et de la reine Zophia, son épouse, couronnée reine des Tchèques en 1400. Additions de mains diverses à la fin. Notation rhomboïdale de Bohème. Origine: la cathédrale de Prague. Provenance: la bibliothèque de la famille Roudnice-Lobkowicz. Au début du ms (p. 1 et 2), fragment de missel: Messe de Pâques avec la séquence Laudes Salvatori (AH 53, 65).

✧ Rituel, avec chants de procession.

3–22	*Hic continetur agenda per circulum anni rubricae Pragensis. Et primo benedictio salis et aquae.*
22–26	(2.II) *Benedictio candelarum.*
26–33	Chants de procession du 2.II.
33–38	(CIN) *Benedictio cinerum in capite jejunii. Sequitur processio ad sanctam Georgium.*
38–42	*Benedictio palmarum seu aliarum arborum et olivae.*
[43=58	dernier quaternion déplacé ici.]
59–81	[suite du f. 42] Procession des RAM.
81–89	*Feria sexta magna quae dicitur parasceve Finitis orationibus chorus descendit in medium ecclesiae. Tunc tres presbyteri induti*

	stolis albis et casulis portantes crucem contra chorum ad altare cantant hunc versum Popule meus.
89–100	(SAB) *In vigilia paschae benedictio ignis cum septem psalmis penitentialibus.*
92–100	Exultet: ... cum beatissimo papa nostro... necnon serenissimo rege nostro Wenceslao, pariter devotissima regina nostra Zophia.
100–121	*Ordo baptismi.*
121–127	(RES) *In die sancto benedictio ovorum*, suivie des chants de procession pour la RES.
128–155	Rituel des fins dernières.
155–158	Bénédictions diverses.
159–160	[add de main tardive] *In sacratissima nocte ante pulsum matutinum scolares conveniant et presbyteri... (Ordo ad visitandum sepulchrum).*
162	[f. add.] Dominorum de Rosemberk generosorum et magnificorum... (pièce add de circonstance).
163–164	fragment d'Exultet.
43–58	[cahier final déplacé] Bénédictions diverses pour le 6.V, le 6.I etc.
57	[f. add] *Benedictio vini more Theutonicali.*
58	blanc.

Notice détaillée communiquée par Hana Vlhova (Prague) le 28/V/1998.

CZ-35 (*CZ-TPk* d 3)

TEPLÁ, Klášter Premonstátů, d. 3.

119 ff. parchemin, 215 x 145 mm. Ecriture datée de 1486 pour la partie principale (ff. 1–93v), complétée au XVIIe s. Notation à clous sur portée de quatre lignes noires; 7 ppp (6 dans la partie ajoutée, portée de quatre lignes rouges).

✧ Processionnal prémontré (Tabl. IX).

Bibliographie: *Beiträge zur Geschichte des Stiftes Tepl* (Marienbad, 1917). Erster Band, II. Teil: M. Kentwich, *Verzeichnis der Handschriften in der Bibliothek des Stiftes Tepl*, 92; W. Vacek, *Die Choralhandschriften des Stiftes Tepl*, 124. – M. Melnicki, *Das einstimmige Kyrie* (1954), 129 (D 103).

Deutschland

D-1 (*D-AAd* 83)

AACHEN, Diözesanarchiv, Hds 83.

134 ff. papier et parchemin (paginés), 140 x 105 mm. 95 x 72 mm. Cahiers de 6 ff: deux binions enfermés dans un diplôme de parchemin. Reliure de cuir fauve ciselé, sur plats de bois; deux fermoirs. Ecriture du XVe s. Notation gothique rhénane sur portée de quatre lignes rouges; barres de division; bémol rouge; 5 ppp; guidon minuscule. Origine: Engelport? Provenance: „Dis buch hat im Gebrauch Schwester Maria Christina von der Portzen.“ (p. 1, au verso du f. 1v).

✧ Processionnal cistercien (Tabl. V), élargi.

1	(2.II) *In Purificatione sanctae Mariae distribuat sacrista candelas dum cantatur ant. sequens et stent versi chorus contra chorum* A/ Lumen.
15	RAM.
29	RES.
33	A/ Stetit angelus. *Duae sorores* v/ Crucifixum v/ Recordamini.
39	ASC.
44	(CORP. CHR) H/ Te Deum.
53	(DED?) R/ Benedic Domine v/ Conserva Domine v/ Gloria.
56	*Hic venium petant* A/ Salvator mundi salva nos ... (*Surgant*) precibus quoque.
58	*Exeant* R/ Te sanctum Dominum.
62	(15.VIII) R/ Hodie Maria virgo.
68	(21.VIII: sci. Bernardi) R/ Prima virtus v/ Totum. R/ Beatus Bernardus quasi vas v/ Factus est. R/ Viae viri sancti v/ Semitas.
73	8.IX.
77	Mandatum
96	Office des morts cistercien (Ottosen, 159).
128	H/ Veni Creator. R/ Regnum mundi.
145–fin	Rituel de la vêture novitiale et de la profession.
176	L/ sanctorum (Willelme, Edmunde, Malachia, Bernarde, ... Ursula).
271	Orationes devotae.
289	L/ sanctorum (comme au f. 176).
293	[add] Prières privées en dialecte bas-allemand.

HdsC 31 no 11. – cf. MABK I, 208.

D-2 (*D-AAm* 45)

AACHEN, Domarchiv, Hds 45 (XLVII b).

93 ff. parchemin, 215 x 165 mm <175 x 125 mm>. Reliure ais de bois couverts de cuir estampé à froid; restes de deux fermoirs. Ecriture de la première moitié du XVe s., de la même main que celle des Mss 35 et 41. Notation gothique allemande sur portée de quatre lignes noires avec clé de C; la ligne du F est repérée par un gros point en début de ligne; 8 ppp; guidon. Plusieurs mélismes cancellés. Origine: le Dom d'Aix. Nombreuses traces d'usage sur les coins de page.

✧ Processionnal.

Un R/ est prévu pour le départ (*ascendendo*) de la procession et un second pour le retour (*descendendo*). Les chants des ROG et du CORP. CHR. ne figurent pas dans ce Ms. puisqu'ils sont consignés dans des processionnaux séparés (cf. D-5 à D-13 et D-14, D-15).

1	(ADV)
2	A/ Ecce carissimi.
6	(NAT) *Ad processionem missae ascendendo* R/ O magnum mysterium (le mélisme sur Ab est gratté).
25v	(CENA)
30v	*Quando corpus Domini ponitur in sepulchrum...*
31v	(RES)
32	A/ Cum rex gloriae (mélisme final cancellé).
33	A/ Sedit angelus. *Ante crucem cantant duo domini* (v/) Crucifixum in carne.
34	Vêpres pascales.
41	(Vigile de PENT) L/ Rex sanctorum angelorum (AH 50, 242).
44	A/ Oremus dilectissimi nobis (mélisme final sur alle---luia cancellé).
48v–52v	Dimanches d'été.
63	V/ Salve festa dies... qua Deus illuxit (AH 50, 419).
69v	(14.IV: Victoris et Coronae) A/ Collaudemus Dominum.
69v	(7.XI: sci Leopardi) A/ Exultemus omnes in Domino.
70	*Eundo ad scm Egidium* R/ Beatus Egidius Arelatum v/ Collaudabunt [Ve t.].

Commun des saints et divers (71 ss.).

72	[add. du XVIe s.] Intonations d'A/, notamment celles de l'Office de st Charlemagne: A/ Rex confessor justitiae* (notée en entier sur le plat inférieur) et A/ O spes afflictionis* (E. Jammers, *Das Karls-Offizium ‚Regali natus.'* [Straßburg, 1973], Taf 4.
73	Messes diverses pour les saints titulaires des autels du Dom (cf. Gatzweiler, 156, n.3). S/ Laudes crucis attollamus (AH 54, 188).

79v	*Missa sci Stephani regis Ungariae* S/ Ad laudes salvatoris ut mens (AH 54, 126).
83v	*Wenzeslai martyris* Alleluia v/ Corona aurea super caput. S/ Agone triumphali (AH 53, 370).
85	*SS. Simonis et Judae* (86v) S/ Clare sanctorum senatus (AH 53, 367).
88–92v	Kyriale pour les messes précédentes.

Bibliographie: O. Gatzweiler, Die *liturgischen Handschriften des Aachener Münsterstifts*, Münster in Westfalen, 1926, 155–157. – MABK I, 8.

D-3 (*D-AAm* 46)

AACHEN, Domarchiv, Hds 46 (XLVII c).

80 ff. parchemin, 235 x 165 mm <175 x 120 mm>. Reliure plats de carton couverts de cuir. Ecriture de la même main que celle du Ms. précédent. Notation gothique allemande. Origine: le Dom d'Aix-la-Chapelle.

✧ Processionnal.

Mêmes chants que dans le Ms. précédent.

Bibliographie: Gatzweiler, 157. – MABK I, 3. – HdsC 50 no 48.

D-4 (*D-AAm* 47)

AACHEN, Domarchiv, Hds 47 (XLVIIa).

84 ff. parchemin, 220 x 170 mm <175 x 120 mm>. Reliure ais de bois couverts de cuir estampé, traces de deux fermoirs. Ecriture et initiales de la même main que celle de D-2 et D-3, première moitié du XVe s. Notation gothique allemande sur portée de quatre lignes rouges.

✧ Processionnal.

Processionnal identique aux deux précédents, avec les suppléments suivants:

25v	(CENA)
29	*Benedictio panis.*
31	(SAB) *Benedictio ignis* et L/ sanctorum.
45	(RES) V/ Salve festa dies (AH 50, 79).
84v	[add., ca 1500] A/ Da pacem Domine.

Bibliographie: Gatzweiler, 157–158. – MABK I, 3. – HdsC 50 no 49.

D-5 (*D-AAm* 48)

AACHEN, Domarchiv, Hds. 48 (XLIXa).

30 + 4 ff. parchemin, 190 x 130 mm <130 x 90 mm>. Reliure de parchemin jauni sur plats de carton. Ecriture de trois mains différentes: A (ff. 1–16v, soit les deux premiers quaternions: minuscule du XIIIe s.); B (ff. 17–20v) et C (f. 21–fin), XIVe s. Notation gothique d'Aix la Chapelle sur portée de quatre lignes: trois noires et une rouge pour le F), repérée par un

point; clés de C et de g (ff. 7v, 8...); 9 ppp; pas de guidon. Origine: le Dom d'Aix-la-Chapelle. Traces d'usage et marques de gouttes de pluie sur plusieurs pages; semble avoir servi jusqu'au XIXe s., un papier daté de 1839 ayant été inséré entre les ff. 14v et 15.

✧ Processionnal pour les Rogations (Tabl. II).

A.

1 *In Rogationibus*: A/ Exurge domine. A/ Surgite sancti. A/ Clementissime exaudi. A/ Ego sum Deus. A/ Populus Sion.
2 A/ Domine Deus noster. *Redeundo* A/ Oremus dilectissimi.
2v L/ sanctorum.
3 *Feria II (ROG)* A/ Exurge* A/ Clementissime* A/ Confitemini Domino filii Israel.
3v L/ Ardua spes mundi (AH 50, 237; Stotz, 36); dernière str. Innocuos pueros. L/ Omnipotens nunc sancti nostrae succurre vitae (str. courtes).
6v L/ Humili prece (AH 50, 253), Str.8: Karole summi miles fortissime.
11 *Feria III (ROG)* A/ Exurge Domine* A/ De Jerusalem.
12 L/ sanctorum (sancte Karole..).
12v L/ Aufer a nobis.
13 *Feria IV (ROG)*. A/ Exurge Domine* A/ Cum jucunditate.
13v A/ Timor et tremor.
14v L/ Agnus Dei qui tollis.
15v Messe des ROG: I/ Exaudivit.

B

(17–20v) R/ Nos alium Deum et autres R/ de pénitence.

C

(21–fin) R/ en l'honneur des saints titulaires des stations où s'arrète la procession des ROG: SS. Nicolas, Pierre,
(21v) Adalbert,
(22v) Aldegonde, Jean l'Ev., Etienne,
(27) Léonard,
(26v) Gilles.
28 v/v/ d'alleluia au Temps pascal.
29v R/ Emendemus.
30 *Ante cruciferos* (les Croisiers de Salvatorberg)
31 S/ Ave praeclara maris stella (AH 50, 313).
33 Même S/, copiée le 20 février 1686.
35v Index.

Bibliographie: Gatzweiler, 159–163. – MABK I, 3.

D-6 (*D-AAm* 49)

AACHEN, Domarchiv, Hds. 49 (XLIX b).

30 ff. parchemin, 185 x 120 mm <130/140 x 80 mm>. Reliure plats de carton recouverts de cuir. Ecriture et initiales de la première partie (1–16v, deux quaternions) du XIIIe s.; de la seconde et de la troisième, du XIVe s. Traces de gouttes de pluie à certaines pages. Notation gothique allemande sur portée de quatre lignes rouges. Origine: le Dom d'Aix-la-Chapelle.

✧ Processionnal pour les Rogations (Tabl. II).

Manuscrit identique au précédent.

Bibliographie: Gatzweiler, 163–64. – MABK I, 3. – HdsC 51 no 50.

D-7 (*D-AAm* 50)

AACHEN, Domarchiv, Hds. 50 (XLVIIIc).

42 ff. parchemin, 235 x 165 mm <180 x 120 mm>. Reliure cartonnée recouverte de cuir. Ecriture et initiales (rouges pour la plupart) du XV-XVIe s. Plusieurs pages marquées par des gouttes de pluie. Notation gothique allemande sur portée de quatre lignes rouges. Origine: le Dom d'Aix-la-Chapelle.

✧ Processionnal pour les Rogations (Tabl. II).

(Add. sur la f. de garde) A/ Media vita.

1–4v	R/ Nos alium Deum nescimus.
5	ROG: identique à la première partie du Ms 48.
35–42v	(Appendice) Messes votives (cf. Gatzweiler, 165).

Bibliographie: Gatzweiler, 164–165. – MABK I, 3. – HdsC 51 no 51.

D-8 (*D-AAm* 51)

AACHEN, Domarchiv, Hds 51 (XLVIII d).

1 + 37 ff. parchemin, 230 x 160 mm <185 x 120 mm>. Reliure ais de bois couverts de cuir. Ecriture et initiales rouges du début du XVe s. Notation gothique allemande. Origine: le Dom d'Aix-la-Chapelle.

✧ Processionnal pour les Rogations (Tabl. II).

Contenu identique à celui des Mss. précédents. Au f. 37v, longue L/ des saints copiée sur cinq colonnes [add. du XVe s.].

Bibliographie: Gatzweiler, 166. – MABK I, 3. – HdsC 52 no 52.

D-9 (*D-AAm* 52)

AACHEN, Domarchiv, Hds. 52 (XLVIII b).

1 + 66 ff. parchemin, 240 x 165 mm <180 x 110 mm>. Reliure ais de bois, recouverts de cuir estampé à froid. Ecriture gothique et initiales de la première moité du XVe s. Plusieurs pages altérées par les gouttes de pluie.

✧ Processionnal pour les Rogations (Tabl. II).

Ce processionnal est le témoin d'un changement d'itinéraire pour la procession traditionnelle des Rogations (cf. Gatzweiler, 166, n.1).

1	R/ Nos alium Deum nescimus.
6	L/ sanctorum (s/ 2 colonnes).
9	ROG
44	Messe des ROG I/ Exaudivit.
45v	S/ Ave praeclara maris stella (AH 50, 313).
49	*Quintum R/ apud Minores* R/ Petre amas me.
49v	A/ Regina caeli avec T/.
51v–53v	V/ d'alleluia.
53v–54v	Messes votives.

Bibliographie: Gatzweiler, 106–107. – MABK I, 3. – HdsC 52 no 53.

D-10 (*D-AAm* 53)

AACHEN, Domarchiv, Hds 53 (XLVIIIa).

60 ff. parchemin, 240 x 160 mm <180 x 110 mm>. Reliure ais de bois recouverts de cuir estampé. Ecriture et notation semblables à celles du Ms. précédent. Origine.: le Dom d'Aix-la-Chapelle.

✧ Processionnal pour les Rogations (Tabl. II).

Ce processionnal, identique au précédent, donne en plus les collectes récitées par le célébrant à la fin de la procession.

Gatzweiler, 167, 168. – MABK I, 3.

D-11 (*D-AAm* 54)

AACHEN, Domarchiv, Hds 54 (a 17 III).

54 ff. papier, 240 x 180 mm. Reliure cartonnée couverte de cuir. Ecriture antérieure à 1748: Ad usum regalis basilicae B.M.V. 1748 (note à l'intérieur du plat supérieur). Origine: le Dom d'Aix-la-Chapelle.

✧ Processionnal simplifié pour les Rogations.

L'itinéraire de la procession des ROG reste le même qu'auparavant, mais tient compte des églises nouvelles et mentionne des lieux-dits non indiqués dans les processionnaux plus anciens.

Cf. Gatzweiler, 168.

D-12 (*D-AAm* 55)

AACHEN, Domarchiv, Hds 55 (a 17 I).

60 ff. papier, 240 x 180 mm. Ecriture antérieure à 1759: Ad usum regalis basilicae B.M.V. 1759 (note à l'intérieur du plat supérieur). Voir la brève analyse de Gatzweiler, 169.

D-13 (*D-AAm* 56)

AACHEN, Domarchiv, Hds 56 (a 17 II).

Processionnal en tous points semblable au précédent, également mis en service en 1759.

Cf. Gatzweiler, 169.

D-14 (*D-AAm* 57)

AACHEN, Domarchiv, Hds. 57 (LV).

Libellus formé de deux quaternions (16 ff. parchemin) de 203 x 155 mm <130/140 x 110 mm). Reliure souple en parchemin comme pour les Mss. 59 et 60; f. de garde en papier à filigrane. Grosse écriture gothique et initiales simples comparables à celles des Mss 24, 46 et 50, du XVe s. Notation gothique allemande. sur portée de quatre lignes: trois noires et une rouge pour le F. 6 ppp; guidon de deuxième main. Origine et destination: le Dom d'Aix-la-Chapelle.

✧ Processionnal du Dom pour la Fête-Dieu.

1 A/ Sacerdos in aeternum et la suite de l'Office du jour (cf. prescription de l'Ordinaire). Dernière pièce: Ave rex noster.

Gatzweiler, 170. – MABK I, 3.

D-15 (*D AAm* 58)

AACHEN, Domarchiv, Hds. 58.

Libellus formède deux quaternions (16 ff. de parchemin), de 205 x 155 mm <145 x 105 mm>. Ecriture gothique allemande identique à celle du Ms. 57, mais plus serrée. Même notation que dans le précédent Ms. Origine: le Dom d'Aix-la-Chapelle.

✧ Processionnal du Dom pour la Fête-Dieu.

1 A/ Sacerdos in aeternum et la suite de l'Office du jour.

14v A/ Ave rex noster, de la même main que dans le Ms. 57.

15v [add. du XVIIe s.] *In extrahendis ss. Reliquiis quando data est benedictio cum parva cistula stando ante altare B. Mariae virginis incipit D. succentor sequentes antiphonas* A/ O camisia purpurata sanctae Dei Genitricis (même rubrique et même pièce que dans le Ms. 60).

Gatzweiler, 170–171. – MABK I, 3.

D-16

ALBSTADT, Musikhistorische Sammlung Rehle.

Processionnal de 1724 conservé dans la section des Mss. de la collection fondée par Martin-Friedrich Rehle (1914–1982). Ms. non examiné. Cf. *Handbuch der Handschriftenbestände in der Bundesrepublik Deutschland*, bearbeitet von Tilo Brandis und Ingo Nöther (Berlin, 1992), 6.

D-17 (*D-ASh* 43)

ASCHAFFENBURG, Schloß Johannisburg, Hofbibliothek, 43.

130 ff. parchemin + 6 ff. papier, 160 x 115 mm <127 x 80 mm>. Réclames. Reliure ais de bois couverts de peau de truie estampée portant la date de 1450; un fermoir de cuir. Ecriture de la seconde moitiédu XIVe s., par trois mains différentes; additions jusqu'aux environs de 1700. Notation gothique sur portée de quatre lignes noires fines: celle du F est repassée rouge; 6 ppp; guidon à bec. Origine: la collégiale Sts-Pierre et Alexandre d'Aschaffenburg, au diocèse de Mayence (cf. rubriques au f. 5: *in choro maioris ecclesiae*; f. 89: *decanus ascendat dolium*).

✧ Processionnal augustin (Tabl. IX).

1	(2.II)...*quando itur ad parrochiam scae Mariae* (6 R/).
5v	RAM.
16v	RES.
26v	Feria II ROG.
27	(Feria IIIa)
38	*Prima letania* P/ Dicamus omnes: Domine miserere. v/ Ex toto corde (9 v/).
39v	[*Secunda letania*] L/ Ardua spes mundi (AH 50, 237; Stotz, 36) avec les strophes propres (40v) Augustine tuam clemens et (41) Walpurga...
42	*Tertia letania*: Aufer a nobis.
43	P/ Rex Salvator alme suscipe nostrorum munuscula precum.
46	L/ Humili prece (AH 50, 253) avec la strophe propre Alexander miles fortissime Christi.
49v	L/ Rex sanctorum angelorum (AH 50, 242).
52	(CENA) Mandatum.
55v	(SAB) H/ Inventor rutili (AH 50, 30).
62v	*Letania de igne* Kyrie eleison (invocation pour Petrus et Alexander).
64	*Letania sollemnis ad benedictionem fontis*.
73	[sur grattage] *Ad sepeliendum crucem*.
75v–77	(PAR) Oraisons privées pour l'Adoration de la croix.
75v–77	Ablution des autels (liste dans Hofmann-Thurn, 100).
82–84	Pro serenitate cum corpore Christi euntibus (ed. Hofmann-Thurn, 121–122).
85–90v	In die CORP.CHR. (ed. J. Hofmann, 116–125)
91	ASC.
98	DED.
105	R/ pour les dimanches d'été et pour les dimanches per annum.
119	(SEPT et QUADR)
126	T/ Rex aeternae gloriae qui das locum veniae (AH 47, 392).

128v	*Feria II [Paschae] ad parochiam scae Mariae Asch(affenburgensis)* Messe I/ Introduxit vos.
129	S/ Agni paschalis esu (AH 53, 89).
129v	*Feria III [Paschae] in castro* Messe I/ Aqua sapientiae.

Bibliographie: Cat. J. Hofmann und H. Thurn (1978), 99–101. – J. Hofmann, „Die Fronleichnamsprozession in Aschaffenburg nach den Prozessionsbüchern des 14. bis 16. Jahrhunderts." *Würzburger Diözesanblätter* 26 (1964), 112–125. – MABK I, 27.

D-18 (*D-ASsb* 32)

ASCHAFFENBURG, Stiftsbibliothek, Perg. 32 (154).

155 ff. parchemin + 3 ff. papier, 185 x 125 mm <140 x 80 mm>. Réclame tracée près de la marge de petit fonds. Reliure du XVIe s. en peau de truie estampée; traces de fermoirs. Ecriture du XV-XVIe s. jusqu'au f. 142: traces de pluie au f. 76v (Messe des ROG). Notation gothique sur portée de quatre lignes, celle du F repassée en rouge; 7 ppp; guidon. Origine: la collégiale d'Aschaffenburg.

✧ Processionnal augustin (Tabl. IX).

1	[add.] Oraisons privées pour l'adoration de la croix.
21	(RAM) R/ Fratres mei (l'itinéraire de la procession est décrit dans le catalogue cité).
39	(PAR) *Depositio crucis et hostiae* (LOO III 740, no 501).
45	(RES) *Ad visitandum sepulchrum* (LOO ibid.).
65	(ROG) Itinéraire décrit dans le Catalogue.
78	Mêmes L/ de procession que dans le Ms. précédent (la L/ Dicamus omnes est abrégée).
108v	(CORP.CHR) S/ Verbum bonum et suave (AH 54, 343).
114	R/ Accepit Jesus calicem v/ Memoria.
114v	R/ Melchisedech vero v/ Benedictus Abraham.
121v	(DED) *In festo Dedicationis post primum Benedicamus fiat processio super chorum beatae Mariae virginis.*
124	*In introitu ecclesiae organista cantabit in organis. Sin autem cantetur* R/ Benedic Domine *ut supra* (mêmes rubriques dans les Mss 33, f. 133v; 34, f. 129v; et 36, f. 131v).
133	2.II.
142–fin	add. diverses (cf. *Cat. cit.*, 70).

Bibliographie: J. Hofmann und H. Hauke (1978), 68–71. – A. Gottron, „Stadtstationsgebräuche an der Aschaffenburger Stiftskirche." *1000 Jahre Stift und Stadt Aschaffenburg. Festschrift Aschaffenburg* [*Aschaffenburger Jahrbuch*, IV 2], 537–542. – Hofmann, „Fronleichnamprozession...", 114, n. 1. – LOO VI, 213. – MABK I, 28.

D-19 (*D-ASsb* 33)

ASCHAFFENBURG, Stiftsbibliothek, Perg. 33.

167 ff. parchemin + 2 ff. papier 175 x 125 mm. Reliure ais de bois recouverts de peau blanche estampée; traces de fermoirs. Ecriture datée: GS scripsit 1560 (f. 8v): Georg Styrlein. Au f. 2 A initial en or sur fond bleu (Facs. dans Gottron, Abb. 118). Notation gothique sur portée de cinq lignes; 7 ppp. Provenance: Ecclesiae collegiatae SS. Petri et Alexandri Aschaffenburgi (f. 1).

✧ Processionnal augustin (Tabl. IX).

2 *Incipit processionale secundum chorum ecclesiae Aschaffenburgensis*. Même plan, même choix de pièces que dans les deux Mss. précédents.

161v *Ad visitandum sepulchrum* (LOO III, 744 no 503).

Bibliographie: Cat. Hofmann-Hauke, 71–72. – Gottron, 537–542 u. Abb. 118 (= f. 2). – Hofmann, „Fronleichnamprozession…“ 114, n. 2. – LOO VI, 213. – MABK I, 28.

D-20 (*D-ASsb* 34)

ASCHAFFENBURG, Stiftsbibliothek, Perg. 34.

III + 164 ff. papier, 175 x 122 mm. Ecrit au milieu du XVIe s. Même titre, même ordonnance que dans le Ms. précédent.

✧ Processionnal augustin (Tabl. IX).

44 *Depositio crucis et hostiae* (LOO III, 742 no 502).

46 *Ad visitandum sepulchrum. Require in aliis libris, non etiam necesse est illa hic ponere.*

Bibliographie: Cat. Hofmann-Hauke, 73–74. – Gottron, 537–542 und Abb. 119. – Hofmann, 115 n. 3. – LOO VI, 213. – MABK I, 28.

D-21 (*D-ASsb* 36)

ASCHAFFENBURG, Stiftsbibliothek, Perg. 36.

160 + 8 ff. papier, 160 x 110 mm. Ecrit en 1567. Même titre, même ordonnance, même choix de pièces que dans le Ms. précédent.

✧ Processionnal augustin (Tabl. IX).

45v *Depositio crucis et hostiae* (LOO III, 744 no 504).

50 *Ad visitandum sepulchrum: Require in aliis libris…* (comme dans le Ms. précédent).

Bibliographie: Cat. Hofmann-Hauke, 77–78. – Gottron, 537–542. – Hofmann, 115 n.4. – LOO VI, 213. – MABK I, 28.

D-21/2 (*D-ASsb* 38)

ASCHAFFENBURG, Stiftsbibliothek, Perg. 38.

Recueil écrit en 1568 par Christmannus Lintre, comprenant entre autres un processionnal: cf. MABK I, 28.

D-22 (*D-Aab* 27)

AUGSBURG, Archiv des Bistums Augsburg, 27.

2 + 91 ff. parchemin (les 9 derniers lacérés) 290 x 225 mm. Reliure ais de bois couverts de peau de truie estampée; bossoirs; 2 fermoirs. Traces d'usage. Ecriture du début du XVIe s.; initiales bleues, rouges ou noires; touche d'or au f. 1. Notation à clous sur portée de quatre lignes rouges; 8 ppp; guidon à bec. Origine: la cathédrale d'Augsburg. Provenance: Chorsakristei des Augsburger Doms, Diozesanmuseum I 16.

✧ Processionnal responsorial (Tabl. IV).

Temporal (1–56).

1	(ADV) R/ Missus est. Dom. IIa ADV *Processio ad chorum occidentalem.*
5	(NAT) R/ Verbum (5v) T/ Quem aethera et terra (TROF 2, 106 no 537).
7	(26.XII) *Processio ad altare sci Stephani* R/ Patefactae sunt.
7v	R/ Descendit v/ Tamquam (sans neuma).
9	(13.I) v/ Tamquam, avec neuma et T/ Facturae plasmator (TROF 2, 43 no 213).
13	(SEPT) H/ Cantemus cuncti melodum (AH 53, 60).
15	A/ [H]ymnum cantate nobis alleluia.
19	A/ Oremus dilectissimi nobis.
22v	RAM.
26	CENA.
30v	PAR.
31v	SAB. A/ Tollite portas
38	25.IV.
41	Messe des morts I/ Si enim credimus (*Etudes grégoriennes* II, 1957, 93, 126).
46v	PENT.
48	CORP CHR.
50	S/ Lauda Sion
52v	R/ Melchisedech vero rex Salem. Dimanches après PENT.
54v	*Ad sanctum Udalricum* A/ Sacerdos Dei Udalricus [VIIe t.].
55	A/ Invicta Christi testis Afra [Ier t.]. A/ Cum ad martyris sepulcrum [Ve t.].
55v	A/ Cum sub Diocletiano.

Sanctoral (56–74v).

Commence au 30.XI.

56v	(4.XII: de sca Barbara) A/ Gaudeamus...de sancta Barbara.
64v–65	(7.VII: sci Willibaldi) A/ Gloriosissime praesul Willibalde [IIIe t.].

65v *Ad scum Udalricum* R/ Sancte Dei Udalrice v/ Ecce quia super pauca [IIe t.].
66 (12.VIII: de sancta Hylaria) R/ Fermentae interim v/ Gaudens [VIIe t.], suivi de deux R/R/ *In ingressu chori orientalis et Processio in IIis Vesperis.*
67v 15.VIII.
71 (16.X: de sco Gallo) R/ Pater sanctus v/ Expletis [Ier t.].
72v (25.XI: scae Katarinae) *Processio ad capellam ejusdem.*
73v *Processio ad altare sci Konradi* A/ Gaude mater Ecclesia [IIIe t.]. R/ O praeclare Christi sacerdos v/ Ipse spiritus [Ier t.].
74v A/ Hodie beatus Pontifex Conradus [VIIIe t.]
Divers:
75–86v *Ad suscipiendum regem, principem, episcopum vel quemcumque alium.*
78 R/ Libera me.. de morte. A/A/ de suffrages pour des saints honorés précédemment.
87–fin Ps/ (s.n.).

Bibliographie: B. Kraft, *Die Handschriften der bischöflichen Ordinariatsbibliothek in Augsburg*. Augsburg, 1934, 85 no 27. – MABK I, 42.

D-22/2 (*D-Aab* 31a)

AUGSBURG, Archiv des Bistums Augsburg, 31a.

Orational de procession (375 x 180 mm), de 1620, avec peintures à pleine pages (0v Annonciation; 136v Pentecôte) ou bandeaux historiés, destiné à l'*Officiator*. Quelques intonations sont notées en Hufnagelschrift (44–47, notamment au f. 46 le T/ Quem aethera et terra [TROF 2, 106 no 537]); ailleurs, avec notation carrée.

Bibliographie: Kraft, op. cit. 86.

D-23 (*D-As* 33)

AUGSBURG, Staats- und Stadtbibliothek, 2° Cod.33 (Cim. 55).

89 ff. parchemin, 195 x 145 mm. Réclames. Reliure cartonnée moderne. Ecriture de la première moitié du XVIe s. avec supplément daté de 1576 (f. 82v). Miniatures historiés (liste dans Gottwald, 1). Rubriques en allemand. Notation carrée sur portée de quatre lignes rouges; 6 ppp; guidon. Origine: couvent des soeurs dominicaines de Ste Catherine d'Augsburg.

✧ Processionnal dominicain (Tabl. VII).

1 (RAM) A/ Pueri Haebreorum.
53 (CENA) Ablution des autels des st(e)s Dominique, Catherine, Marie Madeleine, Elysabeth, Tous les saints, Udalrich, Anges, la Vierge Marie, Jean Baptiste, Jean l'apôtre, Barbara.
61v Rituel des fins dernières.

Bibliographie: Cat. Cl. Gottwald [*Die Musikhds. der Staats- und Stadtbibliothek Augsburg*, Wiesbaden, 1974], 1–2. – MABK I, 43.

D-24 (*D-As* 153)

AUGSBURG, Staats- und Stadtbibliothek, 4° Cod. 153.

57 ff. papier, 200 x 100 mm. Reliure en basane avec ciselures dorées. Ecrit en 1751 par le Père Ludovico Grimm, Mineur conventuel de Bonn et organiste, pour la chanoinesse Felicitas von Walbott-Wassenheim du couvent de St Quirinus à Neuss (armoiries, p. 3). Rubriques en allemand. Notation à clous; 7 ppp; guidon losangé à queue serpentante.

✧ Processionnal.

6v *Depositio et Elevatio crucis.*
7v Visitatio sepulchri (LOO VI, 157 no 625a).
8 ADV.
41v (= p.68) R/ pour les défunts.
46v (= p.78) Messe de Requiem.

Cat. Gottwald, 26.

D-25 (*D-As* 154)

AUGSBURG, Staats- und Stadtbibliothek, 4° Cod. 154.

176 ff. papier, 240 x 170 mm. Reliure de peau blanche estampée à froid: initiales F. J. F. et la date de 1586 sur le plat supérieur. Ecrit en 1562 (f. 146) par le Fr. Johannes Frei et Lucas Kindigmann pour le monastère d'Irsee. Notation à clous sur portée de quatre lignes rouges; 7 ppp; guidon.

✧ Processionnal.

Après le calendrier (avec obits) et la liste des monastères ayant des liens de confraternité, suit le processionnal: les pièces propres d'Augsburg pour st Udalric (94v) et ste Afra (96v) ne sont pas notées.
125 Office des morts (liste romaine).

Cat. Gottwald, 27–30. – MABK I, 380

D-26 (*D-As* 155)

AUGSBURG, Staats- und Stadtbibliothek, 4° Cod. 155.

113 ff. papier, 250 x 165 mm. Reliure de cuir ciselé restaurée en 1934: Crucifix et Vierge à l'enfant; fermoirs laiton. Ecriture de la seconde moitié du XVe s. Notation carrée sur portée de quatre lignes rouges; 6 ppp; guidon. Destination: le monastère de Prémontrés d'Ursberg, fondé en 1125.

✧ Processionnal prémontré (Tabl. IX).

1v–4 (6.VI: in die festo Patris nostri Norberti) R/ Domi et foris v/ Erat enim fide constantia [Ier t.].
2v *In statione* R/ Quasi tuba v/ Catervatim [Ve t. transposé].

Temporal (5–89v).

5	ADV.
33	(CENA) Ablution des autels des st(e)s Crépin et Crépinien, Wolfgang, Augustin, Afra.
87	DED.

Sanctoral (89v-113v).

Du 6.XII au 1.XI.

102	5.VIII: scae Afrae.
103v	12.VIII: Hylariae, Dignae, Eunomiae martyrum [compagnes de ste Afra].
104v	15.VIII.

Cat. Gottwald, 30. – [cf. MABK II, 793]

D-27 (*D-As* 156)

AUGSBURG, Staats- und Stadtbibliothek, 4° Cod. 156.

99 ff. papier, 225 x 165 mm. Reliure estampée à froid: motifs encadrés style Renaissance. Ecriture datée de 1572 (f. 6). Notation carrée sur portée de quatre lignes noires; 6 ppp; guidon losangé à queue oblique. Origine: Sts Udalric et Afra à Augsburg.

✧ Processionnal responsorial (Tabl. IV).

1–5	blancs.

Temporal (6–59).

6	*Incipit processionale de tempore secundum usum fratrum monasterii S. Udalrici et Affrae, 1572.* (ADV) R/ Ecce dies veniunt.
24	(CENA) *Depositio crucis* (LOO VI, 84 no 509d).
28	(RES) *Elevatio crucis* (LOO VI, 85 no 509d).

Sanctoral (60–88).

76v	(4.VII: sci Udalrici) R/ Cum ad martyris v/ Transiturus [Ve t.]. R/ Transitus ad portum v/ Ista dies [VIIe t.].
79	(5.VIII: scae Afrae) R/ Beatus Pontifex Narcissus v/ Domino pro ipsis [Ier t.].
79	R/ Martyr sancta Dei v/ Crescat [IVe t.]
83v	13.X: de sco Simperto.
84v	(29.X: sci Narcissi) R/ Postquam novellam conversa v/ Ubi cum Felice [VIIe t.].
86v	(16.XI: sci Othmari) de communi.

Commun des Saints (89–94) et additions.

94v	*Contra pestem* A/ Avertantur obsecro.
95v	A/ Contere Domine fortitudinem.

Bibliographie: Cat. Gottwald, 30. – LOO VI, 215.

D-28 (*D-As* 157)

AUGSBURG, Staats- und Stadtbibliothek, 4° Cod. 157.

152 ff. papier, 200 x 145 mm. Reliure peau de porc estampé, tranches bleutées; 2 fermoirs laiton. Sur le plat supérieur F A W 1582 (Fr. Albertus Wirzenberger, d 1617). Ecriture du dernier tiers du XVIe s. Initiales imprimées au composteur. Notation à clous sur portée de quatre lignes rouges; 6 ppp; guidon à bec. Origine: Sts Udalric et Afra à Augsburg.

✧ Processionnal monastique.

Temporal (1–82v) et Sanctoral (84–116): mêmes pièces propres que dans le processionnal précédent.

Bibliographie: Cat. Gottwald, 31–32. – LOO VI, 85 et 215.

D-29 (*D-As* 24)

AUGSBURG, Staats- und Stadtbibliothek, 8° Cod. 24.

107 ff. papier, 155 x 110 mm. Reliure de cuir bruni et estampé, dos refait en 1928. Ecriture datée de 1554 (f. 2). Notation à clous sur portée de quatre lignes rouge-violacé; 4 ppp; gros guidon à bec. Origine: St Udalric et Afra à Augsburg. Provenance: Marcus Besch (ancien possesseur).

✧ Processionnal monastique.

3 (2.II) A/ Lumen.
41 (RES) V/ Salve festa dies (AH 50, 79).
46 Nota quod dnus. Johannes Schrott, Abbas etc. (texte dans le *Cat. cit.*).
78 Mêmes cérémonies de la Semaine sainte et mêmes pièces propres que dans D-27 et D-28.
95 *In processione contra Thurcas* (cf. D-30).

Bibliographie: Cat. Gottwald, 38. – LOO VI, 83, 84 et 214. – MABK I, 39.

D-30 (*D-As* 60)

AUGSBURG, Staats- und Stadtbibliothek, 8° Cod. 60.

232 ff. papier, 150 x 105 mm. Reliure de cuir foncé estampé, avec les initiales F G G P 1590 (= Fratyer Gregorius Gasto, Prior, 1588–1616). Ecriture cursive rapide de la main du fr. Johannes Merkle, 1589. Notation à clous sur portée de quatre lignes rouges, clés C et f largement arrondies; 5 ppp; guidon en forme de „mf“en cursive. Origine: Sts Udalric et Afra à Augsburg.

✧ Processionnal monastique.

4 Titre et date de 1589.
4v–5 Octostichon dédié au Prieur Gr. Gastel par le Fr. J. Merkle.
5v Tableau des fêtes mobiles de 1590 à 1607.
6v Calendrier (Gottwald, *Cat. cit.*, 42).

Temporal (27–122) et Sanctoral (125–182).

215v–230	A/ diverses.
220v	*Contra Turcas* A/ Jesus Nazarenus rex Judaeorum exurgat et conterat gentes.
221	*Contra hostes ecclesiae* A/ Contere Domine fortitudinem (cf D-27, f. 95v).

Cat. Gottwald, 41–43.

D-31 (*D-As* 63)

AUGSBURG, Staats- und Stadtbibliothek, 8° Cod. 63.

181 ff. papier, 150 x 105 mm. Reliure souple de parchemin jaune, portant la date de 1589. Même écriture et même notation à clous (avec les mêmes clés et le même guidon caractéristique) que le Ms. précédent. Le copiste est le Fr. Joannes Adam Holzay (f. 1). Origine: Sts Ulrich et Afra à Augsburg.

✧ Processionnal monastique.

Le copiste a suivi son modèle ligne par ligne, avec parfois un léger décalage.

Cat. Gottwald, 47–48.

D-32 (*D-Au* 11)

AUGSBURG, Universitätsbibliothek III 2 8° 11 [ehem. Fürstlich-Oettingen-Wallerstein'sche Bibliothek].

267 ff. parchemin, 150 x 100 mm. Reliure de cuir estampé à froid, avec l'inscription A. S. 1574; fermoirs (un seul subsiste). L'écriture du processionnal (f. 250–266) est du XIII–XIVe s. Notation carrée cistercienne sur portée de quatre lignes rouges; 5 ppp. Le processionnal porte au f. 266v une marque d'appartenance, qui pourrait indiquer une abbaye de moniales cisterciennes. Provenance: Schloß Harburg; entré à la Bibliothèque de l'Université d'Augsbourg en 1980. Selon le Dr. Paul B. Rupp, son origine serait Kaisheim, tandis que le reste du recueil proviendrait du couvent des cisterciennes de Kirchheim im Ries (cf f. 266v).

✧ Processionnal cistercien (Tabl. V).

250	(2.II) A/ Lumen.
253v	(RAM)
260v	(15.VIII) A/ Ascendit Christus.
263	Alleluia v/ Rosa vernans (cf. MMMAE VIII, 107 (cf. 610) v/ O Maria rubens rosa (cf. *ibid.* 351, mais ici sans le trope).
265	S/ Rosa mundi, rosa munda (inédit?).
266v	Iste liber est Salomee et Anne Domk Elspolz.

Bibliographie: Catalogue Grupp, 1987, 30. – Notice rédigée en partie d'après les renseignements du Dr. Paul Berthold Rupp (lettre du 8/04/1996).

D-33 (*D-BAk* o.S.)

BAMBERG, Bibliothek des Metropolitankapitels Bamberg, ohne Signatur.

17 ff. parchemin (2 quaternions, plus 1 f. moté sur onglet. 245 x 190 mm <162 x 115 mm>. Reliure de peau blanche estampée à froid (cadre géométrique, aigles, cerfs et fleurs); coins laiton. Traces d'usage sur les coins de page. Ecriture gothique du XVIe s. Belles initiales rouges, débordant sur la portée, dont les lignes noires sont grattées. Notation à clous sur portée de cinq lignes noires, clés C F et guidon; 5 ppp. Sur les noms des saints dans la Litanie, notation neumatique très menue. Origine et provenance: le chapitre de Bamberg.

✧ Processionnal de la cathédrale de Bamberg pour les vendredis de Carême.

1	[add. en cursive de seconde main] *Singulis sextis feriis ad processionem.*
1v	L/ sanctorum: Sce Otto, Sce Henrice, Sca Kunegundis.
6	CIN (rubriques).
9	*Ad producendam crucem in die Parasceves* Popule meus.
11	*Duo sacerdotes cantent hanc antiphonam lenta voce et nudis pedibus ante crucem* [R/] Vadis propitiator (VIIIe t.) v/ Qui immaculatam. v/ Venite et videte (cf Graz 807, f. 93 dans *Pal. mus.* XIX ou dans M. Huglo et al., *Fonti e paleografia del canto ambrosiano*, Milano, 1956, Tavola XII).
12v	Ecce lignum crucis.
13	SAB. L/ alternée entre *chorarii uterque chorus.*
15v	A/ Crucifixum in carne.
16	B/ Johannes postquam senuit/ Christo ei apparuit... Benedicamus domino (AH 1, 159).

Bibliographie: T. Brandis und I. Nöther, *Handbuch der Handschriftenbestände in der Bundesrepublik Deutschland*, Berlin 1992, 33.

D-34 (*D-BAs* 124)

BAMBERG, Staatsbibliothek, lit 124 (Ed.VII.9).

132 ff. parchemin, 175 x 119 mm. Reliure ais de bois couverts de velours jadis rouge; coins et plaques de métal; 2 fermoirs, un disparu. Ecriture du XVIe s. Notation à clous sur portée de cinq lignes; clé d'ut (C) et losange à queue pour la ligne du fa; 5 ppp. Origine et provenance: Michelsberg (cf. lit 126).

✧ Processional de Michelsberg.

3	2.II.
10	CIN.
13	RAM.
30v	(CENA) *Ad mandatum pauperum.*
33v	*Ad mandatum fratrum.*
41	*Benedictio panis et vini.*
42	PAR.

52	SAB.
68v	RES *Ad aspersionem.*
78v	*In die Letaniae majoris.*
94v	*Secunda feria* ROG.
98	(ASC) R/ Ite.
101v	PENT.
102	CORP. CHR.
107	(30.VI: In festivitatibus sci. Ottonis) R/ Justum deduxit v/ Immortalis est enim.
111	(2.VII) R/ Exclamavit Elysabeth v/O gloriosa femina.
114	15.VIII.
118	DED.
122v	*Explicit Processionale.*

Cat. Leitschuh I/1, 272–273. – MABK I, 53.

D-35 (*D-BAs* 125d)

BAMBERG, Staatsbibliothek, lit 125d.

125 ff. papier (paginés), 165 x 105 mm. Reliure de cuir noir, tranches bleues, fermoirs laiton. Ecriture d'imprimerie, sauf p. 157–158, en cursive allemande. Rubriques en allemand. Notation carrée ou plutôt rectangulaire, sur portée de quatre lignes noires; guidon. Destination: les Clarisses de Bamberg.

✧ Processionnal.

1	Funérailles (rubriques en allemand) R/ Subvenite.
102	Mémoire pour ste Cunégonde et (103) pour st Henri.
138	A/ pour ste Anne A/ Gaude caelum, terra plaude, dies adest digna.
157	Collecta für Ursula von Wildenstein (d 1662).

Cat. F. Dressler, *Erwerbungen seit 1912, IV/1* (1966), 8–9.

D-36 (*D-BAs* lit 126)

BAMBERG, Staatsbibliothek, lit 126 [Ed V 15].

77 ff. parchemin, 174 x 130 mm. Reliure cuir ciselé, dos toilé. Ecriture du XVIe s. Notation à clous sur portée de cinq lignes noires; b fin, h rouge, lorsqu'il suit un b (f. 24, 36v etc.); neumes rouges (19v–20, 47, 70v); barres de division rouges,guidon à bec. Origine et provenance: le monastère bénédictin de Michelsberg à Bamberg (cf. lit 124).

✧ Processionnal.

A add.

1	(2.II) A/ Lumen.
5	R/ Responsum: les incises sont alternées entre *Ministri altaris et Chorus* (en lettres rouges).

6v RAM.
18v (CENA)
23v *Mandatum fratrum.*
27 (PAR) *Die Veneris sancta.*
30 RES.
37 (25.IV) Les rubriques mentionnent plusieurs églises de Bamberg.
57 CORP. CHR.
60v (2.VII: sci Ottonis [episcopi Bambergensis]) *Ad processionem* R/ Justum deduxit.
64 (2.VII) R/ Exclamavit Elysabeth.
70v DED.
73 *Explicit processionale.*

Add. postérieures.

Cat. Leitschuh I/1, 275. – MABK I, 53.

D-37 (*D-BAs* lit 127)

BAMBERG, Staatsbibliothek, lit 27 [Ed VII 8].

76 ff. parchemin, 178 x 129 mm. Reliure de cuir ciselé: Christ ressuscité (médaillon du plat supérieur); armoiriues d'abbé (plat inférieur). Au f. 48: fr. Christoph Sartorius. Ecriture de 1612; les pièces pour st Bernard ont été ajoutées seulement en 1615 (f. 75). Notation à clous très grossière sur portée de quatre lignes, l'une jaune pour le do, l'autre rouge pour le fa. Provenance: cisterciens de Langheim.

✧ Processionnal cistercien (Tabl. V).

1 (2.II) *In prima statione* A/ Ave gratia plena.

Cat. Leitschuh I/1, 275. – MABK II, 481.

D-38 (*D-BAs* lit 128)

BAMBERG, Staatsbibliothek, lit 128 [Ed VIII 13].

132 ff. papier, 145 x 91 mm. Reliure de cuir ciselé: IHS en médaillon sur les deux plats. Scriptus a Fr. Christoph Sartorio, Anno MDCXXXVII. Ce Ms. est cependant différent du précédent dans son aspect, dans ses rubriques et même dans son contenu. Noté comme le précédent. Provenance: Cisterciens de Langheim.

✧ Processionnal cistercien (Tabl. V).

Fêtes propres à ce Ms.:
49 26.VII: de sca Anna.
52 11.VIII: de spinea corona.
64 21.X: XI M Virginum.
130 R/ Libera me Domine de morte aeterna.

Cat. Leitschuh I/1, 275.

D-39

(*D-BAs* lit 129)

BAMBERG, Staatsbibliothek, lit 129 [Ed VII 47].

69 ff. parchemin, 167 x 128 mm. Reliure cuir ciselé, traces de fermoirs de laiton. Ecriture du XVe s. L'initiale P est dessinée sur fonds or. A partir du f. 66v, les rubriques sont en allemand et non plus en latin. Notation carrée sur portée de quatre lignes rouges; guidon en forme de virga.

✧ Processionnal dominicain (Tabl. VII).

1 (RAM) A/ Pueri Haebreorum.
19v (CENA) Ablution des autels des sts Pierre et Paul, st. Dominique et d'un confesseur (20v A/ Confessor Domini N.).
Sanctoral:
46 (2.II) Le copiste a fait une omission par homoioteleuton en passant du mot ‚Symeon' dans l'A/ Adorna au même mot dans le R/ Responsum: son omission a été réparée par une autre main au f. 49.
66v L/ des Ténèbres Qui passurus.

Cat. Leitschuh I/1, 276.

D-40

(*D-BAs* lit 130)

BAMBERG, Staatsbibliothek, lit 130 [Ed II 17].

84 ff. parchemin, 147 x 106 mm. Reliure cuir, fermoirs. Ecrit par une soeur dominicaine en 1499 (f. 84: 1499 Bit Got für die Schreiberin). Initiale P sur fonds or. 81 ss., rubriques en allemand. Notation carrée sans les double barres d'intonation; guidon en forme de virga, queue retournée. Ces détails et la mention des autels impliquent que ce processionnal a une origine différente de celle du précédent.

✧ Processionnal dominicain (Tabl. VII).

1 (RAM) A/ Pueri Haebreorum.
23v (CENA) *In ablutione altarium*: st Josse, Corpus Christi, SS. Fabiani et Sebastiani.
81 L/ des Ténèbres Qui passurus.

Cat. Leitschuh I/1, 277.

D-40/2

(*D-BAs* Patr.101)

BAMBERG, Staatsbibliothek, Patr. 101 [B V 19].

149 ff. parchemin, 221 x 142 mm. Dans ce recueil d'écrits patristiques, on a inséré dans la reliure un feuillet en écriture et notation bénéventaine du Xe s.: A/ Cum venerimus ante conspectum Domini... sanctorum chori. La suite (circumstant patriarcharum...etc) a été complétée par une main bénéventaine qui rappelle celle du ‚Missale antiquum' de Bénévent, 33 (cf. CAO 3, 2042).

Facsimilé: B. Stäblein, *Schriftbild der einstimmigen Musik* (Leipzig, 1975), 142, Taf. 28/1 [Musikgeschichte in Bildern, III,4].

D-41 (*D-B* Mus 40080)

BERLIN, Staatsbibliothek Preußischer Kulturbesitz, Mus. ms. 40080.

245 ff. papier, 152 x 106 mm <115 x 68 mm>. Reliure cuir ciselé, dos à 3 nerfs, un fermoir. Sur les plats, fragments de bréviaire du XIII-XIVe s. Pas de lacune initiale, mais déplacement de cahiers. Ecriture du début du XVIe s. plus récente que celle du ms. 40081. Notation à clous sur portée de 5 lignes, dont une vert-jaune et une rouge; 5 ppp; guidon épais. Origine: moniales de St. Metronius de Gernrode (rubriques en allemand). Provenance: Gymnasium de Quedlinburg (Mus. ms. Z 80).

✧ Processionnal.

Mêmes pièces que le manuscrit suivant, mais en désordre:

2 Office de st. Cyriaque.
36v ADV.
43v NAT.
59v 2.II.
109v Depositio crucis.
223v Elevatio crucis.
225v–228 Visitatio sepulchri (LOO V, 1528 n.786a).

Bibliographie: LOO VI, p. 225. – [MABK I, 292].

D-42 (*D-B* Mus 40081)

BERLIN, Staatsbibliothek Preußischer Kulturbesitz, Mus. ms 40081.

302 ff. papier, 152 x 106 mm <119 x 69 mm>. Reliure cuir ciselé, 3 nerfs au dos, un fermoir. La feuille de garde initiale provient d'un petit bréviaire du XIIe s., avec initiales rouges et vertes; la feuille de garde finale est formée d'un feuillet de bréviaire noté du XII-XIIIe s., avec notation neumatique aux formes anguleuses. Enfin, le f. 2 (gardes) provient d'un tonaire sur lignes avec les pièces des tons III et IV. Ecriture gothique datée de 1502 (f. 262 [en vert]: Das buch ist gescreben zu Gernrode...in dem jare...1502. Item dyss büchelin hoerth... Barberen von der Wessenburg: cf. LOO VI, 226). Initiales rouges ou vertes. Notation à clous sur portée de 5 lignes, dont une vert-jaune et une rouge; 5 portées par page (facsimilé dans *Daphnis*, 1 [1972], 13–14 = f. 16v–18). Origine: moniales de St. Metronius de Gernrode (rubriques en allemand). Provenance: le Gymnase de Quedlinburg (Mus. ms. Z 81).

✧ Processionnal de Gernrode.

4–16 Prières privées.
11v–12 L/ sanctorum, mentionnant st. Metronius.
16v [de 2e main, notation sur 5 lignes noires] Pièces notées de la Visitatio sepulchri (cf. LOO V, p. 1525, note).

Temporal (19–128v).

19 (ADV) R/ Laetentur coeli.
22v (6.XII) R/ Beatus Nicolaus.
27v NAT.

40	(2.II) A/ Adorna.
47	CIN.
65	(RAM) A/ Collegerunt.
77v	V/ Tellus ac aethra (AH 51, p.77).
81	(CENA) A/ Mandatum novum.
93v	Visitatio sepulchri: Heu nobis internas mentes (ed. Lipphardt in *Daphnis* 1 [1972], 2 ss.).
95v	V/ Salve festa dies (AH 50, 79).
100	A/ Cum rex gloriae.
103	A/ Sedit angelus.
104v	A/ Crucifixum in carne.
105v	A/ Regina celi.
109	A/ Sancte Metrone confessor domini.
111	(ASC) R/ Omnis pulchritudo.
112	PENT.
120	(CORP.CHR) R/ Homo quidam.
125v	dimanches per annum.
Sanctoral (129–160).	
129	(24.VI) R/ Inter natos.
130	29.VI.
135v	(8.VIII: sci. Cyriaci) Gaudeamus et exultemus in domino ... Cyriaci martyris triumpho.
137 et 138	R/ Tyrannica barbaries.
140v	10.VIII.
146	8.IX.
151v	(DED) R/ Fundata est.
153	(1.XI) R/ Beati estis.
155	11.XI.
158	22.XI.
Commun des Saints et divers.	
166	A/ à la Vierge pour chaque jour de la semaine: *Sintagk* A/ Nigra sum. *Montagk* A/ Ista est.
166v	*Dienstagk* A/ Descendi in ortum.
167	*Mittewoche* A/ Anima mea.
168v	*Donstagk* A/ Tota pulchra es. *Freitag* A/ Alma.
169	*Sonnabend* A/ O flores rosarum. A/ Alma. A/ Salve regina.
171v	Pièces complémentaires au Processionnal: R/ Responsum.
178v	In vigilia Paschae: H/ Inventor rutili (AH 50, 30).
193	R/ Felix spina.
194	R/ Gaudete justi.
202	Benedicamus domino [IVe t.].

207v	A/ Media vita.
217v–218	Ps. 118 avec A/ alléluiatiques intercalées.
220v	Ordinaire en allemand.
262v	additions diverses, entre autres pièces latines traduites en allemand et notées (cf. LOO VI, p. 226).

Bibliographie: W. Lipphardt, „Die Visitatio sepulchri (III. Stufe) von Gernrode.“ *Daphnis. Zeitschrift für mittlere deutsche Literatur*, 1 (1972), 5–7 (description); 13–14 (facsimilé des ff. 16v–18). – LOO VI, 225–226. – MABK I, 292.

D-43 (*D-B* 715)

BERLIN, Staatsbibliothek Preußischer Kulturbesitz, Theol. oct. 34 [Cat.715].

30 ff. papier, 110 x 70 mm. Reliure ais de bois, dos cuir. Ecriture du XVe s. Notation carrée sur portée de quatre lignes rouges; guidon losangé; 4 portées par page.

✧ Partie de processionnal.

Ce manuscrit donne surtout des pièces pour la semaine de Pâques et pour la Semaine sainte: il s'agit d'un fragment de processionnal plus complet.

1	(RES) A/ Cum rex gloriae.
3v	A/ Benedic domine domum istam (texte de cette A/ tiré d'une oraison figurant dans le PB, 11). Une main cursive allemande a indiqué l' alternance entre *Organista* (sur les mots humilitas, etc.) et *Chorus ou Cantores* (sur les mots sanctitas etc. Cf. plus bas D 45, f. 14v).
6	A/ Alma, avec la même répartition alternée, indiquée par la même main qu'au f. 3v.
7v	V/ Salve festa dies (AH 50, 79).
9v	(2.II) A/ Ave gratia plena.
10v	A/ Adorna.
12	(RAM) A/ Cum appropinquaret.
14v	A/ Cum audisset.
23v	(SAB) H/ Inventor rutili (AH 50, p. 30).

Cat. V. Rose, no 715.

D-44 (*D-B* 716)

BERLIN, Staatsbibliothek Preußischer Kulturbesitz, Theol. oct. 46 [Cat. 716].

264 ff. parchemin et papier mélangés, 110 x 70 mm. Reliure cuir fauve, ciselures dorées. Dos à 4 nerfs; étiquette „Hymnarius Liber Collectarum“. Ecriture du XVe s. Notation cursive allemande sur portée de cinq lignes très fines, dont une a été repassée en rouge à main levée;

guidon à bec. Origine: l'église de Brandenburg, administrée par une communauté de Prémontrés (cf. la mention fréquente de l'ecclesia nostra dans les rubriques et des églises de Brandenburg, entre autres celle de St. Goar, enfin, les ff. 67v et 197v). Provenance: étiquette imprimée, datée de 1803, portant l'ex-libris de Mgr. G.E. Schmid, évêque de Berlin.

✧ Processionnal prémontré (Tabl. IX).

Temporal (2–172v).

2 (25.IV & ROG) A/ Exurge domine.

24 L/ Aufer a nobis.

26v Feria II ROG: mêmes pièces qu'au f. 2, avec en plus l'A/ Omnipotens deus.

28v In ecclesia sci. Godehardi: A/ A progenie in progenies.

30 *Sequitur letania post missam:* Dicamus omnes Domine miserere v/ Ex toto corde.

35 Feria IIIa: A/ Exurge (incipit s.n.). A/ Cum jucunditate.

37 L/ Ardua spes (AH 50, 237) *cum qua reditur ad ecclesiam nostram.*

43 *Feria IV quae est vigilia ASC:* A/ Exurge (incipit s.n.). A/ De Jerusalem.

56v *Sequitur letania* A/ Media vita v/ Ne projicias v/ Ne perdideris (CAO 3, 3732).

61 *Letania per montem* L/ Humili prece (AH 50, 253)... (67v) les strophes 11 et 14, propres à l'orbite de St. Gall, ont été remplacées par une strophe à l'adresse de st. Augustin: Augustine dei summi...(cf. Cat.).

73 [changement de cahier, d'écriture et de notation], ASC.

75v PENT.

82 R/R/ des dimanches per annum.

93 (ADV) A/ Missus est.

110 SEPT et QUADR.

135 (RAM) A/ Ante sex dies.

143 [papier additionnel] Venite, venite, venite filii audite me.

144v Mandatum.

148v PAR.

153 Sepultura Christi (omis dans LOO).

153v Visitatio sepulchri: *Chorus*: Maria Magdalene... *Visitatores*... *Angeli*: Quem quaeritis (omis dans LOO: comparer à la Visitatio sepulchri de l'Ordinaire de Brandenburg, dans LOO 3, 799).

157 A/ Vidi aquam.

164v 3.V.

168 (13.V) DED.

Sanctoral (173–230v).

Commence au 24.VI R/ Descendit angelus.

175v	29.VI.
181	(2.VII) R/ Dixit verba prophetica.
197v	(28.VIII: sci. Augustini) R/ Misit ergo dominus.
198	R/ Vulnerata caritas.
199	R/ Verbum domini.
200v	29.VIII: In decollatione sci. Joannis Baptistae.
202	8.IX.
206v	29.IX.
209v	(1.XI) R/ Tua sunt haec Christe v/Gloria virtus.
210v	A/ Laudem dicite.
211	11.XI.
213	(19.XI: scae. Elysabeth) R/ Ista regis filia v/ Spiritu [IVe t.].
214v	R/ Benedictus sit dominus...qui coronavit paupercula.
217	29.XI.
219	(6.XII) R/ Sancte dei praesul Nicolae. Pour les fêtes de janvier à mars qui suivent, une simple rubrique.

Commun des Saints (231 ss.) et divers.

236	In receptione episcopi.
241v	(CENA) Ablution des autels: R/ Circumdederunt me puis suffrages des divers saints titulaires d'un autel: Pierre et Paul... (247v) Augustin etc.
248v	H/ Inventor rutili (AH 50, p. 30).
254v	CORP.CHR.
263	S/ Verbum bonum et suave (AH 54, 343).

Cat. V. Rose, n.716. – [MABK I, 104].

D-45 (*D-B* 717)

BERLIN, Staatsbibliothek Preußischer Kulturbesitz, Theol. qu. 14 [Cat. 717].

35 ff. parchemin (170 x 120 mm) et 8 ff. papier (f. 38-45: 190 x 140 mm). Reliure restaurée. Ecriture du XV–XVIe s. Notation lorraine de l'Europe centrale sur portée de 4 lignes, dont une repassée en jaune et une autre en rouge. Origine: un monastère de la Congrégation de Bursfeld (cf. f. 28), dédié aux SS. Pierre et Paul (f. 1 et 40), dans le nord de l'Allemagne, non loin du diocèse de Fritzlar (cf. f. 20, suffrage pour st.Wigbert, titulaire d'un autel dans l'église monastique).

✧ Processionnal monastique.

1	In festo patronorum monasterii Petri et Pauli ad processionem: R/ Si diligis me.
2	(2.VII) R/ Felix namque. A/ O florens rosa.

3	15.VIII.
4v	(2.II) A/ Lumen. A/ Adorna. A/ Responsum alternée entre *Chorus et Ministri.*
6	RAM.
9	*Ad Mandatum pauperum* A/ Dominus Jesus.
10	*Ad Mandatum fratrum* A/ Ante diem.
11	V/ Tellus ac aethra (AH 51, 77).
11v	(RES)
13	A/ Regina caeli, avec indications d'alternance entre *Organum* et *Chorus*: Re-gi-na ce-li... Qui-a quem... Re-sur-re-xit... O-ra pro no-bis... Al-le--- --- lu-ia.
13	*(H)Ymnus per duos fratres*: V/ Salve festa dies.
13v	A/ Sedit angelus, alternée entre *Organum* et *Chorus* etc.: Se-dit An-ge------------lus ad se-pul-chrum... Tunc lo-cu-tus est an-ge-lus et di-xit e-is: No-li-te [v/] Cru-ci-fi-xum in car-ne...
14v	In die dedicationis: A/ Benedic domine, alternée entre *Organum* et *Chorus*: Be -------ne---dic do-mi-ne... Sit-que in e-a... cas-ti-tas, vir-tus... fi-des... pa-ti-en-ti-a, spi-ri-tu-a-lis dis-ci-pli-na et o-be-di-en-ti-a. Per----- in-fi-ni-ta se-cu-la, al-le-lu-ia. [v/] Con-ser-va do-mi-ne...
16	(25.IV) Suffrages pour les titulaires des autels ou chapelles du monastère: SS. Benoît, (16v) Gilles, (17v) Mathias, (20) Wicbert. (20v) Guy.
25	CORP.CHR.
28	Office des morts (usage de la congrégation de Bursfeld: Ottosen, 192 et 352).
36	[add. de main contemporaine] R/ Te sanctum dominum.
41	Passages tiré des Consuetudines, Cap. I–IX: De processione.

Cat. V. Rose, no 717.

D-45/2 (*D-Bkk* 78 B)

BERLIN-DAHLEM, Kupferstichkabinett, 78 B.

„Le Livre de la Trésorerie d'Origny Sainte-Benoite“, écrit, orné de peintures, et noté en 13 mois entre 1312 et 1314, comprend une *Visitatio sepulchri* avec les rubriques détaillées en français (LOO II, 379 no 303). Notation carrée sur portée de 4 lignes rouges, sans guidon.

Analyse et Bibliographie: LOO VI, p. 227–228. – Voir compléments dans la notice de F-SQ 86 (F-168/3).

D-45/3

BERLIN, Werner Wolffheim, 33.

44 ff. Reliure ais de bois couverts de peau de truie. Ecriture du XVe s. Notation carrée sur portée de quatre lignes rouges. Rubriques en allemand. Il s'agit sans doute d'un processionnal à l'usage de soeurs dominicaines de Suisse allemande. Le dépot actuel du manuscrit ne semble pas identifié.

Bibliographie: *Versteigerung der Musikbibliothek Dr. Werner Wolffheim*... Zweiter Teil, Berlin, 1929, p. 21 no 33, mit Taf. im Tafelband.

D-45/4

BERLIN, Werner Wolffheim, 34.

138 + 4 ff. parchemin, in 4o. Reliure de cuir estampé due à Johannes Fogel d'Erfurt. Ecriture du XIV–XVe s. Notation neumatique (102v–111; 132v–133), notation carrée sur portée rouge (f. 1–41; 66–77v; 133v–136) et notation gothique sur lignes rouges (f. 44; 137–138). Provenance: en 1651, le manuscrit appartenait au P. Norbert Nussbaum, prieur d'Ilbenstadt (Ilmstadt). Collection Phillipps. Le dépot actuel du manuscrit est inconnu.

✧ Processionnal.

1	Exorcisme du sel et bénédiction de l'eau.
7	(2.II) A/ Ave gratia plena.
18	(RAM) A/ Pueri Haebreorum.
31	(CENA) A/ Mandatum novum.
44	(SAB) H/ Inventor rutili (notation neumatique).
132v	V/ Salve festa dies, avec notation neumatique.

Bibliographie: *Versteigerung der Musikbibliothek Dr. Werner Wolffheim*, Zweiter Teil, 21–22.

D-45/5

BERLIN, Werner Wolffheim, 35.

124 ff. parchemin 151 x 105 mm. Reliure restaurée. Ecriture du XVe s. 117 bordures bleues; 170 initiales peintes. Miniatures: f. 1 st. Dominique, f. 20 la Résurrection, f. 105 l'Assomption, f. 110 st. Louis. Notation carrée sur portée de quatre lignes rouges; 7 ppp (facsimilé: voir bibliographie). Origine: un couvent de soeurs dominicaines, le couvent royal St-Louis de Poissy. Provenance: le manuscrit porte au début les armoiries de la famille d'Argognes et de Guillard de Bretagne.

✧ Processionnal dominicain (Tabl. VII).

1	R/ pour st Dominique.
20	RES.
105	15.VIII.
110	26.VIII: sci. Ludovici. (A la fin) *In professione sororum* R/ Amo Christum.

Bibliographie: J. Wolf, *Handbuch der Notationskunde* I, Leipzig, 1913, 118 (= f. 110). – *Versteigerung der Musikbibliothek...* Zweiter Teil, p. 22–23 no 35. Tafelband, Taf. 6 (= f. 110). – M. Huglo, „Les processionnaux de Poissy" *Rituels. Mélanges offerts au Père Gy* (Paris, 1990), 341–342. – Naughton, no 7.

D-46 (*D-DS* 513)

DARMSTADT, Hessische Landes- und Hochschulbibliothek, Hs 513.

55 ff. parchemin, 322 x 160 mm (f. 45–52 [Ordinarium missae] à deux colonnes). Reliure du XVIe s. estampée à froid; un des deux fermoirs manque. Ecriture datée de 1458 (f. 3v). Initiales fleuries semblables à celles du Ms.353 [Agenda mortuorum]. Notation à clous sur portée de quatre lignes: 2 noires et 2 repassées en rouge (pour C et F); dans les additions (f. 52 ss.), la ligne du C est repassée en vert; 8 ppp; guidon. Origine et destination: St Cunibert de Cologne. Provenance: collections du baron Hüpsch (nnos 358 et 147).

✧ Processionnal et Ordinaire de la Messe.

Additions (1–4v). A/ Dominator domine deus, misericors et clemens.

1v	R/ Judaea et Jerusalem.
2	R/ Summae Trinitatis v/ Praestet nobis.
3	blanc.
3v	*Ordinarius ad processionem secundum ritum et consuetudinem insignis hujus ecclesiae sci. Cuniberti Coloniensis... 1458* (cf. Cat. 343): concerne l'ablution des autels.
4	De sco. Anthonio: A/ A progenie in progenie.
4v	Add. diverses pour st Quirinus, ste Barbe, ste Anne et ste Elisabeth.

Temporal (6–20v).

6	(ADV) A/ Ecce carissimi.
7–8	[autre main].
9v	(NAT) R/ Verbum caro.
12v	(QUADR) A/ Media vita, alternée entre deux sous-diacres et le choeur.
13	(RES) A/ Crucifixum in carne, alternée entre deux diacres et le choeur (même indication pour les pièces add. des f. 52v–53).
15	(CORP. CHR) R/ Homo quidam.
17	*In fossatis sequitur* Ymnus Pange lingua (même rubrique dans les mss 970, f. xix v et 1842, f. 1v).
20	R/ Gaude Maria virgo.

Sanctoral (21–38). *Incipit de sanctis.*

25	2.II.
30	(27.VII: sci. Pantaleonis) R/ Vox de coelo v/ Tu eris [IVe t.].
32v	(3.X: scor. Ewaldorum) R/ O rex celorum v/ Quos fera gens [Ier t.].

34 (10.X: sci. Gereonis) A/ Omnipotens deus qui per gloriosa bella [VIIIe t.].
34v (23.X: sci. Severini) R/ O quantis virtutum meritis v/ Quis eum mortis [IIIe t.].
36 (12.XI: sci Cuniberti) R/ Pontifex deo plenus v/ Acclamatum [Ier t.].
COMMUNS DES SAINTS (38v) et additions diverses:
53v [add. de la même main que celles du début, f. 1–2v] R/ Civitatem istam.
54v L/ sanctorum.

Bibliographie: L. Eizenhofer und H. Knaus, *Die liturgischen Handschriften der Hessischen Landes- und Hochschulbibliothek Darmstadt* (Wiesbaden, 1968), 343–344 no 144. – Hans Josef Werner, *Die Hymnen in der Choraltradition des Stiftes St. Kunibert zu Köln* (Köln, 1966), 63.

D-47 (*D-DS* 862)

DARMSTADT, Hessische Landes- und Hochschulbibliothek, Hs. 862.

24 ff. parchemin, 317 x 215, à deux colonnes. Reliure carton couvert de parchemin. Ecriture du milieu du XVe s.; changement de main au f. 21v. Notation sur portée de quatre lignes noires: celle du C est repassée en jaune; celle du F, désignée par un gros point, est repassée en rouge; 11 portées par colonne. Origine et destination: St. Cunibert de Cologne (cf. noms des chanoines dans le Cat. cit. 326). Provenance: collection du baron Hüpsch.

✧ Processionnal et rituel augustin (Tabl. IX).

Processions rituelles avec chants, lectures, oraisons etc.
1 Eau bénite.
1v (NAT) Généalogie notée.
3 (2.II) Bénédiction des cierges et procession.
4v (CIN) Bénédiction et distribution des Cendres.
5 RAM.
9v (CENA) Mandatum
10v (SAB) Bénédiction du feu nouveau. H/ Inventor rutili (AH 50, 30)
11v Exultet.
18v RES.
20 (PENT) L/ Rex sanctorum angelorum (AH 50, 242).
21v [autre main] Ablution des autels: R/ Pontifex deo plenus Cunibertus. En marge: A/ Sancte Clemens martyr (s.n.). R/ Inter natos mulierum. R/ A progenie in progenies (sci. Antonii) etc. Même liste d'autels que dans les Mss 513 (D-46), f. 3v et 970 (D-49).
24v add. identiques à celles du Ms 513, f. 5.

Bibliographie: Cat. Eizenhofer-Knaus, 326, no 137. – Werner, *Hymnen*, 64.

D-48 (*D-DS* 870)

DARMSTADT, Hessische Landes- und Hochschulbibliothek, Hs. 870.

71 ff. parchemin, 300 x 124 mm (format Cantatorium). Reliure de maroquin rouge avec ciselures dorées, datant de 1763, comme celle du Cantatorium Ms. 871. Ecriture du début du XIVe s. Notation gothique très fine sur portée de quatre lignes: celle du C colorée en jaune, celle du F en rouge. Quelques incipit (f. 13, 29v etc.) sont notés en neumes sans lignes; de même les Versus de Pâques à partir de la seconde strophe (f. 35) et les antiennes pénitentielles des ff. 68v–70v. Origine et destination: St Cunibert de Cologne. Provenance: collection du baron Hüpsch (698, 163).

✧ Processionnal augustin (Tabl. IX).

Temporal et Sanctoral.

1	Répons dominicaux, à partir de l'EPI: R/ Domine ne in ira tua.
3	(QUADR) R/ Ecce tempus acceptabile.
9	A/ Asperges me. A/ Propitius esto.
10	A/ Ecce carissimi dies illa.
11	(2.II) A/ Ave gratia plena.
13	A/ Media vita v/ Ne perdideris v/ Et dum conturbatae (CAO 3, 3732: v/v/ différents). RAM. *Super palmas*: A/ Collegerunt.
14v	A/ Cum appropinquaret.
16v	A/ Ave rex noster.
19v	(CENA) Mandatum: A/ Cena facta.
22v	*Finitis antiphonis scolasticus...legat hanc lectionem* (Jo XIII, 16–32 etc. Cf. Cat. p. 342).
23v	PAR.
28v	A/ Dum fabricator.
30	*Depositio crucis* (LOO II, 288 no 226).
30v	SAB.
32v	(RES) *Visitatio sepulchri* (LOO II, p. 289).
33	A/ Vidi aquam. A/ Gaudete populi et letamini.
34v	*Ante fores ecclesiae in reditu cantabuntur Versus*: (35) Salve festa dies [strophe 1 notée, str.2 et suivantes neumées].
36	Vendredi de la 2e semaine après Pâques...*observatur jejunium quod dicitur in vulgari banuasthe* (= Bannfasten).
37	(25.IV) Messe Exaudivit.
39	In majori letania [Add. marginale]: *Eundum est cum vexillis et cum pyxide et libro et cum nimio tap///*. L/ sanctorum. A/ Exurge domine et autres A/A/ des ROG.
42	L/ Ardua spes (invocation des saints de Cologne).
44v	*Ante ostium scae. Mariae*: L/ Agnus dei...Exaudi deus voces nostras.
52v	L/ Kyrie eleison...Salvator mundi adiuva nos.

55	A/ Sacerdotes fundite lacrimas.
56v	Ad scm. Gereonem, L/ Aufer a nobis...Miserere, miserere, miserere. Les invocations des saints sont encadrées chacune par le triple Exaudi et par l'A/ Aufer a nobis.
59	L/ Humili prece (AH 50, 253): (60v) O Gereone princeps. (61) Martinus, Proculus, Kunibertus.
62	De sco Kuniberto: R/ Pontifex deo plenus.
62v	SS. Ewaldorum: R/ O vere laudanda.
63	(ASC)...*eundum est ad scm. Petrum cum vexillis sine minori capsula. Sacerdos indutus erit alba et capsa et portabit eburneam pyxidem cum sanctuario* etc. (cf. Cat., 842) R/ Post passionem.
64	Ad postulandam pluviam... Pro siccitate... Pro mortalitate.
69–70v	A/ pénitentielles neumées.
70v	R/ propres pour les saints de Cologne, comme dans le Ms 513 (D-46), ff. 30–34.

Bibliographie: Cat. Eizenhofer-Knaus, 341 no 143. – Werner, Hymnen, 62.

D-48/2 (*D-DS* 871)

DARMSTADT, Hessische Landes- und Hochschulbibliothek, Hs 871.

Cantatorium de St Cunibert de Cologne d'un format voisin de celui du précédent (265 x 103 mm) et relié par le même artisan en 1763. Seuls les quatre premiers feuillets donnent des pièces du processionnal. Cf. Eizenhofer-Knaus, 59 no 12.

D-48/3 (*D-DS* 926)

DARMSTADT, Hessische Landes- und Hochschulbibliothek, Hs. 926.

Ce manuscrit donnant les rubriques et les lectures des Rogations n'est pas un processionnal proprement dit. les pieces de chant ajoutées (f. 25v) ne concernent pas les processions.

Cf. Cat. Eizenhofer-Knaus, 339 no 142.

D-48/4 (*D-DS* 938)

DARMSTADT, Hessische Landes- und Hochschulbibliothek, Hs. 938.

52 ff. parchemin, 203 x 148 mm. Reliure cartonnée recouverte de papier marbré. Les différentes parties de ce recueil ont été écrites vers 1330 et après. Le processionnal, écrit sur deux colonnes (f. 12 ss.), date de la première moitié du XIVe s. Notation à clous sur portée de quatre lignes: deux rouges et deux noires. Origine et destination: St. Cunibert de Cologne. Provenance: collection du baron Hüpsch (187, 136).

✧ Recueil liturgique comprenant un processionnal partiel (f. 44–53).

44	A/ Sanctifica nos domine.
45v	ADV.

51	PASS.
52	(24.VI) R/ Johannes est nomen ejus.

Cat. Eizenhofer-Knaus, 364 no 160.

D-49 (*D-DS* 970)

DARMSTADT, Hessische Landes- und Hochschulbibliothek, Hs. 970.

45 ff. parchemin, 178 x 138 mm. Reliure cartonnée couverte de parchemin. Ecriture de la fin du XIVe s. Notation à clous sur portée de quatre lignes noires; 6 ppp; guidon à bec. Origine et destination: St. Cunibert de Cologne. Provenance: collection du baron Hüpsch (578 et 238).

✧ Processionnal pour certaines fonctions liturgiques.

1	(CENA) Ordo circa lotionem altarium: mêmes pièces que dans le Ms. *D-DAlb* 862, f. 21 ss, mais avec en plus l' A/ Sancte Clemens martyr et l'A/ O pia matrona [Anna]. Pour les autres autels de l'église St Cunibert, voir Cat. cit. p. 345.
15	*Visitatio sepulchri* (LOO II, 299, no 237).
16v–18v	blanc.
19	De XI millibus virginibus: A/ Omnipotens deus.
32	In Cena domini...*submisse cantatur hec communio* Hoc corpus.
32v	*Depositio crucis* (LOO II, 299 no 237).
33v	A/ *ad fontes per ferias paschales*.
38v	R/ Judaea et Jerusalem (cf. Ms 513 [D-46], f. 1v).
39v	A/ Oremus dilectissimi (add. de la même main que pour la même A/ dans le ms. 1842 [D-53], f. 27v).
41	[add. de la même main qu'au f. 39v] A/ Sanctifica nos domine signaculo.

Bibliographie: Cat. Eizenhofer-Knaus, 344 no 145. – Werner, Hymnen, cf. 64.

D-50 (*D-DS* 1089)

DARMSTADT, Hessische Landes- und Hochschulbibliothek, Hs. 1089.

67 ff. parchemin, 93 x 66 mm. Belle reliure de cuir estampé sur ais de bois (cf. Cat. p. 347). Ecriture de la fin du XIVe s. Notation carrée sur portée de quatre lignes rouges; 4 ppp. Destination: le couvent des soeurs dominicaines de Ste Gertrude de Cologne. Provenance: collection du baron Hüpsch (404, 188).

✧ Processionnal dominicain (Tabl. VII).

Le début (A/ Pueri Haebreorum) manque: le processionnal commence par l'A/ [Hosanna] filio David.

31v	(sans titre) R/R/ pour l'Ablution des autels: de ste Gertrude, la Vierge Marie, Tous les saints, la Croix, les martyrs, les XI Mille Vierges, st Dominique, les sts anges, ste Elysabeth.

54v	(PAR) Après le f. 67v, 4 feuillets ont été détachés au rasoir: la fin de l' H/ Pange lingua manque.

Cat. Eizenhofer-Knaus, 346 no 147. – MABK II, 420.

D-51 (*D-DS* 1186)

DARMSTADT, Hessische Landes- und Hochschulbibliothek, Hs. 1186.

62 ff. papier, 158 x 100 mm. Reliure de cuir brun sur plats de carton. Ecrit vers 1700, notation carrée sur portée de 4 lignes. Destination: l'abbaye de Seligenstadt (cf. le titre).

✧ Processionnal monastique.

Processionale monastico-benedictinum pro choro Seligenstadiensi.

1	L/ de omnibus sanctis.
7	2.II et autres processions rituelles (voir liste des fêtes dans le *Cat. cit.*, 349).
55v	In festo SS. Marcellini et Petri [patrons de Seligenstadt] H/ Sanctorum meritis (AH 50, 204).

Cat. Eizenhofer-Knaus, 348 no 149.

D-52 (*D-DS* 1235)

DARMSTADT, Hessische Landes- und Hochschulbibliothek, Hs. 1235.

176 ff. papier, 120 x 75 mm. Reliure restaurée. Ecriture cursive de la première moitié du XVIIe s. Notation à clous sur portée de cinq lignes rouges; 5 ppp. Origine et destination: Seligenstadt (invocation des ss. Marcellin et Pierre aux ff. 63v, 145v et 146).

✧ Processionnal monastique.

Ce processionnal prescrit surtout des H/ et des S/ au lieu des A/ et R/ habituels (voir le Cat. cit., 348), sauf aux ROG. Aux fêtes de la RES, de l'ASC et de la PENT, une main plus récente a superposé une traduction allemande au texte latin des pièces métriques.

1	2.II.
6v	RAM.
75v	RES.
93	ROG.
110v	(ASC) H/ Oramus domine (division de la suivante). *Circumeundo baptisterium*: H/ Festum nunc celebre (AH 50, 192, str. 1–3). *Adtractores Imaginis Salvatoris tertio in excelsis ad Medium usque praecinunt sequentem* A/ Ascendo ad Patrem.
118v	(PENT) H/ et S/. *Praescindens dominus parrochus Columbam tertio ad medium cantet* A/ Accipite Spiritum sanctum.
124v	(CORP.CHR) H/ et S/.
153	15.VIII.

156 (Dominica post scm. Bartholomaeum [25.VIII]) H/ Hoc in templo (division de Urbs beata Jerusalem).

Cat. Eizenhofer-Knaus, 347 no 148.

D-53 (*D-DS* 1842)

DARMSTADT, Hessische Landes- und Hochschulbibliothek, Hs. 1842.

28 ff. parchemin, 186 x 144 mm. Reliure portefeuille en parchemin. Ecriture de la première moitié du XVIe s. Initiales identiques à celles du Ms. 970. Notation à clous, semblable à celle du Ms. 970, sur portée de quatre lignes noires; 5 ppp; guidon en forme de pipe. Origine et destination: St. Cunibert de Cologne. Provenance: collection du baron Hüpsch (802 et 159).

✧ Processionnal de St. Cunibert de Cologne.

Le processionnal commence par la fête des XI Mille Vierges, comme le Ms. 970, f. 19 ss.

19	(CENA) même rubrique (*submisse cantatur*) que dans le Ms 970, f. 32.
20	*Depositio crucis* (LOO II, 300 no 238).
22	A/ paschales: mêmes pièces que dans le Ms 970, f. 32v.
27v	A/ Oremus dilectissimi (add. faite par la même main que l'add. du Ms. 970, f. 39v).
28v	A/ Sanctifica nos domine. Lacune après fiat nobis ob[staculum]: cf. Ms 970, f. 41–41v.

Cat. Eizenhofer-Knaus, 345 no 146.

D-54 (*D-DO* 882)

DONAUESCHINGEN, Fürstlich-Fürstenbergische Hofbibliothek 882.

340 ff. parchemin, 85(90) x 60(63) mm. Ecriture du premier quart du XIVe s. Notation carrée sur portée de quatre lignes rouges; barres verticales de division. Destination: le couvent de Brunnenhof près de Mohringen (cf Geering). Provenance: la bibliothèque du Freiherr Josef von Lassberg (d. 1895), no 266. Ce processionnal ne figurait pas dans la collection des Mss de Donaueschingen lors de leur acquisition par la Württembergische Landesbibliothek de Stuttgart, en 1993 (lettre du Dr. Felix Heinzer, 11/IX/1997).

✧ Processionnal dominicain (Tabl. VII), avec Prosaire.

1	(RAM) A/ Pueri Haebreorum. La suite est donnée par C. Allworth, *art. cit.*,
182	Table I. Prosaire (Allworth, *art. cit.*, 185, Table II). Après l'Exultet, trois B/ à 2 voix: B/ Ad laudes Mariae (Allworth, 178). B/ Ad cantum laetitae (cf. G. Reaney, RISM. B IV 1, 80). B/ Nova laude terra plaude (Allworth, 179).
315	Funérailles T/ Ab hac familia (AH 49, 321).

Bibliographie: Cat. Barack, 592 no 256. – A. Geering, *Die Organa und mehrstimmigen Conductus* (Bern, 1952), 7. – B. Stäblein, MMMAE I, 691. – H. Husmann, RISM B V 1, 63–64. – G. Reaney, RISM B IV 1, 80. – C. Allworth, „The Medieval Processionnal: Donaueschingen MS 882.“ *Ephemerides liturgicae* 84 (1970), 169–186. – A. J. Dirks, „Observationes ad notam ‚The Medieval Processionnal: Donaueschingen MS 882‘.“ *Ephemerides liturgicae* 86 (1972), 76–79. – F. Heinzer, „Die neuen Standorte der ehemals Donaueschinger Handschriftensammlung.“ *Scriptorium* 49 (1995/2), 317 n.20.

D-55 (*D-Eu* 374)

EICHSTÄTT, Universitätsbibliothek (ol. Staatliche Bibl., 374 [4° 148]).

49 ff. parchemin + 13 ff. papier, 215 x 160 mm. Reliure ancienne restaurée en 1970 ais de bois couverts de cuir estampé. Ecriture italienne de la fin du XIVe s. Notation carrée sur portée de quatre lignes rouges; quelques barres verticales de division; 6 ppp; guidon en forme de virga retournée; note finale allongée (deux losanges encadrés par deux virgas). Origine italienne (cf Della nostra Dona, f. 16). Provenance allemande, dès la fin du XVe s. (cf. la lettre du fr. Michael Stadelhover). Le document titré „Kunegundi in hospitali eistetensis dyocesis“ (cf *Cat. cit.*) ne figure plus aujourd'hui dans le ms.

✧ Processionnal dominicain (Tabl. VII).

2 Rubrique *Cum imminet aliqua processio..*
3 (RAM) A/ Pueri Haebreorum.
9 (CENA) *Ad ablutionem altarium*
(15v) *In choro ad majus altare* (Pierre et Paul).
16 *Della nostra Dona.*
16v St Pierre, martyr.
17 Ste Catherine [de Sienne].
17v Tous les saints.
18 Ste Agnès.
18v St Jean Baptiste (en marge: st Jacques, sts Philippe et Jacques).
18v–19 St Vincent (Ferrier d. 1419).
39v (3.II: sci Blasii) R/ Gloriosus Dei amicus Blasius v/ Felici [Ier t.].
44 [autre main italienne] Funérailles.
49 [add. de 1518] *Qualiter sepeliendi sunt saeculares cum ad nos deferuntur.*

Bibliographie: E. Kyrisz, *Verzierte gotische Einbände im alten deutschen Sprachgebiet*, Bd. I (Stuttgart, 1951), 15.

D-56 (*D-EFd* l.11)

ERFURT, Domarchiv, Ms lit. 11.

178 ff. papier, 190 x 155 mm <113 x 108 mm>. Ecrit vers 1649 pour l'église St Severus d'Erfurt. Notation à clous, sauf pour l'organum ajouté aux ff. 46–47. Origine: St Severus d'Erfurt. Provenance: Paul Heinrich Hennemberg, chanoine de St Severus en 1652.

✧ Processionnal.

Aux fol. 46–47, *Organum figuraliter* V/ Crucifixum in carne (2 vx)

Bibliographie: *Symposium „Peripherie und Zentrum" in der Geschichte der ein- und mehrstimmigen Musik des 12. bis 14. Jahrhunderts.* Bericht über den internationalen Musikwissenschaftlichen Kongreß Berlin 1975, Kassel, 1980. – Franz Körndle, „Die Erfurter Tradition des ‚Crucifixum in carne' " *Augsburger Jahrbuch für Musikwissenschaft*, 1988, 21–29. – Thomas Payne, *Le Magnus Liber Organi de Notre-Dame de Paris*, II. *Les organa dupla.* Monaco, 1997.

D-57 (*D-ERms* o. Nr.)

ERLANGEN, Musikwissenschaftliches Seminar der Universität Erlangen-Nürnberg, Hs. ohne Nummer.

191 ff. parchemin, 180 x 130 mm. Reliure ais de bois couverts de cuir noir estampé. Ecriture du XIV-XVe s. Notation aquitaine tardive, aux formes carrées sur deux lignes espacées, l'une rouge avec clé de F et l'autre, de couleur jaune, avec clé de C ; 6 ppp; guidon (facsimilé des ff. 65–66 dans Stäblein). Origine catalane: l'écriture, la décoration, la notation et le contenu (notamment la fête de la Dédicace (f. 137) rapprochent ce Ms. de celui de Vich, Museu episcopal 117 (CXXIV), écrit à Vich, et probablement son modèle (cf. M. Gros, *art. cit.*). Provenance: ce Ms. fut offert en 1964 à Br. Stäblein (d 6 mars 1978) par le Père Lueger, Rédemptoriste, Président du Cäcilian Verein Organ.

✧ Processionnal.

L'analyse du présent Ms. a été faite sous forme de tableau par M. S. Gros, en comparaison avec le processionnal de Vic, Museu episcopal 117 (voir l'art. cit., 77–80). dont le texte est ensuite intégralement édité (82 ss.). Les nn^os^ entre [ ] de l'analyse qui suit renvoient aux nn^os^ de l'édition citée.

1 (add. XVe s.). Ad processionem in claustris.

Temporal (5–95v).

5 (facsimilé dans l'art. cit. de Gros) *Incipit liber processionum totius anni* A/ Asperges me. A/ Pax aeterna [2–3].

5v (ADV) A/ Venite ascendamus.

15 (EPI) R/ Tria sunt munera T/ Ad Christi sacra (TROF 2, 2 no 5).

26 R/ Audi Israel T/ Ad possidendum (TROF 2, 4, no 15).

28 (RAM)

51v (PAR) Popule meus. *Pueri respondent ad lectricum* Agyos o theos [94].

57 H/ Crux benedicta nitet [100]: mélodie éditée par M. Huglo dans *Revue grégorienne* 28 (1950), 192.

61v (RES) [104–109]. R/ Et valde mane avec les verbeta T/ Christus hodie (TROF 2, 24 no 117) et Hodie resurrexit (TROF 2, 59 no 194: facs. dans Möller und Stephan, *Die Musik*...68).

69 (ROG) avec les stations Ad scm Vincentium [132], Ad scm Bernardum [145] etc.
80 (ASC) R/ Viri Galilaei, T/ In eadem quippe carnis (TROF 2, 63 no 318).
86 (PENT) R/ Loquebantur, T/ Lumen de lumine (TROF 2, 78 no 390).
92 R/ Candida virginitas.

Sanctoral (95v–152)
Commence au 26.XII.

108 (2.II) 108v A/ Ecce nomen Domini [207: mélodie, *Etudes grégoriennes* 2 (1957), 131–149)].
114 (14.II: scae Eulaliae) A/ Felix Eulalia [221].
137 (entre le 29.VIII et le 8.IX) DED R/ Terribilis [279].
147v In festo passionis ymaginis Domini [312].

Suppléments divers notés en notes carrées.

153 R/ Benedictus Dominus (cf Gros, art. cit. 78).
161 Benedictiones episcopales [324].
164 *Intonationes psalmorum et differentiae eorum*dem (M. Huglo, *Les Tonaires*. Paris, 1971, 418). Add. div. R/, oraisons, hymnes.

Bibliographie: TROF 2, 175 et 187. – B. Stäblein, *Schriftbild der einstimmigen Musik*, (Musikgeschichte in Bildern, Band III, Lieferung 4, Leipzig, 1975), Abb. 43a, b, c (= ff 65–66). – Miquel S. Gros, „El processoner de la catedral de Vic: Vic, Museu episc. MS 117 (CXXIV).“ *Miscelania liturgica Catalana* II (1983), 77–80. – H. Möller und R. Stephan, edd., *Die Musik des Mittelalters* (Neues Handbuch der Musikwissenschaft, 21, Wiesbaden, 1991), 68 (= facs. du f. 65v).

D-58 (*D-F* Praed. 190)

FRANKFURT AM MAIN, Stadt- und Universitätsbibliothek, Praed. 190.

49 ff. parchemin, 150 x 105 mm <105 x 65 mm>. Reliure ais de bois couverts de peau teintée à la myrtille; lacets fermoirs. Ecriture d'une seule main, du début du XIVe s. Initiales alternativement bleues et rouges. Notation carrée sur portée de quatre lignes rouges; 6 ppp. Origine: un couvent de soeurs dominicaines allemandes (les titulaires des autels de l'église destinataire ne sont pas mentionnés; f. 38v: vel *ancilla tua*, en surcharge au dessus de *cum servo tuo*). Provenance indéterminée.

✧ Processionnal dominicain (Tabl. VII).

1 Rubrique à l'usage du chantre: *Cum imminet aliqua processio...*
1v (RAM) rubrique directoire.
10v Chants: A/ Pueri Haebreorum.

Cat. Powitz, I 424.

D-59 (*D-F* Leon.11)

FRANKFURT AM MAIN, Stadt- und Universitätsbibliothek, Leonhard 11.

156 ff. papier, 185 x 135 mm <150 x 105 mm>. Reliure du XIXe s. Ecriture de la première moitié du XVIe s. Initiales de couleur rouge et bleue ou bien en noir rehaussé de jaune. Les rubriques sont écrites à l'encre bleue. Notation à clous sur portée de 5 lignes noires, avec deux lignes repassées en rouge celles du C et du F ; 6 ppp. Origine et destination: la cathédrale de Trèves (cf. les rubriques locales, notamment ff. 106v et 113v). Provenance: Leonhardstift de Francfort.

✧ „Processionnale ad usum ecclesiae majoris Trevirensis"

2 A/ Sub tuam protectionem.
Temporal (3–101v).
3 ADV.
10 (NAT) R/ Descendit.
17 (EPI) A/ Hodie in Jordane.
19v (2.II) A/ Responsum.
25v (CIN) R/ Paradisi portas.
44 RAM.
51v (CENA) Ablution des autels des sts. Willibrord, Etienne, Nicolas, Agnès, Hélène et de Notre Dame. Mandatum.
57v *Depositio crucis* (LOO II, 486 no 357). *Elevatio crucis* (LOO II, 487) *Visitatio sepulchri* (*ibid.*).
59 (RES) A/ Vidi aquam.
63v 25.IV.
72v ROG.
90v (ASC) R/ Post passionem.
92 (PENT) R/ Dum complerentur.
95 CORP.CHR.
Sanctoral (102–129).
102v 6.XII.
103v (8.XII: de sco. Euchario) R/ Clarissimus urbs Treverorum.
105 (29.I: in festo sci. Valerii) R/ Gratias tibi rex regum.
106v (1.V) *In festo apostolorum Philippi et Jacobi semper est dedicatio ecclesiae majoris Treverensis.*
110v (10.V: vigilia sci. Gangolphi) *Ad scm. Maximinum*: R/ Pretiosum beati Maximini.
113v (29.VI: Petri et Pauli patronorum majoris ecclesiae Treverensis) R/ Simon Petre.
115 2.VII.
119v (18.VIII: scae. Helenae) *Itur ad criptam* A/ O gloriosa regina.
121 8.IX.

123 (1.XI) R/ Beati estis.
125 (7.XI: sci. Willibrordi) R/ Puer egregius Willibrordus.
125v 11.XI.
129 (25.XI: scae. Catharinae) R/ Surge virgo.
Commun des Saints (129v–137v) et divers.
138 de sco Simeone.
139 A/ Media vita.
148v Index.
151v A/ Ave praeclara maris stella et autres A/ à la Vierge.

Bibliographie: Cat. Powitz, I 457–460. – LOO VI, 266. – [MABK II, 778].

D-60 (*D-FRam* 10957)

FREIBURG IM BREISGAU, Augustiner Museum, Inv. 10957.

148 ff. parchemin, 140 x 110 mm. Composition: 13 cahiers, en majorité des sénions. Reliure de peau teintée à la myrtille, tendue sur ais de bois; trace de fermoir cuivre; clou sur le plat inférieur. Ecriture du XVe s., deuxième moitié, exécutée par deux mains différentes: l'une pour le rituel initial, l'autre pour le processionnal. Initiales bleues ou rouges: le W du f. 1 (Wenn) est tracé à l'encre d'or sur feuilles d'acanthe bleue, avec rinceaux marginaux. Dans le processionnal, des touches d'or (aujourd' hui noirci) ont été portées sur certaines initiales. Notation carrée sur portée de quatre lignes rouges; sous les mélismes sans texte, torsade bleue-verte ou rouge; barres verticales de division ajoutées de 2e main; 5 ppp; guidon. Origine et provenance: le couvent de soeurs dominicaines de Sta Maria Magdalena à Fribourg-en Brisgau. Mention d'appartenance sur le plat supérieur: „Dies Buch gehört mir Schw. M. Magdalena Schühlerin" et au dessus, d'une autre main: „Schw. Maria Sallome Langhäusin, Subprior, 1656".

✧ Rituel-Processionnal dominicain (Tabl. VII).

Rituel (1–89v):
1 Rubriques du sacrement des malades: Wenn ein sieche swester...
Office des morts et rituel des funérailles.
Processionnal (90 ss.):
90 (RAM) A/ Pueri Haebreorum.
125v CORP.CHR.
143v [autre main, autre notation] Ecce panis angelorum, précédé de rubriques en allemand (comme D-67 et D-75).
147v–148 Rubriques en allemand et oraisons du Mandatum.

Bibliographie: Cat. Clytus Gottwald, *Kataloge der Universitätsbibliothek Freiburg im Breisgau.* Band 1, Teil 2: *Die Musikhandschriften* beschrieben von Clytus Gottwald (Wiesbaden, 1979), 140–141.

D-61 (*D-FRam* 10958)

FREIBURG IM BREISGAU, Augustiner Museum, Inv 10958.

117 ff. parchemin, 110 x 80 mm. Reliure ais de bois couverts de peau teintée à la myrtille; dos déterioré; fermoir laiton. Ecriture de la première moitié du XVe s. Initiales bleues ou rouges, avec parfois des filigranes; quelques-unes noires. Notation carrée sur portée de quatre lignes rouges; barres verticales de division; 4 ppp; guidon en forme de pipe. Origine et provenance: comme le manuscrit précédent (f. 116: „Diez buchli ist Sr. Ursula heidi." „1659. Sor. Apollonia Klözerlin"). L'antienne à st. Cyriaque (f. 96v) pourrait indiquer St- Cyriaque d'Altdorf.

✧ Processionnal dominicain (Tabl. VII).

1	Office du CORP.CHR. Après l'A/ O quam suavis des Ières. Vêpres, l'A/ Regina coeli tropée, chantée en alternance par deux soeurs et le choeur.
17v	A/A/ de beata Maria Virgine.
25v	2.II.
23	RAM.
46	(CENA) Ablution des autels: pas d'A/ propres pour les titulaires des autels, mais seulement des v/v/ pour ste Agnès, Tous les saints, st. Michel, les sts Apôtres, st Dominique.
63	Mandatum.
75v	PAR.
96v	*De sco Cyriaco* A/ O immarcescibilis rosa paradisi, gloriose martyr Cyriace [Ier t.].
98	*De sco. Anthonio* A/ O lampas ardens in virtute [Ve t.].
99v	*Officium sepulturae.*

Cat. Cl. Gottwald, 141–142. – MABK I, 258.

D-62 (*D-FRam* 11737)

FREIBURG IM BREISGAU, Augustiner Museum, Inv. 11737.

281 ff papier bâlois, 160 x 110 mm. Reliure ais de bois couverts de cuir fauve estampé; 2 fermoirs laiton. Ecriture de la seconde moitié du XVe s. (f. 188, add.: Freyburg 1561). Initiales bleues ou rouges, comme dans les imprimés. Notation carrée sur portée de quatre lignes rouges; barres verticales de division; 4 ppp; guidon en forme de virga retournée. Origine et provenance: le couvent des soeurs dominicaines de Sta Maria Magdalena à Fribourg-en-Brisgau.

✧ Processionnal dominicain (Tabl. VII).

1	(RAM) A/ Pueri Haebreorum.
46	[S/] Ecce panis angelorum.
50	Psaumes et L/.
129	Rubriques au sujet de l'administration des derniers sacrements en latin, puis (188) en allemand.

232	L/ et prières privées en allemand.
264v	[add. XVIIe s.] S/ Dies irae (notée).

Cat. Cl. Gottwald, 156–159. – MABK I, 257.

D-62/2 (*D-FRam* 11742)

FREIBURG IM BREISGAU, Augustiner Museum, Inv.11742.

Ce manuscrit se présente comme un processionnal (105 ff. 138 x 95 mm): en fait, il ne contient que les Vigiles des défunts et (f. 67) les VII Psaumes de la pénitence.

Cf. Cat. Cl. Gottwald, 159. – MABK I, 254.

D-63 (*D-FRea* 7)

FREIBURG IM BREISGAU, Erzbischöfliches Archiv, Hs. 7 (Adelh. 07).

257 ff. papier, 110 x 75 mm. Reliure cuir rougi estampé; fermoirs cuir et laiton. Ecriture des environs de 1500. Initiales rouges et bleues; trois initiales ornées de filigranes rouge et jaune (ff. 8, 40v et 235). Notation carrée sur portée de quatre lignes rouges. Origine (selon Gottwald): St Nicolas in undis à Strasbourg en raison de la double invocation de st Nicolas dans les litanies: mais il s'agit peut-être de la copie matérielle d'un modèle strasbourgeois. Provenance: ce processionnal fut offert aux Archives de l'archevêché de Fribourg par Karl Hausch, prêtre du diocèse de Fribourg.

✧ Processionnal dominicain (Tabl. VII).

1	Prières de dévotion privée en allemand.
8	Rituel des fins dernières.
113	(RAM) A/ Pueri Haebreorum.
230	Ablution des autels R/ Tristis est anima mea. Lacune.
235	Psaumes de la pénitence et L/ sanctorum.

Cat. Cl. Gottwald, 170–171. – MABK I, 255.

D-64 (*D-FRea* 10)

FREIBURG IM BREISGAU, Erzbischöfliches Archiv, Hs. 10 (Adelh. 010).

178 ff. papier (en partie des années 1496–1500), 160 x 120 mm. Reliure de cuir foncé estampé; un fermoir de métal. Feuilles de garde provenant d'un graduel allemand du XIIIe s. Ecriture de la seconde moitié du XVe s. Initiales à bordures fleuries (1v, 11v, 39, 55v, 67v, 165v). Origine: un couvent de dominicaines allemandes. Provenance: Adelhausen, Ms. offert par Karl Hausch.

✧ Processionnal dominicain (Tabl. VII).

1	(RAM) A/ Pueri Haebreorum. Ablution des autels de la Vierge (maître-autel), Tous les saints, Paul, Nicolas, Marguerite, Dominique, Catherine, les 10000 martyrs, Jean Baptiste, Marthe, Michel, Etienne, Marie-Madeleine.

89	Rituel du sacrement des malades (rubriques en allemand).
126	Funérailles.
147v	Psaumes de la pénitence, Psaumes graduels, Ps. XXI-XXX (Unsers lieben Herren Psalter).

Cat. Cl. Gottwald, 175–176. – MABK I, 255.

D-65 (*D-FRsa* 117)

FREIBURG IM BREISGAU, Stadtarchiv, H 117 (IX KH e ß 1).

45 ff. parchemin (+ les gardes de papier), 115 x 85 mm. Reliure de parchemin durci. Ecriture lisible de la seconde moitié du XIVe s. Initiales bleues ou rouges à filigranes. Notation carrée sur portée de 4 lignes rouges; barres verticales de division; 5 ppp; guidon. Provenance: Adelhausen. Ce manuscrit est le type même du processionnal dominicain, sans suppléments: lisible et aisément portable.

✧ Processionnal dominicain (Tabl. VII).

1	(RAM) A/ Pueri Haebreorum.
8v	Ablution des autels: R/ In monte Oliveti etc, sans les pièces propres pour les titulaires des autels.
29v	Sépulture R/ Subvenite.
35	A/ Clementissime.
37–38	blancs.

Cat. Cl. Gottwald, 115. – MABK I, 255.

D-66 (*D-FRsa* 118)

FREIBURG IM BREISGAU, Stadtarchiv H 118 (IX KH e ß 2).

57 ff. parchemin, 125 x 100 mm. Reliure en parchemin. Ecriture du début du XVe s. Initiales bleues et rouges. Notation carrée sur portée de quatre lignes rouges; barres verticales de division; 5 ppp; guidon fin. Provenance: Adelhausen (f. 1: Sr. Antonia Wertzin).

✧ Processionnal dominicain (Tabl. VII).

1	(RAM) A/ Pueri Haebreorum.
8	Mandatum.
28v	Officium sepulturae.
33	A/ Clementissime.
34	Généalogie selon st. Mathieu et (39) selon st. Luc (cf. D-69).
Pièces de l'Ordinaire:	
44	Kyrie.
45	Agnus dei avec T/.
47	T/ Sanctus genitor ingenitus (AH 47, 324).
48v	T/ Ut videri supernus genitor possit a nobis. Benedicamus domino tropés:
50v	B/ Virga Jesse floruit, dum virgo verbum genuit.

51v	B/ Mundi salus reparator.
52	B/ Verbum evangelizatum caro factum.
52v	B/ Benedicamus Mariae Virginis.
53	B/ Benedicamus flori orto de stirpe.
54	B/ Johannes postquam senuit (AH 1, p. 159).
54v	De sca Katherina: B/ Benedicamus devotis mentibus.
55	I/ Gaudeamus omnes (pour le 5.II, pour la Ste Couronne et pour divervses autres fêtes).
57	Ite sine dolo [T/ de l'Ite missa est].

Cat. Cl.Gottwald, 115–116. – MABK I, 255.

D-67 (*D-FRsa* 119)

FREIBURG IM BREISGAU, Stadtarchiv H 119 (IX KH e ß 3).

54 ff. parchemin, 175 x 130 mm. Réclames. Reliure de parchemin blanc. Ecriture de la seconde moitié du XIVe s. Initiales bleues ou rouges à filigranes. Grosse notation carrée sur portée de 4 lignes rouges; barres verticales de division; guidon, parfois ajouté de 2e main. Provenance: Adelhausen (sur la couverture: S[oror] M. v[on] W., O[rdinis] S[ancti] D[ominici].

✧ Processionnal dominicain (Tabl. VII).

1	(RAM) A/ Pueri Haebreorum.
9	Mandatum.
21	2.II.
29v	DED.
32v	Officium sepulturae.
49	[cahier supplémentaire] In festo CORP.CHR.
53	[autre main], In octaba CORP.CHR. *in exportando venerabile Sacramentum* Ecce panis angelorum (cf. D-75).

Cat. Cl. Gottwald, 116. – MABK I, 255.

D-68 (*D-FRsa* 120)

FREIBURG IM BREISGAU, Stadtarchiv H 120 [IX KH e ß 4).

61 ff. parchemin, 175 x 130 mm (sauf ff. 40–44 et 52–57, amputés de leur marge de pied). Réclames encadrées de rouge, parfois coupées. Reliure ais de bois couverts de parchemin estampé sur ais de bois: en médaillon, Agnus dei. Fermoirs cuivre. Sur le plat inférieur, fragment de bréviaire inachevé (sans les rubriques) du XIIIe s. Ecriture du début du XVe s. Initiales bleues et rouges: la première avec des filigranes. Notation carrée sur portée de quatre lignes rouges; barres verticales de division; 6 ppp; guidon en forme de virga retournée. Provenance: Adelhausen (f. 1v (au crayon): Sr. M. Tomasina. f. 2v, Supplément ajouté par la Sr. M.E.Z.U.C. au XVIIe s.

✧ Processionnal dominicain (Tabl. VII)

1	(RAM) A/ Pueri Haebreorum.
10v	(CENA)
19	*In ablutione altarium* ste Catherine, st Sigismond.
(24)	st Dominique (A/ Magne pater sancte Dominice).
24v	Mandatum.
32	PAR.
34v	(RES) R/ Christus resurgens.
39v	CORP. CHR.
46	2.II.
54v	*In receptione legatorum.*
57v	[autre main récente] R/ Regnum mundi.

Cat. Gottwald, 117. – MABK I, 255.

D-69 (*D-FRsa* 122)

FREIBURG IM BREISGAU, Stadtarchiv H 122 (IX KH e ß 6).

192 ff. parchemin, 115 x 90 mm <83 x 47 mm>. Cahiers signés: I' II' etc. Reliure ais de bois couvert de cuir teinté à la myrtille (sauf sur le plat supérieur). Ecriture de la première moitié du XIVe s. Encadrements bleus et rouges à la première page des grandes fêtes. Peintures aux couleurs vives sur fonds bleus foncés: f. 1v entrée de Jésus à Jérusalem. f. 9v Mandatum. f. 31 Assomption. f. 36v Nativité. Notation carrée sur portée de quatre lignes rouges; barres verticales de division; 6 ppp; guidon. Notation cursive à la fin (f. 173 ss.). Provenance: Adelhausen (Soror Maria Magdalena Schülerin, Closter Adelhausen in Freyburg, 1798).

✧ Processionnal (Tabl. VII) et Séquentiaire dominicains.

2	(RAM) A/ Pueri Haebreorum.
37	Séquentiaire: S/ Laetabundus (cf. Gottwald, 118).
141v	Lectures: Généalogie selon st. Mathieu et selon st. Luc (cf. D-64).
153v	Oratio Hieremiae (même mélodie que dans Colmar 415 [F-72]).
151	Exultet.
170v	Benedicamus domino tropés: B/ Johannes postquam senuit (cf. D-66).
171	T/ Ite dilectum.
171v	T/ Ite sine dolo (cf. D-66, f. 57).
172	Ite missa est non tropés.
173	T/ Ite dilectum (même mélodie qu'au f. 171).
173	Supplément de séquences:
177	S/ Jesu suave corpus, Ave...
181v	S/ Lauda Sion (AH 50, 584).
187–194	blanc.

Cat. Gottwald, 117–118. – Husmann, RISM B V 1, 65–66. – MABK I, 255.

D-70 (*D-FRsa* 124)

FREIBURG IM BREISGAU, Stadtarchiv H 124 (IX KH e ß 8).

22 ff. papier + 105 ff. parchemin, 175 x 120 mm. Reliure ais de bois couverts de cuir teinté à la myrtille; dos cuir fauve; un fermoir cuir, crochet en laiton. Ecriture du XVe s. Initiales bleues et vertes, chargées d'or aujourd'hui noirci. Notation carrée sur portée de quatre lignes rouges; barres verticales de division; 6 ppp; guidon. Origine: Adelhausen.

✧ Rituel-processionnal dominicain (Tabl. VII).

1–63	Rituel pour les malades et les défunts (rubriques en allemand).
64	Processionnal dominicain.
95v	CORP. CHR.
121	Psaumes et oraisons.

Cat. Cl.Gottwald, 119–120. – MABK I, 255.

D-71 (*D-FRsa* 127)

FREIBURG IM BREISGAU, Stadtarchiv H 127 (IX KH e ß 11).

124 ff. papier, 155 x 105 mm. Même reliure que le ms 124 [D-68], traces de deux fermoirs cuir. Ecriture de la fin du XVe s. Initiales à masques dessinés à la plume. Notation carrée sur portée de quatre lignes rouges; barres verticales de division; 5 ppp; guidon. Origine: le couvent des soeurs dominicaines Sta Maria Magdalena à Fribourg-en Brisgau.

✧ Processionnal dominicain (Tabl. VII).

1	(RAM) A/ Pueri Haebreorum.
60	Rituel avec rubriques en allemand (cf. D- 70).

Cat. Cl. Gottwald, 122. – MABK I, 255.

D-72 (*D-FRsa* 129)

FREIBURG IM BREISGAU, Stadtarchiv H 129 (IX KH e ß 13).

89 ff. parchemin, 197 x 147 mm. Réclames (parfois coupées). Reliure ais de bois recouvert de cuir fauve estampé; traces de fermoir en cuir. Ecriture du XVe s. Initiales bleues ou rouges ou noires rehaussées de rouge. Notation carrée sur portée de quatre lignes rouges; barres verticales de division; 5 ppp; guidon.

✧ Processionnal dominicain (Tabl. VII).

1	(RAM) A/ Pueri Haebreorum.
49v	DED.
50v	In receptione legatorum.
54v	Officium sepulturae (les oraisons sont transcrites en caractères plus grands à l'intention du prêtre desservant le couvent).
79	[autre main], *Commendaces*: dans les L/ des agonisants: ora pro ea.

Cat. Cl. Gottwald, 123.

D-73 (*D-FRsa* 130)

FREIBURG IM BREISGAU, Stadtarchiv H 130 (IX KH e ß 14).

109 ff. parchemin, 100 x 78 mm. Reliure ais de bois recouverts de cuir fauve estampé; fermoir laiton. Ecriture datée de 1495 (f. 94v). Initiales bleues ou rouges. Notation carrée sur portée de quatre lignes noires; 4 ppp; guidon. Provenance: probablement Adelhausen (sur le plat supérieur: Maria Vincentia).

✧ Processionnal dominicain (Tabl. VII).

1	*Incipiunt processiones secundum ordinem fratrum Praedicatorum.* (RAM) A/ Pueri Haebreorum.
29v	blanc.
30	[nouveau cahier] Mandatum.
65	2.II.
73	*Incipit conductus defunctorum*: Non intres in judicium...
142	R/ Libera me domine de morte.

Cat. Cl.Gottwald, 123–124.

D-74 (*D-FRsa* 131)

FREIBURG IM BREISGAU, Stadtarchiv H 131 (IX KH e ß 19).

54 ff. parchemin (mangé par des rongeurs, ff. 43–50), 185 x 135 mm. Réclames. Reliure parchemin. Ecriture du XVe siècle. Initiales bleues ou rouges. Notation carrée sur portée de quatre lignes rouges; barres verticales de division; 6 ppp; guidon. Provenance: Adelhausen (sur le plat extèrieur: SVBPRIORIN. Au verso de la couverture: So. Maria Dom. Sandieijv, 1762).

✧ Processionnal dominicain (Tabl. VII).

1–6v	[add.] CORP.CHR. Même main, même notation, mêmes pièces que dans le ms.119 (D 67).
7	RAM.
34v	DED.
38	Officium sepulturae (rubriques au masculin).

Cat. Gottwald, 124–125. – MABK I, 255.

D-75 (*D-FRsa* 150)

FREIBURG IM BREISGAU, Stadtarchiv H 150 (IX KH e ß 34).

203 ff. parchemin, 150 x 110 mm. Reliure de carton gris, dos cuir. Ecriture du XVe s. Initiales rouges. Notation carrée sur portée de quatre lignes rouges; 5 ppp; guidon en forme de virga. Origine: le couvent Ste. Marie Madeleine de Fribourg. Provenance: le couvent des dominicaines de Ste. Agnès (cf. Catalogue Gottwald).

✧ Processionnal dominicain (Tabl. VII).

1	(RAM) A/ Pueri Haebreorum.
43	Rituel du sacrement des malades et des défunts: titres en allemand, mais rubriques (142) en latin.

66v	Office des morts noté (usage dominicain: Ottosen, 108–110).
202	Ecce panis angelorum, noté comme dans les manuscrits H.119 [D-67] et H.131 [D-74].

Cat. Cl. Gottwald, 131. – MABK I, 256.

D-76 (*D-FRsa* 158)

FREIBURG IM BREISGAU, Stadtarchiv H 158 (IX KH e ß 22).

137 ff. parchemin + 34 ff. papier, 150 x 110 mm. Reliure postérieure à 1509 (date d'impression de l'office des morts imprimé à Venise en 1509, relié ici après la partie manuscrite). Reliure ais de bois couverts de cuir brun estampé; un seul fermoir subsistant. Ecriture du XVIe s. (postérieure à 1461, date de la canonisation de ste. Catherine de Sienne, titulaire d'un autel dans ce couvent, cf. f. 40). Initiales bleues ou rouges à filigranes bistres ou noirs. Notation carrée sur portée de quatre lignes rouges; 4 ppp; guidon. Origine et provenance: Sta Katharina, réuni en 1697 à Adelhausen. Sur la f. de garde de papier: S Catherina Hagerni - 16/9 (1649 ?). Plus bas, d'une autre main: 1656.

✧ Processionnal dominicain (Tabl. VII).

1v	(RAM) A/ Pueri Haebreorum.
13	Ablution des autels des sts Dominique (*in choro*), Benoît et Conrad (*in sacristia*), de la Vierge (*in ecclesia*), des Apôtres, ste Agnès, sts Augustin, Pierre [martyr],
(33)	Vincent [Ferrier].
(35)	*In capella sci Johannis evangelistae in parte australi.*
(37)	*Ad altare sci. Michaelis in ambone.*
(38v)	*In capella sci. Joannis Baptistae in parte aquilonari.*
(40)	*Ad altare sce Caterinae Senensis.*
90	CORP. CHR.
97v	DED.
105	Officium sepulturae.
140	Office des morts noté: quelques rubriques en allemand.

Cat. Cl.Gottwald, 134–135. – MABK I, 257.

D-77 (*D-FRu* 37)

FREIBURG IM BREISGAU, Universitätsbibliothek, Hs 37.

62 ff. parchemin, 190 x 115 mm. Reliure de cuir estampé; sur les plats, en médaillon: le Sauveur et l'Annonciation. Ecrit en 1611 par le fr. Michael Riegger (f. 74v) à Tennenbach, pour l'usage d'Anna von Hagenbach, abbesse de Günterstal (f. 1v). Notation carrée sur portée de quatre lignes rouges. Origine: Tennenbach. Provenance: Günterstal.

✧ Processionnal cistercien (Tabl. V).

2	(2.II) A/ Lumen.

28 (29.IV: de samcto Roberto primo abbate et fundatore Cistercii et ordinis ipsius).
31v (21.VIII: de sancto patre nostro Bernardo).
47v Enterrement.
53v *Quando novitia induitur* R/ Regnum mundi.
56 Index.

Cat. Cl. Gottwald, 4. – [MABK I, 307; II, 755].

D-78 (*D-FRu* 139)

FREIBURG IM BREISGAU, Universitätsbibliothek, Hs. 139.

54 ff. parchemin + 37 ff. papier (daté de 1487/89), 160 x 115 mm. Reliure de cuir foncé estampé; 2 fermoirs de métal. Ecriture de la seconde moitié du XVe s. Notation carrée sur portée de quatre lignes rouges. Origine: un couvent de religieuses (rubriques en allemand) franciscaines (?). Provenance inconnue.

✧ Processionnal (franciscain ?)

1 Obsèques.
59v 2.II.
67v RAM.

Cat. Cl. Gottwald, 17.

D-79 (*D-FRu* 149)

FREIBURG IM BREISGAU, Universitätsbibliothek, Hs. 149.

230 ff. parchemin, 165 x 135 mm. Reliure cuir foncé de facture rhénane, restaurée en 1977; 2 fermoirs métal. Ecriture de la première moitié du XVe s. de la main de Margred Hoffelden (f. 225v). Initiales rouges et bleues; initiales ornées de feuilles et de fleurs sans or (ff. 2, 10, 74 et 80); f. 40 initiale peinte (l'enfant Jésus nimbé). Notation carrée sur portée de quatre lignes rouges. Origine: le couvent de soeurs dominicaines de St-Nicolas in undis à Strasbourg (d'après les litanies, ff. 176–180). Provenance: manuscrit acheté par Philipp Jakob Steyrer, Abbé de St Peter im Schwarzwald, comme les autres processionnaux de Strasbourg (cf *CH-Zz* 560; D-Pm 4, 21, 109, 113, et 116).

✧ Processionnal dominicain (Tabl. V).

2 (2.II) A/ Lumen.
89v *De sancto cujus est ecclesia.*
94 Rituel du sacrement des malades et funérailles.
202 Symbole des apôtres.
206 Symbole de Constantinople.
208–214 Oraisons privées en allemand (incipit dans le Cat. cit.).
226 [add. du XVIe s.] 3 R/.
230 [add. du XVIIe s.] R/ Homo quidam.

Cat. Cl. Gottwald, 19–20. - MABK II, 747.

D-80 (*D-FRu* 354)

FREIBURG IM BREISGAU, Universitätsbibliothek, Hs. 354.

187 ff. parchemin, 175 x 130 mm. Reliure cartonnée moderne. Ecrit d'une seule main après 1456 (date d'introduction de st Vincent Ferrier dans les litanies). Notation carrée sur portée de trois ou quatre lignes rouges. Origine probable: le couvent des soeurs dominicaines de Ste Agnès à Fribourg.

✧ Rituel-Processionnal dominicain (Tabl. VII).

1–67	Office des morts (usage dominicain: Ottosen, 108–110).
67–117v	Rituel des fins dernières.
118–185v	Processionnal dominicain (RAM) A/ Pueri Haebreorum.

Cat. Cl. Gottwald, 32–33. – MABK I, 256.

D-81 (*D-FUl* 83)

FULDA, Hessische Landesbibliothek Aa 83.

106 ff. parchemin, 138 x 103 mm. Reliure de 1563, ais de bois couverts de cuir estampé à froid; traces de fermoirs. Ecriture du XIV/XVe siècle. Notation gothique sur portée de quatre lignes: jaune pour l'ut et rouge pour le fa; 8 ppp (facsimilé, Hettenhausen, 58). Origine: l'abbaye de Fulda: procession pour la st. Boniface (5.VI); rubriques mentionnant l'église paroissiale (f. 66, 88, 98: parocchia) et la „montagne Ste Marie" proche du monastère. Le ms est entré à la Bibliothèque publique en 1776.

✧ Processionnal de Fulda.

L'incipit des R/R/ et A/A/ de ce Processionnal étant tous relevés par H. Hettenhausen, *op. cit.*, 212–232. Il suffira de mentionner ici:

7v	(24.XII) *In II Vesperis prosa* Quem aethera et terra (AH 34, 11; TROF 2, 106 no 537).
8	(NAT) T/ *ante missam* Hodie cantandus est (CT 1, 107).
46	(RES) T/ Populus acquisitionis (CT 3, 161).
54v–79	(ROG)
56	L/ Humili prece (AH 50, 253)
68v	L/ sanctorum.
69v	L/ Dicamus omnes Domine miserere (De Clerck, 192).
70v	L/ Kyrie eleison L/ Aufer a nobis L/ Exaudi, Exaudi, Exaudi domine preces.
76	L/ Clamemus omnes una voce.
77v	V/ Ardua spes (AH 50, 237; Stotz,36)
80	H/ Sanctus terrarum qui reples (AH 11,25)
85	(5.VI: sci. Bonifacii) 8 R/R/ de l'office propre: R/1 Vir domini Bonifacius v/ In puerili aetate. R/2 Factum est autem v/ Protinus.
91	V/ Homo quidam erat dives (MMMAE I, 487 no 1014 et 638).

93v–95v (29.VII: Simplicius, Faustinus et Beatrix) Messe Multae tribulationes avec la S/ O beata beatorum martyrum (cf. modèle? AH 9, 264).
95 12 R/R/ R1/ Temporibus Diocletiani v/ Multa milia christianorum.
96 R2/ Eodem tempore v/ Virgo. R3/ Post multa ac diversa v/ Corpora etc.(cf. Hettenhausen, 229–230).
100v–106v (1.XI: DED) 8 R/R/ et messe Terribilis, avec la S/ Ave praeclara maris (AH 50, 313).

Bibliographie: MMMAE I, 619–622, 638. – TROF 2, 176. – H. Hettenhausen, *Die Choralhandschriften der Fuldaer Landesbibliothek*, Marburg 1961, 57, 212–232. – A. Haug, *Troparia tardiva* (MMMAE, Subsidia Band I, Kassel, 1995), 28 no 019.

D-82 (*D-FUl* 153a)

FULDA, Hessische Landesbibliothek, Aa 153a.

181 + 94 ff. papier (paginés), 790 x 490 mm à 2 colonnes. Reliure ais de bois couverts de cuir brun estampé à froid; 2 fermoirs. L'écriture, commencée en 1612 (p.1) et achevée en octobre 1612, est l'oeuvre d'Adam Betheuser, novice de Fulda (p.189). Notation à clous sur portée de 5 lignes noires.; 5 ppp (facsimilé dans Hettenhausen, 63). Origine et provenance: l'abbaye de Fulda.

✧ „Processionale Domesticum in maiori coenobio Fuldensi.“

L'incipit des R/R/ et A/A/ de ce Processionnal sont tous relevés par H. Hettenhausen, *op. cit.*, 233–248. Il suffira de mentionner ici:

Temporal (p.1–363).
228 (SAB) H/ Inventor rutili (AH 50, 30).
257 (RES) V/ Salve festa dies (AH 50, 79).
299 (PENT) H/ Sanctus terrarum qui reples (AH 11, 25).
314 (CORP CHR) R/ Homo quidam
327 H/ Homo quidam erat dives (MMMAE I, 487, no 1014).
350 (1.XI: DED) R/ In dedicatione templi.

Sanctoral (p.1–159).
3 (1.XII: In ordinatione sci. Bonifatii): R/ Domine Jesu Christe redemptor v/ Conserva nos.
11 (17.XII: In festo sci. Sturmii) R/ Domine Jesu*
76 (5.VI: sci. Bonifatii) R/ Vir domini Bonifatius (cf. *FUl* 83, f. 85) R/ Factum est autem (*ibid.* f. 85v).
86 (15.VI: Viti ac Sociorum ejus) A/ ou R/ O gloriosum, o sanctum dominum.
111 (29.VII: De ss. Simplicio, Faustino et Beatricis) R/ Temporibus (cf *FUl* 83, f. 95v).
119 (31.VII: De sca. Flora) A/ ou R/ Sanctissima virgo dei Flora.
125 (7.VIII: Affrae martyris) A/ ou R/ Martyris sancta dei flagrans.

145 (28.IX: Liobae virg.) R/ Sanctissima (cf. 119).
147 (16.X: de sco. Gallo) Iste sanctus.
157 (21.XI: Praesentatio B. Mariae Virg.) H/ Novae laudis adest (AH 5, 66).

Commun des Saints (160–189).

Bibliographie: H. Hettenhausen, *Choralhandschriften*, 62 et 233–248.

D-83 (*D-HEu* VII 106a)

HEIDELBERG, Universitätsbibliothek, Salem VII 106a.

40 ff. parchemin, 216 x 157. Reliure récente de peau blanche sur plats de carton. Ecriture et décoration du XVIe s. Lettrines peintes sur fonds or, avec motifs floraux retouchés à la gouache; rinceaux en marge. Notation carrée cistercienne sur portée de quatre lignes rouges; barres verticales de division; 5 ppp. Origine cistercienne. Provenance: B. Mariae in Salem (add. dans la marge de tête du f. 1). Le lot de manuscrits de l'abbaye de Salem (Salmannsweiler), dissoute par Napoléon en 1802, a été racheté par l'Université d'Heidelberg en 1827.

✧ Processionnal cistercien (Tabl. V).

1 (2.II) A/ Lumen.
39 *In festo unius vel plurimorum sanctorum*: R/ Concede nobis domine quaesumus veniam v/ Talem [IIe t.].
40 [sans titre] R/ Adjuvent nos eorum merita.

MABK II, 701 [mentionne le processionnal Sal. VII 72, mais non le VII 106a].

D-84 (*D-HEu* VIII, 16)

HEIDELBERG, Universitätsbibliothek, Salem VIII 16.

46 ff. parchemin, 235 170 mm. Ecriture et décoration du début du XVIe s. En raison de la qualité de ses peintures avec encadrements et rinceaux marginaux, ce ms. est en exposition permanente. Notation carrée sur portée de 4 lignes rouges; 4/5 ppp; guidon. Origine bourguignonne (Weiler). Provenance: Salem (au XVIIe s.). Ce processionnal a sans doute été décoré à l'intention d'un Abbé cistercien.

✧ Processionnal cistercien (Tabl. V).

Processionarius totius anni secundum usum ordinis Cisterciensis. Et primo in purificatione beatae Mariae dum distribuuntur candelae A/ Lumen.

Bibliographie: Wilfried Werner, *Cimelia Heidelbergensia*. 30 illuminierte Handschriften der Universitätsbibliothek Heidelberg ausgewählt und vorgestellt von Wilfried Werner (Wiesbaden, 1975), 34 [description] et 35 [facsimilé du f. 34].

D-85 (*D-HE* VIII 69)

HEIDELBERG, Universitätsbibliothek, Salem VIII 69.

104 ff. papier, 235 x 147 mm. Reliure restaurée à Stuttgart en 1963: ais de bois couverts de cuir brun; tranches dorées. Ecriture de 1700, faite probablement au pochoir, imitant par-

faitement les caractères d'imprimerie. Initiales rouges. Notation gothique allemande à clous sur portée de cinq lignes noires; barres de division rouges; 6 ppp; guidon à bec. Origine et provenance: Ebrach.

✧ Processionnal cistercien (Tabl. V).

Titre: *Processionale Ordinis cisterciensis authoritate Rmi. Dni. Dni. Abbatis generalis editum A.D. 1689, a F. Udalrico Heffner, Professo Ebracensi, descriptum anno aetatis suae LXII. MDCC.*

2	*Mandatum Capituli generalis S.O. Cisterciensis, A.1672. De processionibus: Qualiter die dominica...*
3	*Processionale S.O. Cisterciensis*. RAM. A/ Hosanna.
41	Proprium sanctorum 8.XII etc. comme le manuscrit 1545 [D-86].
72	Commun des saints et processions diverses.
86v	H/ Te deum.
92	Officium sepulturae.
97–104	blancs.

D-86 (*D-HEu* 1345)

HEIDELBERG, Universitätsbibliothek Hs 1545 (ehem. 369/438).

68 ff, papier à filigrane (paginés) 190 x 145 mm. Reliure de peau blanche. Ecriture très récente (XVIIe/XVIIIe s.). Lettrines rouges. Notation à clous allemande sur 5 lignes noires avec guidon; notation carrée et losangée de la p. 134 à 137. Provenance cistercienne (Ebrach ?).

✧ Processionnal cistercien (Tabl. V).

Temporal

(p.1)	RAM.
(p. 41)	Proprium sanctorum à partir du 8.XII.
p.56	sci. Stephani abbatis.
p.57	(29.IV: sci. Roberti abbatis).
p.69	(11.VII: translatio sci. Benedicti).
p.80	(20.VIII: sci. Bernardi) R/ Beatus Bernardus quasi vas auri solidum.
p. 86	Comune sanctorum.
p.101	DED.
p.103	Processions diverses.
p.113	Officium sepulturae et L/.
p.128	H/ Te deum.
p.131	H/ Te decet laus.
p.132	A/ Vidi aquam.
p.134	A/ Salve regina (notation carrée).

D-87 (*D-HE* Trübner 112)

HEIDELBERG, Universitätsbibliothek, Trübner 112.

154 ff. vélin, 175 x 123 mm <101 x 63 mm>. Reliure restaurée en cuir brun estampé avec l'inscription ‚P.../S...' Ecriture fin XVe ou première moitié du XVIe s. Décoration: neuf miniatures au début des grandes fêtes du Processionnal (cf. Werner et Naughton). Notation carrée sur portée de quatre lignes rouges; 7 ppp. Origine: le couvent de St-Louis de Poissy.

✧ Processionnal-Rituel dominicain (Tabl. VII).

1	(RAM) A/ Pueri Haebreorum.
29	*Ordo altarium abluendorum in ecclesia beati Ludovici de Pissiaco*. Après le f. 102 lacune d'un quaternion contenant les fêtes du 15.VIII au 8.IX.
111v	*De oratione pro Capitulo generali et pro pergentibus ad illum.*
113–154	Office des morts, usage dominicain (Ottosen, 108–110).
143	Rituel de l'enterrement.

Bibliographie: W. Werner, *Cimelia Heidelbergensia...* (Wiesbaden, 1975), 31–33, avec pl. (= f. 82v, la Résurrection). – Naughton, no 19.

D-88 (*D-HIs* 383)

HILDESHEIM, Stadtarchiv, MS. Mus. 383.

147 ff. parchemin, 140 x 95 mm <106 x 75 mm>. Reliure ais de bois couverts de cuir rouge. Ecriture du début du XIIIe s. ca. 1317–1320 (cf. LOO) et non du XIVe ou du XVe s. (AH 21). Dans le processionnal (ff. 1–19): notation lorraine de l'Europe de l'Est, proche de la notation à clous, sur portée de quatre lignes; dans la seconde partie, neumes de type sangallien noirs ou (ff. 137–139v) rouges. Origine: Alt- Medingen, près Lüneburg, abbaye de moniales cisterciennes (cf. LOO).

✧ Processional-Orational d'Altenmedingen.

Le processionnal (1–19) ne comprend que des pièces pour le temps pascal et l'orational de nombreuses prières de dévotion privée en latin (AH 21, nos 21 et 26) ou en bas allemand, concernant les fêtes du même temps.

1–19	RES
125–127	*Visitatio sepulchri* (LOO V, 1551 no 792).

Bibliographie: LOO VI, 289 [avec bibliographie des travaux sur les prières privées]. – MABK II, 565.

D-89 (*D-KAL* 14)

KALDENKIRCHEN/NETTETAL, Pfarrei St Klemens, Hds 14.

71 ff. papier, 197 x 135 mm. Reliure cuir sur ais de bois; 2 fermoirs. Ecriture de la première moitié du XVI e s.; initiale S blueue et rouge de style néerlandais. Notation à clous du Nord-ouest de l'Allemagne ; 7 ppp; guidon. Origine: couvent S. Mariae Fructus des Brigittines de Nettetal.

✧ Processionnal selon le rit des Brigittines.

Lacune initiale, remplacée par 40 ff. de papier bl. Commence au Jeudi-saint.

23	V/ Salve festa dies.
50v	(7-X [1391] In canonisatione sce Brigidae): R/ O facies Mosayca (cf. KAL 34).
60–71v	Collectes.

HdsC, 958 no 927.

D-90 (*D-KAL* 20)

KALDENKIRCHEN/NETTETAL, Pfarrei St Klemens, Hds 20.

183 ff. papier, 190 x 135 mm. Reliure de cuir estampé sur ais de bois; traces de fermoirs. Ecriture de la fin du XVe s. (ff. 1–112v) et du XVIe (113–fin); une initiale peinte (L) au f. 55v pour la messe de l'Aurore du 25.XII. Notation à clous sur quatre lignes tracées à l'encre noire; 6 ppp; guidon en forme de quilisma. Origine et provenance: couvent Scae Mariae Fructus des Brigittines de Nettetal.

✧ Graduel-Processionnal selon le rit des Brigittines.

113	(2.II) R/ Gaude Maria virgo v/ I Gabrielem v/ II Gloria virtus et honor tibi sit Altissime... v/ III Gloria Patri et Filio.
116v	25.III.
122	RAM.
124v	RES.
131	ROG.
133v	L/ Aufer a nobis.
139v	R/ Beata mater Anna. R/ Qui maris fluctus v/ Exulta reverenda Mater (VIe t.).
143	ASC.
144v	PENT.
148	(29.VI) R/ Cives apostolorum v/ Venientes autem (VIIe t.).
149v	(2.VII) A/ Magnificetur rex caelestis [Ve t.]. 15.VIII. 8.IX
156v	(7.X: In canonisatione b. Brigittae Matris nostrae) R/ O facies Mosaica v/ O semina mirifica [Ier t.]. A/ Corona sponsa predita (Ve t.).
158	1.XI.
160	(25.XI: In Presentatione B.M.V.).
162	DED.
165	A/ Media vita.
166	*Ad lotionem pedum.*
177	(autre main) Kyrie, Gloria, Sanctus, Agnus.
180	(autre main) Adoro te.

D-90/2 (*D-KAL* 30)

KALDENKIRCHEN/NETTETAL, Pfarrei St Klemens 30.

256 ff. papier, 135 x 95 mm. Reliure cuir foncé. Ecriture du XVIe s. Notation à clous du Nord-ouest de l'Allemagne, 6 ppp; guidon en forme de quilisma. Origine et provenance: le couvent Scae Mariae Fructus des Brigittines de Nettetal.

✧ Office et messes selon le rit des Brigittines.

Processionnal (209–249):

209	(2.II) R/ Gaude Maria virgo v/ Gabrielem.
230	(Sca Brigitta), comme au ms 20, avec en plus l'A/ Brigitta Christi famula [Ier t.].
249v	Kyriale.
250	*Lotio pedum.*

HdsC, 548 no 928.

D-90/3 (*D-KAL* 32)

KALDENKIRCHEN/NETTETAL, Pfarrei St Klemens 32.

264 ff. papier paginés, 145 x 95 mm. Reliure de cuir fauve, 2 fermoirs. Ecriture de la première moitié du XVIe s. Notation gothique du Nord-Ouest de l'Allemagne sur portée de quatre lignes noires; 5 ppp. Antiphonaire et Graduel selon le rit des Brigittines. Noter au f. 305 l'évangile selon st. Jean en néerlandais Voor den feest dach van Paeschen woest (Jo 13, 1 ss). 418 (entre les 8 et 29.IX) DED. 424 (7.X: In canonisatione scae Brigittae) *Ante primas vesperas fratrum* R/ O facies mosayca. *Post primas vesperas sororum* A/ Birgitta.

HdsC, 549 no 929.

D-91 (*D-KAL* 34)

KALDENKIRCHEN/NETTETAL, Pfarrei St Klemens 34.

306 ff parchemin (1–274) et papier, 145 x 90 mm. Reliure cuir estampé; 2 fermoirs en laiton. Notation à clous du Nord-ouest de l'Allemagne (virga en gamma) sur portée de quatre lignes noires; 6 ppp; guidon à bec. Origine et provenance: le couvent Scae Mariae Fructus des Brigittines de Nettetal.

202v	Après le R/ Gaude Maria virgo du 2.II, suit la rubrique *Sequitur processionale*, mais en fait, aucun recueil de procession ne succède à cette rubrique.

HdsC, 549 no 930.

D-92 (*D-KA* E 317)

KARLSRUHE, Badische Landesbibliothek, E-317.

76 ff. papier (paginés), 205 x 160 mm. Couverture moderne. Ecrit au XVIIIe s. Notation moderne (ou parfois carrée) sur 5 lignes; clés d'ut ou de F pour l'hymnaire. Provenance: fonds d'Ettenheim-Münster, entré en 1804 à la Badische Landesbibliothek.

✧ Hymnaire-Processionnal.

p.120 H/ Te decet laus (ton *per annum*).
p.121–128 RAM (notation carrée sur 4 lignes).
p.138 R/ Libera me...de morte (notation carrée sur 4 lignes).

H. Ehrensberger, *Bibliotheca liturgica manuscripta* (1889), 18, no 6.

D-93 (*D-KA* E 379)

KARLSRUHE, Badische Landesbibliothek, E 379.

80 ff. parchemin + 6 ff. papier, 170 x 100 mm. Reliure cartonnée, restaurée en 1967. Transcription achevée le 12 juin 1726. Notation carrée épaulée sur quatre lignes noires; 8 ppp. Notation mesurée dans le Cantorale allemand. Provenance: fonds d'Ettenheim-Münster, entré en 1804 à la Badische Landesbibliothek.

✧ Processionnal-Cantorale.

1 2.II.
2 RAM.
10v–14v R/ Tenebrae à 4 vx.
15 RES.
15v–18 H/ Te Deum.
18 *Postea cantatur* Christus ist erstanden *ut infra.*
19–44 ROG.
27v–32 Salve regina à 4 vx. (not. mesurée).
44 ASC A/ Ascendo ad Patrem meum. *Quo finito pulsantur organa.*
53v (3.XI) *In festo sci Pirminii [qui] instituit processio in nostra ecclesia et cantatur sequens* R/ Sint lumbi vestri.
61v–65 [Pium dictamen]/ Stella caeli extirpavit (AH 31, 210) à 4 vx (*Organo et basso vocali*).
69–70 H/ Pange lingua corporis (*Organo et basso vocali*)

Ehrensberger, *Bibl. lit. ms.* 69, no 19.

D-94 (*D-KA* E 380)

KARLSRUHE, Badische Landesbibliothek, E 380.

36 + 4 ff. papier, 165 x 105 mm. Reliure cartonnée, recouverte d'une feuille de parchemin avec notation à clous sur portée de quatre lignes rouges. Êcrit au XVIIIe s. Notation moderne sur cinq lignes. Origine et provenance: fonds d'Ettenheim-Münster, entré en 1804 à la Badische Landesbibliothek.

✧ Hymnaire et Processionnal.

Hymnes.
17 Tons des psaumes.
24 Lamentations.

Ehrensberger, *Bibl. lit ms.* 18, no 7.

D-95 (*D-KA* E 398)

KARLSRUHE, Badische Landesbibliothek, E 398.

112 ff. papier, 157x100 mm. Reliure cuir olive, restaurée en 1970 (4 fragments d'un ms de comput, extraits de l'ancienne reliure). Ecriture du XVIe s. Notation gothique allemande sur portée de cinq lignes tracées à la mine de plomb, la ligne du F repassée en rouge; 5 ppp. Origine: un prieuré du Land de Baden. Provenance: fonds d'Ettenheim-Münster, entré en 1804 à la Badische Landesbibliothek.

✧ Rituel-Processionnal.

I. Rituel (en allemand et en latin).
Eau bénite, Baptême, Extrême-onction (28), funérailles (38).
Processions rituelles:

42	2.II.
48v	CIN.
54v	RAM.
63v	PAR.
69	(SAB) L/ sanctorum:...Blasii, Udalrice...Regula, Odilia.
77	(RES) *Benedictio Agni* Oremus, Deus universae carnis qui Noe et filiis suis...

II. Processionnal (un seul R/ par fête). Temporal (82–87).

82	NAT.
82v	EPI.
83v	(3.II: In nativitate sci Blasii) R/ Sancte deo dilecte v/ Sancte et gloriose Pontifex [VIIIc t.].
84v	25.III.
85	(RES) A/ Vidi aquam. A/ In die resurrections.
86	PENT.

Sanctoral (87v–97).

87v	24.VI.
88	29.VI.
89	(2.VIII) R/ Surgens Maria gravida v/ Ut audivit Elysabeth [Ier t.].
89v	(22.VII) R/ Accessit ad pedes v/ Dimissa sunt [Ve t.].
91	15.VIII.
92	1.XI.
93	11.XI
94v	(25.XI: sca Catharina) R/ O--- mater nostra v/ Jam Christo juncta [Ier t.].
95	30.XI.
95v	6.XII.

Commun des Saints (97–99) et Suppléments

99v (CORP CHR) R/ Salve sanguinis Christi stilla v/ Cruor Christi [Ier t.]: adapté sur Salve nobilis virga.
100v 8.IX.
101 14.IX.
102 29.IX.
109v V/ Salve festa dies (AH 50, 79).

Ehrensberger, *Bibl. lit. ms.*, 73 no 1. – MABK I, 239. –

D-96 (*D-KA* Geo 31)

KARLSRUHE, Badische Landesbibliothek, St Georgen 31.

179 ff. parchemin, 75 x 55 mm <48 x 35 mm>. Composition: surtout des quinions et sénions (cf. Husmann). Reliure restaurée en 1934: ais de bois couverts de peau teintée à la myrtille, dos cuir, fermoir laiton. Ecriture du XIV–XVe s. Initiales bleues et rouges avec parfois des filigranes.

✧ Processional-Séquentiaire dominicains (Tabl. VII).

Processional:
1v [add.] AGNETIS. Alleluia rythmique v/ O virgo venerabilis.
2 blanc.
3 (RAM) A/ Pueri Haebreorum.

Séquentiaire-Tropaire:
43 S/ Laetabundus, etc..
128v T/ du B/ Ad cantum letitiae, à 2 voix (cf. Allworth, *art. cit.*, 175 et 180; RISM B IV 2, 414).
129v T/ Judaea gens misera, à 2 voix.
130v T/ Natus est Emmanuel, à 2 voix.

Bibliographie: Cat. Brambach-Lamey, 63. – Hugo Ehrensberger [*Bibliotheca liturgica manuscripta*, Karlsruhe, 1889], 69 no 18. – H. Husmann, RISM B V 1, 72–73. – G. Reaney, RISM B IV 2, 414. – C. Allworth [cf. D-54] in *Ephemerides liturgicae* 84, 1970, 175, 180 etc.

D-97 (*D-KA* Gü 2)

KARLSRUHE, Badische Landesbibliothek, Güntersthal 2.

45 ff. parchemin, 227 x 155 mm. Ecriture du XVIe s. Initiales peintes. Notation carrée sur portée de quatre lignes rouges. Provenance: le monastère de Güntersthal.

✧ Processionnal cistercien (Tabl. V).

1 (2.II) A/ Lumen.
45 Index des pièces.

Cat. Ehrensberger, 68 no 12. – MABK I, 307.

D-98 (*D-KA* Gü 3)

KARLSRUHE, Badische Landesbibliothek, Güntersthal 3.

46 ff. parchemin, 227 x 158 mm. Ecriture du XVIe s. Notation carrée sur portée de quatre lignes rouges. Provenance: le monastère de Güntersthal (moniales cisterciennes, à partir de 1224).

✧ Processionnal cistercien (Tabl. V).

Processionnal identique à D-84, sauf aux ff. 44 et 45 (add. récentes).

Cat. Ehrensberger, 68 no 13. – MABK I, 307.

D-99 (*D-KA* Gü 6)

KARLSRUHE, Badische Landesbibliothek, Güntersthal 6.

154 ff. parchemin, 180 x 130 mm. Ecriture du XVe s. Notation carrée sur portée de quatre lignes rouges. Provenance: le monastère de Güntersthal (moniales cisterciennes: cf. 110v).

✧ Hymnaire et Processionnal cisterciens (Tabl. V).

Hymnaire propre aux cisterciens (cf. Colmar 441 [*F-CO* 74] et 442 [*F-CO* 75]).

104 Processionnal cistercien:
104 (2.II) *In purificatione dum cerei dividuntur* A/ Lumen, avec le canticque Nunc dimittis. *In egressu* A/ Ave gratia plena. *In secunda statione* A/ Adorna. *In tertia* A/ Responsum.
106v *In ingressu* A/ Hodie beata Virgo.
110v *Duae sorores in ecclesia*... V/ Gloria laus...

Cat. Ehrensberger, 17. – MABK I, 307.

D-100 (*D-KA* Gü 10)

KARLSRUHE, Badische Landesbibliothek, Güntersthal 10.

91 ff. parchemin, 130 x 85 mm. Ecriture de la fin du XVe s. Notation carrée sur portée de quatre lignes rouges. Provenance: Güntersthal (moniales cisterciennes).

✧ Processionnal cistercien (Tabl. V).

20 (CORP CHR) R/ Eduxit vos. R/ Verbum. R/ Melchisedech rex Salem v/ Introivit Jesus [IIIe t.].
23v A/ Magnificat Dei Patris [IIIe t.].
24 (29.IV: sci Roberti Molesmensis) R/ Terra nostra v/ Hic Pater quaerens.

Cat. Ehrensberger, 73 no 2. – MABK I, 307.

D-101 (*D-KA* Gü 16)

KARLSRUHE, Badische Landesbibliothek, Güntersthal 16.

3 + 70 ff. papier, 190 x 120 mm Reliure cuir estampé de 1630, restaurée en 1936; 2 fermoirs. Ecriture et initiales en caractères d'imprimerie, de la main de Jacobus Matter du monastère de bénédictins „Sci Petri in Hercynia“ (S. Peter im Schwarzwald), datée du 26 octobre 1629. Notation carrée. Provenance: Güntersthal (moniales cisterciennes).

✧ Processional cistercien.

27	(2.VII) R/ Exurgens autem Maria.
50	[add. en très mauvaise écriture] 11.VIII: In festo susceptionis sanctae Coronae.

Ehrensberger. *Bibl. lit, ms* 68 no 15. – MAKB I, 307.

D-102 (*D-KA* Gü 17)

KARLSRUHE, Badische Landesbibliothek, Güntersthal 17.

106 ff. papier, 180 x 110 mm. Ecrit au XVIIe s. Notation carrée. Ce processionnal cistercien tardif a probablement été copié sur le précédent (Gü 16). Cat. Ehrensberger, 69 no 16. – MABK I, 307.

D-103 (*D-KA* L 53)

KARLSRUHE, Badische Landesbibliothek, Lichtenthal 53.

62 ff. parchemin, 100 x 70 mm <70 x 45mm>. Reliure de cuir rouge, sans décoration, restaurée, en 1972. Ecriture datée de 1467 (f. 45) due à Bernhard Branz, moine d'Herrenhalb, pour les moniales cisterciennes de Lichtenthal: bâtarde de 1501 (ff. 55–62v). Notation à clous sur portée de quatre lignes, dont, une jaune et une rouge; 5 ppp (4 ppp aux ff. 46–51v). Provenance: ce Ms. a appartenu à la soeur Rosula Röder von Hohenrodeck, abbesse de Lichtenthal de 1519 à 1544.

✧ Processionnal cisterciens (Tabl. V).

1	2.II.
41v	*Ordo sepulturae.*
46	[add. du XVIe s.] Procession pour la fête de st Bernard.

Bibliographie: F. Heinzer und G. Stamm, *Die Handschriften von Lichtenthal* (Wiesbaden, 1987), 153–154 (Die Handschriften der Badischen Landesbibliothek in Karlsruhe, XI). – MABK I, 49.

D-104 (*D-KA* L 54)

KARLSRUHE, Badische Landesbibliothek, Lichtenthal 54.

89 ff. parchemin, 95 x 70 mm. <60 x 43 mm>. Reliure restaurée en 1935 et 1983. Ecriture datée de 1463, due à Bernard Branz, à destination de sa soeur Dorothea Branz, moniale cistercienne de Lichtenthal. Même notation que dans le manuscrit précédent.

✧ Processionnal cistercien (Tabl. V) à l'usage de Lichtenthal.

Cat. Heinzer-Stamm, 154. – MAKB I, 49.

D-105 (*D-KA* L 102)

KARLSRUHE, Badische Landesbibliothek, Lichtenthal 102.

98 ff. papier à filigrane strasbourgeois, 155 x 95 mm. Reliure de cuir estampé à chaud, avec médaillons dorés au centre (IHS et la Vierge. Initiales FLNPH). Ecriture datée de 1613. Notation carée sur portée de quatre lignes rouges.

✧ Processionnal.

Add. au début (2–12v) et à la fin (91–96v).

Cat. Heinzer-Stamm, 247.

D-106 (*D-KA* Pm 4)

KARLSRUHE, Badische Landesbibliothek, St. Peter, perg. 4.

199 ff. parchemin, 150 x 95 mm. Reliure de cuir rouge estampé; traces de 2 fermoirs. Ecriture de la seconde moitié du XVe s. La première initiale (L, f. 2) est dorée sur fonds pourpre; les autres sont plus simples. Notation carrée sur portée de quatre lignes rouges; 5 ppp. Origine: le couvent des dominicaines de Strasbourg, St. Nicolas in Undis (Cat.). Provenance: St. Peter im Schwarzwald, dans le lot de manuscrits achetés par l'Abbé Philippe Jakob Steyrer (d 1795) par l'entremise de Chr. Wilhelm Koch.

✧ Processionnal (Tabl. VII)- Rituel dominicains

2	(2.II) A/ Lumen.
7v	(RAM) A/ Pueri Haebreorum.
17v	(CENA) Ablution des autels de la Vierge Marie, des sts. Dominique, Vincent, de la Croix, des sts. Mathieu, Nicolas, ste Elisabeth, des 10.000 martyrs, de Tous les saints.
30	Mandatum: A/ Dominus Jesus.
65	(CORP.CHR.) R/ Melchisedech rex Salem.
72–118v	Eléments sur les rites de la mort.
142–182	Rituel en latin.
182–197v	traduction allemande du rituel précédent.

Cat. Heinzer-Stamm, 9–11.

D-107 (*D-KA* Pm 5)

KARLSRUHE, Badische Landesbibliothek, St. Peter, perg. 5.

15 ff. parchemin, 253 x 140 mm (format cantatorium). Reliure restaurée en 1936: ais de bois couverts de cuir teinté à la myrtille, ciselures en diagonales; dos à 5 nerfs. Grosse écriture du XIVe s. Initiales rouges. Notation carrée sur portée de quatre lignes rouges; guidon en forme de virga retournée; 6 ppp. Origine et destination: un monastère de moniales cisterciennes (cf. F. 8v: *duae sorores* et la mention des stations durant les processions festives). Provenance: St. Peter im Schwarzwald, aquis en 1781 par l'Abbé Ph. J. Steyrer (f. 1, en bas).

✧ Processional cistercien (Tabl. V).

1	(2.II) A/ Lumen.

4v	(RAM) A/ Pueri Haebreorum.
10v	ASC.
13	15.VIII.

Cat. Heinzer-Stamm, 11–12.

D-107/2 (*D-KA* Pm 16)

KARLSRUHE, Badische Landesbibliothek, St. Peter perg. 16.

Ce graduel-sequentiaire des Augustines d'Erfurt, acheté en 1781 par l'Abbé Philip Jacobs Steyrer, contient parmi les chants de la procession pascale le v/ Crucifixum de l'A/ Sedit angelus à deux voix.

Bibliographie: Cat. Heinzer-Stamm, 38–40. – Ajouter: P. Wagner, „Zu den liturgischen Organa." AfMw 6 1924, 54–57. – F. Ludwig, „Nochmals ‚zu den liturgischen Organa'." AfMw, 245–246. – J. Handschin, „Zu den Qellen der Motetten ältesten Stils." AfMw, *ibid.*, p. 247–248. – „ ‚Peripherie' und ‚Zentrum' in der Geschichte der ein- und mehrstimmigen Musik des 12. bis 14. Jahrhunderts." Kongreßbericht Berlin 1975. Kassel 1980, *passim.*

D-108 (*D-KA* Pm 21)

KARLSRUHE, Badische Landesbibliothek, St. Peter perg. 21.

6 ff papier + 98 ff. parchemin + 1 f. papier, 210 x 145 mm. Reliure ais bois couverts de cuir teinté en rouge vif; dos restauré en 1970. Ecriture de la première moitié du XVIe s. Initiales à grotesques. Peintures à pleine page: f. 5v Présentation de Jésus au Temple. 12 Entrée de Jésus à Jérusalem (Cat. Heinzer-Stamm, Abbild. 9). 22v Gethsémani. 30 Mandatum. 45 Ascension. 50v Dormition de la Vierge. Grosse notation carrée sur large portée (interlignes de 5 mm.) de 4 lignes rouges; 5 ppp. Origine: couvent des dominicaines de Strasbourg, Ste. Agnès. Ce manuscrit est apparenté à Pm 25 (D 113) et à Pm 67 (D 121). Provenance: St. Peter im Schwarzwald, aquis en 1781 par l'Abbé Ph. J. Steyrer.

✧ Processionnal-Rituel dominicains (Tabl. VII).

1–4	[add. XVIe s.] R/ Mundum vocans. R/ Verbum vitae. R/ O spem miram (R/R/ de l'office rythmique de st. Dominique: AH 25, 239 ss.).
6	(2.II) A/ Lumen.
22	(CENA) et
27v	Ablution des autels des 3 Rois mages, de st. Nicolas, des stes. Catherine, Barbara et Apollonia.
29v	Mandatum.
56	*In receptione prelatorum et legatorum.*
58	*In receptione regis.*

Rituel (60–93) et suppléments divers (93–102v):

93	R/ et A/ du CORP.CHR: R/Verbum vitae v/ Solae panis remanent species.
94	R/ Panis oblatus coelitus v/ Confortant.
95	R/ Granum excussum v/ Nisi lotus. A/ O sacrum convivium. A/ O quam suavis est.

97	Ablution des autels (voir plus haut)
99	(CORP.CHR.) R/ Homo quidam. H/ Ecce panis angelorum (cf. AH 50, 584).

Bibliographie: Cat. Heinzer-Stamm, 52–53. – Ellen J. Beer, *Initial und Miniatur* (Basel, 1965), 43 no 63.

D-109 (*D-KA* Pm 21a)

KARLSRUHE, Badische Landesbibliothek, St. Peter 21a.

1 f. papier + 13 ff. parchemin + 1 f. papier, 300 x 120 mm (format cantatorium) <225 x 80 mm>. Reliure en parchemin, remplacée en 1982 par une reliure moderne. Ecriture de la première moitié du XVIe s. Notation carrée sur portée de quatre lignes noires; 9 ppp. Origine et provenance: Rottenmünster, bei Rottweil, cisterciennes (d'apres un fragment de contrat de 1513, trouvé dans l'ancienne reliure).

✧ Processionnal cistercien (Tabl. V).

1	2.II.
3v	RAM.
7v	ASC.
9	(CORP CHR) v/ Invitati festinemus (AH 24, 28).
9v	R/ Panis descendens caelicus [Ve t.] v/ Signo crucis (AH 24, 27). R/ O salvatoris magna clementia v/ Talis edulium [Ier t.]. R/ Vere Joseph v/ Summae pater gloriae [Ier t.].
11	*Ante gradum altaris in ecclesia flexis genibus cantetur haec* A/ O panis eucharistiae cibus sanitatis (AH 24, 28).
11v	15.VIII.
12v	A/ Ascendit Christus

Cat. Heinzer Stamm, 53–54.

D-110 (*D-KA* Pm 22)

KARLSRUHE, Badische Landesbibliothek, St. Peter perg. 22.

39 ff. parchemin, 185x140 mm. <135 x 105mm.>. Reliure ancienne récemment restaurée: ais de bois couverts de cuir rouge. Ecriture de la première moitié du XIVe s. Huit peintures pour les différentes fêtes de l'année (cf. Cat. cit., 54). Notation carrée sur portée de quatre lignes rouges; 5 ppp. Origine: provinces rhénanes, vraisemblablement Strasbourg. Provenance: le couvent de dominicaines Ste. Marguerite et Ste Agnès de Strasbourg (f. 1, marque d'appartenance; f. 1v, ancienne cote N XIII). Ce processionnal a problablement été acquis en 1781 par l'Abbé Ph. J. Steyrer en même temps que d'autres processionnaux strasbourgeois.

✧ Processional dominicain (Tabl. VII).

Contenu identique à celui des processionnaux précédents.

Cat. Heinzer-Stamm, 54. – MABK II, 744.

D-111 (*D-KA* Pm 22a)

KARLSRUHE, Badische Landesbibliothek, St. Peter perg. 22a.

8 ff. parchemin + 5 ff. papier, 330 x 120 mm (format cantatorium). Reliure semblable à celle de Pm 5 (D-107): ais de bois couverts de cuir teinté à la myrtille; traces de 2 fermoirs. Ecriture de la première moitié du XIVe s., avec nombreux compléments postérieurs. Initiales et rinceaux bleus et rouges. Notation carrée sur portée de quatre lignes rouges; 10 ppp.; guidon. Origine: un monastère de moniales cisterciennes proche de Salem (cf. f. 2: duae sorores; f. 9–10: rubrique dans un dialecte alémanique émaillé de termes souabes). Provenance: St. Peter im Schwarzwald (aquis par l'Abbé Ph. J. Steyrer en 1781).

✧ Processionnal cistercien (Tabl.V).

1–8	[quaternion]: contenu identique à celui des processionnaux cisterciens précédents.
9–10	[papier 225x110]: rubriques pour la procession du CORP. CHR. en dialecte alémanique: Die sengrin sol vorgen...

Cat. Heinzer-Stamm, 55–56. – MABK II, 702.

D-112 (*D-KA* Pm 22b)

KARLSRUHE, Badische Landesbibliothek, St. Peter perg. 22b.

12 ff. parchemin, 285 x 105 mm. <220 x 80 mm.>: format cantatorium. Reliure restaurée en 1972 à l'imitation de celle du manuscrit précédent. Ecriture de la première moitié du XIVe s. Initiales semblables à celles du Ms. Pm 22a (D-111), mais d'un module plus réduit. Notation carrée sur portée de quatre lignes rouges; 11 portées par page. Origine probable: l'abbaye cistercienne de Salem (Salzmannweiler). Provenance: St. Peter im Schwarzwald (aquis en 1781 par l'Abbé Ph. J. Steyrer: cf. f. 9).

✧ Processionnal cistercien (Tabl. V).

1	Uterus virgineus (AH 54, p.389, str. 1 et 2), conduit à deux voix (RISM B IV 3, 320). Alleluia v/ Domine in virtute. R/ Regnum mundi.
1–8v	Processionnal cistercien (2.II-15.VIII).
8	A/ Clementissime (pour les funérailles).
8v	[add] R/ Sint lumbi vestri.
9–12	[binion add. 220 x 75 mm., 8 ppp.], CORP.CHR. R/ de l'office cistercien (AH 24, 26).

Cat. Heinzer-Stamm, 56–57. – K. von Fischer et M. Lütolf, RISM B IV 3, 320. – MABK II, 702.

D-113 (*D-KA* Pm 25)

KARLSRUHE, Badische Landesbibliothek, St. Peter perg. 25.

129 ff. parchemin + 4 ff. papier, 210 x 140 mm. <130 x 90 mm>. Reliure en basane usée. Ecriture du XIVe s. Notation carrée sur portée de quatre lignes rouges; 4 ppp; guidon. Origine: Ste. Agnès à Strasbourg. Provenance: St. Peter im Schwarzwald (acquis en 1781 par l'Abbé Ph. J. Steyrer).

✧ Processionnal et Rituel dominicains (Tabl. VII).

1	(2.II) A/ Lumen.
57	(CORP.CHR) R/ Verbum vitae.
64	[add.] R/ Homo quidam. H/ Ecce panis angelorum (cf. D-108).
81v–124v	Rituel du sacrement des malades et funérailles.
124v–133	Suplément au processionnal:
124v	In receptione praelatorum.
129	(CENA) Ablution des autels de la Vierge Marie, ste Agnès, sts Jean Baptiste, Jean l'évangéliste, Michel, stes Odile, Ursule (cf. St. Peter Pm 67) [D 121], f. 93v).
130	[add. XVIe s.] R/R/ de l'office rythmique de st. Dominique (AH 25, 239): R/ Mundum vocans v/ Ad hoc convivium [Ier t.]. 130v R/ Verbum vitae v/ Ter in flammas [IIIe t.].
131	R/ O spem miram v/ Qui tot signis [Ier t.]. Cf. Pm 21 (D-108).
131v	R/ pour le CORP.CHR.: R/ Respexit Elias.
132	R/ Accepit Jesus.
132v	Memoria memor ero.

Cat. Heinzer-Stamm, 63. – MABK II, 744.

D-114 (*D-KA* Pm 29a)

KARLSRUHE, Badische Landesbibliothek, St. Peter perg. 29a.

39 ff. parchemin, 195 x 110 mm. Reliure en peau de porc estampée avec 5 médaillons (cf. Cat.), trace de fermoirs. Ecriture de la première moitié du XIVe siècle. Initiales alternativement bleues ou rouges. Notation carrée sur portée de quatre lignes rouges; de 7 à 10 ppp. Origine probable: Salem (cf. Cat. cit.). Provenance: acquis le 20 novembre 1780 par l'Abbé Philip Jacob Steyrer pour son monastère de St-Peter im Schwarzwald.

✧ Processionnal cistercien (Tabl. V).

Le processionnal est encadré par des traités de musique et par un Kyriale.

1	Main guidonienne.
1v	Théoger de Metz, *Musica*.
7v	*Regulae super discantum*, transcrites par Dietricus (Cf. RISM B III 3, 67).
8	Alleluia v/ Veni sancte Spiritus, à 2 voix (Cf. RISM B IV 1, 86)
9–20	Processionnal cistercien (2.II, RAM, ASC, 15.VIII).
20–26	Kyriale avec 3 cycles de messes.
26v–29	Pièces diverses (cf. Cat. cit. 73).
29v	Mandatum A/ Dominus Jesus.
35	(CORP.CHR) R/ Invitati festinemus (cf. AH 24, 28).
37v	deux Kyrie à 2 voix (cf. RISM B IV 1, 86).
38v	Ter terni sunt modi (noté).

39v [add. XVe s.] A/ Sub tuum praesidium. R/ Recordare domine.

Bibliographie: Cat. Heinzer-Stamm, 72–73. – K. von Fischer & M. Lütolf, RISM B IV 1, 86. – M. Huglo et C. Meyer, RISM B III 3, 66–67. – MABK II, 702.

D-115 (*D-KA* Pm 35)

KARLSRUHE, Badische Landesbibliothek, St. Peter perg. 35.

14 ff. parchemin, 240 x 85 mm.<200 x 70 mm.>, format cantatorium. Reliure ciselée du XIIIe s., restaurée en 1972 (cf. Kyriss). Ecriture de la seconde moitié du XIIIe s. Notation carrée sur portée de quatre lignes rouges; 10 ppp; guidon à bec de deuxième main. Origine probable: Salem (cf. Cat. Cit.). Provenance: St. Peter im Schwarzwald (sans signature de l'Abbé Ph. J. Steyrer).

✧ Processionnal cistercien (Tabl. V).

1v (2.II) A/ Lumen.
4v RAM (changement de notateur).
10v [add.] Alleluia v/ Domine in virtute tua.
11v–14v [binion add.] (CORP.CHR) *In choro* v/ Invitati festinemus (cf. Pm 22b [D-112], f. 9).

Bibliographie: Cat. Heinzer-Stamm, 87. – Ernst Kyriss, [„Vorgotische verzierte Einbände der Landesbibliothek Karlsruhe"], *Gutenberg Jahrbuch* 36 (1961)], 280.

D-116 (*D-KA* Pm 46a)

KARLSRUHE, Badische Landesbibliothek, St. Peter perg. 46a.

64 ff. parchemin, 95 x 65 mm <60 x 45mm>. Reliure de peau teintée en rouge, en partie restaurée en 1935. Ecriture de la première moitié du XIVe s. Initiales bleues et rouges, celle du f. 1v est fleuronnée. Notation carrée sur portée de quatre lignes rouges; 5 ppp. Origine: la Franconie, d'après le dialecte des rubriques du rituel. Provenance: St. Peter im Schwarzwald.

✧ Processionnal et Rituel dominicains (Tabl. VII).

1 [add.] Rubriques en allemand pour l'enterrement.
1v–26v Processionnal (RAM) A/ Pueri Haebreorum.
26v–64v Rituel du sacrement des malades et des funérailles.

Cat. Heinzer-Stamm, 112. – MABK II, 617.

D-117 (*D-KA* Pm 51)

KARLSRUHE, Badische Landesbibliothek, St. Peter perg. 51.

14 ff. parchemin, 245 x 85 mm. <190 x 70 mm>, format cantatorium. Reliure ciselée du XIIIe s., restaurée en 1972 (cf. Kyriss). Ecriture de la seconde moitié du XIIIe s. et du XIVe s. Notation carrée sur portée de quatre lignes; 10 ppp. Origine probable: Salem. Destination: un monastère de moniales cisterciennes (cf. f. 9). Provenance: St. Peter im Schwarzwald (acquis en 1781 par l'Abbé Ph. J. Steyrer).

✧ Processionnal cistercien (Tabl. V).

1 [add.] S/ Laus tibi Christe qui es creator (AH 50, 346): la fin, au f. 14v.
1v–8v Processionnal cistercien.
9v A/ Clementissime...domine, miserere super peccatricem.
10–13 [binion add.] CORP.CHR.: *In choro ante gradum* v/ Invitati festinemus (AH 24, 28). Sur le fragment des *Obligationes parisienses* (XIIIe s., 2/2), découvertes dans la reliure, voir le Cat.

Bibliographie: Cat. Heinzer-Stamm, 124–125. – Kyriss, *Gutenberg Jhb.* 1961, 280. – MABK II, 702.

D-118 (*D-KA* Pm 52)

KARLSRUHE, Badische Landesbibliothek, St. Peter perg. 52.

13 ff. parchemin, 240 x 85 mm (format cantatorium), <195 x 70 mm>. Reliure ciselée du XIIIe s. (cf. Kyriss), restaurée en 1972. Ecriture de la seconde moitié du XIIIe s. Initiales bleues et rouges. Notation carrée sur portée de quatre lignes rouges; 10 ppp. Origine possible: Salem. Destination : un monastère de moniales cisterciennes (f. 9: duae sorores post evangelium intra fores monasterii a cantrice premonitae)., Provenance: St. Peter im Schwarzwald (acquis en 1781 par l'Abbé Ph. J. Steyrer).

✧ Procesionnal cistercien (Tabl. V).

Après le processional (1–8v), on a ajouté, comme dans les manuscrits précédents, un cahier (9–13) pour les chants du CORP. CHR.

Bibliographie: Cat. Heinzer Stamm, 126. – Kyriss, *Gutenberg Jhb.* 1961, 280. - MABK II, 702.

D-119 (*D-KA* Pm 53)

KARLSRUHE, Badische Landesbibliothek, St. Peter perg. 53.

12 ff. parchemin, 290 x 105 mm.(format cantatorium), <240 x 70 mm>. Reliure de cuir ciselé du XIIIe s. (cf. Kyriss, Taf. 4), restaurée en 1972. Ecriture de la seconde moitié du XIIIe s., additions du XIVe. Notation carrée sur portée de quatre lignes rouges; 12 ppp. Origine probable: Salem. Destination: un monastère de moniales cisterciennes (cf. ff. 8 et 12v). Provenance: St. Peter im Schwarzwald (aquis en 1781 par l'Abbé Ph. J. Steyrer).

✧ Processionnal cistercien (Tabl. V).

1v–7v Processional cistercien.
8 A/ Clementissime...miserere super peccatricem vel peccatorem.
8v Alleluia v/ Felix es sacra virgo Maria.
9–12 [binion add.] *In choro* v/ Invitati (cf. Pm 22b, f. 9).
12v v/ pour l'enterrement: Non intres in judicium ...famula tua.

Bibliographie: Cat. Heinzer-Stamm, 127. – Kyriss, *Gutenberg Jhb*, 1961, 284 & Tafel 4. – MABK II, 702.

D-120 (*D-KA* Pm 54)

KARLSRUHE, Badische Landesbibliothek, St. Peter perg. 54.

8 ff. parchemin, 250 x 90 mm (format cantatorium), <195 x 75 mm>. Reliure de cuir ciselé du XIIIe s. (cf. Kyriss), restaurée en 1972 (en garde: fragments de bréviaire cistercien du XIIIe s.). Ecriture de la seconde moitié du XIIIe s. Initiales bleues et rouges. Notation carrée sur portée de quatre lignes rouges ; 12 ppp. Origine probable: Salem. Provenance: St. Peter im Schwarzwald.

✧ Processionnal cistercien (Tabl. V).

Le processionnal est encadré par la bénédiction des cierges (1) et par la bénédiction des rameaux (7v–8v), selon le Missel cistercien.

Bibliographie: Cat. Heinzer-Stamm, 130. – Ehrensberger, 67, n. 9. – Kyriss, *Gutenberg Jhb.* 1961, 284. – MABK II, 703.

D-121 (*D-KA* Pm 67)

KARLSRUHE, Badische Landesbibliothek, St. Peter perg. 67.

93 ff. parchemin + 4 ff. papier + gardes, 205 x 140 mm. Reliure ais de bois couverts de cuir teinté à la myrtille; clous-bossoirs de cuivre sur les plats; traces de fermoirs. Ecriture du XIVe s. Initiales rouges et bleues; le L du f. 1 est de même facture que celui de St. Peter 21 (D-108); cinq pages sont ornées de peintures identiques à celles du même manuscrit. Notation carrée sur portée de quatre lignes rouges; 4 ppp. Origine: le couvent des dominicaines de Ste Marguerite et Ste Agnès de Strasbourg (cf. la signature A III de la f. de garde). Provenance: St. Peter im Schwarzwald (acquis en 1781 par l'Abbé Ph. J. Steyrer).

✧ Processionnal et rituel dominicains (Tabl.VII).

1	(2.II) A/ Lumen.
22v	(CENA) *In ablutione altarium* R/ In monte Oliveti. Les chants à l'adresse des saints titulaires des différents autels sont reportés à la fin (93). Rituel du sacrement des malades et des funérailles.
90–98v	Suppléments au processionnal:
93	Ablution des autels: les rubriques sont en latin et parfois en allemand (cf. Cat. cit. 151). La série des suffrages, remaniée en plusieurs endroits, est cependant identique à celle de Pm 21 (D-108).
94	[add. sur papier], les 3 mêmes R/ de l'office rythmique de st Dominique qu'au début de Pm 21 (D-108).
96v	R/ Christus resurgens.
98	A/ Regina coeli.

Bibliographie: Cat. Heinzer-Stamm, 150. – E. J. Beer, *Initial und Miniatur* (Basel, 1965), 44 no 65. – MABK II, 744.

D-122 (*D-KA* Pm 70)

KARLSRUHE, Badische Landesibliothek, St. Peter perg. 70.

171 ff. parchemin, 185 x 125 mm <105 x 80 mm>. Reliure de cuir blanc, avec lacets comme fermoirs. Ecriture de la seconde moitié du XIVe s. Initiales bleues et rouges. Notation carrée sur portée de 4 lignes rouges; 4 ppp. Origine: le couvent des dominicaines d'Unterlinden à Colmar, d'après la liste des titulaires des autels (f. 135v). Provenance: St. Peter im Schwarzwald (acquis en 1781 par l'Abbé Ph. J. Steyrer).

✧ Rituel-processionnal dominicain (Tabl.VII).

1–62v	Rituel de la sépulture; psaumes de la pénitence et L/.
63–64v	blancs.
65–171v	Processionnal: (RAM) A/ Pueri Haebreorum.
139v	(CENA) Ablution des autels de la Vierge Marie et de st Dominique, des saints Jean-Baptiste, Jean l'apôtre, Pierre le martyr, Jacques, Nicolas, des 11000 vierges, des anges, confesseurs, évêques (cf. Cat.).
165v	R/ Libera me domine de morte.
170	A/ O lumen ecclesiae (pour st Dominique).

Bibliographie: Cat. Heinzer-Stamm, 156. - M. Barth, *Handbuch der elsässischen Kirchen im Mittelalter* [*Archives de l'Eglise d'Alsace*, 27–29], Strasbourg, 1960–63, c. 234. – MABK I, 152.

D-123 (*D-KA* Pm 108)

KARLSRUHE, Badische Landesbibliothek, St. Peter perg. 108.

226 ff. parchemin + 2 ff. papier, 105 x 80 mm <70 x 50 mm>. Reliure ancienne restaurée en 1973. Ecriture de la première moitié du XIVe s. Initiales bleues et rouges; ff. 1 et 20v, initiales fleuronnées. Notation carrée sur portée de quatre lignes rouges, 4 ppp. Origine alsacienne; le filigrane du papier des gardes porte les armoiries de Colmar (cf. Cat.). Provenance: St. Peter im Schwarzwald (acquis en 1781 par l'Abbé Ph. J. Steyrer).

✧ Office des morts-Rituel-Processionnal (Tabl. VII).

1–84v	Office des défunts (usage dominicain).
84v	[add.] A/ Factus Jesus in agonia (Cf. Pm 4 [D-106], f. 91).
85–170v	Rituel de la mort. L/ sanctorum, psaumes de la pénitence.
171–226v	Processionnal dominicain. (RAM) A/ Pueri Haebreorum.

Cat. Heinzer-Stamm, 206.

D-124 (*D-KA* Pm 109)

KARLSRUHE, Badische Landesbibliothek, St. Peter perg. 109.

172 ff. parchemin + 16 ff. papier, 150 x 110 mm <95 x 75 mm>. Réclames. Reliure du XVe s.: peau teintée en rouge. Ecriture datée de 1439, due à la soeur Agnès Rössin, chantre du couvent St Nicolas in Undis (d'après le collophon du f. 172v, transcrit dans le Cat.). Initiales

courantes bleues et rouges ou noires rehaussées de rouge; f. 2 initiale bleue L, sur fonds or; 3 initiales fleuronnées avec rinceaux dans les marges; f. 59 miniature en bordure: entrée de Jésus à Jérusalem (description detaillée au Cat.). Notation carrée sur portée de 4 lignes rouges; 4 ppp; guidon. Origine: le couvent des dominicaines de St Nicolas in Undis à Strasbourg. Provenance: St Peter im Schwarzwald (acquis en 1781 par l'Abbé Ph. J. Steyrer).

✧ Processionnal-Rituel dominicain (Tabl. VII).

2	(2.II) A/ Lumen.
20	(CENA) Ablution des autels de la Vierge Marie, des sts. Dominique et Vincent, Matthieu, Nicolas et ste Elisabeth, des 10000 martyrs et de Tous les saints (s.n.).
59v–172v	Rituel du sacrement des malades et des funérailles
173–185	[add. de la seconde moitié du XVIe s. sur papier]: les mêmes répons de l'office rythmique de st Dominique qu'au début de Pm 21 (D-108).
178	R/ Verbum vitae.
179	R/ Solae panis remanent species.
179v	R/ Panis oblatus.
181	R/ Granum excussum palea (cf. Pm 21 [D-108], f. 93 ss.).

Bibliographie: Cat. Heinzer-Stamm, 207. – Ellen J. Beer, *Initial und Miniatur*, Basel, 1965, 55 no 61. – MABK II, 747.

D-125 (*D-KA* Pm 112)

KARLSRUHE, Badische Landesbibliothek, St. Peter perg. 112.

120 ff. parchemin, 110 x 90 mm. Reliure ancienne de cuir rouge sur ais de bois, restaurée en 1973. Ecriture du dominicain Albrecht von Breslau, comme dans le bréviaire Pm 20a; les autres parties sont d'une main qui se rapproche de celle des manuscrits d'Adelhausen (cf. D-63–74). Initiales bleues et rouges; f. 70 et 93, grandes initiales ornées. Notation carrée sur portée de quatre lignes rouges; 5 ppp. Origine: l'Allemagne du sud-ouest. Provenance: St Peter im Schwarzwald (acquis en 1781 par l'Abbé Ph. J. Steyrer).

✧ Processionnal-rituel dominicain (Tabl.VII).

2–52	Processionnal: *Incipiunt processiones per totum annum secundum ordinem fratrum praedicatorum. Et primo in dominica ramis palmarum.*
59–93	Rituel avec rubriques en allemand, dialecte alémanique.
99v–111	Suppléments au processionnal: Ablution des autels (cf. Cat. 213).
107	A/ Haec est dies quam fecit dominus.
108v	Ecce panis angelorum.
112	L/ sanctorum.

Cat. Heinzer-Stamm, 212. – MABK I, 256.

D-126 (*D-KA* Pm 113)

KARLSRUHE, Badische Landesbibliothek, St. Peter perg. 113.

142 ff. parchemin, 160 x 105 mm. <100 x 82mm.>. Composition du processionnal: sénions repérés par une réclame. Reliure du XVe s., ais de bois couverts de cuir rouge avec deux lacets comme fermoirs. Ecriture du processionnal: XVe s. Notation carrée sur portée de 4 lignes rouges. Origine probable: le couvent des dominicaines de St Nicolas in Undis. Provenance: St Peter im Schwarzwald (aquis en 1781 par l'Abbé Ph. J. Steyrer).

✧ Processionnal-rituel dominicain (Tabl. VII).

2–55 Processionnal. (2.II) A/ Lumen.

21	Ablution des autels: les titulaires sont les mêmes que dans Pm 4 (D-106).
85–118	Rituel (XIIIe s.).
119–142	Suppléments divers (XIVe s.): Généalogies notées.
128	Exultet.
137	Str. 11 et 12 de la S/ Ave virgo gloriosa (AH 54, 418) et 2 v/ d'alleluia pour st Jean l'évangéliste (cf. Cat.).

Cat. Heinzer-Stamm, p. 213. – MABK II, 747.

D-127 (*D-KA* Pm 114)

KARLSRUHE, Badische Landesbibliothek, St Peter perg. 114.

254 ff. parchemin, 150 x 100 mm. <95 x 75 mm.>. Reliure de cuir rouge sans décoration avec lacets comme fermoirs. Ecriture du XVe s. (et non du XIVe, Cat.), postérieure à la canonisation de st Vincent Ferrier (1458), invoqué dans les litanies au f. 119. Initiales rouges et bleues, d'autres avec motifs floraux. Notation carrée sur portée de quatre lignes rouges; 3 ou 4 ppp. Origine: le couvent des dominicaines d'Unterlinden à Colmar. Provenance: St Peter im Schwarzwald (acquis en 1781 par l'Abbé Ph. J. Steyrer).

✧ Office des morts-Rituel-Processionnal dominicains (Tabl. VII).

2–104	Office des morts selon l'usage dominicain (Ottosen, 108–110).
104–168v	Rituel des funérailles.
169–253	Processionnal.
169	(CORP. CHR) R/ Homo quidam.
177	RAM.
213	Ablution des autels: la liste des titulaires est identique à celle de Pm 70 (D-122).
239	2.II.
246a	[papier add.] A/ Haec est dies quam fecit dominus (cf. Pm 112 [D-125], f. 107).
246v	15.VIII.

Bibliographie: Cat. Heinzer-Stamm, 21. – M. Barth, *Handbuch der elsässischen Kirchen im Mittelalter (Archives de l'historie d'Alsace*, 27–29), Strasbourg, 1960–1963, 283. – MABK I, 152.

D-128 (*D-KA* Pm 115)

KARLSRUHE, Badische Landesbibliothek, St. Peter perg. 115.

1 + 64 + 1 ff. parchemin, 160 x 120 mm. <105 x 65 mm.>. Reliure de cuir rouge sans décoration. En garde, fragment de l'office rythmique de st François par Julien de Spire, avec notation. neumatique. Ecriture de la seconde moitié du XVe s. (st Vincent Ferrier, canonisé en 1458, est mentionné de première main dans les litanies, f. 68v). Initiales bleues et rouges, certaines avec motifs floraux. Notation carrée sur portée de quatre lignes rouges; 4 ppp. Origine possible: le couvent des dominicaines d'Unterlinden à Colmar. Provenance: St Peter im Schwarzwald (acquis en 1781 par l'Abbé Ph. J. Steyrer: cf f. 1).

✧ Office des morts-Rituel-Processionnal dominicains (Tabl.VII).

1–39 Office des morts.
39–98 Rituel des funérailles.
105–158v Processionnal.

Cat. Heinzer-Stamm, 216. – MABK I, 152.

D-129 (*D-KA* Pm 116)

KARLSRUHE, Badische Landesbibliothek, St. Peter perg. 116.

1 + 133 + 1 ff. parchemin et papier, 135 x 100 mm. <100 x 70 mm.>. Reliure de cuir rouge restaurée en 1982. Ecriture du XVe s. Au f. 1v, peinture: st. Jean l'évangéliste (description au Cat.). Notation carrée sur portée de quatre lignes rouges; 5 ppp. Origine: le couvent des domonicaines de St Nicolas in Undis à Strasbourg. Provenance: St Peter im Schwarzwald.

✧ Processionnal et Rituel dominicains (Tabl. VII).

[1–60 sur papier]:
4–48 Processionnal (2.II) A/ Lumen.
48–54 Office des morts.
51 CORP. CHR.
61–116v Rituel du sacrement des malades et des funérailles.
119–123 [add.] Ablution des autels: liste identique à celle de Pm 4 (D-106).
123 Prière privée en allemand.

Cat. Heinzer-Stamm, 217. – MABK II, 747.

D-130 (*D-KA* Pm 117)

KARLSRUHE, Badische Landesbibliothek, St. Peter perg. 117.

100 ff. parchemin, 140 x 95 mm. <95 x 65 mm>. Reliure de cuir rouge restaurée en 1972. Ecriture de la première moitié du XVe s. Initiales bleues et rouges, certaines fleuronnées. Notation carrée sur portée bleue et rouge; 5 ppp Origine: le couvent des dominicaines de Ste Agnès à Strasbourg. Provenance: St Peter im Schwarzwald (aquis en 1781 par l'Abbé Ph. J. Steyrer).

✧ Processionnal-Rituel dominicain (Tabl. VII).

1–45 Processionnal (2.II) A/ Lumen.

16	(CENA) *Ad ablutionem altarium: Hic ponantur antiphonae et versiculi* etc. (les suffrages des titulaires d'autels ne sont pas transcrits).
45–86v	Rituel.
88v–97v	(CORP. CHR.) R/ et A/ pour la procession, tirés en partie de l'office rythmique de la Fête-Dieu (AH 5, n° 5).

Cat. Heinzer-Stamm, 219. – MABK II, 744.

D-131 (*D-KA* Pm 119)

KARLSRUHE, Badische Landesbibliothek, 119.

134 ff. parchemin, 110 x 75 mm. <70 x 55 mm. > dans le processionnal. Reliure rouge avec deux fermoirs. Ecriture du XIVe s. pour le processionnal et de la seconde moitié du XVe pour le rituel. Initiales rouges et bleues ou noires rehaussées de rouge. Notation carrée sur portée de quatre lignes rouges. Origine du rituel: le couvent des dominicaines d'Unterlinden à Colmar. Pas d'indices d'origine pour le processionnal. Provenance: St Peter im Schwarzwald (acquis en 1781 par l'Abbé Ph. J. Steyrer, cf. f. 1).

✧ Processionnal dominicain (Tabl. VII) et Rituel.

2–34	[XIV 1/2] Processionnal dominicain. (RAM) A/ Pueri Haebreorum. Pas de formulaire pour le CORP. CHR.
36–96	[XV 2/2] Rituel du sacrement des malades et des funérailles.
96v–124	Psaumes de la pénitence et L/ des saints.

Cat. Heinzer-Stamm, 221. – MABK I, 153.

D-131/2 (*D-KA* R 197)

KARLSRUHE, Badische Landesbibliothek, R 197.

15 ff. papier, 172 x 110 mm. Petit rituel noté (notation carrée) contenant les rubriques, les antiennes et les oraisons du Mandatum au Jeudi-saint. Ehrensberger, *Bibliotheca liturgica manuscripta* (Karlsruhe, 1889), 69 no 20.

D-132 (*D-KA* x.11)

KARLSRUHE, Badische Landesbibliothek, x.11.

135 ff. parchemin, 174 x 128 mm. Ecriture du XVe s. Notation carrée sur portée de quatre lignes rouges. Origine indéterminée: un couvent de soeurs dominicaines allemandes (cf. f. 2).

✧ Rituel et Processionnal dominicains (Tabl. VII).

1	H/ Tantum ergo. O salutaris hostia.
2–79v	Rituel des malades et Psaumes de la pénitence.
80	Processionnal (RAM) A/ Pueri Haebreorum.
87	Ablution des autels.
128	(PAR) A/ Ecce lignum crucis.

Ehrensberger, 77 no 18.

D-133 (*D-KA* x.15)

KARLSRUHE, Badische Landesbibliothek, x.15.

99 ff. parchemin, 143 x 96 mm. Ecriture du XVe s. Notation carrée sur portée de quatre lignes rouges. Processionnal dominicain et (67) rituel.

Ehrensberger, 78 no 19.

D-134 (*D-KA* x.16)

KARLSRUHE, Badische Landesbibliothek, x.16.

140 ff. 127 x 190 mm. Ecriture du XVe s. Notation carrée sur portée de quatre lignes rouges. Processionnal dominicain suivi d'un Rituel.

Ehrensberger, 78 no 20.

D-135 (*D-KA* x.17)

KARLSRUHE, Badische Landesbibliothek, x.17.

38 ff. parchemin, 95 x 70 mm. Ecriture du XVe s. Notation carrée sur portée de quatre lignes rouges. Processionnal.

Ehrensberger, 66 no 3.

D-136 (*D-KA* W 2)

KARLSRUHE, Badische Landesbibliothek, W.2.

55 ff. parchemin (paginés) + 8 ff. papier, 180 x 130 mm. Ecriture datée de 1607: le Ms. a été écrit à la demande de la soeur Barbara Morizin ex Kuzing, moniale professe de Wonnenthal, par le fr. Michael Rieckher de Willingen, confesseur des moniales de Wonnenthal. Initiales peintes. Au f. 7, armoiries de Clairvaux. Notation carrée.

✧ Processionnal cistercien (Tabl. V).

Ehrensberger, 68 no 14. – [cf. MABK II, 845].

D-137 (*D-Kl* 87)

KASSEL, Landesbibliothek und Murhardsche Bibliothek, 4° Ms. theol. 87.

71 ff. papier, 225 x 155 mm <155 x 105 mm>. Reliure en peau de truie estampée; un fermoir avec la gravure: MARIA. Ecriture datée de 1513 (f. 48v). Notation à clous sur portée de cinq lignes, celle du F en rouge; 4 ppp. Origine: Fritlar. Provenance: Jacobus Herrenschmitt (f. 1v, XVIe s.). Entré à la Bibliothèque de Kassel en 1804.

✧ Processionnal de Fritzlar.

1	(add XVIe s.) A/ Ascendo. A/ Scriptum est enim.
2	2.II.
7v–16v	RAM.
16v–30	(CENA) *Ad mandatum pauperum.*
20	*Ad mandatum fratrum.*

30 H/ Tellus ac aethra jubilent (AH 51, 77).
35v PAR.
43 RES.
38v V/ Salve festa dies (AH 50, 79).
43 ASC.
45v CORP. CHR.
49v 2.VII.
52 15.VIII.
59 DED.
59v–71 Pièces additionnelles:
60v (24.VI) R/ Inter natos.
61v 29.VIII.
68 *In suscipiendo episcopum.*

Notice établie d'après les renseignements communiqués par le Dr. Konrad Wiedemann, Handschriftenabteilung der Landesbibliothek Kassel (10/09/1996).

D-138 (*D-KNda* 16)

KÖLN, Archiv der Erzdiözese, St. Kunibert A II 16.

104 ff. papier, 192 x 152 mm <155 x 114 mm>. Reliure cartonnée couverte de cuir; traces de fermoirs. Ecrit au XVIIe s. Notation à clous, sur portée de quatre lignes; 7 ppp. Origine: St Kunibert de Cologne (Augustins).

✧ Processionnal augustin (Tabl. IX).

1 A/ Media vita.
2 (NAT) R/ Verbum
2v EPI.
3 2.II.
7v CIN.
13v RAM.
22 CENA.
39 RES.
50 29.V: In die Maximini.
52v PENT.
59 2.VII.
61 15.VIII.
62v 29.VIII.
67 DED.
69 21.XI: In die undecim milium virginum.
72 1.XI.
84 S/ Ave virgo speciosa clarior sideribus (AH 15, 215).
84v H/ Te deum laudamus.

87v	S/ Ave praeclara maris stella (AH 50, 313).
90v	A/ Asperges me. A/ Vidi aquam.
91	L/ de B.M.V.
98v	L/ de sco. Augustino et de sco. Joseph.

Bibliographie: H. J. Werner, *Die Hymnen in der Choraltradition des Stiftes St. Kunibert zu Köln* (Köln, 1966), 65–66.

D-139 (*D-KNd* 1063)

KÖLN, Erzbischöfliche Diözesan- und Dombibliothek, 1063.

64 ff. parchemin + 33 ff. papier, 120 x 90 mm. Reliure cuir estampé sur ais de bois; 2 fermoirs. Ecriture rhénane de la fin du XVe s.; initiales décorées. Notation carrée sur portée de quatre lignes rouges; 5 ppp; guidon. Origine: dominicains de Cologne.

✧ Processionnal dominicain (Tabl. VII).

1v	RAM.
50	(21.X: Undecim millium virginum) R/ O sanctarum milia virginum v/ Nam in choro [Ve t.].
60	*Contra mortalitatem* A/ Peccatis nostris.
61	*Ad b. Virginem contra pestem* A/ Haec est praeclarum vas Paracliti.
63	(add. 2e m.) A/ Recordare Domine.
64 ss	[add. sur papier] A/ et R/ à la Vierge.
86	A/ Media vita. A la fin, 33 ff. de petit format provenant d'un hymnaire imprimé.

HdsC, 729 n° 1240 [la cote du Ms est 63: elle est précédée ici du préfixe 10].

D-140 (*D-KNd* 1064)

KÖLN, Erzbischöfliche Diözesan- und Dombibliothek, 1064.

125 ff. parchemin, 117 x 80 mm. Reliure cuir estampé à froid sur ais de bois; traces de fermoirs. Ecriture de la fin du XVe s. Initiales bleues, rouges ou noires. Notation gothique allemande sur portée de quatre lignes noires (notation carrée (52–56v [H/ Te Deum]) et 81); clés **C**, **.** (pour la ligne du F) et **g** (f. 3); barres verticales de division rouges; 5 ppp. Origine: St-Nicolas de Brauweiler (voir note à l'intérieur du plat supérieur).

✧ Processionnal.

1	2.II.
3	A/ Responsum... *Chorus* (pour le mélisme cadentiel de chaque incise).
6	RAM.
13	(CENA) *Ad Mandatum pauperum* A/ Dominus Jesus.
15	*Ad Mandatum fratrum* A/ Ante diem festum Paschae (17v)... et caput [mélisme].

21v (PAR)
25v *Submissa voce dum eucharistia de(fertur)* A/ Hoc corpus.
26 *Item ad visitandum sepulchrum* R/ Sepulto Domino.
27v RES.
33 ASC.
37–58 (CORP. CHR) Douze R/ de l'office du jour: R/4 Melchisedech vero rex Salem v/ Benedictus Abraham.
58 (2.VII).
60v (DED) *Item in die Dedicationis distributione reliquiarum canitur* A/ Isti sunt. R/ Benedic Domine domum istam v/ Conserva.
63v 15.VIII.
66 PENT.
67 TRIN.
Commun des saints.
74 6.XII et (74) 11.XI.
83 *In commendatione defunctorum.*
89 *Tempore pestilenciali additur* A/ Media vita (sans v/).
95–135 Rituel des fins dernières.

HdsC, 730 n° 1241 [la cote du MS est 64: elle est précédée ici du préfixe 10].

D-141 (*D-KNd* 1105)

KÖLN, Erzbischöfliche Diözesan- und Dombibliothek, 1105.

51 ff. parchemin, + 10 + 4 ff. papier 215 x 160 mm <155 x 120 mm>. Reliure porc estampé à froid (trois encadrements concentriques). Ecriture datée de 1573 (ff. 5 et 51v); initiales bleues, rouges ou noires. Notation gothique allemande sur large portée (18 mm) de quatre lignes noires; 6 ppp; guidon. Origine: Cologne. Provenance: Chapitre de Sta Maria ad Gradus (f. 51v).

✧ Processionnal.

1 (post lacunam) Ps 112 et 113.
4v Alleluia v/ Nonne cor nostrum.
5–15v Ps de la Pénitence et L/ des saints: (13) sce Engelberthe [de 2e main]; (14) Sancta Elisabeth [de 2e main].
16 R/ Emendemus.
17 RES A/ Vidi aquam.
18 A/ Christus resurgens.
20 A/ Cum rex gloriae (21v le mélisme alléluiatique est cancellé).
30v *In adventu Domini ante missam dominicis diebus in processione* A/ Ecce charissimi.
32v (autre notateur) A/ Sanctifica nos Domine. A/ Oremus dilectissimi. R/ pour SEPT et QUADR. (RAM manque)

43v (CENA) A/ Cena facta.
46v A/ Ante diem festum Paschae (47)... pedes discipulorum [mélisme cancellé au crayon]
47v ...et caput: le mélisme [plus long que dans le 1064] a été noté aux ll. 4 et 5, mais le copiste a écrit en noir *Vos* sous le début du mélisme pour reprendre à la ligne 6...*vocatis me*, etc).
51 Add. sur papier.

MABK II, 443.

D-142 (*D-KNd* 1109)

KÖLN, Erzbischöfliche Diözesan- und Dombibliothek, 1109.

35 ff. parchemin, 110 x 80 mm. Reliure cuir. Ecriture du XV/XVIe s.; initiales alternativement bleues ou rouges. Notation carrée; 5 ppp. Origine: un couvent de soeurs dominicaines allemandes. Provenance: le Séminaire de Cologne.

✧ Processionnal dominicain (Tabl. VII).

1 RAM. CENA. Pas de mention de l'*Ad abluenda altaria.*

HdsC, 750 n° 1271.

D-143 (*D-KNd* 1163)

KÖLN, Erzbischöfliche Diözesan- und Dombibliothek, 1163.

7 ff. papier + 85 ff. parchemin, 225 x 165 mm (dernier cahier en désordre). Reliure peau de truie estampée à froid sur ais de bois, portant la date de 1623; 2 fermoirs. Ecrit après 1523 (cf. f. 78v. La date de 1534, sur la f. de g. a été biffée). Notation à clous sur portée de cinq lignes: quatre noires, plus une rouge; 6 ppp; guidon. Destination: Cologne, Sca Maria ad Gradus (chanoines).

✧ Processionnal.

Temporal (1–51v).
1 A/ Sanctifica nos Domine signaculo.
1v A/ Ecce carissimi v/ Ecce mater nostra Hierusalem.
3v A/ Salvator mundi. R/R/ pour les fêtes.
12 A/ Media vita (sans v/v/).
17v (CENA) ...*cantatur submissa voce* A/ Hoc corpus.
18 *In Cena Domini sedendum est hic in nigris albis et cantabitur sil(enter) per omnes istam* A/ Ante diem festum.
22v *Ad lotionem altarium. Ad summum altare* A/ O crux gloriosa. Autels des saint(e)s Marguerite, Etienne, Alhedis, Jacques, Elisabeth, Switbert, Agacii, Nicolai, Genesii, stae crucis et XVI sanctorum, Jean Baptiste, *In capella scae Mariae Magdalenae. De omnibus sanctis concludendo...*

33 *Sepultura crucis* R/ Ecce quomodo.
38 *Visitatio sepulchri* (cf LOO II, 297 n° 235).
41v V/ Salve festa dies.
49 A/ Oremus dilectissimi nobis.
Sanctoral (51v–74).
A partir du 30.XI.
52v (5.XII: de sco Annone) R/ O virtutum speculum v/ In cujus [VIe t.].
58 (25.III) R/ Christi virgo.
58v H/ Fit porta Christi pervia (RH 6346).
60 (9.VII: Agilolphi martyris) H/ O supreme tui rex (AH 12, 77).
61 (22.VII) R/ Armilla v/ Divina misericordia [IIIe t.].
62 23.VII: Translatio III regum
63 (15.III)
65 H/ Gaude visceribus mater (AH 51, 144).
66 (13.IX: Materni epi.) R/ Laudemus Dominum in beati v/ Venerabilis deus [Ier t.]. DED indiquée en marge du 29.IX: le R/ Terribilis est au fol. 11, f. de g.
69v (10.X: sci Gereonis) R/ O --- gloriosi martyres Christi v/ Fulget [IVe t.].
70v (23.X: Severini epi.) R/ Laudemus Dominum* (renvoi au f. 66).
73 (21.XI: Praesentatio B.Mariae V., de 2e main).. Margaritae.
Commun des Saints (74–fin).
78v *Memoria Passionis Dni. N.J.C., incepta anno 1523* R/ Tenebrae (cf. D-147, f. 54).

MABK II, 443. – *HdsC*, 757 n° 1284.

D-144 (*D-KNd* 1192)

KÖLN, Erzbischöfliche Diözesan- und Dombibliothek, 1192.

Processionnal de Sta Maria ad Gradus, mentionné dans MABK II, 444, mais omis dans HdsC.

D-145 (*D-KNsm* o.S.)

KÖLN, Erzbischöfliches Seminar, ohne Signatur.

141 ff. (paginés) papier à filigrane (couronne royale), 145 x 92 mm <115 x 72 mm>. Le manuscrit est relié avec le *Compendium responsoriorum et antiphonarum ecclesiasticarum*, imprimé à Cologne en 1664. Ecrit à Cologne au début du XVIe s. Notation cursive à clous, sur portée de cinq lignes; 5 ppp. Notation mesurée blanche (p. 73). Provenance: la paroisse St Columba de Cologne.

✧ Processionnal de Cologne.

Temporal (pp. 1–209).

1	NAT et 2.II.
8	(QUADR) T/ (du Salve regina) Jesum fructum tuum dignum. Maria tuum filium.
49	25.III.
52	RAM.
73	Lamentations (notation mesurée).
122	PAR.
136	SAB.
145	RES.
151	A/ de la procession pascale.
170	ASC.
181	PENT.
201	TRIN.
204	CORP. CHR.

Sanctoral (pp. 209–245).

214	*De tribus regibus.*
242	DED.
245	*Pro defunctis.*
251	*Tempore afflictionis, Tempore pestis.*
257–274	Lacune: ces pages contenaient le début d'un hymnaire achevé aux pp. 279–282.

Bibliographie: RISM B VIII 1 (1979), 1664/3. – LOO VI, 308–309. – omis dans *HdsC.*

D-146 (*D-KNa* 89b)

KÖLN, Historisches Archiv, GA 89b (ol. W 105).

118 ff. parchemin, 234 x 165 mm. Reliure estampée à froid: motifs décoratifs et filets. Sur le plat intérieur, au crayon, W 105. A l'intérieur du plat inférieur, l'inscription: Reinerus Hornenborch, Johannes Revenich, //////, Martinus Linnick fuerunt chorales in summo templo, Anno 1627. Ecriture du XIVe siècle. Notation gothique rhénane (de deux mains différentes: 1–53; 54–109) sur portée de quatre lignes: deux noires, une jaune (C) et une rouge (marquée d'un point) pour le F; guidon de 2e main, passim. 9 ppp. Les incipit des pièces de chant mentionnées dans les rubriques sont toujours neumées sans portée. Origine et provenance: la cathédrale St-Pierre de Cologne.

✧ Processionnal-Rituel de la cathédrale de Cologne.

1v	Généalogie selon Mathieu, notée.
3v	In vigilia Paschae: *Mulieres* Quis revolvet nobis lapidem? *Angeli* Quem quaeritis (Cf. Darmstadt 970 = D-49).
4	(RES) cf. f. 48.

4v	In vigilia PENT. ... *procedat scolaris praeferens crucem magnam ... Interea cantant duo subdiaconi* L/ Rex sanctorum angelorum (incipit s.n.) *et sic cantando procedant ad fontem.*
5	*Dominicis diebus, in processione* A/ Sanctifica nos. A/ In plateis (et la série des autres A/A/ composées par Hucbald: cf. Y. Chartier, *L'oeuvre musicale d'Hucbald de Saint Amand*, Montréal, 1995, 392 ss.).
7v	Monitions diaconales pour le Grand Scrutin (cf ff. 14 et 15): Catechumeni procedant... State cum disciplina.
8v	(ADV) A/ Ecce carissimi v/ Ecce mater nostra.
9	(13.I: in octava EPI) *In festo subdiaconorum exeuntes subdiaconi cum rege suo coronato de choro sanctae Mariae...* A/ Benedicat nos divina majestas. *Rex cum suis* A/ Ille nos benedicat.
9v	2.II.
11	*In choro sanctae Mariae ad novum opus* A/ Tota pulchra es.
12v	(CIN) A/ Exaudi nos.
15	[IVe mercredi de Carême, le Grand Scrutin]. Monitions diaconales (Catechumeni procedant... Orate eleecti, etc), lectures, tradition du Symbole en grec puis en latin (15) Pisteuo is ena theon (ed. M. Huglo, *Revue grégorienne* 30 [1951], 68–78).
17	Credo in unum Deum.
18v	(RAM) Ordo in die Palmarum... *Tunc ascendunt chorum expectantes in choro adventum dni. archiepiscopi. Cum autem venerit sedens in nacco cooperto pallio a capite usque cruppam deorsum et indutus episcopalibus et cappa desuper, praepositis et capellanis suis in superpelliciis ante ipsum equitantibus et capellano sancti Joannis crucem episcopalem cum vexillo praeferente. Solus conventus beati Gereonis obviam ei egressus magnifice suscipit, cantans in introitu ecclesiae* P/ Audi Israel (incipit neumé).
19v	A/ Collegerunt.
20	A/ Cum appropinquaret.
22	A/ Ave rex noster.
27	(CENA) *Ordo in quinta feria majoris hebdomadae.*
25	A/ Venite, venite filii.
26	*Concinant pueri hos versus* V/ Audi judex mortuorum. *Chorus* O redemptor sume carmen (AH 51, 80).
28v	Mandatum A/ Cena facta.
31v	*...fiat cena in memoria cenae domini in pane et vino et fructibus. Completa cena abluantur altaria vino et aqua mixtis.*
32	(PAR)

38	Oraisons privées pour l'adoration de la croix.
38v	*...chorus cantat hanc A/ alta voce* Dum fabricator v/ O admirabile pretium.
40	(SAB) H/ Inventor rutili. *Choro per singulos versus respondente*: Lucem redde tuis Christe fidelibus (= 4e vers de la première strophe de l'hymne: cf. AH 50, 30).
41	Exultet.
47	L/ sanctorum, s.n. (invocation: Sancti tres reges).
48	(RES) A/ Vidi aquam. A/ Cum rex gloriae.
50v	V/ Salve festa dies (AH 50, 79).
52v	*Ad suscipiendam eucharistiam* A/ Venite populi. Comm/ Pascha nostrum.
54	(25.IV) L/ sanctorum.
54v	A/ Exurge Domine.
58	*Ad sanctum Martinum parvum*
58v	Messe Exaudivit.
60v	*...duo subdiaconi cantent hanc L/* (61) Ardua spes mundi (AH 50, 237; ed. P. Stotz, 36. Ici, add. de la str. His Walburga: Stotz, 38, ftn).
63v	*Semper in Ascensione domini dabit capellanus Sci Thomae in curia sextarius vini et cantabitur* A/ O Thoma Dydime... *In choro sci Petri duo cantores sollempni voce cantabunt hanc L/* (d'autres églises de Cologne sont mentionnées dans les rubriques suivantes).
65v	L/ Agnus Dei...Exaudi Deus voces nostras. *In choro Sci Severini* R/ O quantis virtutum meritis.
71v	*Revertente processione per stratam lapideam* L/ sanctorum.
74v	*In tertia feria ROG* A/ Cum jucunditate.
80	*Exeuntes de ecclesia cantabunt duo canonici de sco Gereone letaniam istam L/ sanctorum.*
86	*Cum intrabunt* (sic) *ad Scum Gereonem cantabunt cantores de sco Gereone letaniam hanc L/* Aufer a nobis.
83	*In IVa feria ROG* A/ De Jerusalem.
83v	A/ Sacerdotes fundite lacrymas.
86	L/ Aufer a nobis. Miserere, miserere, miserere, Domine populo tuo. Exaudi, exaudi preces.
87	Messe Vocem jucunditatis.
89	A/ Oremus dilectissimi nobis.
92	R/ Pontifex Deo plenus Kunibertus v/ Acclamatum.
92v	L/ Humili prece (AH 50, 253: str. 1–9, 16–20).
96	*Ad pluviam postulandam* et divers.

107	L/ Rex sanctorum angelorum (AH 50, 248: omet la str. 3 Sce Galle...).
109	[changement de copiste et de notateur: 8 ppp].
110v	[notation à clous énorme: 4 ppp] De sca Anna R/ O felix domina.
112v	v/ Dicant nunc Judaei.

Bibliographie: M. Huglo, *Revue grégorienne* 30, 1951, 69 n.1. – *HdsC*, 926 n° 1589. – MABK II, 417

D-147 (*D-KNa* W 81)

KÖLN, Historisches Archiv, W 81.

83 ff. parchemin + 2 ff. papier (ff. 58–59), 150 x 115 mm. Ecrit entre 1491 (f. 81) et le début du XVIe s.(f. 54). Notation carrée sur portée de quatre lignes rouges. Destination: Ad novitiatum Coloniensem (f. 9, XVIIIe s.). Provenance: Fraternitas sci Sebastiani (f. 72).

✧ Processionnal dominicain (Tabl. VII).

1	RAM.
33	Office des défunts.
51	[Ad abluenda altaria]: Dominicus et Thomas (61v), Petrus martyr (63).
54	*In dedicacione ecclesiae dum fraternitas sci Sebastiani egreditur... Anno Dni. 1525, 6a feria ante Natale Domini, coepimus cantare* R/ Tenebrae factae sunt. Cf. D-143, f. 78v (anno 1523).

HdsC, 1156 n° 219.

D-148 (*D-KNu* 979)

KÖLN, Universitäts- und Stadtbibliothek, Hs. 979.

150 ff. parchemin, 195 x 155 mm. Ecriture datée de 1533. Initiales à rinceaux marginaux, notamment au f. 1. Notation gothique rhénane sur portée de cinq lignes: clés C et , en guise de clé de F; **b** à haste incurvée; 5 ppp; guidon après le signe d'ouverture de la parenthèse (. Notation mesurée, brèves et semi-brèves (ff. 52v, 57 etc.). Origine: un monastère de religieuses hollandaises (les rubriques sont en néerlandais). Provenance: les moniales de Schönenberg, suivant une note du Dr. Linke, dernier possesseur du Ms., qui lui-même l'avait reçu de l'hymnologue Wilhelm Bäumker.

✧ Processionnal.

1	(2.II) R/ Ave gratia plena. A/ Adorna.
5v	RAM.
11v	RES.
18v	(ASC) H/ Nunc in excelsis dominus refulgens (inédit?).
20	(PENT)
22	CORP. CHR.

30v	(15.VIII) R/ Cum regina gloriae Maria.
36	DED.
40	3.V & 14.IX.
42v	(ROG)
43	L/ Aufer a nobis.
44	Les VII A/ „O“ de l’ADV.
46	24.XII.
49v	Noël bilingue Ex sinu matris parvulus est progressus Jhesulus, Suzi, Zusi, Suzi, Zusi (AH 45b, 34).
54	Noël, noël, iterando Noël, triplicando Noël.
55–56	B/ tropé à 2 voix B/ Ad festum laetitiae [cantus].
56	B/ Ad festum laetitiae (2e voix).
57	Ct/ Omnis mundus jucundetur (AH 42, 238; 44, 183).
58	(2.II) Ct/ Nunc dimittis, avec, entre les versets, les cantiones Resonet in laudibus et Magnum nomen Domini Emmanuel.
60	A/ Lumen.
61	H/ Vexilla regis.
63	H/ Rex Christe factor omnium (AH 51, 71).
66	(CENA) A/ Traditor ad Ct/ Benedictus et L/ des Ténèbres Kyrie qui passurus.
67v	PAR.
71v	T/ du Salve regina en Carême Ave spes et salus infirmorum (AH 1, 54).
74	T/ des grandes A/ à la Vierge et S/ mariales.
85	H/ Te Deum laudamus.
88v	H/ Te matrem Dei.
93v	A/ Sancte Augustine.
99v	Visitatio sepulchri A/ Quem quaeritis in sepulchro.
105	A/ Vidi aquam

Bibliographie: K. von Fischer et M. Lütolf, RISM B IV 3, 351. – *HdsC* II, 814 n° 1383.

D-149 (*D-LEu* R.II 1 4o 1)

LEIPZIG, Universitätsbibliothek „Bibliotheca Albertina“, Rep. II.1.4°.1.

76 ff. parchemin, sans pagination ni foliotation. Ecriture cursive allemande de la seconde moitié du XVe s. Notation à clous sur portée de cinq lignes; **b** minuscule; 6 ppp; guidon à bec. Origine: Nuremberg, dont les nombreuses églises et monastères sont mentionnés dans les rubriques des Rogations. Provenance: inconnue.

N.B. Le microfilm de ce Ms. sans Jeu pascal, m’a été offert par le Dr. W. Lipphardt (d 16/I/1981) pour mon catalogue de processionnaux. Malheureusement, ce film porte seulement comme indication de dépôt, la cote au crayon: „Leipzig, II 1 4° 1“ qui pourrait correspondre aux anciennes cotes de l’UB (cf. MABK III, 294). – M.H.

✧ Processionnal.

Temporal.

1 (RAM) .. *ad stationem ubi crucifixum vel imago salvatoris cum asino habetur canitur* A/ Cum appropinquaret.

2 A/ Cum audisset, avec rubriques *Chorus* / *Juvenes*.

4 ... *juvenes in propugnaculo domus Udalrici Gallers incipiunt canere hymnum sequentem* V/ Gloria laus (RES) ..*rector cum iuvenibus canit antiphonam* A/ In die resurrectionis. A/ Cum rex gloriae. Entre l'avant-dernière syllabe et la dernière du mot lamentatum, le notateur a indiqué *Hic fit transmutatio propter irregularitatem cantus. Tres aut quatuor scholares canunt* V/ Salve festa dies. *Chorus* Salve festa dies. A/ Sedit angelus v/ Crucifixum in carne v/ Recordamini. (25.IV) *In choro flexis genibus* A/ Exurge. *Ad processionem* A/ Surgite sancti Dei. *Ad scam Martham... Ad scam Claram* R/ Amica crucis. L/ Aufer a nobis. Exaudi, exaudi... *Ad capellam duodecim Apostolorum... Ad scum Jacobum.. Ad sanctam Elysabeth* R/ Benedictus sit dominus v/ Mulieres opulentes. *Ad Carmelitas* R/ O praeclara stella v/ Ad te clamant. S/ Victimae paschali, *sub quo iuvenes canunt* Crist ist erstanden. *Ad monasterium sci Augustini* R/ Aquilina facie v/ Necesse est. *Ad ecclesiam sci Sebaldi* R/ Nomen Christi. *Ad praedicatores In ecclesia sci Egidii. In ecclesia majoris hospitalis. usque monasterium fratrum Minorum... itur ad capellam sci Nicolai.. In diebus ROG .. in ecclesia sci Leonhardi.* (ASC) V/ Salve festa dies *ubi annectitur clausula* Qua Deus caelos ascendit victor (cf. AH 50, 80). (PENT) V/ Salve festa dies *cum clausula sequenti* Qua Deus Spiritum sanctum misit (cf. AH 50, 81). CORP. CHR.

Sanctoral.

Commence au 24.VI. 20.VII: Margaritae virginis. (22.VII) R/ Accessit ad pedes Jesu... unguen---to [neume de 47 notes] *Ad placitum canitur prosa loco caudae*. 19.VIII: in festo sci Sebaldi. 16.XI: sci Othmari. 19.XI: scae Elysabeth. Commun des Saints et suppléments divers. ADV. NAT. EPI 2.II R/ Gaude Maria virgo. *Diaconus incipit* A/ Cum inducerent. *Tandem organista incipit* Ps Benedictus *et chorus alterum versum. Quo finito chorus canit antiphonam in redeundo ad chorum.* De sco Kyliano R/ Praecelsi meriti praesulem v/ Gloria virtutis [Ier t.]. De sco Jacobo R/ Admirans Christi gratias.

D-150 (*D-LIT* 112)

LICHTENTHAL, Bibliothek des Zisterzienserinnenklosters, Hds 112.

24 ff. parchemin + 7 papier (dont 2 f. de g.), 130 x 90 mm <105 x 70 mm>. Reliure moderne. Ecriture de la première moitié du XIVe s. (ff. 1–24) et du XVe (ff. 25–29). Notation carrée cistercienne sur portée de quatre lignes rouges; 6 ppp (ff. 1–24); notation gothique sur quatre lignes; 5 ppp (ff. 25–29). Origine: Lichtenthal.

✧ Processionnal cistercien (Tabl. V).

1 — 2.II.

22 — PAR.

24 — Début d'une L/. – Add. (25–29) CORP. CHR. [fête introduite dans l'Ordre cistercien en 1318].

Bibliographie: F. Heinzer, „Die heute noch im Kloster Lichtenthal befindlichen Handschriften des 12. bis 16. Jahrhundert" in F. Heinzer und G. Stamm, *Die Handschriften Lichtenthal*, Wiesbaden 1987, 340.

D-151 (*D-LIT* 121)

LICHTENTHAL, Bibliothek des Zisterzienserinnenklosters, Hds 121.

88 ff. parchemin, de dimensions variables (de 45 x 90 à 47 x 130 mm): format album. Reliure en parchemin coloré en rouge, avec rabat de fermeture avec crochet. Ecriture de la seconde moitié du XIVe s. Notation à clous sur portée de quatre lignes; 2 à 3 ppp. Origine: Paris ? (voir discussion dans le Cat. cité).

✧ Processionnal cistercien (Tabl. V).

1–25 — Du 2.II au 15.VIII.

25–39r — DED *In dedicacione post primas vesperas in egressu processionis ad portam* R/ Filiae Jerusalem.

27v — *In capella portae* A/ Regina caeli.

28v — *In reversione ad monasterium* R/ Domus mea.

30 — *In crastino post missam de monasterio versus portam* R/ Laverunt stolas suas. R/ Justorum animae.

33 — *In capella portae* A/ Pax aeterna.

34 — *Si placuerit ire ad capellam sancti Nicolai* R/ Sint lumbi vestri.

36 — *In capella sancti Nicolai* A/ Zachaee.

37v — *Exeuntes de capella legant Sextam de beata virgine* R/ Felix namque. *In monasterio* A/ Salvator mundi salva nos.

39–53v — (CORP CHR) *Si quando in festo Corporis Christi processio haberi placet, cantetur de monasterio post missam* R/ Melchisedech vero rex Salem. Les autres A/ et R/ sont cités dans le Cat. de F. Heinzer, p. 344.

53v–58 — (21. X: Undecim milium virginum) R/R/ tirés de l'office rythmique (AH 5 Nr.87).

58–87 Varia.
58 *In susceptione episcopi.*
62 De sco Bernardo R/ Accepit vir justus a Domino....
84v *In capella trium regum* A/ Ab Oriente. Autres pièces citées dans le Cat.de F. Heinzer, p. 345.

Bibliographie: F. Heinzer, „Die heute noch im Kloster Lichtenthal...“, (cf. D-150), 344–345.

D-152 (*D-MZp* 100)

MAINZ, Bischöfliches Priesterseminar, D.100.

72 ff. parchemin + 2 ff. papier, 257 x 172 mm <180 x 110 mm>.Lacune initiale de deux cahiers: la foliotation ancienne, en chiffres romains, commence au f. xvij. Reliure cartonnée couverte de papier vert. Au dos „Cantuale“. Ecriture du XV–XVIe s. Notation à clous sur portée de quatre lignes noires; la ligne du fa, repérée par un point, est repassée en rouge; 7 ppp. Origine et provenance: le Dom de Mayence.

✧ Processionnal responsorial (Tabl. IV).

Temporal (1–50v).
[1–16, manquent].
17 (CIN) A/ [Emendemus] .. spatium penitentiae v/ Peccavimus.
19v (CENA) *Ordo ad Mandatum.*
25 (PAR) *Bayoli reliquiarum* Agyos o theos. *Chorus* Sanctus deus. *Portantes crucem* v/ Quid ultra.
28v *Depositio crucis* (LOO II, 319 n° 257).
30 (SAB) L/ Rex sanctorum angelorum. *Elevatio crucis* (LOO II, 320).
35v (RES) *Visitatio sepulchri* (ed. Lipphardt, *Die Mainzer Visitatio..*, 182; LOO II, 321).
42 (ASC)
48 (CORP.CHR).
Sanctoral (51–70v).
51 20.I: sci Sebastiani.
54 (3.V) A/ O crux gloriosa.
56 4.VII: DED.
61 15.VIII.
63 1.XI.
65v (19.XI: scae. Elysabeth) R/ Caeli fulgens soli v/ Hujus ortu syderis.
68 NAT etc. et supplément pour le 10.VIII.
Commun des Saints et suppléments divers.
[add. récente pour ste Elysabeth] R/ Occasum virgo v/ Spiritus rapit.

Bibliographie: Th. Klein, *Die Prozessionsgesänge der Mainzer Kirche aus dem 14. bis 18. Jahrhundert* (Speyer, 1962), 16 [Quellen und Abhandlungen zur mittelrheinischen Kirchengeschichte, Band 7]. – W. Lipphardt, „Die Mainzer Visitatio sepulchri." *Mediaevalia litteraria. Festschrift H. de Boor,* (München, 1971), 179, no vij [sigle P]. – LOO VI, p.322.

D-153 (*D-MZp* 121)

MAINZ, Bischöfliches Priesterseminar, D.121.

40 ff. papier, 210 x 142 mm. Scriptum a Fr. P. Guilelmo Langenberger Ord. F. F. Eremitarum sancti Augustini, 1762. A l'usage de Sta. Maria ad Gradus (Marienkirche) à Mayence.

✧ Processionnal augustin (Tabl. IX).

Cf. LOO VI, 322; II, 332–334 n° 262.

D-154 (*D-MZp* 142)

MAINZ, Bischöfliches Priesterseminar, D.142.

103 ff. papier, 240 x 180 mm. Ecriture et notation ca. 1790: notation à clous sur portée de cinq lignes.

✧ Processionnal de la cathédrale de Mayence.

Cf. LOO VI, 322; II, 334 n° 263.

D-155 (*D-MZsa* 74)

MAINZ, Stadtarchiv, Hs II 74.

98 ff. parchemin, 184 x 130 mm. Cahiers signés d'une lettre; réclames. Reliure en peau de porc estampée; trace d'un seul fermoir. Ecriture du XIVe s. (ff. 1–21v) et du XVe (ff. 22 ss. et 66–fin). Initiales bleues ou rouges; noires pour les v/v/ de répons. Notation à clous sur portée de quatre lignes: point repère pour la ligne du fa; 7 ppp; guidon à bec. Origine et provenance: le Dom de Mayence (cf. f. 44). A l'intérieur du plat suprieur de la reliure: Hugo Frank Carl Kraft (avec armoiries) und Herr von und zu Elzt, Dhom Sänger.

✧ Processionnal.

Temporal (6–41v).

1–5	Registrum huius libri.
6v	(ASC).
13	L/ Rex sanctorum angelorum.
16	(PENT).
20v	V/ Salve festa dies (AH 50, 81).
22	(TRIN) R/ Summae Trinitati. Pas de CORP. CHR (livret à part).
30v	Processions fériales: après l'A/ Salus populi (cf. 79), L/ sanctorum.

Sanctoral (42–78v).

[Vestiges de 2 ff. coupés entre 41v et 42: le sanctoral devait commencer au 5.V comme dans le processionnal suivant].

42	(29.VI) R/ Tu es Petrus.
44	(4.VII: *In festo beati Udalrici cum quo concurrit Dedicatio Ecclesiae Moguntinae...* [rubrique]).
44v	R/ Benedic domine.
47v	*In festo Translationis beati Martini patroni Ecclesiae Moguntinae, si in die dominica evenerit* R/ Fundata est.
50	*In primis vesperis fit processio ad gradus [Marienkirche].*
52	*In reditu* A/ O crux benedicta.
52v	(15.VIII) La place des incipit de R/ est restée en blanc.
54v	(8.IX) R/ Gloriosae Virginis Mariae.
57	(14.IX) A/ O --- crux gloriosa (mélisme d'intonation).
61	(9.X: in festo beati Dyonisii) *In primis vesperis post primum Benedicamus, itur cum processione ad altare ipsius cum R/* Isti sunt sancti. *Super Magnificat* A/ Gaudent in coelis.
62v	(1.XI) Rubrique analogue, mais R/ différent de celui du Ms. D 100 du Priesterseminar (= D-152): R/ Isti sunt sancti (s.n.).
65	L/ sanctorum notée. R/R/ et A/A/ pour la fin du sanctoral.
79	*In jejunio bannito* (cf. f. 41v: *in hoc sacro jejunio bannito*, en allemand: Bannfasten) *ad missam* I/ Salus populi... Alleluia v/ Qui confidunt.
82	A/ Asperges me.
86	Suppléments plus récents de diverses mains: In vigilia NAT.
90	10.VIII (cf. D-152).
96v	Scarum Reliquiarum.

Bibliographie: Klein, *Prozessionsgesänge*, 15.

D-156 (*D-MZsa* 303)

MAINZ, Stadtarchiv, Hs. II 303.

63 ff. parchemin (de mauvaise qualité) 160 x 127 mm. Reliure de peau estampée (dessins géométriques, médaillon au centre); 2 fermoirs laiton. Ecriture datée de 1620. Initiales rouges ou noires. Notation à clous sur portée de quatre lignes noires; point-repère pour la ligne du fa; guidon à bec; quelques barres verticales de division; dans les longs mélismes, le signe ./. à chaque reprise faisant suite aux cadences du *neuma*, par ex. f. 41v). Origine: Mayence. Le livre a été exécuté sur commande: „Hic liber est metropolitanae ecclesiae Moguntinae comparatus a Fabrica Moguntina. Anno 1620, 20 Julii" (intérieur du plat supérieur de la reliure). Provenance: le Dom.

✧ Processionnal (Pars estiva).

Temporal (1–33v).

1	*Solemniter I* A/ Asperges me.
1v	ton simple (= „dominicaliter").
2v	ASC.

8v	L/ Rex sanctorum angelorum.
16	CORP. CHR.
21	*Feria II post Dominicam* Salus populi *in jejunio bannito* (Bannfasten).

Sanctoral (34–62).

34	(5.V: sci. Bonifatii) R/ Felix Moguntinensis populus v/ Hoc doctore [VIIIe t.].
36	24.VI.
37v	29.VI.
42	(DED) *Post primum versum itur ad chorum ferreum cum A/* Tota pulchra es (même rubrique aux ff. 53, 61; inexistante dans le processionnal précédent).
43	R/ Benedic domine.
45v	8.VII: sci. Kyliani. 20.VII: scae Margaritae.
46v	26.VII: scae. Annae.
53	19 VIII: sci. Magni.
53	(Scarum Reliquiarum) R/ Tua sunt haec Christe.
54v	1.XI: sci. Egidii.
56v	23.IX: scae. Teclae.
58	28.IX: sci Victoris.
61	(25.XI: scae. Katherinae virg.) R/ Surge virgo.
62v–63v	Index huius libri. Registrum de sanctis.

Bibliographie: Klein, *Prozessionsgesänge*, 15.

D-157 (*D-Mbs* 2992)

MÜNCHEN, Bayerische Staatsbibliothek, Clm 2992.

248 ff. papier, 102 x 72 mm. Double foliotation: en chiffres romains rouges et en chiffres arabes au crayon. Reliure de parchemin jauni; traces de fermoirs. Ecriture bâtarde du XVe s. Notation à clous sur portée de cinq lignes rouges, mais ensuite (f. 12 ss.) sur deux lignes rouges (C et F) et deux noires; enfin sur quatre lignes noires; 4 ppp à partir du f. 66. Provenance: Amberg.

Sur l'intérieur du plat de la couverture: Johannes Bent/// sibi vindicat hunc librum.

✧ Processionnal.

I-V	Index des chants.
6	Prima feria: A/ Nigra sum (A/ quotidienne à la Vierge et pièces du Commun des saints).
24v	*Dominicale* A/ Asperges me.
25	A/ Salvator mundi.
26v	28.X Scorum Simonis et Judae.
34	19.XI (Scae Elysabeth) R/ Benedictus sit dominus deus omnis gratiae.

44 (4.XII: scae. Barbarae) R/ Laus perhennis gloriae regi seculorum.
48v (8.XII) R/ Cordibus alacris.
74v (2.II) R/ Gaude Maria virgo.
99v (RAM) A/ Collegerunt.
102 A/ Cum appropinquaret.
125 (RES) R/ Christus resurgens.
127 DED.
135–146v (CORP. CHR).
146v (13.III: de sco Achacio) R/ Felix o////
[lacune entre 146v et 147 trace de feuillet arraché].
153 (2.VII) R/ Rex inspirator.
155 (7.VII: de sco Willibaldo) R/ Patriarchae fidem v/ Sicut carnis.
175v (1.IX: de sco. Egidio) R/ Moribus.
Suppléments divers.
179 De beata Maria virgine.
189v CORP. CHR.
192v (ROC) A/ Exurge. A/ Sancti dei.
202v A/ Responsum accepit (avec prosules sous les mélismes cadencicls).
219 B/ (suivant le degré des fêtes).
225v Primi toni melodiam (M.Huglo, *Les tonaires*, 421).
231–fin pièces liturgiques (s.n.) (sauf 234v A/ Lumen. Notation mesurée blanche).

Bibliographie: Cat. Halm, III/2. – M. Huglo, *Les tonaires* (Paris, 1971), 374 et 423.

D-158 (*D-Mbs* 3905)

MÜNCHEN, Bayerische Staatsbibliothek, Clm 3905.

57 ff. parchemin, 340 x 230 mm. Ecriture datée de 1495 (f. 1, avec miniature des anges musiciens). Sans notation musicale, sauf ff. XIIv–XIIIv (notation à clous). Ce processionnal est en fait un collectaire destiné à l'hebdomadier qui récite la collecte conclusive de la procession.

D-159 (*D Mbs* 4325)

MÜNCHEN, Bayerische Staatsbibliothek, Clm 4325.

124 ff. parchemin, 160 x 120 mm. Reliure ais de bois couverts de peau grise; trace de fermoir. Ecriture: la transcription du manuscrit, due au fr. Heinrich Pitting, a été achevée le 1er Juin 1460 (cf. collophon du f. 110v, dans LOO). Notation carrée (et losangée, f. 35) sur portée de quatre lignes rouges; guidon; 124v, notation à clous. Origine St. Ulrich et Afra d'Augsburg. Provenance: „von St Veit“ (f. de g.).

✧ Processionnal.

(f. de g.)	„Liber Responsoriorum pro cantoribus“ (en bas: Von St. Veit).
1	[add. contemporaine] *Tempore pestilentiae post elevationem...primus cantor incipiat antiphonam* Media vita (s.n.)... Salvator mundi (s.n.): ces pièces seront notées au f. 111v.
1v	(2.II) A/ Lumen.
8v	(RAM) Hosanna filio David.
22v	*De mandato pauperum in Coena domini* (rubrique): A/ Dominus Jesus.
27v	*Depositio crucis et hostiae* (LOO III, 754 n° 509a). Pas de pièces pour le Vendredi-saint.
28v	(SAB) H/ Inventor rutili (AH 50, 30).
31v	L/ Rex sanctorum angelorum (AH 50, 242) et L/ sanctorum notée.
44	Elevatio crucis et hostiae (LOO III, 255).
47v	V/ Salve festa dies (AH 50, 79).
51v	(ROG) Rubriques mentionnant les églises de la Ste Croix et de St Georges. A/ Exurge. A/ Surgite sancti dei.
55v	Messe Exaudivit.
64v	L/ Aufer a nobis.
85	(CORP. CHR) Rubriques mentionnant l'église de Ste Marguerite et l'autel de St Thomas. R/ Immolabit et autres pièces de l'office du jour.
89v	Ave vivens hostia veritas et vita (AH 50, 597)
93v	(3.VII; in vigilia sci. Udalrici) *post vesperas cantatas ad sci. Udalrici... fiet processio ad chorum scae Afrae cum antiphona* A/ Cum ad martyris sepulchrum. *In die* R/ Transitus ad portum v/ Ista dies celebris.
97	*In vigilia scae Afrae post vesperas cantatas in choro ejus, fiet processio ad chorum sci Udalrici* R/ Beatus pontifex Narcissus v/ Domino pro impiis [Ier t.].
98v	R/ Martyr sancta dei v/ Crescat [VIIe t.].
100	(1.XI) Procession au cimetière: R/ Libera me v/ Tremens (*a duobus cantoribus*) v/ Dies illa (*a duobus senioribus*) v/ Requiem (*ab abbate et priore*). Procession au cimetière des soeurs.
106	Funérailles des frères.
110v	Pro pace patriae: A/ Omnipotens deus maestorum consolatio.
111v	A/ Media vita.
112v	A/ Salvator mundi.
114	A/ Emendemus et pièces diverses.
122v	[add. récente] A/ contra paganos: Jesus Nazarenus rex Judaeorum.
124v	[add. en notation à clous] Benedicamus domino.

125 (f. collée à l'intérieur du plat inférieur) A/ *Pro peste amovenda* Avertatur obsecro (s.n.) et collecte.

Cat. Halm, III/2. – MABK I, 41.

D-160 (*D-Mbs* 6002)

MÜNCHEN, Bayerische Staatsbibliothek, Clm 6002.

93 ff parchemin + 15 ff. papier (f. 95, filigrane: serpent enlacé autour de la croix). Dimensions: 160 x 105 mm. Reliure de peau blanche tendue sur ais de bois; trace de fermoirs. Ecriture datée de 1729: „Scriptus est per fratrem Bartholomeum Pinter... sci Sebastiani in Ebersperg. Anno Dni 1529" (f.1, fin de la table). Le processionnal a été copié sur le Clm 23288 (=D-171) du XVe s. Initiales et titres de fêtes en bleu. Notation à clous sur portée de quatre lignes rouges; 4 ppp; guidon à bec. Origine: St Sébastien d'Ebersberg.

✧ Processionnal.

Incipit Responsoriale secundum consuetudinem nostri Monasterii sci Sebastiani martyris in Ebersperg et primo in festo sancti Sebastiani [20.I] *ad processionem sancti Sebastiani* R/ Sebastianus vir christianissimus v/ Erat namque.

2–8v	Pièces de l'office de st Sébastien.
74	Sonet vox tua (extrait d'Hugo von Reutlingen, *Flores musicae*).
75	Musica sic deffinitur...
76	Main guidonienne.
88v	Primi toni melodiam (ed. M. Huglo, *Les tonaires*, 421).

Bibliographie: Cat. Halm, III/ 3. – M. Huglo et C. Meyer, RISM B III 3, 97.

D-161 (*D-Mbs* 8065)

MÜNCHEN, Bayerische Staatsbibliothek, Clm 8065.

223 ff. papier (filigrane: couronne à fleurons), 155 x 100 mm. Reliure ais de bois couverts de peau brune. Sur le dos: „Processionale 1518 - Kaisersh 165 - 16"; traces de 2 fermoirs cuir et cuivre. Ecriture du début du XVIe s. Notation à clous très grosse sur portée de cinq lignes noires; 3 ppp; guidon à queue incurvée. Origine: le monastère cistercien de Kaisheim. Provenance: l'église de ce monastère: „Ad chorum R(ev.) Abbatis" (à l'intérieur du plat supérieur).

✧ Processionnal cistercien (Tabl. V).

1	(Eléments de catéchisme) Das sindt fragen die man ein yeden...
2v	Tabula hujus libri.
3	2.II.
65	Bénédictions diverses.
72	(PAR) Popule meus.
92	Exultet (ton de la préface).
117	(RES) A/ Vidi aquam.
120v	Extrême onction et funérailles.

204 [autre main, autre notation sur portée de quatre lignes rouges] 25.III.
207v 2.VII.
211v (20.VIII: sci. Bernardi) R/ Beatus Bernardus quasi vas auri solidum.
214 8.XII.

Cat. Halm, III/3. – MABK I, 384.

D-162 (*D-Mbs* 9535)

MÜNCHEN, Bayerische Staatsbibliothek, Clm 9535.

67 ff. parchemin, 300 x 210 mm. En garde (f. 1), fragment de sacramentaire du XI–XIIe s. Ecriture du XIV–XVe s. Notation pour les seules intonations du prélat: notation à clous sur portée de quatre lignes rouges; guidon. Origine et provenance: Alt Münster. Ne contient pas les pièces de chant, mais seulement les oraisons et bénédictions prononcées par l'Abbé.

✧ Orational de procession

Festa de tempore et de sanctis in quibus praelatus Monasterii Alte superioris habet officiare (f. 3).
12v De processionibus in communibus.
14 (2.II) Oraisons et bénédictions. Chants de la procession notés.
26 (RAM) Oraisons et bénédictions. Chants de la procession notés.

D-163 (*D-Mbs* 11909a)

MÜNCHEN, Bayerische Staatsbibliothek, Clm 11909a.

98 ff. parchemin, 190 x 154 mm <114 x 174 mm>. Ecrit en 1513 par Michael Hirschauer (voir le colophon, f. 99). Notation à clous sur portée de quatre lignes; 6 ppp. Origine: collégiale des Augustins de Polling.

✧ Processionnal augustin (Tabl. IX).

Temporal (1–69v).
Quomodo canitur Historia Vidi.
1 (ADV) R/ Missus est.
11 2.II.
21v RAM.
28v (cahier add.) *Vespere apud sepulchrum*: Ps.137 et (30v) Ps.5. A la fin, la date de 1515.
31 *In sancta nocte Paschae ad visitandum sepulchrum* (LOO IV, 1161 n° 659). A/ de la RES.
37 V/ Salve festa dies (AH 50, 79).
38v A/ Sedit angelus... locutus est angelus et dixit (39) eis *Ministri* Crucifixum in carne.

40–44v Ps 113 In exitu, noté en entier.
46 ROG.
52v PENT.
53v TRIN.
62v A/ Salvator mundi.
64 (DED)
66 R/ Terribilis.
68v R/ Visita quaesumus Domine.
Sanctoral (70–88v).
70 6.XII.
76 14.IX.
76v (16.X: sci Galli) R/ Beatus Gallus zelo pietatis v/ In conspectu [VIIe t.].
77 (21.X: de sancta Ursula) R/ O felices virgines v/ O beatae [Ve t.].
77v 1.XI.
78v 11.XI.
79v (19.XI: de sca Elizabeth) R/ O lampas ecclesiae [IVe t.] v/ Tu dei (Hagghl, 27).
81 (25.XI: de sca Katharina) A/ Voce cordis et oris.
82 R/ Surge virgo v/ Pulchra Syon filia.
Commun des Saints (89 ss.)
91 Absoute.
99 *Scripsit hunc librum Dnus Michael dictus Hirschauer proprio labore in dei summo Mariaeque laborem.*
95 De sca Margareta.
95v R/ Congregati sunt et 3 A/ de B.M.V..

Bibliographie: Cat. II/2, 46. – LOO VI, 335. – MABK II, 661.

D-164 (*D-Mbs* 11909b)

MUNCHEN, Bayerische Staatsbibliothek, Clm 11909b.

98 ff. parchemin, 154 x 105 mm <120 x 77 mm>. Ecriture datée de 1513 (f. 94), due à Michel Hirschauer. Notation à clous sur portée de quatre lignes noires; 6 ppp. Origine: collégiale des Augustins de Polling, comme le ms précédent. Au verso du plat supérieur, étiquette *Franciscus Praepositus Salvatoris Pollingae, 1744.*

✧ Processionnal.

Ce processionnal est rigoureusement identique au précédent.
12v (2.II) A/ Responsum. Le neuma de chaque incise est encadré entre deux doubles barres verticales.
28v (cahier add.) Ps. 137...
(30v) Ps. 5 avec la date de 1515 à la fin.

31v	*In sancta nocte Paschae* (LOO IV, 1159 n° 658).
40–45v	Ps 113 In exitu entièrement noté.
94	Scripsit hunc librum etc. 1513 (comme dans D-163).

Cat. II.2, 48. – LOO VI, 335. – MABK II, 661.

D-165 (*D-Mbs* 16526)

MÜNCHEN, Bayerische Staatsbibliothek, Clm 16526.

174 ff. papier, 155 x 142 mm (format album). Reliure en peau de porc à ciselures, signée et datée: „Georgius Pruggmoser, 1575“. Ecriture de la seconde moitié du XVIe s. Notation à clous sur portée de quatre lignes noires; 4 ppp; guidon à queue incurvée. Origine et provenance: St Zenon de Reichenhall.

✧ Processionnal.

Temporal (1–95).

I	Index alphabétique.
1	A/ Asperges me.
2	ADV
12v	(NAT) R/ Descendit.
28	SEPT et QUADR.
43	RAM.
46v	RES.
56	ROG.
67	L/ Aufer a nobis.
76	CORP.CHR.
93	DED.

Sanctoral (95v–139).

96	(2.II) A/ Ave gratia plena.
98v et 128	(27.III: de sco. Ruodberto) R/ Justum deduxit.
101	(8.XII: de sco Zenone) R/ Ingrediente sacerdote Christi v/ Etsi huic [Ve t.]. R/ Sancte Zeno Christi confessor v/ O sancte Zeno [IIe t.].
103	24.VI.
111	(15.VII: de sco. Heinrico) R/ Jam sacri principis v/ Ubi et calix [VIe t.].
115v	(29.VII: de sca. Martha) R/ O Christi felix hospita v/ Memor esto [Ier t.].
125	(3.III: de sca Chunegunde) R/ O regina praedicanda v/ Fruens mundi deliciis [IIIe t.].
132v	(19.XI: de sca Elysabeth) R/ O lampas ecclesiae [Ve t.] v/ Tu dei saturitas (Hagghl, 27).
137	(20.I: de sco. Sebastiano) R/ Egregie dei martyr v/ Socius.

Commun des saints et divers.

139v	Commun des saints.
146v	Vigiliae mortuorum (Ottosen, 181).
156v	add. récentes.

Bibliographie: Cat. Halm, IV/3. – TROF 2, 179. – MABK II, 686.

D-166

(*D-Mbs* 17017a)

MÜNCHEN, Bayerische Staatsbibliothek, Clm 17017a.

100 ff. parchemin, 225 x 165 mm. Reliure cartonnée, couverture en parchemin (feuillet de missel imprimé). Ecriture datée de 1393, avec additions du XVe s. Notation carrée sur portée de quatre lignes rouges, sans guidon; 8 ppp. Origine et provenance: l'abbaye de prémontrés de Schäftlarn, qui avait pour patrons st. Denis (cf. f. 72v) et ste. Julienne (f. 58v).

✧ Processionnal prémontré (Tabl. IX).

Temporal (1–51).

1	(ADV) A/ Ecce carissimi dies illa.
4	(NAT) R/ Verbum. QUADR. R/ de l'office du jour.
12v	(RAM) Rubriques, oraisons, bénédictions.
13v	A/ Pueri Haebreorum.
19v	(CENA) Mandatum.
23	(PAR et SAB).
33	(RES) A/ Vidi aquam. A/ Cum rex gloriae. Procession pascale avec v/v/ d'alleluia.
38v	(ROG) A/ Exurge domine.
45	(CORP.CHR) R/ Homo quidam. R/ Melchisedech.
48v	(DED) R/ Terribilis.
51	A/ Pax eterna.

Sanctoral (51v–77v).

Commence au 30.XI.

52v	8.XII.
54v	2.II.
58v	(7.II: scae Julianae) R/ Mathima (?) rotatur rota v/ Angelus hanc fregit.
66	(5.VIII: sca. Afra) R/ Martyr sancta v/ Crescat [IIIe t.].
67v	(28.VIII: sci. Augustini) R/ Verbum dei [Ier t.] v/ Testamentum (Pl. Lefèvre, *Coutumier liturgique*, 79).
72v	(9.X: *In festivitate sanctissimi patris nostri Dyonisii hujus ecclesiae patroni*) R/ Hii sancti viri v/ Terrore [VIIIe t.].
74	A/ Voce clara chorus resonet [IIIe t.].
74v	(21.X: XI M virginum) R/ Audivi vocem v/ Media nocte [Ier t.].
75	(1.XI) R/ Concede.

Commun des Saints et divers.

81	Commun des fêtes de la Vierge Marie: R/ Salve nobilis virga v/ Odor tuus.
83v	[add.] A/ et oraisons.
86	(RES) V/ Salve festa dies (AH 50, 79).
87v	(ASC) Salve festa dies (AH 50, 80).
90	*Obsequiae mortuorum* (rubriques, chants et oraisons).
98	A/ Clementissime (cf. Pl. Lefèvre, *Ordinaire de Prémontré*, Louvain, 1961, 116 ss).

Bibliographie: Cat. Halm, IV/3. – S. Mitterer, *1200 Jahre Kloster Schäftlarn, 762–1962* (Schäftlarn, 1962), 88, 108, 162–163. – MABK II, 710.

D-167 (*D-Mbs* 19723)

MÜNCHEN, Bayerische Staatsbibliothek, Clm 19723.

28 ff. parchemin et papier alternés, 220 x 165 mm. Ecriture datée de 1593. Notation messine de l'Europe centrale, légèrement inclinée, sur portée de quatre lignes rouges; 6 ppp; guidon à bec pointu. Destination: Tegernsee, „pro fratre Gothardo".

✧ Processionnal romain (cf. Tabl. VIII).

Ce manuscrit ne donne que les processions rituelles du Missel romain:

1	(2.II) A/ Ave gratia plena.
5	(RAM) A/ Cum appropinquaret.
7v	A/ Cum audisset.
9v	A/ Ante sex dies.
11	V/ Gloria laus.
12	(CORP. CHR) R/ Homo quidam.
13v	(2.XI) R/ Memento mei. R/ Ne recorderis. R/ Libera me.

Cat. Halm, IV/3. – MABK II, 754.

D-168 (*D-Mbs* 19724)

MÜNCHEN, Bayerische Staatsbibliothek, Clm 19724.

24 ff. 205 x 152 mm. Ecriture datée de 1590. Notation identique à celle du manuscrit précédent, mais tracée verticalement. Même destinataire que le Ms. précédent: Tegernsee.

✧ Processionnal romain.

Même contenu que le manuscrit précédent, avec quelques différences dans l'ordre des pièces du CORP.CHR. au f. 9v. Au f. 17, R/ Christi virgo.

Cat. Halm, IV/3. – MABK II, 754.

D-169 (*D-Mbs* 19978)

MÜNCHEN, Bayerische Staatsbibliothek, Clm 19978.

79 ff. papier, 155 x 105 mm (foliotés à l'encre violette en juillet 1856). Reliure ais de bois couverts de cuir brun. Traces de fermoir. Ecriture datée de 1512. Notation à clous sur portée de quatre lignes noires; 5 ppp; guidon. Origine: Tegernsee. Ce processionnal est le modèle des deux précédents. Au f. 43, Memento Pauli Wigg-Ipse. Provenance: Tegernsee.

✧ Processionnal romain (cf. Tabl. VIII).

Ce processionnal ne contient que les chants des processions rituelles du Missel romain.

2	(2.II) A/ Lumen.
8	(RAM) A/ Cum appropinquaret. Mêmes pièces que le Clm 19723 (D-149).
18	(2.XI: in die animarum).
20	R/ de sca Cruce.
23v	R/ Christi virgo.
35v	Funérailles.
43v	Office des morts (série romaine).
70	A/ Veni sancte Spiritus reple (CAO 3, 5327).
70v	H/ Te deum.
74v	H/ Te decet laus.
75v	A/ pour l'ordination des clercs.
77v	[add. récente], intonation des 4 grandes A/ à la Vierge (Salve regina etc.).
78	Intonation du Magnificat suivant les huit tons.

Cat. Halm, IV/3. – MABK II, 754.

D-170 (*D-Mbs* 19979)

MÜNCHEN, Bayerische Staatsbibliothek, Clm 19979.

109 ff. papier, 135 x 100. Reliure cuir brun durci: bordures et médaillon central dorés; fermoir cuivre. Ecriture de la fin du XVIe s. Notation comme dans le précédent, mais sur portée de quatre lignes rouges; guidon de forme différente. Origine et destination: Tegernsee.

✧ Processionnal romano-monastique (cf. Tabl. VIII).

Processionnal au contenu identique à celui des trois manuscrits précédents, avec en plus les pièces et rubriques suivantes:

55v	*Contra paganos et Turcos* R/ Congregati sunt inimici.
58	*In electione Abbatis* A/ Veni sancte Spiritus, reple (CAO 3, 5327).
	Post electionem abbatis H/ Te deum.
64v	A/ Media vita.
69	L/ Lauretanae.

Cat. Halm, IV/3. – MABK II, 754.

D-171 (*D-Mbs* 23288)

MÜNCHEN, Bayerische Staatsbibliothek, Clm 23288.

57 ff. parchemin, 155 x 110 mm. Reliure de peau blanche estampée sur ais de bois. Ecriture du XVe s. Notation à clous soignée, sur portée de quatre lignes rouges; 5 ppp; guidon. Origine et destination: St. Sébastien d'Ebersberg (gouttes de cire de cierge aux ff. 8 [Chandeleur], 34, 37 [Corpus Christi] et 55v [Sépulture]. Ce processionnal est la Schwesterhandschrift du Clm 6002 (D-160).

✧ Processionnal.

1–6v	Procession de la St. Sébastien (20.I): R/ Sebastianus vir christianissimus v/ Erat namque (= Clm 6002, f. 2–8v).
7–10v	(2.II) Rubriques différentes de celles du Clm 6002, mais mêmes pièces.
11	(RAM) Première série de pièces différentes de celles du Clm 6002.
14	Seconde série identique.
20v	CENA.
21v	Mandatum.
22v	PAR.

Cat. Halm, IV/4. – MABK I, 184.

D-172 (*D-Mbs* 23308)

MÜNCHEN, Bayerische Staatsbibliothek, Clm 23308.

24 ff. papier et parchemin, 222 x 162 mm. Couverture de parchemin. Ecriture du XVe s. Notation à clous, légèrement inclinée, comme celle du Clm 19723 (D-167); 6 ppp. Origine: Tegernsee (pro fratre ////, sans doute Gothardo, comme dans Clm 19723 et 19724). Le répertoire est le même que celui du Clm 19723; on y trouve en plus le cérémonial des funérailles, comme dans le Clm 19978 [D-169], f. 37v, et enfin l'A/ Veni sancte Spiritus (Clm 19978, f. 70).

Cat. Halm, IV/4. – MABK II, 754.

D-173 (*D-Mbs* 24899)

MÜNCHEN, Bayerische Staatsbibliothek, Clm 24899.

Processionnal de 23 ff., écrit et noté en 1598. Ce manuscrit appartient au groupe de Tegernsee décrit ci-dessus: D-167 à D-170 et D-172.

D-173/2 (*D-Mbs* 24903)

MÜNCHEN, Bayerische Staatsbibliothek, Clm 24903.

11 ff. papier, 215 x 150 mm. Reliure ais de bois, dos cuir. Ecriture du XVIe s. Notation messine d'Europe centrale sur portée de quatre lignes noires; barres de division et bémol rouges; guidon. Destination probable: Tegernsee. Ce manuel ne donne pas les chants de procession, mais seulement les chants du choeur durant les ordinations:

1	A/ Veni sancte Spiritus.
1v	L/ sanctorum.

9 A/ Tu es qui restitues.
9v A/ Hic accipiet (Cf. Clm 19978 [D-169], f. 75v).

D-174 (*D-Mbs* 24904)

MÜNCHEN, Bayerische Staatsbibliothek, Clm 24904.

191 ff. papier, 195 x 155 mm. „Büchlein zur Prozession", écrit et noté au XVIIIe s. (notes rondes inscrites entre deux petits traits verticaux). Titres en allemand. Au f. 148, Officium defunctorum (série romaine).

D-175 (*D-Mbs* 26208)

MÜNCHEN, Bayerische Staatsbibliothek, Clm 26208.

192 ff. 155 x 142 mm (format album comme Clm 16526 [D-165], processionnal de Reichenhall). Reliure de cuir brun. Ecriture du XVIe s. Notation à clous sur portée de 4 lignes rouges; 4 ppp; guidon. Ce processionnal donne le même sanctoral que le Clm 16526 (D-165), de Reichenhall, et il contient, aux ff. 169–180, le même office des morts (Ottosen, 181). A Pâques, rubrique: *Post tertiam lectionem itur ad visitandum sepulchrum.*

[Cf. MABK II, 686].

D-176 (*D-Mbs* 26209)

MÜNCHEN, Bayerische Staatsbibliothek, Clm 26209.

170 ff. 155 x 142 mm (comme le processionnal précédent). Reliure de cuir brun. Ecriture du XVIe s. Notation à clous sur portée de quatre lignes rouges. Répertoire identique à celui du Ms. précédent. Destination: St Zenon de Reichenhall.

D-177 (*D-Mbs* 26210)

MÜNCHEN, Bayerische Staatsbibliothek, Clm 26210.

165 ff, 155 x 139 mm. Reliure de peau blanche; à l'intérieur du plat supérieur: Hillizamer. Ecriture du XVIe s. (la plus récente du ‚groupe Reichenhall'). Même répertoire que dans les manuscrits précédents. A Pâques, rubrique: *Ad visitandum sub precibus matutinis sepulchrum.*

D-178 (*D-Mbs* 26734)

MÜNCHEN, Bayerische Staatsbibliothek, Clm 26734.

235 ff. parchemin (pp. 147–319) et papier, 160 x 125 mm. Reliure de cuir ciselée sur ais de bois: croix dans le médaillon supérieur; Annonciation dans le médaillon inférieur; tranches dorées et ciselées. Ecriture de la partie ancienne (pp. 147–320) du XVe s.; la partie récente est de 1623. Notation carrée sur portée de quatre lignes rouges (ou noires dans la partie récente); 5 ppp; guidon.

✧ Processionnal dominicain (Tabl. VII).

Le processionnal dominicain fait suite à un processionnal rituel de 1623.
Page 147 (RAM) A/ Pueri Haebreorum.

p. 167 (CENA) *Ad altaria* R/ In monte Oliveti.
p. 191 *Hic ponantur antiphonae et versiculi et orationes seu collectae de sanctis secundum dispositionem altarium in quolibet conventu* (les pièces pour les titulaires des autels de ce couvent ne figurent pas dans le présent manuscrit).
p. 233 (2.II) A/ Lumen.
p. 254 *In sollemni receptione conventus.*
p. 268 Funérailles.
p. 310 A/ Clementissime.
pp. 321–467 pages blanches pour caler la reliure en épaisseur.

Cat. Halm, IV/4.

D-179 (*D-Mbs* 27301)

MÜNCHEN, Bayerische Staatsbibliothek, Clm 27301.

1 + 78 ff. papier à filigranes, 305 x 200 mm <210 x 135/145 mm>. Ecriture anguleuse datée de 1567 (ff. 1–74v), le supplément (ff. 75–77) est daté de 1587. Rubriques en haut-allemand. Grosse notation à clous sur portée de quatre lignes; 7 ppp; guidon à bec. Origine: Obermünster (moniales) à Regensburg: „Barbara Räzin Abbatissa hunc librum f(acere) f(ecit) anno salutis 1567 etc.“ Les rubriques Chorus dominorum/ Chorus dominarum de la plupart des pièces indiquent que l'église d'Obermünster était à double choeur.

✧ Processionnal.

1v A/ Media vita.
2 A/ Monasterium istud. (ADV) R/ Hodie mortem quam v/ Hodie Deus homo.
14v A/ Responsum (le chant de l'A/ revient au *Chorus dominorum* et celui du neuma de chaque incise au *Chorus dominarum*.
16v SEPT.
28v RAM.
32 *Die Vers in der Metten* (= L/ des Ténèbres) Jesu Christe qui passurus.
39v *Elevatio crucis* (LOO V, 1569 n° 796).
40 RES.
47v A/ Ait Petrus principibus sacerdotum.
49 A/ Ave Pastor apostolice. (31.X: sci Wolfgangi, [episcopus Ratisbonensis]) A/ Beate pontifex pater et patrone.
59v ASC.
61 (PENT) V/ Salve festa dies qua Deus Spiritum sanctum misit in discipulos.
62v (CORP. CHR) Ave vivens hostia veritas et vita (AH 50, 597).
65v V/ Votis supplicibus (AH 50, 246).

67v	L/ Humili prece (AH 50, 253).
69v	(DED) R/ Terribilis.
74v	Anno Domini 1567 scriptus et finitus est libellus iste per fratrem Johannem Ammon Professum monasterii Sci E(mmerami)...
75	Supplément [en écriture d'imprimerie] ...(77) finis 1587. R/ Tenebrae. *Visitatio sepulchri*, rubriques en allemand (LOO V, 1570–1573).

Bibliographie: Cat. Hauke II/5 (1975), 17 s. – LOO VI, 343. – cf. MABK II, 681.

D-180 (*D-Mbs* 28138)

MÜNCHEN, Bayerische Staatsbibliothek, Clm 28138.

59 ff. parchemin + 2 ff. papier, 180 x 135 mm <150 x 95 mm>. Couverture de papier noir (1832). Ecriture du XIII-XIVe s. Initiales fleuronnées rouges ou bleues alternativement. Notation carrée sur portée de quatre lignes rouges. Provenance: Herr Praun (d 1850); sa veuve Anna Praun; enfin, Ludwig Traube: le manuscrit fut acquis par la Bayerische Staatsbibliothek le 9 octobre 1908.

✧ Processionnal dominicain (Tabl. VII).

1–19	Rubriques générales (le début manque, par suite de lacune matérielle): *[Cum imminet aliqua processio...] ei deferente vel cantor si ipse minus idoneus fuerit...*
19	*Libellus iste qui processionarius dicitur scribatur in quolibet conventu integraliter unus cum omnibus rubricis...In ceteris vero libellis scribantur tantummodo processiones sicut scriptae sunt per ordinem infra notatum.*
19v–48v	Chants du processionnal dominicain: (RAM) A/ Pueri Haebreorum.

Cat. Haucke, IV/7 (1986), 45–47.

D-181 (*D-Ma* 82)

MÜNCHEN, Franziskanerkloster St. Anna, 12° Cim 82.

60 ff. parchemin (foliotés en chiffres romains), 165 x 125 mm. Ecriture des environs de 1400. Notation gothique sur portée de quatre lignes: la ligne du fa, désignée par un point-repère, est repassée en rouge; 7 ppp; guidon peu fréquent. Origine: l'église de pélerinage de St Christophe à Mayence. Provenance: „Processionale antiquissimum bibliothecae Fr. Min. ref. Miltenbergensium" (XIXe s.). Le ms a été transféré à Munich après la guerre de 1939–1945.

✧ Processionnal.

Temporal (1–44v).

Table du processionnal (2e main). A/ Asperges me (tons différents). ADV.

4	(NAT) R/ Verbum.
4v	EPI.

5v SEPT.
9 QUADR.
11 RAM.
19v (PAR) Depositio crucis (LOO II, p. 314, n.254).
20 (SAB)
20v H/ Inventor rutili (AH 50, p.30). L/ sanctorum noté.
25v Visitatio sepulchri (LOO II, p. 315).
29 A/ Vidi aquam.
29v V/ Salve festa dies (AH 50, 79).
31v A/ Regina caeli, avec insertion de tropes en allemand entre chaque incise de l'A/: Freud uch alle Christenheit (cf. Lipphardt, „Ein Mainzer Prozessionale..", 95).
33v (CORP.CHR.) S/ Lauda Sion (AH 50, p. 584), avec insertion de tropes en allemand God sy gelobbet und gebenedyet (Lipphardt, „Ein Mainzer Prozessionale..", 95).
37v (en marge: *Chorus*) H/ Ave corpus sanctissimum in ara crucis torridum (AH 12, 34).
38 A/ Ego sum lux mundi (en marge: *Sacerdos*).
38 A/ Media vita... juste irasceris (en marge: *Chorus*). Cf. Hofmann, Fronleichnamsprozession, 120, n.20. A/ Ego sum Jesus, durum est tibi (en marge: *Sacerdos*): Cf. Hofmann, *op. cit.*, 120 n.21. Sancte deus (*Chorus*). Ego sum Jesus.
38v Sancte fortis. Nolo mortem peccatoris. A/ Salvator mundi salva nos omnes (CAO 3, 4689; Hofmann, *op. cit.* 119, n.17).
39 R/ Homo quidam.
40 R/ Unus panis. R/ Gaude Maria virgo (Hofmann, 120, n.18) v/ et Gloria Patri tropés. Rex sanctorum uti eos.
41 A/ Ecce agnus dei...alleluia. A/ Quantus est iste (partie de l'A/ Cum audisset des RAM (f. 13). Cf. Hofmann, 119, n.13, d'après les manuscrits d'Aschaffenburg.
41 H/ Jesu nostra redemptio.
42 Dimanches ordinaires d'été: les R/ de la Trinité R/ Honor virtus.
42v R/ Summae Trinitati.
43v (Dominica infra octavam ASC) R/ Omnis pulchritudo.

Sanctoral (45–55v).

Le sanctoral commence au 24.VI (f. 48, déplacé).

45 22.VII.
45 (25.VII: sci. Christophori) R/ Miles Christi gloriose Christofore v/ Hic prestet.
46v DED (de l'église St. Christophe de Mayence).
49 1.VIII et 10.VIII.

51 (29.IX) R/ Te sanctum dominum.
51v (1.XI) R/ Beati estis.
52 11.XI.
52v (25.XI) R/ Surge virgo.
53v R/R/ de beata Maria virgine.
54 (2.II) R/ Postquam impleti sunt.
Commun des Saints et suppléments divers (56–fin).
59 *De sacramento* R/ Discubuit Jesus.
60 R/ Civitatem istam tu circumda.

Bibliographie: J. Hofmann, „Die Fronleichnamsprozession in Aschaffenburg..." *Würzburger Diözesangeschichtsblätter* 26 (1964), p. 112–125. – W. Lipphardt, „Ein Mainzer Prozessionale um 1400 als Quelle deutscher geistlicher Lieder" im *Jahrbuch für Liturgik und Hymnologie* 9 (1964) p. 95–100. – Id., „Das Mainzer Visitatio sepulchri" *Mediaevalia litteraria. Festschrift H. de Boor* (München, 1971), 179 et 182; Tafel XII (= f. 27) et XIII (= f. 27v–28). – LOO VI, 343.

D-182 (*D-MÜd* 9)

MÜNSTER IN WESTFALEN, Archiv und Bibliothek des Bistums Münster, Hs 9.

146 ff. parchemin + 8 ff. papier, 210 x 155 mm. Reliure moderne restaurée. Ecriture de la fin du XVe s. Notation à clous sur portée de cinq lignes noires; 8 ppp; guidon losangé. Origine et provenance: la cathédrale de Münster.

✧ Processionnal responsorial (Tabl. IV).

Commence au RAM.
4v RES.
9 ROG.
32 CORP. CHR.
63 (30.IX: DED)
72v (19.XI: scae Elisabeth) R/ De paupertatis palea (Haggh1, 31). R/ O lampas ecclesiae (Haggh1, 27).
76 NAT.
89 (2.II)
90v R/ Gaude Maria virgo.
93 Commun des saints.
100 ADV.
125v 25.IV.
130v (CENA) A/ Ante diem festum Paschae.
131 mélisme sur discipulo---rum.
131v ...caput (finale G G). A/ Vos ---vocatis me (cf. D-141).
139 (2.VII) R/ Surge propera. R/ En dilectus. R/ Ibo. R/ Felices matres. R/ Ecce iste venit. R/ Magnificat.

156 (15.VII: In divisione Apostolorum) R/ Thomas vere v/ Declarando [IVe t.]. R/ Indis Christum v/ Aquis penitentiae [Ve t. transp.]. R/ Ad apostolatus v/ Mutatos [VIIe t.]. R/ Simon Chananeus v/ Agonistae fidei [VIIIe t.]. R/ Dono Dei v/ Juste [Ier t.].

Bibliographie: W. Wörmann, *Alte Prozessionsgesänge der Diözese Münster in Westfalen*. Inaugural-Dissertation, Münster in Westfalen, 1949 (Maschinenschrift), 116. – H. Ossing, *Untersuchungen zum Antiphonale Monasteriense*, Regensburg, 1966, 135.

D-183 (*D-MÜd* 12)

MÜNSTER IN WESTFALEN, Archiv und Bibliothek des Bistums Münster, Hs 12.

132 ff. parchemin + 11 ff. papier, 160 x 120 mm. Reliure ais de bois couvert de cuir estampé, avec l'inscription „Processionale succentoris renovatum, 1767" Ecriture de la fin du XVe s.; initiales bleues ou rouges. Notation à clous, avec lacher de plume vers la droite, à l'extrémité supérieure des éléments verticaux du neume. Clé de C et de G, point-repère pour la ligne rouge du fa (cf. Wörmann, Abb. 14); 7 ppp; guidon. Origine et destination: le Dom de Münster.

✧ Processionnal.

[Ms en restauration, lors de ma visite en octobre 1997: voir Wörmann Abb. 1, 10v–11 et 12v (3.V); Abb. 2 (ROG); Abb. 10 (25.I) et 16 (2.II)].

Bibliographie: Wörmann, *Alte Prozessionsgesänge*, 113 ss.; Abb. 1, 2, 10, 12, 14, 16, 22. – Th. Klein, *Die Prozessionsgesänge der Mainzer Kirche* (Speyer, 1962), 18.

D-184 (*D-MÜd* 18)

MÜNSTER IN WESTFALEN, Archiv und Bibliothek des Bistums Münster, Hs. 18.

44 ff. parchemin, 140 x 100 mm. Reliure moderne restaurée. Ecriture du XVIe s. (p. 38: le nom du copiste sur un bandeau est effacé). Notation carrée sur portée de 4 lignes rouges; 4 ppp (p. 73 ss. notation gothique allemande).

✧ Processionnal dominicain (Tabl. VII).

RAM.

41 (CENA) *In ablutione altarium* (renvoi à la p. 88 qui n'a que le titre de la fonction).

84 (5.VIII: sci Dominici) R/ O spem miram.

86 (DED) R/ Terribilis.

Bibliographie: Wörmann, *Alte Prozessionsgesänge*, 116.

D-185 (*D-MÜd* 37)

MÜNSTER IN WESTFALEN, Archiv und Bibliothek des Bistums Münster, Hs. 37.

8 ff. parchemin + 4 ff. papier (incomplet), 175 x 140 mm. Reliure ais de bois, endossée de parchemin. Ecriture datée de 1611. Notation à clous sur portée de quatre lignes noires; 5 ppp; guidon-quilisma. Origine et provenance: la cathédrale de Münster (f. 10)

✧ Processionnal (incomplet).

1	(24.XII: In vigilia NAT). 2.II. RAM.
2v	RES.
3v	ASC.
4v	In exequiis canonicorum + summi templi (f. 10).

Bibliographie: Wörmann, *Alte Prozessionsgesänge*, 116.

D-186 (*D-MÜd* 38)

MÜNSTER IN WESTFALEN, Archiv und Bibliothek des Bistums Münster, Hs. 38.

173 ff. papier, 155 x 100 mm. Reliure portefeuille en parchemin; un fermoir. Ecrit au XVIIe s. Peintures médiocres (1v Annonciation; 69 Résurrection). Notation gothique très grêle, sur portée de quatre lignes noires; 5 ppp. Origine: une église dédiée à st Martin, aux Pays-Bas(?). Provenance: Gustav A. Huijden, puis Jo. Scheller, 1868.

✧ Processionnal (hollandais?)

1	(ADV) R/ Ecce dies veniunt.
2	A/ Ecce charissimi.
29v	R/ Gaude Maria.
111	R/ Martinus Abrahae sinu v/ Martinus episcopus T/ Euphonias (TROF 2, 38 no 190, d'après le seul ms d'Utrecht, UB 408).
157	A/ Aufer a nobis.
165	(30.I: scae Aldegundis)
166	S/ Virginis beatae laudes cantemus Aldegundis (inédit?).

Bibliographie: Wörmann, *Alte Prozessionsgesänge*, 116.

D-187 (*D-MÜd* 42)

MÜNSTER IN WESTFALEN, Archiv und Bibliothek des Bistums Münster, Hs. 42.

134 ff. papier, 200 x 155 mm. Reliure peau de porc estampée; traces de fermoir. Transcription par Jean Fr. Claustermann, commencée le 1er Juin 1744, achevée le 6 août 1745. Notation à clous sur portée de cinq lignes noires; 6 ppp.

✧ Processionnal.

f. 00 (s.n.).	*In exequiis.*
1	RAM.
11	RES.
15v	3.V.
28v	Sanctoral, à partir du 24.VI.

37v	(23.VII: In translatione trium Regum) R/ Stella magis.
39	(27.VII: [Translatio] sci Karoli magni) R/ Francorum gemma v/ Divinae legis (AH 25, 188; mélodie dans Ew. Jammers, *Das Karlsoffizium ‚Regali natus'*[Baden-Baden, 1984], 26).
40	(2.VIII: Invention de st. Etienne) R/ Beatus Gamaliel (Auda, 59: R/1).
50	DED (entre le 29.IX et le 1.X).
55	(1.X: sci Remigii) R/ Beatissimi Remigii v/ Sicut.
59v	(19.XI: scae Elisabeth) Mêmes R/ que le ms 9 [D-182], f. 72v.
80	Commun des saints.
87	ADV.
110	(15.VII: In divisione Apostolorum) mêmes R/ que le ms 9, f. 156.
112	6.VIII.
113v	2.VII (add.).

Bibliographie: Wörmann, *Alte Prozessionsgesänge*, 113 & Abb. 18.

D-188 (*D-MÜd* 120)

MÜNSTER IN WESTFALEN, Archiv und Bibliothek des Bistums Münster, Hs. 120 (PfA Nottüln 8).

45 ff. papier (paginés), 245 mm. Ecriture et notation de la fin du XIXe s. Notation sur cinq lignes, 11 ppp. Contenu: divers chants de procession récents.

D-188/2 (*D-MÜd* 132)

MÜNSTER IN WESTFALEN, Archiv und Bibliothek des Bistums Münster, Hs. 132 (PfA Olfen 2).

Ce ms., présenté comme processionnal par Ossing (*loc. cit.*) est en fait un antiphonaire (LOO VI, 349).

Bibliographie: H. Ossing, *Untersuchungen zum Antiphonale Monasteriense (Alopecius-Druck 1537). Ein Vergleich mit den Handschriften des Münsterlandes* (Regensburg, 1966), 27 n° 42.

D-189 (*D-MÜd* 133)

MÜNSTER IN WESTFALEN, Archiv und Bibliothek des Bistums Münster, Hs. 133.

110 + 6 ff. papier (paginés), 225 x 175 mm. Reliure plats cartonnés recouverts de cuir ciselé. Ecrit en 1745. Notation à clous sur portée de quatre lignes noires; 9 ppp; guidon rouge. Origine: le diocèse de Münster. Provenance: la paroisse d'Olfen.

✧ Processionnal de Münster.

1	ADV.
82	2.II.

125	24 VI.
141	(15.VII: In divisione Apostolorum) mêmes R/ que dans le ms. 9 [D-182], f. 156.
142	(27.VII: Karoli regis) R/ Francorum gemma comme dans le ms. 42 [D-187], f. 39.
172–179	(30.IX: DED).
181	(1.X: sci Remigii).
194	(19.XI: scae Elisabeth) comme le Ms. 9 [D-182], f. 72v.
199	(2.VII) comme le ms. 9, f. 139.
218	*Incipiunt dominicalia.* Lacune.

D-190 (*D-MÜd* 134)

MÜNSTER IN WESTFALEN, Archiv und Bibliothek des Bistums Münster, Hs. 134 (PfA Olfen 4).

156 ff. papier, paginés au crayon. Reliure délabrée. Ecrit en 1695 pour Henri Thier, vicaire d'Olfen, par Henz Beroman. Grosse notation à clous sur portée de cinq lignes noires; 6 ppp; guidon.

✧ Processionnal du diocèse de Münster.

1	(ADV) R/ Aspiciebam.
27	(63) RAM.
61	(131) 2.II.
66	(139) *In statione* R/ Gaude Maria virgo.
78	(163) R/ O -- praeclara stella v/ Ad te.
105	(217) après le 21.XII: DED.
107v	(222) Commun des saints.

D-191 (*D-MÜp* 174)

MÜNSTER IN WESTFALEN, Diözesanbibliothek, Hs K^4 174.

50 ff. parchemin, 205 x 138 mm. Ecrit vers 1470; initiales bleues et rouges. Notation cistercienne de l'Est; 7 ppp. Au verso du plat supérieur: Ad usum Fr. Benedicti Tiemann.

✧ Processionnal cistercien (Tabl.V).

Commence au 2.II. A/ Lumen. 21.VIII: sci Bernardi.

D-192 (*D-MÜp* 214)

MÜNSTER IN WESTFALEN, Diözesanbibliothek, Hs K^4 214.

103 ff. papier, 280 x 155 mm. Reliure cuir estampé à froid; deux fermoirs. Ecriture des environs de 1600. Notation à clous sur portée de cinq lignes rouges; 6 ppp; guidon. Origine probable: le couvent des Augustines de Münster, Liebfrauen Überwasser (cf. LOO VI, 351).

✧ Processionnal des Augustines de Münster (Tabl.IX).

1	Suffrages De sca cruce.
2	De sco Petro.
3	Contra pestem.
5	De sco Bonifatio.

Temporal (5v–72v).

	(ADV) R/ Ecce dies veniunt. (RAM)
43v	A/ Ante diem festum Paschae (44v)... et caput. A/ Vos --- vocatis me.
46v	*Depositio crucis* (LOO V, 1556 n⁰ 1556–1561) R/ Sepulto Domino.
50v	*Visitatio sepulchri* (LOO V, 1556–1561) rubriques en allemand avant Heu nobis.
59	A/ Regina caeli *cum prosa* (ed. Lengeling, 236).
60	(ROG)
62v	L/ Dicamus omnes.

Sanctoral (73–85).

73	DED.
79–80	(28.VIII: de sco Augustino) R/ Invenit se Augustinus.

Commun des Saints (85v–89).

93–106 (add.).

97	*Contra pestem* (cf. Lengeling, 229, Anm. 88).
102v	(add. récente) DED. H/ Te Deum.

Bibliographie: E.J. Lengeling, „Unbekannte oder seltene Ostergesänge aus Hds. des Bistums Münster.“ *Paschatis sollemnia. Jungmann-Festschrift* (Freiburg, 1959), 229 n⁰ 86. – LOO VI, 351.

D-193 (*D-MÜu* 1101)

MÜNSTER IN WESTFALEN, Universitäts- und Landesbibliothek, N.R. 1101 (ol. N.R. 37).

56 ff. parchemin, 225 x 150 mm <175 x 110 mm>. Reliure veau estampé sur ais de bois. Ecriture de deux mains différentes de la première moitié du XIIIe s. Notation neumatique de l'Allemagne du nord; 8 lignes neumées par page; notation à clous (ff. 45–46v et 48rv). Origine: Münster (ce processionnal est le plus ancien témoin de la liturgie de Münster: il a servi jusqu'à la fin du XVIIe s.). Provenance: acheté par l'Université de Münster à l'Antiquariat Mehren en 1961.

✧ Processionnal.

1v	2.II.
2v	CIN.
3v	RAM.
8	(CENA) V/ O redemptor sume carmen (AH 51, 80).
9	Mandatum (liste des A/ de procession dans Overgaauw, 174).
12	PAR.
19v	(SAB) *Versus ad cereum* Inventor rutili (AH 50, 30).

21	*Versus ad fontem* Rex sanctorum angelorum (AH 50, 242).
22	(RES) V/ Salve festa dies (AH 50, 79).
24–46v	ROG.
47v	[add.] A/ O crux benedicta.
48	L/ des Ténèbres Kyrie Qui passurus.
49–55	Office rythmique de st Ludger: *Historia de sco Ludgero* (AH 26, 262. Cf. H. Wagener, „Liudger (um 742–809), Begründer des westfälischen Kirchengesangs.“ *Westfalen* 66 [1988], 100–101 u. Abbild, 79).
55v–57v	[add. div.] Ps 46 (Omnes gentes plaudite manibus) antiphoné.
56	T/ Quem quaeritis in sepulchro. Oraisons diverses.

Bibliographie: E. Overgaauw, *Die Handschriften der Universitäts- und Landesbibl. Münster* (1996), 172–176. – W. Wörmann, *Alte Prozessionsgesänge der Diözese Münster in Westfalen*. Inaugural-Dissertation (Münster in W. 1949) Maschinenschrift, 45. – W. Salmen, *Geschichte der Musik*, I (Kassel 1963), Tafel IX, Abb. 12. – H. Ossing, *Untersuchungen*... 27 n° 40; 134, Faks. 215a.

NETTETAL: Cf. KALDENKIRCHEN D-89–D-91.

D-194 (*D-Ngm* 1418)

NÜRNBERG, Germanisches Nationalmuseum, Hs 1418.

31 ff. parchemin, 120 x 95 mm. Reliure en parchemin teintéen rouge avec armoiries et la date de 1450 (ou 1456 ?). Ecriture italienne antérieure à 1450; initiales rouges ou noires avec touche de rouge. Notation carrée sur portée de quatre lignes rouges; guidon; 5 ppp. Origine inconnue. Provenance: la collection Aufsesz (timbre sur la couverture).

✧ Processionnal (franciscain?).

1	Feria ad Mandatum [titre add.] A/ Dominus Jesus postquam.
7	PAR.
14v	*Hic debet poni* A/ Hoc corpus. RAM. *In susceptione ramorum.*
17	(2.II) *Ad susceptionem cereorum.*
18	CIN. A/ Juxta vestibulum. *Alia antiphona ad cineres* A/ Emendemus.
19–31	Rituel des funérailles, commençant par l'office des morts.

Bibliographie: Cl. Gottwald, *Die Handschriften des Germanischen Nationalmuseums Nürnberg*. Vierter Band: *Die Musikhandschriften* (Wiesbaden, 1988), 5.

D-195 (*D-OB* 04)

OTTOBEUREN, Bibliothek der Benediktinerabtei, HS 04.

105 ff. parchemin (double foliotation: ancienne et moderne), 275 x 190 mm <200 x 145mm>. Ecriture datée de 1481 (f. 86). Notation lorraine de l'Europe centrale, aux formes rhomboï-

dales, sur portée de quatre lignes; quelques additions tardives en Hufnagelschrift (ff. 99, 100v–103v); add. en notes carrées (f. 100); 8 ppp; guidon à bec. Origine: l'abbaye St Alexandre d'Ottobeuren.

✧ Processionnal d'Ottobeuren

Processionale secundum modum nostri monasterii Ottoburen, 1481.
Temporal (1–52v).

1	(ADV) R/ Missus est.
8v	NAT.
(9v)	T/ Quem aethera et terra (TROF 2, 106 n° 537).
13v	SEPT.
17	(QUADR) L/ sanctorum
23	RAM.
31v	*Depositio crucis* (LOO III, 1087 nr. 630).
35	*Visitatio sepulchri* (LOO III, 1088).
38v	ROG.
42v	PENT.
47	(CORP. CHR) Lecture du début des quatre évangiles (Jo, Lc, Mt, Mc), suivie chacune d'un R/: R/ Summum Sacramentum v/ Sanguis Christi.
50v	[en marge *Tenor*]. H/ Ave vivens hostia, veritas (AH 50, 597). [en marge *Tenor*; add. de minimes dans la notation musicale]. Ave vas clementiae (AH 50, 597, str.2).

Sanctoral (53–84) et suppléments divers.
Commence au 30.XI.

56	(2.II) R/ Gaude Maria virgo v/^{1} Gabrielem. v/^{2} Gloria virtus et gratia.
56v	(10.II: sca Scolastica) R/ Regnum caeli.
68v	3.V.
67v	(3.V: sci Alexandri et Theodoli) 12 R/ pour le patron du monastère: R/ Sancta mater ecclesia v/ Mirabilis [Ier t.]. R/ Sanctorum religiosa parens v/ Ab intus [IIe t.]. R/ Inter virtutes alias v/ Quoniam [IIIe t.]
70v	(11.VII: in translatione sci Benedicti)
83	(2.XI: in die animarum) A/ Media vita.
84v	(Add.) *Ad Mandatum sanctum in Coena Domini.*
86v	L/ sanctorum (notée).

Commun des Saints (89–97), DED et additions diverses.

97v	*Contra perfidos hereticos et thurcos* R/ Aperi caelos tuos. *Ad processionem pro pace patriae* A/ Omnipotens Deus maestorum consolatio.

100	(add. en notes carrées) R/ Sanctificavit Dominus.
100v	(add.) R/ Surrexit pastor bonus et autres R/ surnuméraires.

Bibliographie: H. Schwarzmaier, „Mittelalterliche Hds. des Klosters Ottobeuren..." *Studien und Mitteilungen zur Geschichte des Benediktiner Ordens und seiner Zweige* 73 (1962). – H. Hauke, *Die mittelalterlichen Hds. in der Abtei Ottobeuren* (Wiesbaden, 1974), Nr. 1. – H. Schwarzmeier, „Mittelalterlichen Hds. des Klosters Ottobeuren." *Ottobeuren 764–1964* (Augsburg, 1964). – W. Irtenkauf, „Zur mittelalterlichen Liturgie- und Musikgeschichte Ottobeurens" *Ottobeuren. Festschrift zur 1200-Jahrfeier der Abtei* edd. A. Kolb und H. Tüchle (Augsburg, 1964), 170–179. – LOO VI, 355. – MABK II, 644.

D-196 (*D-PAba* B I 1)

PADERBORN, Erzbistumsarchiv, Domkapitel B I 1.

Processionnal du XIIIe siècle à l'usage de la cathédrale de Paderborn. Un autre processionnal du même fonds (B I 15) est daté de 1748. – Aux archives du diocèse, sont conservés cinq autres processionnaux plus récents: XXIIIa (1627), - b (XVIIIe s.), - c, - d (XVIIe s.) et - e. Ces sept Mss, signalés globalement („Prozessionalien") par T. Brandis und I. Nother, *Handbuch der Handschriftenbestände* (Berlin, 1992), 408, ont été énumérés par l'Archiviste diocésain dans sa lettre du 22/01/1998, en réponse à mes demandes du 24/02/ et 8/12/1997: de ce fait, ils n'ont pu être décrits ici. Voir Volume II (Supplément).

D-197 (*D-Rp* Ch 1*)

REGENSBURG, Bischöfliche Zentralbibliothek, Ch 1*.

75 ff. 157 x 95 mm (format album) . Ecriture cursive du XVIe s. Initiales fleuronnées. Notation à clous sur cinq lignes; 3 ppp; guidon. (facsimilé dans MGG vol. IV, c. 1685–86). Origine: Regensburg, Alte Kapelle (Ad veterem Capellam, N*o* 132). Provenance: la Collection Proske (Ch = Coralia).

✧ Processionnal allemand.

1	Table alphabétique des fêtes.
5	(26.XII) R/ Patefactae sunt v/ Stephanus servus dei. 27.XII. EPI.
11	De apostolis: R/ Cives apostolorum.
12	[après lacune] (2.II) R/ Gaude Maria virgo (le début manque).
17v	(RAM) A/ Ante sex dies.
22	(CENA) Litanie des Ténèbres L/ Qui passurus, avec traduction allemande des v/v/.
23v - 29	Osterspiel en latin et en allemand, *Inc.* Omnipotens pater piissime, quid facimus miserrime (ed. J.Pohl; analyse E. Hartl; manque dans LOO).
27	T/ Quem quaeritis in sepulchro, o tremulae mulieres ? Silete... Quid facimus (facs. MGG IV, c.1685–6).
30	(RES) A/ Vidi aquam.
33v	R/ Isti sunt agni novelli.

34v	DED.
36v	L/ Exaudi, exaudi/ Aufer a nobis.
52	CORP. CHR.
54	(19.XI: scae. Elysabeth) R/ Elysabeth ex opere v/ Nullus [Ier t.].
65v	(20.VII: scae. Margaritae) R/ Quadam die Olibrius v/ Omnes gentes [IVe t.].
72	(16.X: sci. Galli) R/ Beatus Gallus zelo v/ In conspectu [VIIe t.].

Bibliographie: [Cat.] Bruno Stäblein, [„Die Choralhandschriften der Regensburger Bibliotheken." *Cäcilien Verein Organ (Musica Sacra)*, 1932, Heft 7], 199–200. – J. Poll, „Ein Osterspiel enthalten in einem Prozessionale der alten Kapelle in Regensburg" in *Km Jhb.* 34 (1950), 35–40, 108 (Notenbeispiele). – Eduard Hartl, „Das Regensburger Osterspiel und seine Beziehungen zum Freiburger Fronleichnamsspiel" *Zeitschrift für deutsches Altertum und deutsche Literatur* 78 (1941), 121–132. – MABK II, 675 (avec bibliographie). – *Liturgie im Bistum Regensburg, von den Anfängen bis zur Gegenwart* (München und Zürich, 1989), 171 Nr 14 (communiqué par David Hiley, Regensburg).

D-198 (*D-Rp* Ch 67)

REGENSBURG, Bischöfliche Zentralbibliothek, Ch 67.

84 ff. parchemin, 225 x 170 mm <160 x 118 mm>. Reliure ais de bois, jadis couverts de velours; reste de fermoir. Ecriture datée de 1470. Initiales ornées de motifs phytomorphes ou ornithomorphes (f. 1, 71). Notation carrée sur portée de quatre lignes rouges; 4 ppp. Provenance: le couvent des dominicaines d'Heilig Kreuz à Ratisbonne (rubriques du Rituel en allemand.

✧ Processionnal-Rituel dominicain (Tabl. VII).

Bibliographie: Stäblein, *art. cit.*, 200. – MABK II, 680 (avec bibliographie). – *Liturgie im Bistum...*, 147 Nr 61 und Abb. 102.

D-199 (*D-Rp Ch* 82)

REGENSBURG, Bischöfliche Zentralbibliothek, Ch 82.

30 ff. parchemin, 200 x 140 mm <160 x 99 mm>. Reliure ancienne de cuir blanc estampé (fleurs et banderolles, „Maria"). Ecriture du XVe s. Notation carrée sur portée de 4 lignes rouges (p. 1–49) ou noires (p. 50–58). Provenance: le couvent des dominicains de St Blasius à Ratisbonne.

✧ Processionnal dominicain (Tabl. VII).

Bibliographie: Stäblein, *art. cit.*, 200.

D-200 (*D-Rp* Ch 93)

REGENSBURG, Bischöfliche Zentralbibliothek, Ch 93.

73 ff. parchemin, 180 x 130 mm <123 x 79 mm>. Reliure ancienne ais de bois couverts de cuir brun estampé; trace de fermoir. Ecriture du XVe s. Notation carrée sur portée de quatre lignes rouges; 6 ppp. Provenance: le couvent des dominicaines d'Heilig Kreuz à Ratisbonne.

✧ Processionnal dominicain (Tabl. VII).

Bibliographie: Stäblein, *art. cit.* 200.

D-201 (*D-Rp* Ch 94)

REGENSBURG, Bischöfliche Zentralbibliothek, Ch 94.

37 ff. parchemin, 170 x 120 mm <130 x 80 mm>. Demie reliure de cuir estampé (motifs zoomorphes) sur ais de bois; fermoir. Un acte d'Auribelli, Maître général de l'Ordre, daté de 1473, a été relié avec le processionnal. Ecriture du XVe s. Notation carrée sur portée de quatre lignes rouges; 8 ppp. Les pièces chantées des funérailles (f. 24 R/ Subvenite et f. 25) sont notées en neumes allemands sans portée. Provenance: Conventus Ratisponensis ordinis Fratrum Praedicatorum: ce processionnal dominicain (Tabl. VII) était destiné à la Soeur Barbara du diocèse de Freising (notice au f. 1).

Bibliographie: Stäblein, *art. cit.* 200. – *Liturgie im Bistum...* 147 Nr.59.

D-202 (*D-Rp* Ch 112)

REGENSBURG, Bischöfliche Zentralbibliothek, Ch 112.

119 ff. (jadis 127 ff.) papier, 150 x 100 mm <105 x 73 mm>. Reliure ancienne: ais de bois couverts de cuir blanc estampé; 2 fermoirs. Ecriture datée de 1562. Notation carrée sur portée de quatre lignes rouges; 4 ppp. Provenance: Niederschönenfelden: cf. les marques d'appartenance (Lucia Ebranin virgo vestalis. In Schenfeld, Anno dnj. 1562. [D'une autre main] Maria Margaretha Millerin - Maria Anges Nabeluetdin.

✧ Processionnal cistercien (Tabl. V).

Bibliographie: Stäblein, *art. cit.*, 201. – [cf. MABK II, 602].

D-203 (*D-Rp* Ch 113)

REGENSBURG, Bischöfliche Zentralbibliothek, Ch 113.

88 ff. (11 quaternions signés), parchemin, 145 x 95 mm <103 x 63 mm>. Reliure ancienne, ais de bois couverts de cuir estampé. Ecriture du XVe s. Notation carrée sur portée de 4 lignes rouges; 5 ppp. Mention de correction, suivant les prescriptions de l'Ordre en 1254: Item das puch ist corrigirt (f. 89v). Provenance: le couvent des dominicaines d'Heilig Kreuz.

✧ Processionnal dominicain (Tabl. VII).

Bibliographie: Stäblein, *art. cit.*, 200. – *Liturgie im Bistum...* 147–148 Nr 62, Abb. 36.

D-204 (*D-Rp* 117)

REGENSBURG, Bischöfliche Zentralbibliothek, Ch 117.

122 ff. papier, 155 x 100 mm. Reliure fin XVIIIe s., parchemin sur carton. Ecriture datée: Descripsit Fr. Joann: Baptista Hochholzer. A° 1760. Notation à clous sur portée de quatre lignes noires; 6 ppp.

✧ Processionnal cistercien (Tabl. V).

Bibliographie: Stäblein, *art. cit.*, 201.

D-205 (*D-Rp* Haberl 79)

REGENSBURG, Bischöfliche Zentralbibliothek, Haberl 79.

Processionnal et Hymnaire (171 ff.) à l'usage d'une église dédiée à saint Maurice au diocèse de Cologne (?). Notation mixte intermédiaire entre la notation lorraine et la notation gothique.

Cf. Stäblein, *art. cit.*, 201.

D-206 (*D-Rp* Haberl 1845)

REGENSBURG, Bischöfliche Zentralbibliothek, Haberl 1845.

Processionnal prémontré (Tabl. IX) écrit au XVIIIe s. pour le monastère de Speinshart (Oberpfalz).

Cf. Stäblein, *art. cit.*, 201. – [cf. MABK II, 732].

D-207 (*D-Rtt* Mus 41)

REGENSBURG, Fürst Thurn und Taxis Hofbibliothek, F. K. Mus. 41.

122 ff. papier, 207 x 140 mm. Reliure élégante de peau blanche estampée. L'écriture a été tracée par le fr. Johannes Feylenbeck aus Dinkelsbühl (zeapolitanus), profès du 18 septembre 1579. Initiales rouges ou noires. Notation à clous sur portée de cinq lignes rouges; guidon à bec. Origine et provenance: le monastère de Neresheim: la dernière addition est destinée à la bénédiction d'une cloche à Neresheim en 1550, sous l'Abbé Schwaykofer (cf. Stäblein, *art. cit.*, 205 n. 21).

✧ Processionnal monastique.

Calendrier.

1	2.II.
7	CIN.
10v	RAM.
23	CENA.
32	(PAR) R/ Tenebrae.
44	*Sepultura Christi.*
46	(SAB)
47	H/ Inventor rutili (AH 50, 79).
48v	Exultet (mélodie du Missel romain).
56v	L/ sanctorum.
66v	(CORP. CHR) R/R/ de l'office du jour et (71v) Ave vivens hostia veritas et vita (AH 50, 597).
76v	(ROG) A/ Surgite sancti.
78v	R/ Beatus Udalricus v/ Factum est [VIe t.].
80	(2.II) Office des morts.
96v	Obsèques.

114	*Ad suscipiendum imperatorem sive regem* R/ Benedixit te dominus v/ Subvenisti.
115v	*Ad suscipiendum legatum* R/ Sint lumbi vestri.
115v	[add. diverses] *De Trinitate. Pro serenitate. Benedictio campanae* A/ Vox domini super aquas.

Bibliographie: Stäblein, *art. cit.*, 206. – [cf. MABK II, 597].

D-208 (*D-Rtt* Mus 55)

REGENSBURG, Fürst Thurn und Taxis Hofbibliothek, F. K. Mus. 55.

Processionnal de Neresheim (128 ff. papier in 8°), écrit par Christoph Bach von Burgberg (1558–1631): notation et contenu identiques au précédent.

Cf. Stäblein, *art. cit.*, 206.

D-209 (*D-Rtt* Mus 56)

REGENSBURG, Fürst Thurn und Taxis Hofbibliothek, F. K. Mus. 56.

Processionnal de Neresheim (227 ff., papier, petit in-8°), écrit en 1577 par Christoph Bach von Burgberg. Notation et contenu identiques aux précédents.

Cf. Stäblein, *art. cit.*, 206.

D-210 (*D-Rtt* Mus 74)

REGENSBURG, Fürst Thurn und Taxis Hofbibliothek, F. K. (Mus.) 74.

Processionnal de Neresheim (153 ff. papier in-8°), écrit et noté en 1572. Notation et contenu identiques aux précédents. Cependant, au vendredi-saint, on a noté la Passion selon st Jean avec les lettres indicatrices **E** (récit évangélique), **C** (paroles du Christ) et **T** (Turba: voix de foules), inscrites à l'encre verte dans la portée.

Cf. Stäblein, *art. cit.* 206.

D-211 (*D-Rtt* Mus 75)

REGENSBURG, Fürst Thurn und Taxis Hofbibliothek, F. K. Mus. 75.

Processionnal de Neresheim (53 ff. papier in 8°), écrit et noté au XVIe s.

Cf. Stäblein, *art. cit.*, 206.

D-212 (*D-Rtt* Mus 76)

REGENSBURG, Fürst Thurn und Taxis Hofbibliothek, F. K. (Mus.) 76.

Processionnal de Neresheim (94 ff. papier in-8°), écrit par deux mains différentes du XVIe s. Notation et contenu identiques aux précédents.

Cf. Stäblein, *art. cit.*, 206.

D-213 (*D-Rtt* Mus 78/1)

REGENSBURG, Fürst Thurn und Taxis Hofbibliothek, F. K. Mus. 78/1.

Processionnal monastique de Neresheim (119 ff. papier, in-8°) écrit et noté en 1519: ce processionnal est donc le plus ancien de la série. Notation et contenu identiques aux précédents.

Cf. Stäblein, *art. cit.*, 205.

D-214 (*D-Rtt* Mus. 82)

REGENSBURG, Fürst Thurn und Taxis Hofbibliotheks, F. K. Mus. 82.

Processionnal de Neresheim (105 ff. papier, petit in-8°), relié en 1602. L'écriture est de la main du correcteur qui a revu les autres manuscrits de Neresheim. Contenu identique aux précédents.

Cf. Stäblein, *art. cit.*, 206.

D-215 (*D-Rtt* Mus 85/1)

REGENSBURG, Fürst Thurn und Taxis Hofbibliothek, F. K. Mus. 85/1.

190 ff. papier, 207 x 154 mm. Reliure ais de bois couverts de peau blanche estampée, datée de 1589; 2 fermoirs. Ecriture datée de 1543 (cf le colophon final). Initiales rouges ou noires. Notation à clous sur portée de cinq lignes noires; guidon à bec. Origine et destination: l'abbaye de Neresheim.

✧ Processionnal monastique.

Duodecim regulae Johannis Pici Mirandulae [1463–1494]. 2.II etc. Contenu analogue aux précédents. Au vendredi-saint, la Passion selon st. Jean, avec les lettres indicatrices **E**, **C**, **T** (cf D 210). Suppléments de la fin: R/ de sco. Udalrico R/ Beatus Udalricus, quasi vas auri solidum v/ Factus est. R/ de Trinitate.
103v Exultet.
Colophon final:
Finit feliciter processionale monasticum Benedictinae religionis juxta consuetudinem monachorum nigrorum de observantia Mellicensium per fratrem Johannem Schwayckofer cenobitam in Noreshain, aetatis suae ferme anno quadragesimo octavo, professionis vero suae anno vicesimo octavo. Anno redemptionis nostrae 1543, quarta die mensis Julii.

Bibliographie: Stäblein, *art. cit.*, 205 n.21, et 206.

D-216 (*D-Rtt* Mus 86/1)

REGENSBURG, Fürst Thurn und Taxis Hofbibliothek, F. K. Mus. 86/1.

Processionnal de Neresheim (129 ff. papier, in-8°), écrit et noté au XVIe s. Notation et contenu identiques aux précédents.

Cf. Stäblein, *art. cit.*, 206.

D-217 (*D-Rtt* Mus 106)

REGENSBURG, Fürst Thurn und Taxis Hofbibliothek, F. K. Mus. 106.

Processionnal de Neresheim (111 ff. papier in-8°) écrit dans les années 1572–1573 par le fr. Sebastian Brutscher (d 6 septembre 1575). Notation et contenu identiques aux précédents.

Cf. Stäblein, *art. cit.*, 206.

D-218 (*D-Rtt* 4° 116)

REGENSBURG, Fürst Thurn und Taxis Hofbibliothek, Ms. pap. 4° 116.

Processionnal (42 ff. papier, petit in-8°) *Pro diebus Rogationum* (Tabl. II), écrit en 1588 par le fr. Philipp Krell.

Cf. Stäblein, *art. cit.*, 206.

D-219 (*D-Rtt* 8°/1)

REGENSBURG, Fürst Thurn und Taxis Hofbibliothek, Ms. pap. 8°/1.

Processionnal de Nersheim (144 ff. papier, petit in-8°) achevé le 4 février 1571 par Johannes Schwayckofer, alors agé de 76 ans. Contenu identique aux précédents, mais avec en plus les 10 strophes de *Krist ist erstanden*, sans mélodie.

Cf. Stäblein, *art. cit.*, 206.

D-220 (*D-Rtt* 1435)

REGENSBURG, Fürst Thurn und Taxis Hofbibliothek, MA 1435.

196 ff. papier, 205 x 155 mm. Reliure de cuir brun foncé sur ais de bois mangés des vers; 2 fermoirs laiton. Ecriture cursive peu soignée due à deux mains différentes des environs de 1582: la première a couvert les ff. 1–14; 87–94; 165–196; la seconde, les autres pages. Notation carrée sur portée de quatre lignes noires serrées, sur les pages écrites par la première main (sauf f. 193–196, notation messine d'Europe centrale); ou sur portée de quatre lignes mauves; 5 ppp; guidon. Origine: l'abbaye des Prémontrés d'Obermarchtal

✧ Processionnal prémontré (Tabl. IX).

1	*Processionale secundum ritum fratrum Marchtallensium. Singulis diebus dominicis* A/ Asperges me.
15	[changement de main] CIRC. R/ Congratulamini mihi.
49v	Mandatum.
58	RES.
113v	Sanctoral à partir du 6.XII.
139	(28.VIII: sci. Augustini) R/ Verbum dei. R/ Volebat. A/ Adest dies celebris.
165v	(6.VI: In festo sci. Patris nostri Norberti archiepiscopi) R/ Domi et foris v/ Erat enim fide [Ier t.]. Vir dei v/ Proferebat [IVe t.]. R/ Quasi tuba v/ Catervatim [VIe t.]. A/ Vir dei suae paupertatis.
176	Ablution des autels le Jeudi-saint.

[cf. MABK II, 633].

D-221 (*D-Rs* 80)

REGENSBURG, Staatliche Bibliothek 4° Lit. 80.

37 + 2 ff. parchemin (non foliotés), 195 x 135 mm. Reliure ais de bois couverts de peau blanche estampée (dessins géométriques); dos à 3 nerfs. En garde, fragments de sermons du XIV–XVe s. Ecriture du XIVe s. Initiales rouges ou noires. Notation carrée sur portée de quatre lignes rouges; barres verticales de division noires ou rouges; 7 ppp; guidon rare. Provenance: le couvent St-Blasius de Ratisbonne (Ad chorum ff. O. Pr. Conv. Ratisb. – Conventus ratisponensis [f. 1, en bas]).

✧ Processionnal dominicain (Tabl. VII).

1	(RAM) A/ Pueri Haebreorum.
13v	(CENA) *Hic ponantur antiphonae et versiculi et orationes de sanctis secundum dispositionem altarium in quolibet conventu* (les suffrages en question manquent).
34	[autre main, autre notateur, portée de quatre lignes noires avec guidon usuel] R/ de sco. Blasio: R/ Ardentem zelo fidei v/ Se offert sacrificium [VIIe t.].
35	(CORP. CHR) R/ Homo quidam
35v	R/ Immolabit haedum.
36	R/ Accepit Jesus calicem. A/ O quam suavis est.
37	[autre main cursive] R/ Congregati sunt inimici.
37v	R/ Impetum inimicorum (inachevé).

Bibliographie: Stäblein, *art. cit.*, 207. – K. Gamber, *Codices liturgici latini antiquiores* (1. Auflage, Freiburg/S, 1963), 248, n.1. – [cf. MABK II, 679].

D-222 (*D-Rs* 93)

REGENSBURG, Staatliche Bibliothek, 4° Lit. 93.

75 ff. papier, 137 x 210 mm. Reliure cartonnée couverte de cuir estampé. Ecriture début du XVIe s. Lettrines bleues ou rouges, comme dans les imprimés; noires pour les v/v/ de R/. Notation carrée sur portée de quatre lignes rouges; quarts de barres verticales de division; 6 ppp; guidon. Origine: par ses variantes, ce processionnal s'éloigne des manuscrits Ch. 67 (D-198), Ch. 93 (D-200) et Ch. 113 (D-203) de la Bischöfliche Zentralbibliothek qui forment le groupe de Heilig Kreuz. Provenance: Collegii Societatis Jesu Ratisbonnae, 1787 (f. 1). Origine: St Blasius, d'après David Hiley.

✧ Processionnal dominicain (Tabl. VII).

1	(RAM) A/ Pueri Haebreorum.
50v	de officio sepulturae.
67v	A/ Clementissime.

Bibliographie: Stäblein, *art. cit.*, 207. – [Cf. MABK II, 679].

D-223 (*D-Rs* 94)

REGENSBURG, Staatliche Bibliothek, 4° Lit. 94.

73 ff. parchemin, 220 x 165 mm. Reliure ais de bois couverts de cuir estampé; coins et centre recouverts de plaques de cuivre; fermoirs cuir; dos à 4 nerfs. Ecriture fin XIVe ou début XVe s. Initiales bleues ou rouges; bleue et rouge, avec filigranes descendant dans la marge de gauche. Notation carrée très menue sur portée de quatre lignes rouges; nombreuses barres verticales de division; 8 ppp. Autre notateur (f. 33–39). Origine et provenance: le couvent dominicain St. Blasius de Ratisbonne (f. 2, marge de pied: Conventus Ratisponensis). La rubrique générale sur les processions (f. 2) indique que ce processionnal est précisément le livre du chantre.

✧ Processionnal dominicain (Tabl. VII).

1	[garde] De sco. Blasio: R/ Ardentem v/ Se offert (cf. le Ms 4° Lit. 80 [D-221], f. 34).
2	*De processionibus in genere: Cum imminet aliqua processio...*
20	(RAM) A/ Pueri Haebreorum.
29	(CENA) Ablution des autels: *Hic ponantur antiphonae et versiculi et orationes...*
29v	[autre main] Suffrage aux titulaires des autels des sts Thomas, Blaise (A/ Sanctum suum Blasium dominus mirificavit), Sébastien, *Ad scm Rosarium. Ad lanifices* (Altar der Wollenschlägermeister, 1423), Dominique, Achatius, Willibald.
33	[autre notateur] CORP.CHR. comme le Ms D-221.
40	Mandatum.
55v	[même main qu'au f. 29v].
72v	T/ du Salve regina: Imperatrix magnifica/ cui cuncta dant gloriam/ tuae nobis communica/ majestatis clementiam. O---dulcis Maria (à 2 voix).
73v	[garde] De sco. Blasio ad Magnificat: A/ Magnificavit dominus divinis operibus [VIe t.].

Bibliographie: Stäblein, *art. cit.*, 207. – Notes de David Hiley (Regensburg, 12/II/1998).

D-224 (*D-Sl* Bibl 64)

STUTTGART, Württembergische Landesbibliothek, Cod. Bibl. 2° 64.

62 ff. (foliotation ancienne en chiffres romains et foliotation moderne), parchemin (sauf 1–3, papier), 285 x 175 mm. Reliure du XVe s. en peau de truie décorée de filets au tracés au poinçon. Ecriture du XIVe s. Beaucoup de pièces modifiées ou raturées ou récrites, notamment aux ff. 19, 23v–24v, 25v–26r, 27v–28v, 31, 33, 34v. Notation à clous sur portée de cinq lignes; 10 ppp. Origine: Zwiefalten (rites conformes à ceux du Liber Ordinarius d'Hirsau, identifié par F. Heinzer, dans *Rev. bénédictine* 102 (1992), 309–347 et mention (ff. 50–54) des différentes chapelles de Zwiefalten (cf. R. Halder in *900 Jahre Benediktinerabtei Zwiefalten*, ed. H. Pretsch, Ulm 1989, 165 & 168 ss.).

✧ Processionnal responsorial (Tabl. IV).

1–5v add. du XVIe s.:

1	Table des pièces en cursive.
2	[add., Hufnagelschrift sur portée de 5 ll.] A/ Vidi aquam.
2v	V/ Salve festa dies.
3	Mandatum.
4	L/ des Ténèbres Qui passurus.

Temporal (6–40): deux R/R/ par dimanche.

6	(ADV) R/ Missus est.
11	*In vigilia Natalis Domini ad capellam* A/ Ave spes nostra Dei Genitrix [VIIIe t.].
11v	*In die sancto ad sanctam Mariam* A/ O beata infantia.
14	EPI. 2.II.
17	(21.III: *beati Benedicti patris nostri*) R/ Florem mundi perituram [Ier t.] v/ Pennas (AH 25, 146). R/ Agnosce v/ Haec est dies [IIIe t.].
17v	25.III.
18	SEPT. et SEX.
23v–24v	(Changement de main et de notation) RAM. [lacune de quatre ff. entre 28 et 29, 29 et 30, 30 et 31, 32 et 33)
29	SAB.
30v	A/ Cum rex gloriae Christus... alle --- [mélisme de 100 notes] ---luia.
34v	Salve festa dies... ascendit victor et astra tenet (AH 4, 26).
36	PENT.
39	CORP. CHR. R/ Verbum vitae in mensa loquitur v/ Post in mortem a fratre traditus. R/ Panis descendens v/ Signo crucis (AH 24, 27). R/ Vitae panis qui divisus v/ Quod in nobis habitas. *A/ ad stationem* O panis vitae veneranda. *In choro* R/ Homo quidam (sans neuma sur le mot final o--mnia).

Sanctoral(40–53v).

40	(23.VI: *Johannis B. ad vesperas).*
41v	24.VI.
43	Changement de main et de notateur (15.VIII).
43v	R/ Gaude Maria virgo
(44)	v/ Gabrielem, *sive sine v/.* v/2 Gloria virtus et gratia tibi sit Altissime rex sanctorum... ...praemia post laborem.
44v	8.IX.
46v	(9.IX: DED) R/ Benedic Domine v/ Conserva [Ve t.].
47v	R/ Terribilis v/ Vidit Jacob scalam.
48	29.IX.

49 1.XI.
50 *Processio in dominicis diebus ad sanctam Mariam.* R/ Salve nobilis virga Jesse.
50v A/ Benedicat nos Deus noster.
51 *A/ in choro* Iniquitates nostras.
51v A/ Salvator mundi.
52 (12.III: Gregorii Papae) R/ Vere felicem praesulem v/ A Domino [Ve t.].
52v A/ O Pastor apostolice (cf. M. Bernard, „Office versifié de saint Grégoire." *Etudes grégoriennes* XVI [1977], 158–159). (25.X: Sca Katarina) R/ O mater nostra v/ Jam Christo juncta.
53 (6.XII) *In capella sci Nicolai.*
Commun des Saints (54)
55–58v Collectes pour la fin de la procession.
60v *In susceptione abbatis* (cf. Cod brev. 99 [Ds-229] f. 74).
62 A/ Salve regina (transcription défectueuse)

Bibliographie: K. Löffler, Die Hds. des Klosters Zwiefalten. Linz, 1931, 41 n° 96 (d'après le catalogue de 1792, dressé par le P. Gabriel Haas). – Notice revue sur le ms par le Dr. Felix Heinzer (20/VIII/1997).

D-225 (*D-Sl* brev. 38)

STUTTGART, Württembergische Landesbibliothek, Cod. brev. 38.

188 ff. papier (avec filigranes datables de 1494–1499), 110 x 80 mm <70 x 50 mm>. Reliure peau de porc, fermoir cuir. Ecriture des dernières années du XVe s. ou des premières du XVIe s. Entre les ff. 1 et 2, gravure sur bois: un saint portant le rosaire; en arrière-plan, la chapelle de St. Wendelin. Notation carrée sur portée de quatre lignes rouges; 5 ppp. Origine: le couvent des dominicaines d'Esslingen-Weiler, suivant la similitude d'écriture avec le Cod. brev. 65. Rubriques en allemand.

✧ Rituel-processionnal dominicain (Tabl. VII).

1 Rituel des derniers sacrements et des funérailles.
97–154v Processionnal dominicain, des RAM au 2.II. Les rubriques concernant les processions, traduites en allemand, figurent à la fin (155–181v).

Cat. V.E. Fiala und W. Irtenkauf, 1. Reihe, 3. Band (1977), 55–56. – MABK I, 237.

D-226 (*D-Sl* brev. 47)

STUTTGART, Würtembergische Landesbibliothek, Cod. brev. 47.

47 ff. parchemin, 210 x 160 mm <115 x 95 mm>. Reliure peau de truie blanche, restes de 3 fermoirs cuir. Ecriture du XIVe s. Notation carrée sur portée de quatre lignes rouges; 6 ppp. Origine et provenance indeterminées: écrit pour des dominicains, le livre est passé au XVe s. à l'usage des soeurs dominicaines (cf. ff. 27 et 38).

✧ Processionnal-rituel dominicain (Tabl. VII).

1 [après lacune initiale] Mandatum [fin de l'A/] Dominus Jesus. A/ Postquam surrexit.

23v *De officio sepulturae.*

39v Exultet.

46v T/ du Salve regina T/ Virgo prudens et formosa/ rosa veris speciosa.

Cat. Fiala-Irtenkauf, 66.

D-227 (*D-Sl* brev. 90)

STUTTGART, Württembergische Landesbibliothek, Cod. brev. 90.

58 ff. papier (avec filigranes datables 1620–1624), 295 x 195 mm. Reliure de cuir brun à ciselures dorées. En médaillon, calice et hostie; soleil et lune; plat inférieur: Vierge à l'enfant. Origine: Ellwangen, d'après la reliure.

✧ Processionnal pour la Fête-Dieu (CORP. CHR).

1 A/ et R/ de procession, avec l'incipit des quatre évangiles (Cf. Ottobeuren, Hds 04 [D-194] et Vat. Barberini lat. 525 [V-3]).

13–20v L/ et oraisons des Quarante Heures, *tempore belli.*

Cat. Fiala-Irtenkauf, 115. – [cf. MABK I, 205].

D-228 (*D-Sl* brev. 94)

STUTTGART, Württembergische Landesbibliothek, Cod. brev. 94.

75 ff. parchemin, 135 x 90 mm <90 x 70 mm>. Reliure couverte de cuir autrefois pourpre, avec ciselures géométriques. Ecriture de la seconde moitié du XVe s.(f. 16, Suffrages de st Vincent Ferrier, canonisé en 1458). Notation carrée sur portée de quatre lignes rouges; 5 ppp. Origine indeterminée: un couvent de soeurs dominicaines (rubriques en allemand).

✧ Processionnal dominicain (Tabl. VII).

15 (CENA) Ablution des autels de st. Jean-Baptiste, de la Croix, des anges, de la Vierge Marie, de st. Vincent Ferrier, de ste Catherine de Sienne.

65v Rituel des funérailles: *Wen man ain schwester wil begraben...*

Cat. Fiala-Irtenkauf, 120–121.

D-229 (*D-Sl* brev. 99)

STUTTGART, Württembergische Landesbibliothek, Cod. brev. 99.

90 ff. parchemin, 260 x 180 mm <210 x 135 mm>. Reliure de cuir avec les armes et les initiales de l'Abbé Georges III de Zwiefalten, avec la date de 1549, Ecriture du XVe s. Notation à clous sur portée de cinq lignes noires; 7 ppp. Origine et destination: l'abbaye de Zwiefalten.

✧ Processionnal monastique.

1–17 Procession de l'eau bénite le dimanche. A/ Asperges me.

Temporal (17–45v).

17 RAM.

30 CENA.

32v SAB.

35v (RES) T/ Postquam factus homo (AH 49, 28; CT 3, 162).

38v ASC.

40 PENT.

44 TRIN.

Sanctoral (46–69v).

Commence au 24.VI.

47 29.VI.

48v 15.VIII.

50 8.IX.

52 9.IX: DED.

53 14.IX.

53v 29.IX.

55 1.XI

57 ROG.

63v Suppléments:

67v 27.XII.

68v 22.VII.

69v 6.XII.

Commun des Saints (70 ss.) et divers.

74 *Canuntur haec responsoria in susceptione novi Abbatis* R/ Ecce odor filii mei.

78v V/ Salve festa dies (AH 50, 79).

85 *In Cena Domini ad mandatum pauperum* A/ Dominus Jesus postquam.

87v Messe des ROG.

89 Messe de la vigile de l'ASC I/ Vocem jucunditatis.

Cat. Fiala-Irtenkauf, 125. – MABK II, 867.

D-230 (*D-Sl* brev. 163)

STUTTGART, Württembergische Landesbibliothek, Cod. brev. 163.

88 ff. parchemin, 185 x 125 mm <140 x 80 mm>. Reliure de cuir brun, XVIIIe s. Ecriture achevée le 26 mars 1488 (colophon reproduit dans le Cat. cit., 197). Au f. 1, initiale d'or sur fond vert et rouge. Notation carrée sur portée de quatre lignes rouges; 5 ppp. Origine: le couvent des dominicaines de Katharinenthal dans le canton de Thurgovie (cf. les marques d'appartenance au Cat.). Rubriques en allemand. Provenance: le Ms. fut acheté chez un antiquaire en 1964.

✧ Rituel-processionnal dominicain (Tabl. VII).

1 Office des morts et rituel des funérailles.

77v Processionnal, ou plutôt complément au processionnal: CORP. CHR.

87v *Für Ungewitter im Summer* Heli, Heli, Heli, domine mi, imploro te.

88 (25.III) R/ Per deitatis animae v/ Ergo voce.

Cat. Fiala-Irtenkauf, 197.

D-231 (*D-Sl* fragm. 55)

STUTTGART, Württembergische Landesbibliothek, Cod. fragm. 55.

Bifolium de parchemin, 230 x 180 <205 x 140 mm>. Ecriture allemande du XIVe s. Notation gothique allemande du nord de l'Allemagne sur portée de quatre lignes noires, dont une est repassée en rouge pour le F; 8 ppp. Origine: une collégiale d'Allemagne dédiée à la Ste Trinité. Provenance: le fragm. était jadis collé sur un plat de reliure de la Württembergische Landesbibliothek: il pourrait provenir d'un grand processionnal plutôt que d'un graduel avec chants de procession.

✧ Fragment de processionnal.

1 [fin de l'A/ Sedit angelus] ...surrexit, alleluia. v/ Crucifixum in carne. *Deinde duo presbiteri cantent in ambone versum* Recordamini.. *cum qua itur ad criptam... Deinde pueri cantent* (V/) Salve festa dies. *Post secundum versum, incipiant cantores* A/ Sedit angelus. *Cum qua (itur) ad chorum regum et duo presbiteri cantent versum* Cruc(ifixum).

1v ROG A/ Surgite sancti.

2 R/ Summae Trinitati, simplici Deo.

2v *Finita missa de letania incipitur antiphona* Laudem dicite... *Sequuntur preces majores quibus finitis duo presbiteri de sancta Trinitate cantant hymnum* [L] Aufer a nobis (une seule ligne notée, puis lacune).

D-231/2 (*D-Sl* fragm. 57)

STUTTGART, Württembergische Landesbibliothek, Cod. fragm. 57.

Bifolium de parchemin, 230 x 195 mm provenant d'un graduel allemand du XIIe s., intéressant en raison de ses rubriques d'exécution pour l'antienne de procession A/ Collegerunt du dimanche des Rameaux. Notation neumatique allemande; 25 lignes neumées par page. Origine: Zwiefalten (?), selon Felix Heinzer.

1v (RAM) *Plures cantant* A/ Collegerunt pontifices... *Chorus* Quid facimus quia... *Cantores* v/ Unus autem... *Unus* Expedit vobis ut unus... *Cantor* Ab illo ergo dic... *Chorus* Ne forte veniant

	Romani (cf. A.Hänggi, *Der Rheinauer Liber Ordinarius*, Freiburg/S, 1957, 110).
2	T/ Postquam factus homo (cf. A. Haug, „Ein ‚Hirsauer Tropus'" *Revue bénédictine* 104 [1994], 328–345). S/ Laudes salvatori (AH 53, 65).

Notice revue par le Dr. F. Heinzer (lettre du 15/01/1998).

D-232 (*D-Sl* I 77)

STUTTGART, Württembergische Landesbibliothek, HB I 77.

169 ff. papier datable des années 1482–84, 200 x 150 mm. Reliure estampée, trace d'un fermoir. Ecriture des années 1485–90; add. de 2e main, ff. 143–164v et de 3e main, f. 165rv; initiales rouges. Notation à clous sur portée de quatre ou cinq lignes, clés C et F (sur la ligne repassée en rouge). Origine et destination: l'abbaye de Blaubeuren (cf. f. 55: *in hoc monasterio Blaubeuren*). En 1648, après l'Aufhebung du monastère, le Ms. passa à Weingarten.

✧ Rituel-Ordinaire-Processionnal

2	Calendrier de Blaubeuren.
8	Credo neumé (incomplet).
9	S/ Dies irae neumée (AH 54, 269).
10	Bénédictions
15	PAR.
18	Depositio crucis (LOO II 253, n° 201).
19v	ASC.
22	25.IV.
31v	(NAT) Généalogie neumée.
45	Depositio crucis et hostiae (LOO II, 253 no 202).
54v	Rituel monastique de Blaubeuren.
60v	R/ Media vita neumé.
61	Exultet neumé.
73	Rituel du Baptême et de l'Extrême-onction.
88v	Processions de Carême.
98v	L/ sanctorum. A/ Cum rex gloriae.
127v	Procession du CORP. CHR.
128v	S/ Lauda Sion (AH 50, 584).
129v	H/ Sacris sollemniis (AH 50, 587) et le Pius dictamen/ Ave vivens hostia (AH 31, 111; 50, 597).
153v	Processionnal pour les grandes fêtes:
165	[add. XVIe s.] R/ Gaudete justi in domino v/ In memoria aeterna. V/ Salve festa dies (AH 50, 79).

Bibliographie: *Die Hds. der Württembergischen Landesbibliothek Stuttgart*, 2. Reihe (Die ehemalige Hofbibl.), I/1, 130–135. – LOO VI, 434–435. – MABK I, 90.

D-232/2 (*D-Sl* I 95)

STUTTGART, Württembergische Landesbibliothek, HB I 95.

Le tropaire-prosaire de Weigarten (ca 125 x 95 mm), neumé par trois mains différentes, contient entre autres pièces des conduits de l'Ecole de Notre-Dame de Paris, réduits à une voix; des B/ tropés à une ou bien à deux voix notées en neumes (f. 68v ss.) et le planctus alphabétique sur la fin du monde (f. 73v) Audi tellus (AH 49, 378).

Bibliographie: *Die Hds. der Württembergischen Landesbibliothek Stuttgart*, 2.Reihe, I/1, 171. – H. Husmann, *Tropen- und Sequenzhandschriften* (RISM. B V 1), 81–82. – W. Irtenkauf, „Zum Stuttgarter Cantionarium HB I 95" *Codices manuscripti* 3 (1977), 22–30. – A. Haug, *art. cit.*[cf. D-231/2], 331.

D-233 (*D-Sl* XVII 25)

STUTTGART, Württembergische Landesbibliothek, HB XVII 25.

86 ff. papier du moulin de Giengen sur la Brenz, 200 x 160 mm. Reliure cuir sur plats de carton. Ecriture datable de 1618–1620. Notation carrée sur portée de quatre lignes rouges. Origine: le couvent dominicain de Mariental à Würzburg (f. 1).

✧ Processionnal dominicain (Tabl. VII).

1	*In lotione altarium apud S. M(ariam) in Cena domini* sci. Marci in choro, sce Dorotheae,
(4)	In choro sci Dominici.
5	RAM.
60	*In commemoratione omnium fidelium defunctorum ad processionem.*
72	*Officium sepulturae fratris defuncti.*

Die Hds. der Württembergischen Landesbibliothek Stuttgart, 2.Reihe, 6/1, 40.

D-234 (*D-TRb* 507)

TRIER, Bistumsarchiv, Hs. 507.

2 + 59 ff. papier (paginés), 200 x 158 ff. Reliure de cuir brun, encadrement des plats ciselés. Au f. II, fragment d'un bréviaire du XIVe s. (commun des martyrs au temps pascal). Ecrit en 1684 pour les Clarisses de Trèves, le manuscrit a été donné à l'église St Gangolph le 30 janvier 1836 (acte de donation et ex-libris). Notation carrée tardive sur portée de quatre lignes noires; guidon.

✧ Processionnal franciscain (Tabl. VIII).

1–16	Processions rituelles (2.II et RAM). Chants pour la profession des soeurs: H/ Veni Creator.
20	R/ Regnum mundi.
22	H/ Te deum.
28	*In sepultura sororum.*
49	S/ Veni sancte Spiritus.

52	S/ Lauda Sion.
62	A/ Mandatum novum.
83	Office de st. Nicolas.
97	A/ Alma.
107	A/ Salve regina.
110–117	[autre main cursive] *Kurzer Underricht den Chor(ge)sang zu lehrnen.*

D-235 (*D-TRb* 511)

TRIER, Bistumsarchiv, Hs. 511.

2 + 54 ff. papier (paginés), 202 x 157 mm. Processionnal des Clarisses de Trèves (Tabl. VIII), passé à l'église St Gangolph en 1836, identique au précédent, mais sans le traité de musique.

D-236 (*D-TRb* 512)

TRIER, Bistumsarchiv, Hs. 512.

82 ff. papier (paginés), 221 x 156 mm. Processionnal des Clarisses de Trèves (Tabl. VIII), passé à l'église St Gangolph en 1836, identique au Ms. 507, mais sans le traité de musique. 152 *Hymnus de sancta Clara* Concinat plebs fidelium/ Virginale praeconium (AH 52, 149).

D-237 (*D-TRb* 513)

TRIER, Bistumsarchiv, Hs. 513.

57 ff. papier (paginés), 203 x 165 mm. Processionnal des Clarisses de Trèves (Tabl. VIII), avec les rubriques en allemand. Notation carrée soignée sur portée de 4 lignes rouges. Contenu identique à celui des processionnaux précédents, mais avec en plus des strophes d'hymnes affectées aux saluts du St. Sacrement suivant les diverses périodes de l'année liturgique:

57	(ADV) En Agnus ad nos mittitur. etc.

D-238 (*D-TRb* 516)

TRIER, Bistumsarchiv, Hs. 516 (L III 42).

119 ff papier (paginés), 183 x 108 mm. Reliure cartonnée couverte de cuir. Ecrit en 1773 (Scripsit Johannes Petrus Schmitz, S[ancti] B[anthi] A[lumnus], 1773). Notation carrée fine sur portée de cinq lignes noires, celle du fa est repassée en rouge.; guidon ondulé. Origine et provenance: la cathédrale de Trèves (Cantuale juxta ritum Ecclesiae metropolitanae Trevirensis, 1773).

✧ Processionnal.

Processions suivant le plan de l'année civile, temporal et sanctoral mélangés:

p.1	(Janvier) A/ Asperges me. EPI etc.
p. 204	Commun des saints et divers:
p. 215	*Trenos Augustini* Ante oculos tuos domine culpas nostras ferimus (RH 1173).

p. 222 Ad benedictionem fontis: Rex sanctorum angelorum (AH 50, 242).
Index (p. 227–237).

D-239 (*D-TRb* 517)

TRIER, Bistumsarchiv, Hs. 517.

36 ff. papier paginés, 245 x 160 mm. Reliure cartonnée. Ecriture de la soeur Pachalina Kauffmann, au XVIIIe s. Notation carrée sur portée de quatre lignes rouges; guidon. Provenance: les Clarisses de Trèves (f. 1: ad usum Sororis Mariae Angela Millerin, 1773). Rubriques en allemand.

✧ Processionnal franciscain (Tabl. VIII).

Contenu identique à celui des processionnaux D-234 et ss.

62 *Hymnus de sca Chatarina de Bononia* O Catarina nobilis, sancti Francisci filia (AH 22, p. 157).
64 A/ Salve regina.
64v L/ sanctorum.

D-240 (*D-TRb* 519)

TRIER, Bistumsarchiv, Hs. 519.

44 ff. papier (paginés), 233 x 176 mm. Ecrit en partie au pochoir (lettrines et titres) au cours du XVIIIe s. par un franciscain (P[ater] F. Nabor Louis fecit, ora pro eo) à destination des Clarisses de Trèves (dieses Choralbuch ist mir Schwester Maria Catharina Simon zum Gebrauch gegeben worden, anno 1779). Le processionnal a été donné en 1836 à l'église St Gangolph. Notation carrée sur portée de quatre lignes rouges; guidon; do # à l'intonation ou à la finale des pièces du Ier ton (par ex. la S/ Vic-ti-mae paschali... ...A-men). Contenu identique à celui des manuscrits précédents.

D-241 (*D-TRb* 587)

TRIER, Bistumsarchiv, Hs. 587.

6 + 155 ff. papier (paginés), 183 x 130 mm. Reliure de cuir noir, fermoirs cuivre. Ecrit au XVIIIe s. en caractères imitant l'imprimé, par plusieurs mains: Johann Michael Ihmhohn, p.t. Organ.in Blies (p. V-300); J.W.Lammerz (p. 301–309), Albert Nicola (p. 310). Miniatures baroques. Notation imitant la gothique rhénane anguleuse sur portée de cinq lignes, dont une rouge pour le fa (repérée par un losange à flagelle, suivi de : Guidon à bec. Origine et provenance: St. Florin de Coblence (cf. titre, p. V et rubriques des pp. 20, 157, 171, 198, 253). En 1770, il appartenait au Fr. Georg Wuert. Après passage entre plusieurs mains, le livre a été offert aux archives épiscopales de Trèves en 1942.

✧ Processionnal

p. vij Index alphabétique. A/ Asperges me.
p. 5 RAM.
p. 145 CORP. CHR.
p. 204 Commun des saints.

p. 253	Modus intonandi orationes. Benedicamus domino.
p. 269	Modus intonandi psalmos.
p. 280	Octo sunt toni et hi dignoscuntur...
p. 286	Commendaces.

D-241/2 (*D-TRp* 40)

TRIER, Bibliothek des Bischöflichen Priesterseminar, 40 (R.II.17).

Volume des IV Evangiles, écrit au X-XIe s. Provenance: l'abbaye St-Matthias. Au f. 1, addition de l'A/ Cum fabricator mundi avec neumes mosellans. Cette antienne ne figure pas dans le *Liber Ordinarius* de l'Eglise de Trèves édité par Albert Kurzeja (voir D-242).

Bibliographie: Cat.J. Marx, p.35–36. – J. Hourlier, „Le domaine de la notation messine" *Revue grégorienne* 30 (1951), 101 („processionnal").

D-242 (*D-TRs* 1677)

TRIER, Stadtbibliothek, 1677/1746.

154 ff. papier (paginés), 158 x 100 mm. Reliure cuir sur carton gondolé. Ecrit en caractères d'imprimerie en 1708 par Nicolas. Notation carrée sur portée de quatre lignes noires; 7 ppp; guidon. Origine: Pfalzel (d'après les rubriques locales). Provenance: Henrot (d 1780); les héritiers du chanoine Schwarz (1830).

✧ Processionnal.

Temporal (1 189)

1	A/ Asperges me. A/ Monasterium istud.
7	NAT, 26.XII etc.
39	RAM.
96	(SAB) L/ Rex sanctorum angelorum (AH 50, 242).
137	25.IV.
148	*Feria VI bannita* [si le 25.IV tombe un vendredi, lettre dominicale *e*). Feria II ROG. L/ Aufer a nobis.
152	Feria IIIa ROG *In Eranck*.
156	*Hic duo canonici canunt sequentes litanias* L/ Dicamus omnes: Domine miserere.

Sanctoral (190–238)

A partir du 6.XII.

203	(1.VI: de sco Simeone) R/ Gaude plebs Treverica v/ Succurre [Ier t.]
217	(7.VIII sca Maria Egyptiaca) R/ O Maria mater pia poenitentium v/ Veni [Ier t.].
222	(18.VIII: sca. Helena) R/ O gloriosa terrarum regina v/ Laudate [Ier t.].

231 (19.XI: sca Elizabeth) R/ O lampas Ecclesiae [Ve t.] v/ Tu Dei saturitas (Hagghl, 27).

Commun des Saints (239 ss.) et divers.

Office des morts. H/ Te Deum.

Bibliographie: Cat. Keuffer. – A. Kurzeja, *Der älteste Liber Ordinarius der Trierer Domkirche. London, Brit. Mus., Harley 2958, 14. Jh.* Ein Beitrag zur Liturgiegeschichte der deutschen Ortskirchen (Münster in Westfalen, 1970), ix.

D-243 (*D-TRs* 1743)

TRIER, Stadtbibliothek, 1743/1747.

109 ff. papier (paginés), 150 x 90 mm. Reliure cuir brun sur plats de carton. Ecrit en écriture courante au XVIIIe s. et en caractères d'imprimerie pour les chants. Notation gothique mosellane sur portée de cinq lignes dont une rouge pour le F. Origine: la cathédrale de Trèves (d'après les rubriques et les églises stationales). Provenance: ex dono haeredum canonici Schwartz. Stationarius, Cantiones, Preces et Collectas...ad usum R. Dni. Mathias Frantzen summae aedis chori socii.

✧ Processionnal pour les processions pénitentielles.

1 CIN.

5 *Ad sanctam Helenam cantando* A/ In jejunio et fletu. *Ad sanctum Paulinum* R/ Abscondite.

13 *Feria VI post* Invocavit *instituitur processio ad sanctum Matthiam et cantata tertia incipitur in choro* A/ Propitius esto. *Ante portam novam cantatur sequens* A/ Oremus dilectissimi nobis.

17 *Ante portam sci Matthiae incipiatur* R/ Abscondite. *Deinde in media ecclesia cantatur sequens* R/ Gratias tibi rex v/ Sub tegmine.

30 *Feria VI post* Reminiscere *processio vadit ad Horreum* R/ Solem.

32 *Feria VI post* Oculi *cantata Tertia vadit processio ad sanctum Martinum* R/ O oliva fructifera v/ Fac nos.

35 *Feria VI post* Laetare *itur ad Scam Mariam veterem... intrando chorum cantatur sequens* R./ Christi virgo dilectissima.

39 *Ante tumbam sci Simeonis* [Simeonsstift] R/ Venerantes et dignam memoriam v/ Ut per ipsius [IVe t.].

42 *Eundo ad sanctum Paulinum* R/ Sanctissime et venerabilis meriti Pontifex Paulinus v/ Principis Ariani [VIIIe t.].

49 *Ad sanctum Maximinum ante crucem canitur sequens A/* Isti sunt viri sancti.

51 25.IV (rubriques)

52 V/ Salve festa dies.

57 *... ecclesiam sci. Gangulphi.*

73, 97, 102 L/ sanctorum (fractionnée).

90 *Ad portam pontis...*

101	L/ Aufer a nobis.
102	Feria II ROG.
110–114	*Hic duo Majoris ecclesiae vicarii cantent sequentem L/ choro respondente* L/ Dicamus omnes: Domine miserere. *Chorus repetit* Dicamus. v/ Ex toto corde...*Do[mine..]. v/ Pro sancta ecclesia catholica... Dica[mus omnes]. v/ Pro pastore nostro N... *Do[mine..]. v/ Pro rege nostro N. .. Dica[mus..]. v/ Pro antistite nostro.. *Do[mine..]. v/ Pro aeris temperies.. Dica[mus..]. v/ Pro his qui infirmantur.. *Do[mine..]. v/ Pro remissione peccatorum.. Dica[mus..]. v/ Exaudi nos Deus in omni oratione. *Do[mine..]: ed. De Clerck, 190 [texte seul].
116	*Ad scum. Maternum* R/ Assumpto itaque v/ Ut virtutes.
118	*Ad scum Eucharium... Ad scam Helenam in Ponte Leonis...*
119	*Ad scam Barbaram.. Ad scam Mariam ad pontem.*
120	*Juxta coemitirium canitur sequens* L/ Ardua spes (AH 50, 237. Stotz, 36).
128	*Feria III ROG.*
131	*Ad scum Salvatorem apud Horreum.*
134	*...per duos vicarios sci Paulini et sci Simeonis canitur sequentem* L/ Agne dei qui tollis.
143	*Ad scam Mariam ad Martyres* L/ Humili prece (AH 50, 253; ici, avec strophe: Eucharius, Maternus, Valerius...).
161	*Feria IV ROG.*
178	L/ Rex sanctorum angelorum (AH 50, 242).
182	Psaumes de la pénitence.
195	*Index stationarii alphabeticus*. Add. diverses.

Bibliographie: Cat. Keuffer-Kentenich III, 100. – A. Kurzeja, *Der älteste Liber Ordinarius der Trierer Domkirche, London, Brit. Mus., Harley 2958, Anfang 14. Jh.* (Münster in Westfalen, 1970), ix.

D-244 (*D-TRs* 1971)

TRIER, Stadtbibliothek, 1971/1744.

77 ff. papier (paginés), 182 x 125 mm. Reliure maroquin bleu àbordures et tranches dorées. Ecrit au XVIIIe siècle en caractères d'imprimerie. Notation carrée sur portée de quatre lignes rouges; 6 ppp; guidon. Origine: St Paulinusstift (anciennes cotes: CCXXVI, sur l'étiquette du dos, et D I a 14), chanoines augustins. Provenance: ex dono haeredum Canonici Schwartz.

✧ Processionnal.

1	*Sabbato ante dominicam* Laetare. *Statio ad scm Maximinum.* A/ Propitius esto.

21	*Sabbato ante dominicam Passionis statio ad scam Mariam ad Martyres.*
24	*Sabbato ante Dominicam Palmarum, statio ad scm Maximinum.*
27	(CENA) *Ablutio altarium* (sans pièces propres).
46	(SAB)
48	L/ Rex sanctorum angelorum (AH 50, 242).
50	(RES) V/ Salve festa dies. 25.IV *Processio vadit ad scm Maximinum canendo* A/ Cum rex gloriae.
61	*In ecclesia sci Maximini canitur* A/ Ave sancte pater et pontifex Maximine.
66	A/ Sanctissimi et inenarrabilis meriti Pontifex Paulinus, Trevirorum pastor.
68	*Feria IV statio ad villam Lüren.*
73	CORP. CHR.
100	(2.VII) A/ Surge Aquilo.
126	(NAT) S/ Dei virtus Dei sapientia/ Per quem (inédit?).
128	DED.

Bibliographie: Kurzeja, *Der älteste Liber Ordinarius*, ix.

D-245 (*D-TRs* 2239)

TRIER, Stadtbibliothek 2239/2190, 8°.

32 + 155 ff. papier, 132 x 201 mm <102 x 180 mm>, i.e. Format album. Reliure, plats de carton couverts de cuir brun. Ecriture du XVIIIe s. en caractères d'imprimerie. Notation mosane-mosellane sur portée de cinq lignes; 4 ppp. Origine: église collégiale St Castor de Karden au diocèse de Trèves (cf. ff. 39 et 51). Ce ms., intitulé „Stationale" est en fait un processionnal.

✧ Processionnal.

Le processionnal commence après quelques compléments (A/ Asperges me; les 7 Ps. de la Pénitence; la L/ des sts; un Kyriale).

1	*Diebus dominicis* R/ Benedicat nos Deus noster v/ Confirmet. R/ Benedicat nos Deus noster, benedicat nos v/ Deus misereatur nostri. R/ Felix namque es. R/ Te sanctum Dominum. 24.VI et 29.VI. Commun des saints.

Temporal (8–83v).

8	11.XII.
9	(19.XI: scae Elysabeth) R/ O lampas Ecclesiae [Ve t.] v/ Tu Dei saturitas (Haggh1, 27).
10	(25.XI: scae Catharinae) R/ Surge virgo v/ Pulchra Syon filia.
10v	30.XI.
11	6.XII.

12	ADV.
14	NAT.
21	EPI.
23	(17.I: sci Antonii) R/ Panem angelorum v/ Eya inquit Paulus [IIIe t.]
24	20.I: sci Sebastiani.
25	25.I.
25	2.II.
25v	A/A/ de la Circoncision.
30v	*Intrando chorum* R/ Gaude Maria virgo.
33v	Messe du 2.II
(33v)	S/ Concentu parili (AH 53, 171).
39	[alia manu] (4.II: *In festo Castoris Conf. Treverensis Patroni ecclesiae Cardonensis*) R/ Sanctus Castor a puero v/ Quia melior est [Ier t.]. R/ Praeclarus puer v/ Quem diligens. R/ Christum nudus v/ Ut cum sancto. R/ Sub praesule Maximiano v/ Audite. R/ Cum pro suis virtutibus v/ Quia nescit gloriam.
41	*In ecclesia nostra Cantor incipiat* A/ O pater beatissime. R/ O caritas summa v/ Ecce. R/ Vere felicem praesulem v/ A Domino factum est
45	SEPT et QUADR.
49	RAM.
51	*Intrando Coemiterium sti Castoris* R/ Ingrediente Domino.
54	L/ des Ténèbres
59v	T/ Quem quaeritis in sepulchro (LOO II, 481 *no* 354).
67	ROG et ASC.
74	PENT.
76	CORP CHR.
(79)	R/ Melchisedech vero rex Salem.
80v	Messe avec la S/ Lauda Syon (AH 50, 584).
Sanctoral (84–120). Commence au 24.VI.	
84v	(2.VII: *Visitatio B.M.V. in ecclesia parochiali*)
88	R/ Felices matres v/ Felix domus [Ier t.]
90	Alleluia v/ Ave stillans melle (MMMAE VIII, 81).
92	(6.VII: *De sco Goare confessore Trevirensi et compatrono ecclesiae nostrae Cardonensis)* R/ Laude Deo digna v/ Hunc prece subnixa [Ier t.].
94	22 VII.
94v	6.VIII et 10.VIII.
96	(15.VIII) Procession et messe avec S/ Congaudent angelorum chori (AH 53, 179).

102	(8.IX) Procession et messe avec S/ Stirpe regia Maria (AH 53, 162).
106	(29.IX) Procession et messe avec S/ Magnum te Michaelem (AH 53, 310).
108	(12.IX: sci Maximiani episcopi) R/ Audi Domine benigne v/ Respice [Ier t.]. R/ Omni tempore benedic Dominum v/ Memor esto fili. R/R/ pénitentiels et pour diverses circonstances.
120	(DED) R/ Terribilis v/ Cumque evigilasset Jacob. Messe avec S/ Psallat ecclesia (AH 53, 398).
124v	L/ Rex sanctorum angelorum (notée par points noirs).
125	L/ Aufer a nobis.
128	Gloria Patri des R/R/ noté suivant les VIII tons.
145v	Index.
150v	Ct/ Puer natus in Bethleem/ Ein Kind geboren in Bethleem.
151	V/ Salve festa dies.

Bibliographie: Cat. Kentenich, VI 159. – Kurzeja, *Der älteste Liber Ordinarius*, ix. – LOO VI, 447.

D-246 (*D-TRs* 2282)

TRIER, Stadtbibliothek, 2282/2224.

68 ff. papier (paginés). Reliure carton recouvert de cuir. Ecrit en 1763 par Joannes Lauter Adamus. Notation carré et losangée sur portée de quatre lignes rouges; 9 ppp. Origine: Pfalzel. Ce ms est la copie abrégée du Processionnal de 1708 (Ms 1677/1746): Temporal (1–108), Sanctoral (109–130), sans les fêtes propres à Trèves, et Commun des saints (131–138).

D-247 (*D-WN*)

WIENHAUSEN (bei Celle), Klostermuseum, s.n.

30 ff. parchemin, 110 x 90 mm <90 x 70 mm>. Ecrit en lettres de forme après 1476 (f. 15v, la fête de la Visitation, introduite dans l'Ordre cistercien en 1476, est de première main). Décoration très développée: bandeaux, bordures et miniatures (voir bibliographie). Notation messine de l'Europe de l'Est, sans portée (dans le Drame de Pâques) ou sur portée. Origine: écrit, décoré et préparé pour une abbesse cistercienne (lecture évangélique de Pâques, f. 6), probablement l'abbesse de Wienhausen (abbaye fondée en 1231).

✧ Processionnal cistercien (Tabl. V).

1	RAM.
5v	RES avec drame liturgique de Pâques en latin et en dialecte moyen-bas-saxon (ed. Lipphardt, *art. cit.*, 121–125, avec facs.).
15v	2.VII.
16	(1.XI) R/ Beata vere mater.
18	R/ Beati estis sancti Dei.
21	(15.VIII) R/ Hodie Maria virgo.

Bibliographie: W. Lipphardt, „Die Visitatio sepulchri in Zisterzienserinnenklöstern der Lüneburger Heide“ *Daphnis. Zeitschrift für mittlere deutsche Literatur* 1, 1972, 119–129, mit 6 Abb. [ne décrit que le fragment du Drame de Pâques]. – B. Uhde-Stahl, „Figürliche Buchmalereien in den spätmittelalterlichen Handschriften der Lüneburger Frauenklöster.“ *Niederdeutsche Beiträge zur Kunstgeschichte* 17 (1978), 47–50. – LOO VI, 468 et IX, 1122 omettent ce ms.

D-248 (*D-W* 977)

WOLFENBÜTTEL, Herzog August Bibliothek, Helmstedt 875 [Cat. 977].

28 ff. parchemin, 215 x 150 mm. Ecriture du XVe s. Notation à clous épaissie sur portée de quatre lignes; guidon; 7 ppp. En garde, fragment d'antiphonaire neumé du XIIIe s. Provenance: f. 1 Liber apostolorum Petri et Pauli in Henige (Heinigen).

✧ Processionnal.

1	(CENA) Mandatum A/ Cena facta. A/ Postquam surrexit.
4v	A/ Ante diem festum Paschae.
6	R/ Circumdederunt me. A/A/ de B.M.V. et Commun des saints.
Lacune entre	10v et 11.
11	2.II.
12	RAM.
18v	H/ Inventor rutili (AH 50, 30).
21v	ROG.
23	CORP CHR.
24v	15.VIII.
26	DED.
27v	R/ Eructavit (Commun des vierges).

Cat. Heinemann, II, 83 n° 977.

D-248/2 (*D-W* 1110)

WOLFENBÜTTEL, Herzog August Bibliothek, Helmstedt 1008 [Cat. 1110].

282 ff. parchemin, 200 x 140 mm. Reliure plats de bois non recouverts. Ecriture datée de 1024–1027 (synchronisme des Laudes carolines); initiales à rinceaux sur fonds bleus ou rouges. Notation neumatique allemande. Origine: Minden, pour l'usage de l'évêque Siegbert (f. 268).

✧ Graduel avec Versus de procession.

1	T/ Gregorius praesul (AH 49, 20–21, 1.13).
98v	*Versus Thiotolfi* Gloria laus (AH 50, 160).
108v	*Versus ad deferendum chrisma* O redemptor sume carmen (AH 51, 80).
113v	*Versus* Tellus ac aethra jubilant (AH 57, 77).

118v	*Versus Fortunati presbiteri* Crux fidelis inter omnes (AH 50, 71, str. 8).
121	*Versus Prudentii* Inventor rutili (AH 50, 30).
124	*Versus ad descensum fontis* Rex sanctorum angelorum (AH 50, 242).
126v	*Versus Fortunati* Salve festa dies (AH 50, 79).
254v	*Ad regem suscipiendum* Domine salvum fac imperatorem.
257–258v	(Laudes) Christus vincit, Christus regnat.
259	*Isti versus Hartmanni canendi sunt antequam legatur evangelium* Sacrata libri dogmata (AH 50, 250).
260v	*Versus ejusdem in natale Innocentum* Salve lacteolo decoratum (AH 50, 251).
261	*Item versus ejusdem unde supra* Cum natus esset (AH 50, 252).
271v	*Versus Hartmanni ad processionem diebus dominicis* Humili prece (AH 50, 253).
274v	*Versus Ratperti ad processionem diebus festis* Ardua spes mundi (AH 50, 237; Stotz, 36).
276	*Versus Waldrammi unde supra* Votis supplicibus (AH 50, 246).
277v	*Versus Hartmanni ad eucharistiam* Laudes omnipotens (AH 50, 239; Stotz, 73).
278v	*Ad regem suscipiendum* Salve proles regum.
278v	*De veteri testamento* Benedictus eris ingrediens.
279	*Versus Notkeri* Ave beati germinis.
279v	*Versus Ratperti* Aurea lux terrae (AH 50, 240; Stotz, 90).

Bibliographie: Cat. Heinemann III, 7–9. – MMMAE I, *Hymnen*, 478–496 [Prozessionshymnen]. – Stotz, 12.

D-248/3 (*D-W* 1216)

WOLFENBÜTTEL, Herzog August Bibliothek, Helmstedt 1109 [Cat. 1216].

Lectionnaire pour les fêtes propres à l'abbaye St-Matthias de Trèves (143 ff. de parchemin, 175 x 130 mm), écrit aux environs de l'an 1000 (la liste des évêques de Trèves s'arrête à Liudolfus, 994–1008). Notation neumatique allemande sans portée, 15 ll. par page.

Pièces spéciales:

23	(NAT) Quid regina poli faciat nunc dissere nobis. *Responsio* Nunc puerum Christum genuit.
25v	L/ des Ténèbres Kyrie qui passurus.
105	A/ O crux gloriosa, o crux adoranda.
105v	*Visitatio sepulchri* (LOO II, 467 n° 347).

Bibliographie: Cat. Heinemann, III, 59–60. – LOO VI, 470.

D-249 (*D-W* 1502)

WOLFENBÜTTEL, Herzog August Bibliothek, Helmstedt 1379 [Cat. 1502].

98 ff. papier, 160 x 110 mm. Reliure de parchemin, provenant d'un antiphonaire. Ecriture du XVIe s. Notation à clous tardive sur portée de quatre lignes noires; 4 ppp. Destination: un couvent de religieuses (franciscaines?) de l'Allemagne du nord.

✧ Processionnal.

Une ou deux pièces par fête.

4v	(2.II) A/ Ave gratia plena.
10	(RAM) A/ Cum appropinquaret.
24	(CENA) A/ Cena facta.
38v	(RES) A/ Cum rex gloriae Christus.
46v	ROG.
50v	CORP. CHR.
53v	15.VIII.
78	R/ Libera me Domine de morte.
80v	[notation plus menue] A/ A/ pour la consécration des vierges.
84v	L/ et oraisons.
89–98v	*De compassione beatae Mariae virginis* S/ Ave stans sub cruce (AH 4, 56), s.n.

Cat. Heinemann, III, 180.

D-250 (*D-WÜu* 211)

WÜRZBURG, Universitätsbibliothek, M ch q. 211.

150 ff. papier, 205 x 135 mm. Reliure de cuir brun tendu sur ais de bois; coins et fermoirs cuivre. Ecriture de peu antérieure à 1632: „Librum hunc ad honorem Dei conscripsit predilecta consoror nostra Christina de Bourscheidt, 1632." Initiales de couleur rouge ou bleue verte; de couleur noire pour les v/ de R/. Notation à clous sur portée de cinq lignes noires, celle du fa est repassée en rouge; 6 ppp. Origine: Kloster Mare bei Köln (f. 76 L/ des saints de Cologne). Provenance: le monastère des Prémontrés d'Unterzell près de Würzburg (cf. f. 150v, ablution des autels d'Unterzell).

✧ Processionnal prémontré (Tabl. IX).

Temporal (3–101v).

1v	(add.) A/ Salve regina.
3	(ADV) A/ Ecce carissimi.
6	(NAT) R/ Verbum.
18	(RAM) A/ Pueri Haebreorum.
38v	(CENA) Mandatum.
62	(RES) A/ Cum rex gloriae.
67v	Procession des Vêpres pascales.
71v	ROG.

94v	(CORP. CHR.) R/ Respexit Helias.

Sanctoral (102–139v)

102	1.I: sci nominis Jesu.
107	2.II.
122v	(6.VIII: in transfiguratione Domini) R/ In splendenti nube v/ Pater et Filius [IIe t.].
129	(28.VIII: sci. Augustini) R/ Verbum Dei usque ad ipsum v/ Testamenti.
130v	R/ Volebat enim v/ Displicebat.
131v	A/ Adest dies celebris.

Commun des Saints et divers (140v–fin).

144v	DED.
150v	*Register über di R/ wan die Altar gawaschen werdten* R/ pour ste Cécile, st Norbert et tous les saints.

Bibliographie: E. Federl, *Spätmittelalterliche Choralpflege in Würzburg und in mainfränkischen Klöstern* (St-Ottilien, 1937), 3, 52–53.

D-251 (*D-WÜu* d 5)

WÜRZBURG, Universitätsbibliothek, Mp th. d.5.

112 ff. parchemin, 98 x 70 mm. Reliure de peau blanche restaurée à Berlin en 1937. Ecriture du XVe s.; initiales bleues ou rouges à filigranes mauves. La première initiale (P) est dorée sur fonds mauve et vert. Rubriques en allemand. Notation carrée sur portée de quatre lignes rouges; barres verticales de division très fines; 5 ppp; guidon. Origine: le couvent des soeurs dominicaines de St-Katarina à Nüremberg (d'après la liste des autels).

✧ Processionnal dominicain (Tabl. VII).

1	(RAM) A/ Pueri Haebreorum.
27	(CENA) Ablution des autels.
40v	Ablution des autels: maître-autel, les vierges sages,
(41)	Marie-Madeleine.
43	*Tertium altare in cancellis.*
44	Katharina.
46	Laurent.
50v	Mandatum.
70v	PAR.
85	(SAB)
89	Exultet.
102v	RES.
105	ASC.
109v	2.II.

Bibliographie: Federl, 3, 50.

D-252 (*D-WÜu* d 7)

WÜRZBURG, Universitätsbibliothek, Mp th. d. 7.

100 ff. parchemin, 135 x 100 mm. Reliure de cuir fauve estampé: quatre panneaux dans les angles des plats (animaux); initiales disposées verticalement: B G S S; deux fermoirs laiton. Ecriture du XV–XVIe s.; initiales bleues et/ou rouges. Notation carrée sur portée de quatre lignes rouges; quatre portées par page. Origine: un monastère cistercien: cf. f. 25v, 27v: duo fratres. Provenance: le processionnal a été mis à l'usage de moniales cisterciennes: cf. 25v, 27v [add. marginale] duae sorores; f. 26 [add. marginale] chorus monialium.

✧ Processionnal cistercien (Tabl. V).

1	2.II.
11	RAM.
31	ASC.
36v	(CORP. CHR)
48	Ave corpus sacrum Jesu (inédit?).
51	S/ Lauda Sion.
42	15.VIII.
64	(20.VIII: de sancto Bernardo) Alleluia v/ Beatus Bernardus vi amoris vulneratus.
65v	S/ Bone doctor et salutis viae ductor (AH 55, 111).
70v	(DED) Alleluia v/ Vox exultationis et salutis. S/ Psallat ecclesia mater illibata (AH 53, 398).
76v	(22.VII) Alleluia v/ Salve Maria Magdalena forma penitentiae.
80	S/ Ave vivens hostia (AH 50, 597).
96	R/ Terribilis* v/ Vidit Jacob.
97v	T/ Nostra dele peccamina paradisiaca.
98v	R/ Discubuit Jesus v/ Fecit Assuerus rex.

Bibliographie: Federl, 3, 46–48.

D-253 (*D-X* 94)

XANTEN, Stiftsarchiv und Bibliothek St. Viktor, Hs 94.

108 ff. parchemin 199 x 135 mm. Reliure ais de bois; fermoirs. Ecriture datée de 1541, dans l'initiale N du f. 91. Notation à clous sur portées de quatre lignes noires (ff. 1–42v, 79–90v, 91–fin) ou rouges (ff. 43–78v); clé de C et . (point) pour la ligne du F; 8 ppp. Origine et provenance: le Dom St-Victor de Xanten.

✧ Processionnal à antiennes (Tabl. III).

1	(ADV) *In Dominica ante ADV ad processionem* [R/] A/ Ecce carissimi v/ Ecce mater nostra.
2v	(2.II) *Fiet processio per monasterium cantando quae sequuntur* A/ Ave gratia plena. *Dum ad novum chorus* [sic] *ventum fuerit ibi faciet statio et* A/ Glorificemus *cantabitur. Puer cantabit* v/ Post partum.

4	*Tres domini cantabunt* R/ Responsum *usque ad caudas singularum distinctionum et* v/ Hodie. *Caetera chorus cantabit. Postea cantor incipiet* [add: *chorus prosequitur*] A/ Cum inducerent.
7	(RAM) *In die palmarum post lectionem duo domini incipiunt primam distinctionem hujus* R/ Collegerunt *et cantabunt v/.*
9	*In processionem versus capellam sci Andreae.*
12	*major cantor cantabit ter tociens flectendo genua* A/ Ave rex noster...
15v	*Ante portam sci Michaelis duo vel tres pueri cantabunt hymnum...* Gloria laus.
16v	CENA (22) A/ Ante diem festum Paschae...
22v	... populo-[mélisme de 60 notes]-rum ... caput. Vos-[mélisme de 25 notes]-vocatis (cf. D-141, f. 46v).
23v	(PAR) A/ Dum fabricator v/ O admirabile pretium.
30	(SAB) L/ sanctorum (sce Kuniberte, Gereon, Cassi, Mauriti Augustine).
36	(RES) A/ Vidi aquam. V/ Salve festa dies.
40	*Tres domini cantabunt in pulpito* v/ Crucifixum in carne v/ Recordamini.
41	(25.IV et ROG) L/ sanctorum (sce Victor).
•45	L/ Agnus Dei... (sce Victor, Augustine, Brigida).
50	L/ Kyrie eleison, Domine miserere (sce Victor, Gereon, Cassi, Mauriti, Gertrudis, Aldegundis, Brigida).
55v	(Feria IIIa ROG) ... *dum itur versus monasterium juxta hospitalem* L/ Clamemus omnes una voce. Domine miserere.
57	*Haec letania incipient circa mediam viam versus montem et cum ea intrabitur ecclesiam de Vorsteberge* L/ Aufer a nobis (sce Victor).
58	L/ Ardua spes mundi (AH 50, 237; Stotz, 36): str. 12 et 15 pour st. Victor.
62	L/ Pater de caelis Deus (sce Victor et 3 sts et sts de Cologne).
70–90	A/ des ROG et pièces stationales pour les sts Pantaleon et Willibrord (79v–89v s.n.).
90v	(CENA) A/ v/ *et collectae pro lotione altarium aedis sci Victoris martyris patroni Zanthensis in die Coenae Domini.*
91	*Ante summum altare sci Victoris* A/ Nimirum unctionem spiritus. *Ante altare post summum.* Hubert. *Ante altare in armario.* Thomas ap., Blasius, Matthias, Agatha, st Paul et les III Rois, St Sacrement, Hélène, la Vierge Marie, Anne, Dix mille martyrs, Etienne, Pierre, Agnès, Barbara, Jean ap., Maurice, Ludger, Clément, Martin, Antoine, Nicolas, Catherine et (en add.) les IV évangélistes.

Sur ces 25 autels, voir Carl Wilkes und Guido Rotthoff, *Die Stiftskirche des hl. Viktor zu Xanten* (Berlin, 1957), Verzeichnis, 21* III/2. – *HdsC*, 887 n° 1500.

D-254

XANTEN, Stiftsarchiv und Bibliothek St. Viktor, H 127. (*D-X* 127)

90 ff. parchemin (6 ff. papier: ff. 32–37), 205 x 140 mm. Reliure ais de bois couverts de parchemin. Ecriture de différentes mains au milieu du XVIe s. Au f. 1, initiale E ornée sur fonds d'or. Notation à clous sur portée de quatre lignes noires; 8 ppp; guidon épisodique. Origine: le Dom de Xanten (Ms identique au précédent, mais moins soigné). Provenance: Bernard de Vogt, possesseur de ce livre de 1834 à 1840.

✧ Processionnal à antiennes (Tabl. III).

1	*Dominica ante ADV ad processionem* A/ Ecce carissimi.
2	(2.II) comme le Ms précédent.
5v	RAM.
19	PAR.
20v	SAB.
27v	RES.
38	(ROG) L/ sanctorum (sce Victor etc. comme dans le D-253, f. 31v et ss.).
47	L/ Aufer a nobis (cf. D-253, f. 56v 57).
48v	L/ Ardua spes (Victor, Gereon).
61	(Après les A/ des Rogations) L/ Rex sanctorum angelorum (AH 50, 252). Cette L/ pour la vigile de PENT manque dans D-253.
74v–90	Ablution des autels (comme dans le D-253).
f. de g.	(papier) Wilhelm Knissenberg in Xanten, älterer Koral, 1859–1860. Sur le plat, au crayon, 1857, 10 März.

HdsC, 897 n° 1523.

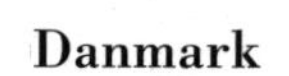

Danmark

DK-1 (*DK-Kk* add. 343)

KØBENHAVN, Det kongelige Bibliotek, Add. 343, 8v°.

50 ff. parchemin, 175 x 127 mm. Reliure plats de bois nus avec traces de plaques métalliques; au dos, 3 nerfs de cordes doublées non recouvertes. Ecriture du XVe s. Notation nordique, dérivée de la notation allemande, avec certains éléments rappelant les runes. Origine scandinave non précisée.

✧ Table d'antiphonaire et processionnal.

1	Office férial.
38v	26.XII–28.XII.
39v	6.XII.
40	8.XII.
41	[commencement de cahier] 24.VI. (22.VII) R/ Armilla perforata est.
43v	(25.VII: sci Jacobi apostoli) R/ O caritas admiranda v/ Hunc ergo gregem.
44	10.VIII et 29.VIII.
44v	8.IX.
45v	14.IX.
46	29.IX.
46v	21.X: XI M Virginum.
47	(1.XI) R/ Beati pauperes spiritu [Ier t.] v/[1] Beati qui esuriunt v/[2] Beati misericordes.
47v	R/ Beati qui persecutionem v/ Beati mundo corde. R/ Beati estis sancti Dei omnes.
48	11.XI.

DK-2 (*DK-Kk* 632)

KØBENHAVN, Det kongelige Bibliothek, Ny Kgl. 632, 8°.

139 ff. 135 x 90 mm. Reliure de peau blanche sur plats de carton. Ecriture datable entre 1228 et 1234 (le calendrier n'a pas la fête de st Dominique). Notation carrée menue sur portée de quatre lignes rouges; 7 ppp. Origine: le couvent St-Nicolas de Bologne: le Ms. y fut conservé jusqu'en 1262. Provenance: acquis de Jacques Rosenthal (Munich) par la Bibliothèque royale. Le processionnal est conforme à celui d'Humbert de Romans, en 1254 (Gleeson): aussi, sa date est-elle contestée par le Père Dirks, o.p. (lettre de 1972 [s.d.] à l'Auteur).

✧ Recueil de pièces de chant et processionnal dominicain.

1–8v	Calendrier (mars-décembre). La fête de st Dominique ne figure pas au mois d'août. 21 mai: Obiit soror Bartolomea. 21 juin: Obiit Richeldina.
6–139	Excerpta ex antiphonali, graduali, processionali, hymnario.
116–123v	Processionnal dominicain (cf. Tabl. VII: contrairement à l'exemplar de St Jacques, conservé à Ste-Sabine, ce Ms. commence au 2.II et non aux RAM).
117	RAM.
119	(CENA) L/ des Ténèbres Kyrie qui passurus.
124	(autre main) Hymnaire.

Bibliographie: Cat. Jorgensen, 208. – Dom Paul Cagin, „Un manuscrit des frères prêcheurs antérieur aux règlements d'Humbert de Romans" *Revue des bibliothèques* 9 (1989), 163–200. – MMMAE I, 693. – TROF 2, 413. – Ph. P. Gleeson, *Early Dominican Liturgical Documents*. Dissertation, Institut catholique de Paris (1969), 171 ss, 184, 304 ss.

DK-3 (*DK-Kc* 13)

KØBENHAVN, Carl Claudius' musikhistoriske Samling, 13.

103 ff. parchemin, 265 x 160 mm. Reliure cartonnée du XIXe s. Ecriture du début du XIVe s. Initiales vertes ou rouges ou noires. Notation carrée sur portée de quatre lignes rouges; 9 ppp; pas de guidon. Origine: la cathédrale de Sion-en-Valais.

✧ Processionnal du diocèse de Sion-en-Valais.

Temporal (1–35).

Suivant l'usage de Sion (cf CH-19), le répons de procession est habituellement le dernier répons de l'office nocturne.

8v	(EPI) *Versus magi* Nos respectu gratiae (AH 20, 63, 3 strophes seulement).
21	(RES) *Visitatio sepulchri*: seulement le chant des trois Marie (Stenzl, 100).

Sanctoral (35–71v).

42v	(2.II) R/ Gaude Maria virgo v/ Gabrielem angelum et T/ Inviolata.
44	*A/ ante crucem* A/ Responsum accepit Simeon *Chorus* (vocalise sur la finale -on.).. a Spiritu sancto *Chorus* (vocalise sur la finale -o).
55	R/ Rosa fragrans v/ Jus naturae, avec T/ Templum pudicitiae (TROF 2, 136 n° 685).

Commun des Saints et divers (71v–73v).

73v	A/ mariales.
75	Kyriale (cf. Stenzl, 99).

77	[changement de main] CORP. CHR.
80	[add. du XVe s.] *De sancta Maria in primis vesperis quando sunt IX lectiones* R/ Generosa Christi cella v/ Dulcis gloria sit genitori decus.
81	Invitatoires.
99	[autre main] A/ Alma.

Bibliographie: Notice manuscrite de Niels Steinfeldt (décembre 1923). – J. Stenzl, *Repertorium der liturgischen Musikhandschriften... I. Diözese Sitten* (Freiburg/S., 1972], 99 n° 39. – SMAH XIII (1973).

DK-4 (*DK-Kc* 65)

KØBENHAVN, Carl Claudius' musikhistoriske Samling, 65.

264 ff. + gardes, papier 150 x 93 mm pagination ancienne en rouge. Reliure peau de porc estampée, coins et fermoirs de laiton. Ecriture du début du XVIe s. Initiales àl'encre noire ou rouge ou parfois verte (f. 180v) ou bleue. Notation à clous sur portée de quatre lignes rouges; 6 ppp; guidon à bec. Origine et destination: l'église St Georges d'Augsbourg, desservie par des chanoines réguliers de st Augustin (cf. ff. 20, 108, 216 et 245v). Provenance: Kaiser Jos. Maria, Cd. Fr. 1838 (intérieur du plat de la reliure). Cl. Bannwart, Hafniae, 1918 (sur feuillet séparé).

✧ Processionnal augustin (Tabl. IX).

1	A/ Sancta Maria succurre miseris (cf. f. 163v).
2	Tr/ Absolve Domine.
Temporal (7–176).	
7	ADV.
12	SEPT.
14	Processions pénitentielles des vendredis de Carême R/ Propitius esto.
15v	A/ Oremus dilectissimi nobis. Ps. et L/.
29v	RAM.
44	CENA.
70v	(SAB)
74	H/ Inventor rutili (AH 50, 30).
75v	Exultet.
85v	L/ Rex sanctorum angelorum (AH 50, 242).
86v	Visitatio sepulcri (omise dans LOO). *Ad sepulcrum*
88	A/ Tollite portas.
89	A/ Dum transisset sabbatum.
90	A/ Quis revolvet nobis lapidem.
90v	T/ Quem quaeritis o tremulae mulieres.
91	A/ Ad monumentum veniunt.
91v	A/ Cernitis o socii.

93 V/ Salve festa dies.
98 *Ad fontem* A/ Venite et videte.
108 (25.IV et ROG) A/ Exaudi nos Domine.
109v A/ Surgite sancti Dei.
112v Messe I/ Exaudivit.
118 L/ Aufer a nobis.
119 Feria IIIa ROG.
120v *Statio ad scm Udalricum* A/ Cum ad martyris sepulcrum [Ve t.].
121v I/ Vocem jucunditatis.
128 In vigilia ASC.
136 I/ Omnes gentes.
129v R/ Agnus Dei Christus v/ Christus factus est.
133 (ASC) V/ Salve festa dies... qua Deus ascendit .. (AH 50, 80).
137v H/ Conscendit jubilans laetus ad aethera (division d'une hymne de l'office).
136 *Dominica post Ascensionem* DED (cf. f. 242) R/ Terribilis.
141 PENT.
145 TRIN.
146v (CORP. CHR.) R/ ///ex quo cuncta sunt.
154v S/ Lauda Sion (AH 50, 584).
161 R/ Melchisedech vero rex Salem v/ Benedictus.
163v A/ Sancta Maria, succurre miseris (cf. f. 1).
164 A/ Salvator mundi salva nos.
165 Dimanches d'été. R/ tirés de l'office dominical.
173v *Post completorium* A/ Ave regina caelorum. *Sequuntur secundum octo tonos* v/ Gloria Patri.
176 blanc.

Sanctoral (177–252)

Commence à la vigile de Noël. *Post completorium* A/ Virga Jesse floruit [Ve t.].

180 26.XII–28.XII.
192 (17.I: sci Antonii) Rubrique précédant le R/ Flagellatur a daemonibus v/ Quare [VIIIe t.].
192 H/ Lux hortatur nos... Antonium (AH 4, 87).
196 *Evangelica* (i.e. A/ ad Magnificat) A/ Dies ista celebris [Ier t.].
198 (1.II: vigile du 2.II) *Ad processionem ad pavimentum* R/ Descendit.
199 (2.II).
201 A/ Responsum, alternée entre *Duo presbiteri* et, pour les cadences, *Chorus*.
205 R/ Verbum caro, avec T/ Quem aethera et terra (TROF 2, 106 n° 537).

209	(SEPT) S/ Cantemus cuncti melodum (AH 53, 60).
216	(21.IV: sci Georgii) R/ Egregii martyris Christi v/ Martyr. *Evangelica* A/ Inclyte Christi martyr.
220	(3.V).
233v	(15-VIII).
236	(28.VIII: sci Augustini) R/ Invenit se Augustinus.
233	R/ Verbum dei v/ Testamentum.
239v	8.IX.
242	(DED: cf. f. 136v) *In dedicatione ecclesiae nostrae ad processionem* R/ In dedicatione templi. H/ Gaude civitas Augusta, redde deo vota nostra (AH 52, 84).
246	*A/ Evangelica* Cum sub Domitiano tyranno [Ier t. transposé].
246v	Suffrage de sca Afra A/ In qua civitate.
248	1.XI.
250	6.XII.

ADDITIONS DIVERSES.

253	*Sequitur nunc ordo qui in diversis processionibus ... apud nos habetur* A/ Veni sancte Spiritus reple.
254	R/ Summae Trinitati.
256	*Contra pestem.*
257v	A/ Media vita.
260v	*Tempore belli.* R/ Congregati sunt inimici nostri v/ Disperge illos.
262	lacéré.
262v	blanc.
263	[add. avec notation gothique] R/ Tua est potentia.
264	[add. avec notation carrée] A/ In paradisum.
265–268	blancs.
269	Table des initia.

[Cf. MABK I, 30.]

España

LISTE DES CATALOGUES DE MANUSCRITS LITURGIQUES
conservés dans les bibliothèques de l'Espagne

Anglès — Higinio Anglès, *La musica a Catalunya fins al segle XIII*, Barcelona 1935.

Anglès-Subira — Higinio Anglés y José Subirá, *Catalogo musical de la Biblioteca nacional de Madrid*, Volume I: *Manuscritos*, Madrid 1946.

Bonastre — Francesc Bonastre I Bertran, *Estudis sobre la „Verbeta" (La Verbeta a Catalunya durant els segles XI–XVI)*, Vii Beca Manuel de Montoliu, Tarragona 1982 [transcription des mélodies de tropes catalans ou verbeta].

Dominguez — Ana Dominguez, *Libros de Horas del Siglo XV en la Biblioteca Nacional* [Publicaciones de la Fundacion Universitaria española], Madrid 1979.
Cf. Compte-rendu de Michel Huglo dans le B.C. („Bulletin codicologique") de *Scriptorium*, 39 (1985/2), 130* n° 455.

Donovan — Richard B. Donovan, *The Liturgical Drama in Medieval Spain*, Toronto 1958.

Fernandez — Ismaël Fernandez de la Cuesta, *Manuscritos y fuentes musicales en España. Edad Media* [Opera omnia, Coleccion dirigada por Rodrigo de Zaya], Madrid 1980.

Garrigosa — Joaquim Garrigosa, *I Massana, Catálogo de Manuscritos e impresos musicales del Archivo Histórico Nacional y del Archivo de la Corona de Aragón*, Madrid 1994.

Gonzalvez — Ramon Gonzalvez, *José Janini y Anscari Mundo, Catálogo de los manuscritos litúrgicos de la catedral de Toledo*, (Instituto provincial de investigaciones y estudios toledanos) Madrid–Toledo 1977.

Hughes — Andrew Hughes, „Medieval liturgical Books in Tweenty-Three Spanish Libraries. Provisional Inventories“, *Traditio*, 38 (1982), 365–384.

Janini — José Janini, *Manuscritos liturgicos de las Bibliotecas de España. I. Castilla y Navarra*, Burgos 1977. II. Aragon, Cataluña y Valencia, Burgos 1980.
Cf. Compte-rendu de Michel Huglo dans le B.C. de *Scriptorium*, 38 (1984), 102* n° 451.

Janini-Serrano — José Janini y R. Serrano, *Manuscritos liturgicos de la Biblioteca Nacional*, Madrid 1969. [240 MSS.]

Nelson — Kathleen E. Nelson, *Medieval Liturgical Music of Zamora* [Musicological Studies, Vol. LXVII], Ottawa 1996.

Olivar — Alejandro Olivar, „Los manuscritos patristicos y liturgicos de la Universidad da Salamanca.“ *Analecta Sacra Tarraconensia*, 22 (1949), 75–92.

Rodriguez Suso — Carmen Rodriguez Suso, *La monodia liturgica en el Pais Vasco. Fragmentos con notacion musical de los siglos XII al XVIII*, (Biblioteca musical del Pais Vasco, Bilbao 1993).
Cf. Compte-rendu de Michel Huglo dans le B.C. de *Scriptorium*, 51 (1997), 88* n° 247.

Zapke1 — Susana Zapke, *Das Antiphonar von Santa Cruz de la Serós, XII. Jahrhundert*, München 1997.

Zapke2 — Susana Zapke, „Fragmentos liturgico-musicales del Archivo Provincial de Huesca in Navarre.“ *Revista Aragonesa de Musicologia* (Institucio Fernando el Católico, Zaragoza 1997). In print.

E-1 (*E-Bac* SC 73)

BARCELONA, Archivo de la Corona de Aragón, ms. San Cugat 73.

168 ff. parchemin, 210 x 135 mm. Reliure en peau de porc sur plats de carton. Traces de dents de rongeurs sur la tranche. Ecriture datée de 1218 (f. 78v). Au f. 104v, notation catalane diastématique sur portée de deux lignes tracées à la pointe sèche; 7 portées par page. Aux ff. 137 ss., notation sur une ligne jaune et une rouge. Le processionnal, à l'usage du prêtre et non du chantre, puisque les chants ne sont donnés qu'en incipit, n'est pas un livre portatif: il fait partie d'un recueil de livres liturgiques à l'usage de l'église monastique de San Cugat, en Catalogne (cf. f. 78v, 101v, 135).

✧ Rituel-Missel-Processionnal de San Cugat.

1–37	Rituel.
37–78	Missel votif.
78	Cérémonial monastique à l'usage de San Cugat.
87v–107v	Processionnal sans notation, mais avec rubriques et oraisons à l'usage du prêtre qui préside aux processions.
101v	(2.XI) absoutes pour les abbés et bienfaiteurs de San Cugat: (101) *Ad patronum vel ad burrianam. Ad sepulchrum Odonis abbatis.*
102v	*Ad sepulchrum Raymundi et dominae Saurinae de Claromonte.*
103	*Ad Galilaeam.*
104	*In capite Galilaeae retro sepulcrum G. de Claromonte.*
104v	*Ad sepulcrum G. de Cervilione* R/ Te que venisse credimus. T/Regnumque caeleste v/ Feralia ultricum.
135–169	Ordo des funérailles à St. Cugat (R/R/ notés):
137	...*incipiat cantor mediana voce* R/ Subvenite.
138	R/ Domine deus qui intueris.
144	R/ Credo.
145v	R/ Redemptor meus.
146	R/ Peccantem me.
147	R/ Rogamus te. Le corps du défunt est porté devant les autels de st Benoît, st Michel, st Jean l'évangéliste, st Etienne, st Jacques, st Martin; à chaque autel, A/ de l'office du titulaire, v/ et oraison du prêtre.

Janini II, 49 n° 418. – Garrigosa, 230–231 n° 291 (avec la bibliographie antérieure).

E-2

(*E-Bs*)

BARCELONA, Arxiu Provincial dels Caputxins [Sarrià].

106 ff. parchemin, + 4 ff. papier, 160 x 105 mm. Reliure ais de bois couverts de peau. Ecriture du XVe s.; initiales de couleurs avec filigranes. Notation carrée sur portée de cinq lignes rouges. Origine: le couvent de soeurs augustines de ste Marguerite à Majorque. Provenance: Es de los Capuchinos de Mallorca año 1815.

✧ Processionnal augustin (Tabl. IX).

iv v° - vij	pièces ajoutées pour ste Marguerite.
viij	2.II.
xvij	CIN, avec 7 stations.
xix	RAM.
xxix	SAB (mention de st Maurice et ste Julia).
xxxiij	ROG et 25.IV (la L/ mentionne outre les saints catalans bien connus: Severus, Augustin, Honorat, Yves, Roch, Marguerite et Eutrix).
xliv	ASC.
xlvij v°	CORP. CHR.
lviij	15.VIII.
lxiv	28.VIII: In festo sci Augustini.
lxix v°	1.XI *Postea dicuntur verbeta* (après le premier R/).
lxxvj	11.XI.
lxxxiv	admission, vêture, profession, enterrement des religieuses (lxxxvj mention de ste Marguerite dans une oraison).
xcviij	CORP. CHR.
cij	*In die Corporis Christi est consuetudo ut dicatur hymnus de gloria paradisi in ecclesia* Ad perennis vitae fontem mens sitivit arida (AH 48, 66).

Bibliographie: A. Olivar, „Sobre un processionnal Mallorqui“ *Miscellània Litúrgica Catalana* 2 (1983), 131–135.

E-3

(*E-Bbc* M. 39)

BARCELONA, Biblioteca Central de Cataluña, M(usica) 39.

11 + 120 ff. papier, 150 x 100 mm. Le relieur a assemblé deux livres différents: le premier fragment est d'une main du XVIe s., imitant les caractères d'imprimerie; le second, de 120 feuillets, est écrit d'une main différente et est orné d'initiales inscrites dans un cadre carré. Notations carrées de deux mains différentes, sur portée de cinq lignes rouges; 6 ppp; guidon. Ce processionnal est intitulé ‚Cantorale'.

✧ Processionnal

Lacune initiale: commence au milieu du 2.II par l'A/ Adorna (finale seulement).

11	A/ Asperges me. f. II (ADV) A/ Venite ascendamus. R/ Ecce dies veniunt. R/ Venite omnes.
XVIIv	CIN.
XIXv	(QUADR) A/ Cum sederit.
XXII	A/ Cum venerimus.
XXIVv	A/ In die.
XXXI	(RAM) R/ Conclusit.
XXXIII	A/ Palmae fuerunt.
LX	(RES) A/ Vidi aquam.
LXv	v/v/ d'alleluia et S/. S/ Victimae pascali (AH 54, 12). S/ Sancti Spiritus assit (AH 53, 119).
XCIX	(CORP. CHR.) H/ Te deum laudamus et R/R/ de l'office du jour.
CX	DED.
CXIII	Commun des saints incomplet (lacune dans le commun des confesseurs).

Bibliographie: Anglès, 272, 283. – (Ms omis par Janini).

E-4 (*E-Bbc* M. 40)

BARCELONA, Biblioteca Central de Cataluña, M. 40.

Manuscrit non folioté, 150 x 110 mm, du XVIe s., apparenté au précédent.

E-5 (*E-Bbc* M. 309)

BARCELONA, Biblioteca Central de Cataluña, M. 309 (276).

100 ff. parchemin, 243 x 197 mm. Ecriture ronde du XVIe s. Notation carrée sur portée de 5 lignes rouges; barres verticales de division; 6 ppp; guidon. Origine et provenance: „Ex libris Congreg (?).....Barcinon.“ (f. 9). Aux grandes fêtes, trois stations sont prévues comme dans les processionnaux cisterciens, augustins et dominicains.

✧ Processionnal à Antiennes (Tabl. III) et Répons (Tabl. IV).

Lacune: le cahier initial (ff. 1–8) ayant disparu, on a anciennement ajouté le chiffre 1 à côté du 9, au premier feuillet du deuxième cahier.

[1–8	ADV].
9	[1] (NAT) R/ Descendit (version corrigée: CAO 4, 6410).
15	EPI.
22	(SEPT) R/ Simile est regnum. *In introitu* R/ Stella maris fulget v/ Gaudeat [IIe t.].
24v	(SEX) A/ Oremus dilectissimi.
27v	(QUINQ) R/ Ecce ascendimus v/ Tradetur [IIe t.].
29	(QUADR) A/ Christe pater misericordiarum.
33	A/ Cum venerimus. *In introitu processionis* R/ Clamabat autem mulier v/ Jesus dominus.

37v	(Dominica IIIa Quadr) A/ Memor humanae conditionis. *In introitu processionis* R/ Erat dominus ejiciens v/ Beatus venter qui eum portavit.
39v	(Dom. IVa) A/ In die quando venerit.
45	(PASS) R/ Animae impiorum v/ Et appenderunt.
47v	(RAM) A/ Veniente domino Jesu.
51v	A/ Ave rex noster.
53	*Sint duo pueri intus ecclesiam et januis clausis dicant versus sequentes* Gloria laus (une seule strophe).
54v	*Feria Va in Cena domini dum corpus defertur ad monumentum dicant quae sequitur* A/ Hoc corpus.
57	(RES) A/ Vidi aquam.
63	A/ Cum rex gloriae Christus.
66	ASC.
72v	(PENT) R/ Erant omnes apostoli v/ Dum ergo essent.
74	R/ Spiritus sanctus hodie v/ Quo sicut essentiam nostrae carnis.
77	A/ Alleluia, alleluia. Hodie omnes apostoli.
78v	TRIN.
82	CORP. CHR.
83	(Dimanches d'été) A/ Omnipotens deus te supplices.
87	A/ Ego sapientia.
90	A/ Pax aeterna.
96	(Dominica ante ADV) R/ Ecce dies veniunt.
99	Mélodies du Gloria Patri des R/ en Protus et en Tritus,
(99v)	en Deuterus et en Tetrardus.
100	Oraisons pour le retour de la procession.

Bibliographie: Donovan, *Liturgical Drama*, 201. – Ms omis par Janini.

E-6 (*E-Bbc* M. 903)

BARCELONA, Biblioteca Central de Cataluña, M. 903.

178 ff. (jadis 198) ff. parchemin, 125 x 75 mm <87 x 54 mm>. Réclames en fin de cahier: celle du f. 79v ne correspond pas au début du cahier suivant, car il manque deux quaternions après le f. 79 (on passe du f. 79v à 96; seconde lacune de 2 ff. entre les ff. 170 et 173). Reliure moderne en peau de porc. Au dos, étiquette: Processionale monasticum. Ecriture ronde du XVIe s., avec large ligature pour *st*. L'enluminure de la lettrine du f. 1 est effacée; plusieurs initiales n'ont pas été dessinées. Notation carrée sur portée de cinq lignes rouges; barres de division verticales, parfois à chaque mot; 4 ppp; guidon en forme de virga. Origine catalane (d'après les litanies, f. 164v): écrit probablement pour un couvent de soeurs (f. 174v, 180v, 190) augustines, dédié à ste Marguerite.

✧ Processionnal (augustin?).

1	Incipit Responsorium Processionale. R/ Virgo Christi Margarita v/ Nobilis ex prosapia.
5	R/ Beata Virgo Margarita v/ Cunctipotenti deo.
7v	R/ Ave gemma v/ Virgo dulcis.
11	A/ Omnes nos in unitate fidei.
13	(2.II) A/ Venite, accendite aptantes lampades.
15	A/ Adorna.
21	R/ Gaude Maria Virgo.
25	A/ Ecce Maria Virgo venit ad templum cum puero Jesu...
(26v)	...dicentes: Benedictus qui venit.
26v	(RAM) R/ Dixerunt impii
(28v)	T/ Videamus v/ Tamquam nugaces.
38v	*Laudes puerorum* V/ Gloria laus.
45	*Lectio prima ad faros* Incipit Lamentatio Jeremiae prophetae.
58v	*Feria Va ad faros Lectio Ia.*
68	*Feria VI ad faros.*
73	*Oratio Jeremiae prophetae.*

Lacune de 16 ff. entre 79v et 96.

96	fin de la procession de l'ASC.
98	(CORP. CHR.) R/ rythmiques: R/ Orationem faciens incepit contristari, mortem propinquam sentiens non desit proeliari. T/ Nostram salutem sitiens elegit cruciari v/ Cum passionis serie in Christi mentis acie decuit presentari [IIe t.].
99v	R/ Aptus in horto manibus ligatis, primum est Jesus Annae presentatus T/ De doctrina v/ In faciem [IIe t.].
103	R/ Cayphae pontifici offertur
(104)	v/ Dum valor salvifici cernitur.
105v	R/ Princeps et rector
(107)	v/ Dum ad clamorem.
108v	R/ Rex regum et dominus v/ Dum ad rumorem.
111	R/ Promulgans v/ Cum contumelias.
113v	R/ Pendens in cruce v/ Cumque consummata essent.
121	(15.VIII) R/ O gloriosa domina v/ Sola fuit mulier.
128v	R/ Gaude, f. xxj: *dicitur sequens verbeta* T/ Inviolata dei Maria mater alma (TROF 2, 71 n° 351) v/ Cuncta omnium v/ Electa virgo sola (9 v/ en tout).
131	(28.VIII) R/ Sancte Augustine Christi confessor (plus 3 R/).
140	(1.XI) R/ O beata vere mater.
146	R/ O quam gloriosum
(147v)	*Postea dicuntur verbeta* v/ Pro cujus nomine sancto v/ Hostis jugulati gladio v/ Laeti solio.

151 (11.XI) R/ Dum sacramenta, plus 3 autres R/.
160v *Verbeta* Flebant Pictavi (TROF 2, 47 n° 229; Bonastre, 306).
161v L/ sanctorum, répartie sur *III stationes* sts. Just, Pastor, Cucuphat, Felix, Severus... Honoratus, Colomban, Gilles, Yves.
Lacune entre 170 et 173: reprise au milieu de la L/ Aufer a nobis.
174v *Quando recipientur aliquae puella.*
180v Procession pour l' enterrement d'une défunte.
182 ...*incipiatur alta voce istud* R/ Subvenite.
190 A/ Clementissime...miserere super peccatricem.
198v A/ Muro tuo inexpugnabili. La fin manque.

Bibliographie: Donovan, *Liturgical Drama*, 201. – Ms. omis par Janini.

E-6/2 (*E-Bc* M. 911)

BARCELONA, Biblioteca Central de Cataluña, M. 911.

170 ff. parchemin, 405 x 282 mm (in-folio). Nombreuses lacunes. Tropaire-Prosaire de Girona précédé des chants du processionnal (ff. 1–16). XVe s. Origine: Gerona (cf. ff. 111 et 126); les Melodiae de l'alleluia, avec la prosule Ecce puerpera genuit Emmanuel (AH 37, 18) sont identiques à celles du tropaire de Gerona (Paris, B.N.F., nouv. acq. lat. 495). Notation carrée catalane sur portée de quatre lignes rouges.

✧ Processionnal-Tropaire-Prosaire.

Lacune initiale: les chants de procession commencent par le dimanche des Rameaux, à la fin du R/ Conclusit v/ Omnes inimici.
1v A/ Palmae fuerunt.
6 A/ Collegerunt.
7 V/ Gloria laus.
9 (RES) *In processione quae fit in Vesperas ad fontes*: A/ Christus resurgens.
11v (PENT) A/ Spiritus sanctus hodie.
12v *Feria II ad fontes* A/ Alleluia, alleluia. Hodie omnes apostoli.
13 (CORP CHR) A/ Laetemur omnes hodie celebriter canentes.
15v (29 VI) R/ Cornelius centurio.
41v Epître farcie de st Etienne (G. Le Vot, „Les épîtres farcies de la St Etienne“ *Revue de musicologie* 73 [1987], 64).

Bibliographie: Husmann, RISM. B V 1, 83–84. – Fernandez, 64. – LOO VI, 220.

E-7 (*E-Boc* 783.2 + *Bbu* 28)

BARCELONA, Orfeó Catalá, 783.2 + Bellaterra, Universidad de Barcelona, Ms 28.

Livre manuscrit sur parchemin (198 x 140 mm) en deux parties de 83 et 56 ff. chacune. Reliure (de la Ière partie), plats de carton couverts de cuir noir. Ecriture du texte commencée le 1er octobre 1425 (colophon du f. 1). Initiales bleues ou rouges, avec filigranes rouges ou bleus ou mauves. Petites initiales à la plume avec touches vertes ou jaunes. Nombreuses rubriques. Notation carrée catalane tardive sur portée de cinq lignes rouges, d'une hauteur de 15 mm: l'encre acide a rongé le parchemin en plusieurs endroits (I, ff. 16, 33, 39); un seul guidon de première main (I, f. 57); les autres, en forme de 6, ont été ajoutés au début; 5 portées par page. Origine: Sant Joan de les Abadesses (f. 1), au temps de l'Abbé Arnauld de Vilalba (d 1427), dont les armes (bande de gueule sur fond or) sont peintes aux ff. 1, 9, 17...de I et au f. 1 de II). Provenance: la seconde partie du processionnal a été obtenue en 1962 par Felipe Capdevila i Rovira de la collection de F. J. Norton, en échange du processionnal de Lerida imprimé vers 1513. Il devait en principe revenir à l'Orfeo Catala, mais il a été déposé à la Bibliothèque de l'Université autonome de Barcelone.

✧ Processionnal augustin (Tabl. IX).

Première partie (Barcelone, Orfeo Catala). Temporal.
A chaque fête, le premier chant de procession est coupé en trois par la rubrique: *Usque hic (in primo claustro)*. Au f. 60, *usque ad IIII claustrum* (= 4e tour de cloître).

1	[en rouge] *Incipit liber processionum secundum consuetudinem et ordinacionem Monasterii Johannis de Abbatissis, ordinis sancti Augustini, dioc. Vinc(ensis) quem ordinari et fieri fecit Rev. dnus. Arnaldus de Vilalba* [1393–1427], *Abbas prephati monasterii, Prima die mensis octobris, anno a Nat. dom. M° CCCC° XX° V°. Et portet ipsum prelatum si fuit, vel prior vel ebdomadarium vel praecentor.*
1	Rubriques pour la bénédiction de l'eau.
1v	A/ Asperges me.
2v	A/ Asperges me (minor). Oraisons pour l'aspersion des lieux réguliers (noter au f. 4v ... *in scriptorio*).
7	(ADV) R/ Missus est: coupure à ..ad eam. *Usque hic in primo (claustro)* . ..obumbrabit tibi. *Usque hic in secundo claustro.* ...autem Maria. *Usque hic in III claustro.* Le R/ n'est pas suivi de son v/, mais d'antiennes.
14	(NAT) A/ O Maria Jesse virga.
(16v)	*Verbeta* Quia verbum hodie (TROF 2, 109 n° 545).
19	(EPI) R/ Tria sunt munera.
(20)	*Verbeta* Ad Christi sacra hodie cunabula (TROF 2, 2 n° 5).
21v	(SEPT) A/ Ecce carissimi.
25	(QUADR) A/ Christe pater misericordiarum.
32v	(RAM) Fonction très développée: les rubriques, au f. 36v, mentionnent l'église sci. Johannis et Pauli. A/ Prima autem azymorum.
46	(PAR) Après le Trisagion, rubrique:...*cantor et diaconus cantent aliquantulum altius* v/ Ego quidem et honeste et suaviter.
50	Oraisons privées à réciter durant l'adoration de la croix.

52v	Chants durant le dépouillement des autels de la Vierge, de st. Antoine, Mathieu, Laurent...
56v	(RES) A/ Christus resurgens.
59v	R/ Et valde mane
(60)	*Verbeta* Christus hodie surrexit de tumulo (TROF 2, 24 n° 117).
61v–69	Procession ad fontes des Vêpres pascales pour tous les jours de l'octave de Pâques.
69	(Dominica in albis) A/ Factum est proelium in caelo.
71–78	(ROG) L/ sanctorum, incomplètes par suite de lacune entre 74v et 75 (fin du 10e cahier).
78v	(ASC) R/ Cumque intuerentur
(80)	*Verbeta* In eadem quippe carnis effigie (TROF 2, 63 n° 318).

IIe Partie (Bellaterra): Sanctoral.

[La foliotation n'a été inscrite après acquisition du manuscrit par Bellaterra].

Incipit sanctorale totius anni.

Le sanctoral commence au 26.XII. 27. XII: *In festo sci Johannis evangelistae ad processionem portentur textus (evangelii) et scrinia et omnes clerici de choro majori portent cappas cericas, VI vero tantum portent bordonos; ultimi incipiant* R/ Quattuor animalia. 2.II. 24.VI R/ Sancte tuis famulis v/ Ut precibus. 27.VI Sci Johannis et Pauli R/ O quam gloriosum. *Verbeta* Pro eius nomine sancto (TROF 2, 103 no 523). 29.VI R/ Cornelius centurio. 22.VII R/ O mirum et magnum miraculum quia peccatrix v/ Vidit Maria [Ier t.]. 25.VII Sci. Jacobi. (26.VIII: sci. Felicis) R/ Gloriosus athleta Christi, Felix v/ Languens vero membra [Ier t.]. 10.VIII. 28.VIII (sci. Augustini) R/ Sancte Augustine Christi confessor v/ O sancte Augustine [IIe t.]. R/ Tertio obsidionis mense v/ Debellatis [Ier t.]. 8.IX. 14.IX. 29.IX. 1.XI. 2.XI (Commémoraison des défunts): R/ Domine deus qui intueris v/ Animae eorum. R/ Rogamus te v/ Misericors. (entre 2.XI et 11.XI: DED) R/ Terribilis. R/ Sancte tuis jugiter famulis (cf. 24.VI) *Verbeta* Natalicia cantantibus tua (TROF 2, 84 n° 421). 11.XI. 25.XI (sca. Catharina).

E-8 (*E-Bbu* 28)

BELLATERRA, Universidad Autonoma de Barcelona, Ms 28.

56 ff. parchemin, 198 x 140 mm. Contient le Sanctoral du Processionnal de Sant Joan de les Abadesses, décrit plus haut (E-7).

Bibliographie: Notice dactylographiée du Professeur Manuel Mundó, en tête du manuscrit.

E-9 (*E-Gs* 239)

GERONA, Archivo del Seminario Episcopal, Cod. 239.

178 ff. (foliotés en chiffres romains) parchemin, 165 x 100 mm. Réclame écrite en travers dans l'angle inférieur droit de la dernière page des cahiers. Ecriture ronde du XVIe s. Notation carrée sur portée de quatre lignes rouges; vestiges de notation aquitaine (podatus et scandicus „en escalier"); 7 ppp; guidons de différentes formes. Le répertoire de ce processionnal est à étudier en relation avec celui de l'antiphonaire de San Feliu en notation catalane (cf G. Suñol, *Introduction à la Paléographie musicale*... (1935), 371. – Bonastre, 39 n° 1 [G1] et facsimilé du f. 59 à la p. 65).

✧ Processionnal à Antiennes (Tabl. III) et Répons (Tabl. IV).

Temporal (1–78v).

1v	(ADV) A/ Missus est.
2v	A/ Venite ascendamus.
4	A/ Vigilate omnes.
8v	A/ O Maria Jesse virga.
9v	(NAT) R/ Hodie natus est.
10	R/ Gloria in altissimis. *Verbeta* Bonae voluntatis quae verbum (TROF 2, 17 n° 84; Bonastre, 71).
13	(1.I) R/ Verbum caro v/ Tamquam sponsum. *Verbeta* Solemnis et laeta (TROF 2, 122 no 614; Bonastre, 99).
16	(EPI) R/ Tria sunt.
17	*Verbeta* Ad Christi sacra hodie (TROF 2, 2 n° 5).
17v	A/ Laetentur omnes populi.
18v	(SEPT) A/ Ecce carissimi dies illa.
19v	A/ Ecce mater nostra.
21v	(QUINQ) A/ Christe pater misericordiarum.
23v	(QUADR) A/ Cum sederit filius hominis.
33	(RAM)
37	A/ Appropinquante Jesu filio Dei.
44v	(RES) *In die sancto Paschae et in die Coronae Domini.*
45	A/ Ave spina poenae remedium.
50v	(ROG) A/ Exurge Domine, avec huit antiennes.
54v	ASC.
58v	(PENT)
60v	R/ Loquebantur. *Verbeta* Lumen de lumine adesto (TROF 2, 78 n° 390; Bonastre, 142).
62	(CORP. CHR)
64	R/ Unus panis.
(64v)	*Verbeta* Ut sit plena (TROF 2, 140 n° 706; Bonastre, 147).
66v	(Dom. II post PENT) A/ Oremus dilectissimi nobis.
69	(DED) R/ In dedicatione.

71v TRIN.
Sanctoral (78v–157).
Commence au 6.XII.

80	(26.XII) R/ Ecce jam coram te.
(80v)	*Verbeta* Intercessor assiste (TROF 2, 66 n° 338; Bonastre, 217).
83	(27.XII) R/ Hodie beatus Joannes *Verbeta* Celebrat nimium (TROF 2, 22 no 108; Bonastre, 222).
85	(28.XII) R/ O quam gloriosum *Verbeta* Pro cujus nomine sancto (TROF 2, 103 no 523; Bonastre, 229).
89v	(22.I: sci Vincentii) R/ Vir inclytus v/ Cujus intercessione [IIe t.]
90v	R/ Sanctus Vincentius Christi martyr v/ Sanctitate [Ier t.]
91	A/ Sacra in hujus die sollemnitate [VIIe t.].
91v	(28.I :In natale sci Karoli magni imperatoris) *In processione* R/ Te secutus miles [Ier t.] v/ Qui dum orat (AH 25, 187; E. Jammers, *Karlsoffizium*, 2).
92	(2.II) R/ Hodie Maria virgo *Verbeta* Advenisse de patris (TROF 2, 5 n° 22; Bonastre, 158).
93	A/ Ecce nomen Domini... magnus rex (G. Benoît-Castelli dans *Etudes grégoriennes* II [1957], 131).
96v	A/ Ecce Maria venit. *Post haec incipiatur officium a cantoribus ante fores ecclesiae alta voce* I/ Suscepimus Deus.
97v	5.II.
104	6.V.
104v	In translatione sci Felicis martyris Gerundinensis: renvoi à la fête du 1. VIII (f. 119).
105	(24.VI) R/ Sancte tuis [107] *Verbeta natalicia* (TROF 2, 84 n° 420; Bonastre, 256).
109	(29.VI)
110v	R/ O claviger caeli *Verbeta* Caelestis aulae (TROF 2, 19 n° 92; Bonastre 256).
114	(11.VII: sci Benedicti) *In processione ad altare sci Benedicti* R/ Sanctissime.
118	(28.VII: scorum Nazarii et Celsi) R/ Cum esset adhuc Nazarius v/ Coepit namque.
119	(1.VIII: sci Felicis) R/ Gloriosus athleta Christi. v/ Tangens [Ier t.]
120	R/ Post agones apostolicos v/ Patronusque [Ier t.]
120v	R/ Scillitana urbe v/ Ut bonus negotiator [Ier t.]
121	R/ O --- felix valde v/ Felix in ecclesia [IIe t.].
121	*Verbeta* Aperi Felix alme (TROF 2, 11 n° 53; Bonastre, 283).
122v	R/ Plaude chorea Deo Felicis v/ Et precibus valeas [Ve t.].

123	*Verbeta* Eia nunc felicia (TROF 2, 34 n° 174, renvoie à AH 17, 110; Bonastre, 242).
123v	(4.VIII)
131	(25.VIII: sci Genesii) R/ O inclyte martyr v/ Quem chorus.
131v	R/ Sanctus igitur Genesius v/ Primaevo [Ier t.].
132	A/ Inclyti Genesii [Ier t.].
138v	(21.X: XI M Virginum) R/ Deo noto [Dehonoto, *Ms.*] v/ Regi magno [Ier t.]. *Verbeta* Ab Occidente Ursula (manque dans TROF; Bonastre, 301).
140v	(29.X: sci Narcissi) R/ Lumen fidei v/ Fontem [Ier t.] *Verbeta* Amoenus (manque dans TROF et dans Bonastre).
144	R/ Gloriosus Domini martyr v/ Cujus venerabile corpus. *Verbeta* In aeterna coeli arce (TROF 2, 61 n° 305; Bonastre, 301).
146v	*Dominica infra octavam [sci Narcissi] dicuntur in processionibus de supradictis responsoriis ut cantori videbitur.*
149	(11.XI).
150v	R/ O quantus erat.
151v	*Verbeta* Flebant Pictavi (TROF 2, 47 n° 229; Bonastre, 306).
152v	12.XI: sci Brictii.
153v	18.XI: sci Romani.
156	30.XI.
Commun des Saints et suppléments (157–fin).	
160v	R/ Hoc est praeceptum *Verbeta* Patris praecepta (TROF 2, 97 n° 491; mentionnée, mais non éditée par Bonastre, 332).
173	(4.V: In festo coronae Domini) R/ Spina carens v/ Per hoc [Ier t.].
173v	R/ Coronat regem v/ Sub decore [Ve t.]. 174 Flexa spinis corona.
176	R/ Gaude Maria virgo.

Bibliographie: Hughes, 378. – Bonastre (omet ce Ms., car il édite les mélodies des *verbeta* d'après les antiphonaires de Gerona).

E-10 (*E-Gm* 7001)

GERONA, Museo Diocesano, Inventario n° 7001.

48 ff. parchemin (non foliotés) 175 x 130 mm. Ecriture du début du XVIe s. Notation carrée sur portée de cinq lignes rouges; guidon en forme de virga; barres verticales de division; 6 ppp. Origine: Gerona (d'après les fêtes du 24 avril et du 1er août). Provenance: Leo Anton Santa Maria Flore (f. de g.).

✧ Processionnal de Gerona.

Les neumes des répons prolixes sont souvent tropés (verbeta). (ADV) R/ Missus est (avec Verbeta). (NAT) R/ Gloria in altissimis. (EPI) R/ Stella fulsit in Oriente. *In secunda statione*: R/ Tria sunt munera (avec Verbeta). (SEPT) A/

Ecce carissimi. (RAM) V/ Gloria laus. N'a pas la fête de Pâques. ROG A/ Exurge domine adjuva nos. (24.IV: In festo sci Danielis martyris) R/ Omnia postponens matrem v/ In templo [VIIe ou VIIIe t.]. R/ Cum vidisset v/ Angelorum conjunctus [Ier ou IIe t.]. A/ Cunctis amabilis, celi venerabilis... Daniel. 25.IV. 1.VIII (sci. Felicis Gerundae) R/ O --- felix valde paradisi particeps v/ Felix in ecclesia [IIe t., mélisme d'intonation sur ‚O']. *In introitu ecclesiae* A/ Felix Christi martyr sanctissime [IIe t.]. 15.VIII: R/ Candida virginitas v/ Quae meruit. 1.IX (sci. Egidii): R/ Ecce homo v/ Erit enim verus dei [VIIIe t.]. A/ Suscipientes beati Egidii [IIe t.]. 1.XI. 2.XI (In die animarum): R/ Subvenite. In festo sci. Angeli custodis: R/ Angelis suis v/ Super aspidem [Ier t.]. A la fin, supplément pour diverses fêtes, ste. Madeleine etc. Au dernier f., A/ Laetentur omnes populi tantae festivitatis gloria (pour st Felix).

(Bibliographie: manque dans Janin.)

E-11 (*E-L* 9)

LEÓN, Archivo de la Catedral, ms 9.

75 ff. parchemin, 330 x 270 mm. Ecriture du XVe s. Notation sur portée de cinq lignes rouges. Origine: la cathédrale de León. Ce processionnal de grand format est caractérisé par l'usage d'une dizaine de proses et prosules (T/), d'un genre très particulier, qui lui sont propres: d'où son nom de Processionnal-prosaire (Janini).

✧ Processionnal-prosaire.

11v	(4.IV: sci Isidori) R/ Legum lator v/ Refulgente T/ Splendor fulget (TROF 2, 130 n° 653).
15	(3.V) R/ Hoc signum T/ Laudes crucis attollamus (TROF 2, 76 n° 379).
18	(22.VII) R/ O felix sacrorum v/ Angelico T/ Mane prima sabbati (TROF 2, 79 n° 396).
22	(1.VIII) R/ O claviger regni v/ Ut tecum T/ Psallat ecclesia (TROF 2, 105 n° 531).
25	(25.VII: sci. Jacobi) R/ O speciale decus v/ O Jacobe T/ Corde te pio (TROF 2, 28 n° 136).
34v	(DED) R/ Luce splendida v/ Benedicti erunt T/ Sedentem in supernae (TROF 2, 119 n° 604).
38	(11.XI) R/ Martinus Abrahae T/ Martinus hac die inclita (TROF 2, 80 n° 400).
44	(30.XI) R/ Dum crucis suspendium v/ Cumque T/ Sacrosancta hodiernae (TROF 2, 115 n° 583).
50v	R/ Solem justitiae v/ Cernere T/ Hodie proceres caeli (TROF 2, 57 n° 287).

56 (Commun des apôtres) R/ Hoc est praeceptum v/ Vos autem T/ Gloriose rex (TROF 2, 56 n° 278).

Bibliographie: Janini, I, 120 n° 135. – TROF 2, 178.

E-12 (*E-Lc* 54)

LEÓN, Real Colegiata de San Isidoro, Ms LIV.

191 ff. parchemin, 200 x 150 mm, foliotés en chiffres romains. Ecriture du XVe s. Notation carrée sur portée de cinq lignes rouges; podatus issu de la notation aquitaine (punctum surmonté à son angle supérieur gauche d'une virga); 5 ppp; guidon. Origine: la cathédrale S. Isidoro de León (d'après le sanctoral). Provenance: ce processionnal fut copié avec quatre autres sur commande de Jean de León.

✧ Processionnal-Responsorial

Temporal (i-xcvij).

(ADV) R/ Ecce dies veniunt. (SEPT) R/ Simile est regnum caelorum v/ Conventione. (CENA) A/ Mandatum novum.

lxvj ROG.

lxix L/ Sancte sanctorum deus.

lxxvj ASC.

lxxxix *In sacratissima solemnitate gloriosi Corporis DNJC, non dicimus responsoria sed hymnos in processione: solemniter decantamus hymnos* Pange lingua, Sacris solemniis.

Sanctoral (xcviij-clxxv).

Commence au 30.XI.

cj (8.XII) R/ Sacra dies hodierna nobis v/ Tota pulchra es [IIe t.].

ciij (4.IV: sci. Isidori) R/ Jubilet celestis curia v/ Hodie magnis honoribus.

cx 26.XII-28.XII.

cxiij,v (31.I) *In solemnitate beati Martini confessoris, ecclesiae doctoris praeclarissimi cujus corpus gloriosum in hac alma ecclesia requiescit* R/ Sacram praesentis diei v/ Ipse precibus [Ier t.]. R/ O anima sanctissima v/ Accipe librum [VIIIe t.].

cxviij 2.II.

cxxiv,v *In sacra sollemnitate consecrationis sanctae ecclesiae sci. Isidori in qua multa corpora et reliquiae sanctorum requiescunt.*

cxxviij,v 25.III.

cxxxij,v *In solemnitate beati archiepiscopi Ysidori...cujus sacratissimum corpus ab Hyspali translatum in hac alma ecclesia requiescit* R/ Adest dies sacratissima v/ Laetare nostra felix [Ier t.].

cxxxvj 24.VI.

cxl,v 2.VII.

cxliij (25.VII: sci. Jacobi) R/ O venerande Christi apostole v/ Ut nos tibi [Ier t.].
cxlvj 5.VIII: Scae Mariae de nivibus.
cxlvij 6.VIII: in Transfiguratione.
cliv,v (28.VIII: sci. Augustini) R/ Invenit se Augustinus v/ Nec tu [Ier t.].
clxv,v (1.XI) R/ Concede nobis.
clxx A/ de beata Maria virgine, de sco. Isidoro.
Commun des Saints et divers (clxxvi–fin).
clxxxj *Ad pacem postulandam. Explicit liber processionum secundum consuetudinem hujus sanctissimae ecclesiae sancti Isidori, quem aliis cum quinque similes reverendissimus pastor Dominus Johannes de Legione, praedictae ecclesiae dignissimus abbas ac sanctae sedis apostolicae prothonotarius fieri praecepit.*

Bibliographie: Cat. Perez Llamazares (1923), 55–66 („Cantorales“). – Janini I, 142. – Fernandez, 128.

E-13–E-16 (*E-Lc* 54 bis, 55, 56 et 66)

LEÓN, Real Colegiata San Isidoro, Mss LIV bis, LV, LVI et LXVI.

Processionnaux du même groupe que le processionnal précédent (voir le colophon du ms LIV, transcrit ci-dessus). Notation carrée sur portée de cinq lignes rouges. Titre: Liber processionum secundum ordinem et consuetudinem huius alme ecclesiae sanctissimi Isidori, etc.

Bibliographie: Janini I, 142 n° 162 (signale ces 4 manuscrits sous le même numéro).

E-17 (*E-Mah* 136)

MADRID, Archivo Histórico Nacional, Codices 1078 B (olim 1.188, Invent. 317, n.11).

1 + 73 ff. parchemin, 225 x 150 mm <155 x 105 mm>. Reliure ais de bois couverts de cuir très épais; restes d'un fermoir cuir. Cahiers cousus sur une grosse toile (et non sur des nerfs) afin d'être reliés aux plats de bois; réclame à la fin. Ecriture du XVe s. Initiales bleues et rouges. Notation carrée sur portée de quatre lignes rouges; 5 ppp; guidon (cf. facsimilé cité). Origine indéterminée, faute de fête caractéristique. Particularité: emploi d'hymnes de l'office comme chants de procession. Provenance inconnue (ancienne cote: „Codices 1078 B“).

✧ Processionnal.

Au début, petit cahier imprimé contenant le Te deum.
Ier cahier: Feria II ROG A/ Exurge domine. Feria III ROG A/ Propitius esto domine. Feria IV ROG A/ Sanctus deus, sanctus fortis. A/ De Jerusalem. H/ Christe redemptor omnium. R/ Ave Maria v/ Benedicta tu. A/ Alma. H/ Ave maris stella.
IIe cahier: (ADV) R/ Missus est. H/ Conditor alme siderum. NAT: R/ Sancta et immaculata H/ Veni redemptor gentium. EPI: H/ Hostis Herodes. 2.II: H/

Quod chorus vatum. QUADR: R/ Emendemus. H/ Audi benigne conditor. H/ Christe qui lux es et dies. H/ Vexilla regis. RES: H/ Ad cenam. ASC: H/ Aeterne rex altissime. PENT: H/ Veni creator Spiritus. CORP.CHR: H/ Pange lingua. 24.VI: H/ Ut queant laxis (mélodie de l'H/ Iste confessor du Commun des saints). 29.IX lacune.
Ve cahier: Commun des saints. Au commun des Vierges H/ Virginum palmas veneremur almas (AH 16, 280). (6.VIII) R/ Coram tribus discipulis v/ Hinc inde [Ier t.] A/ Media vita v/ Ne projicias (avec T/). H/ Te deum laudamus.
Dernier cahier: RAM (n'a pas l'A/ Cum audisset). (PAR) Rubriques: lacune à l'office de Vêpres.

Bibliographie: Donovan, 207. – Janini I, 164 n° 189. – Garrigosa, 23 et 142 [facsimilé].

E-17/2 (*E-Mah* 1453/6 & 1455/17)

MADRID, Archivo Historico Nacional, Carpeta 1453 B, fragm.6 et Carpeta 1455, fragm. 17.

Les deux fragments signalés par I. Fernandez de la Cuesta, ne proviennent pas, en raison de leurs grandes dimensions (respectivement 314 x 222 mm et 318 x /// mm) d'un processionnal, mais d'un graduel contenant les chants de la procession de Pâques (fgm.6) et de la L/ des Ténèbres (fgm.17).

Bibliographie: Fernandez, 40 et 49.

E-18 (*E-Mah* 1474 & 1477)

MADRID, Archivo Historico Nacional, Carpeta 1477, Fragmentos 4 y 12–19 + Carpeta 1474, fgm. 11.

9 bifolia + 1 f. de parchemin de 179 mm de hauteur. Ecriture du XVe s. Notation carrée sur portée de cinq lignes rouges. Chants du 2.II, des RAM et de CENA (Mandatum).

Bibliographie: Fernandez, 58 et 56.

E-19 (*E-Mn* 136)

MADRID, Biblioteca Nacional, 136 (a.C.131).

86 ff. parchemin, 240 x 165 mm <200 x 130 mm>. Reliure rouges à filets d'or; ciselures au dos et titre doré: PRECES CATHED THOLOSA. Ecriture du XIVe s. Notation aquitaine sur une ligne tracée à sec, parfois repassée en rouge; au f. 23v, clé de D ajoutée; guidon aquitain; 9 ppp (facsimilé: PM II, pl. 210). Notation carrée tardive ajoutée au début (ff. 1v–2) et à la fin (ff. 85 86). Origine: Toulouse (litanies; rubriques locales aux ff. 5v, 21, 43v [cf. Anglès], 84v), puis à l'usage tardif de chanoines augustins (ff. 85–86). Provenance: R. Raffini (XVe s.).

✧ Processionnal à antiennes (Tabl. III).

1 Collectes.
2 [add. notée sur quatre lignes] R/ O--- constantia martyrum.

6	(ADV I) A/ Missus est angelus.
6v	(ADV II) A/ Venite omnes et exultemus.
7	A/ Venite ascendamus. (ADV III) A/ Gabriel angelus.
7v	A/ Vigilate omnes quia dies domini.
8	(IIII ADV) A/ Ecce carissimi dies illa.
8v	A/ O Maria Jesse virga.
9	O beata infantia.
9v	O quam casta mater.
12v	(CIN) A/ Exaudi nos. A/ Immutemur.
15v	(QUADR II) A/ In die quando.
16	(QUADR III) A/ Cum venerimus ...omnia----.
17	(QUADR IIII) A/ Memor humanae. (PASS) A/ In die (ut supra, 15v).
17v	(RAM) A/ Collegerunt pontifices.
18	A/ Cum appropinquaret.
23	(CENA) A/ Mandatum. A/ Coena facta.
28v	V/ Tellus ac aethra (AH 51, 77).
30	(PAR) A/ Popule meus.
37	(RES) A/ Vidi aquam.
39v	(Dominica II) A/ Cum rex gloriae.
41	(ROG) Rubriques locales, en partie éditées par Anglès, nn.11–13.
51v	P/ Dicamus omnes.
52	P/ Rex Kyrie.
55	P/ Sancte sanctorum deus (Gerbert, *De cantu* I, 542).
56	Messe Exaudivit, Alleluia v/ Quis vestrum habebit amicum (v/ aquitain: K.Schlager, *Thematischer Katalog*, n° 213 E). Offertoire avec 2 v/v/.
62	Dimanches d'été A/ Asperges me.
66	(15.VIII) rubriques.
67	29.IX.
68	Antiennes à la Vierge (Anglès, 96 n°s 14–18).
73	[début du 10e cahier] L/ sanctorum.
75	mélodies du Kyrie eleison (classées par tons [cf. Huglo, *Tonaires*, 110–111] et désignées en rouge par l'incipit de leurs tropes: cf. Anglès I, 96 nn. 19–41).
82v	A/ O quam felix es Maria.
84v	Rubriques concernant la procession au cimetière le 2.XI.
85–86	[add.] R/R/ pour st Augustin (notation carrée).

Bibliographie: PM II, pl. 210. – *Inventario general de manuscritos* I. – Donovan, 207. – Anglès-Subira I, 94–98 n.32. – Janini-Serrano, 6 n° 7. – Fernandez, 93.

E-19/2 (*E-Mn* 288)

MADRID, Biblioteca Nacional, 288 (a 158).

Tonaire-Tropaire-Prosaire de Syracuse (86 ff. 240 x 165 mm), écrit et noté au début du XIIe s. Après le tonaire, on a copié 31 antiennes de procession (f. 12v–31) et diverses Preces litaniques:

30v P/ Sancte sanctorum deus. Aufer a nobis.

Bibliographie: *Inventario general* I. – Anglès-Subiral I, 36 n° 20, facs.VII. – Husmann, RISM B V 1, 87–88.

E-20 (*E-Mn* 2205)

MADRID, Biblioteca Nacional, M. 2205.

66 + 35 ff. parchemin, 246 x 178 mm. Reliure basane. Ecriture castillane du XVIe s. Notation carrée sur portée de cinq lignes rouges; barres verticales de division entre chaque mot du texte; 6 ppp. Lettre **P** pour indiquer la reprise (*Presa*) du répons en son milieu. Traces d'usage, notamment f. 56 ss. Origine castillane. Le processionnal, folioté en chiffres romains, est suivi d'un hymnaire, folioté en chiffres arabes, qui a été écrit et noté par une main différente.

✧ Processionnal-Responsorial (Tabl. IV) et hymnaire.

I (ADV) A/ Asperges me. A/ Vidi aquam.

Temporal (ij,v-xxxix).

ij,v R/ Ecce dies veniunt.
viij (NAT) R/ In propria venit.
x,v (EPI) R/ In columbae.
xij (SEPT) R/ Simile est regnum caelorum.
xxj RAM.
xxx (RES) R/ Sedit angelus.
xxxiij,v (ASC) R/ Post passionem suam.
xxxiv (PENT) R/ Repleti sunt omnes.

Sanctoral (xxxix,v-xlvi)

Commence au 2.II: A/ Adorna.

xl,v (24.VI) R/ Inter natos.
xli,v (29.VI) R/ Tu es Petrus.
xlij,v (25.VII) R/ Adest nobis v/ Divini muneris [Ier t.].
xliv (15.VIII) R/ Felix valde.
xlv (1.XI) R/ O constantia martyrum.
lij (25.IV) R/ Sancte Marce evangelista v/ O beate Marce [IIe t.].
liij,v L/ des Ténèbres: *Qui sunt sub altare incipiunt* Kyrie eleison. *Qui sunt in pulpito dicunt* Christe eleyson. *Qui sunt in choro dicunt* Kyrie eleyson. *Qui existunt in altare dicunt* Qui passurus advenisti propter nos.

lvi R/R/ et oraisons de l'absoute.
lviij A/A/ de beata Maria Virgine.
lxvj L/ *Cantores et statim chorus* Parce domine, parce populo tuo. *Cantores* Pater de caelis deus. *Cantores* Sancta Maria, intercede pro nobis. Hymnaire (1–35). 1 H/ Defensor alme Hispaniae, Jacobe...(notation mesurée noire). 8v A/ Salve regina, mater misericordiae.

Bibliographie: Janini-Serrano, 286 n° 235. – Anglès-Subira I, 134 n° 63.

E-21 (*E-Mn* 2226)

MADRID, Biblioteca Nacional, M 2226.

35 ff. parchemin 226 x 160 mm. Reliure basane; signet. Ecriture de la fin du XVe s. Belles initiales de couleur rouge et bleue. Notation carrée sur portée de cinq lignes rouges; barres verticales de division à chaque mot; 5 ppp; guidon fin. La réclame des répons est désignée par **P** (= Presa). Origine probable: la Castille (mêmes pièces que dans le Ms. 2205 [E-20]).

✧ Processionnal.

Temporal (1–27v).
1 A/ Beata dei Genitrix Maria.
1v R/ Cum venisset Philetus ad Jacobum v/ Prius ergo quam audisset [IIe t.].
3 (ADV) R/ Ecce dies veniunt.
5v (NAT) R/ In propria venit.
10v (EPI) R/ In columbae specie.
24 (dimanches d'été) A/ Oremus dilectissimi nobis.
25v A/ Omnipotens deus.
Sanctoral (28–fin).
Comme dans le ms 2205, mais avec quelques variantes d'ordre.
30v (25.IV) R/ Sancte Marce evangelistae.
31v (25.VII: In festo beati Jacobi patronis nostri) R/ Adest nobis. Après le 1.XI, A/ Ave rex noster (pour RAM).

Bibliographie: Janini-Serrano, 286 n° 235. – Anglès-Subira I, 132 n° 60.

E-22 (*E-Mn* 2270)

MADRID, Biblioteca Nacional, 2270.

37 ff. parchemin, 220 x 159 mm. Réclames entourées de petits triangles. Couverture de basane brune; signet. Ecriture et initiales de la fin du XVe s. dues probablement au même copiste que celle du ms 2226. La comparaison permet de constater qu'une série de copies de processionnaux ne peut jamais coïncider absolument avec son modèle. Notation carrée sur portée de cinq lignes rouges; 5 ppp; guidon. Même origine et même provenance que le manuscrit précédent. Au début, de seconde main: „es este libro del coro de Santis Spiritus."

✧ Processionnal.

Temporal et (f. 27) Sanctoral.
Au f. 30, In festo beati Jacobi patroni nostri: R/ Adest nobis (cf. Ms 2226 [E-21], f. 31v).

Bibliographie: Janini-Serrano, 287 n.236. – Anglès-Subira I, 131 n.59.

E-23 (*E-Mn* 2466)

MADRID, Biblioteca Nacional, M. 2466.

32 ff. parchemin, 178 x 130 mm. Couverture de cuir noir estampé à chaud: ciselures au centre et aux coins des deux plats. Ecriture du XVIIe s. Notation carrée sur portée de cinq lignes rouges; 5 à 6 ppp; guidon. Origine et provenance indéterminées.

✧ Processionnal.

Processionnal comportant des pièces pour les fêtes récentes du Missel romain: 8.XII, 15.I, 19.III, St.nom de Marie. Les VII douleurs de la Vierge etc (cf. Anglès-Subira).

Bibliographie: Janini-Serrano, 287 n.237. – Anglès-Subira I, 135 n.64.

E-24 (*E-Mn* 8784)

MADRID, Biblioteca Nacional, 8784.

80 ff (paginés) papier, 160 x 110 mm. Couverture peau de porc sur plats cartonnés. Ecriture en caractères d'imprimerie, due à une main du XVIIIe s. Notation carrée sur portée de cinq lignes rouges; 6 ppp; guidon. Origine franciscaine. Provenance: Colegio de Nra. Señora de Cogolludo.

✧ Processionnal franciscain de Complies

Processiones quotidianae quae post Completorium a Patribus Franciscanis ordinari solent Jerosolymis. Liste des pièces dans Anglès-Subira, Cat. cit.

Bibliographie: Anglès-Subira I, 136–138 n.65. – Janini-Serrano, n. 77.

E-24/2

SALAMANCA, Convento Sant Esteban.

Exemplar des livres liturgiques dominicains de la Province d'Espagne (XIVe s.). En 1881, il ne restait des 14 livres d'Humbert de Romans que les quatre livres de chant suivants: l'Antiphonarium, le Pulpitarium, le Graduale et le Processionarium, avec son prologue *De processionibus in genere* (Inc. „Cum imminet aliqua processio facienda…").

Bibliographie: *Analecta Ordinis Praedicatorum*, XXIX, 1921, 28–29. – M. Huglo, „Règlement du XIIIe siècle pour la transcription des livres notés." Festschrift Br. Stäblein, Kassel, 1967, 132. – TROF 2, 185. – Eric Palazzo, „La structure du prototype et sa place dans la Typologie d'ensemble des livres liturgiques." *Liturgie, Musique et Culture au milieu du XIIIe siècle, autour du MS Rome, Santa Sabina XIV L.1, Prototype de la Liturgie dominicaine.* Colloque international, Rome, 2, 3 et 4 mars 1995.

E-24/3 (*E-SC*)

SANTIAGO DE COMPOSTELA, Archivo de la Catedral, Codex Calixtinus.

Le Livre I du Codex Calixtinus, qui contient l'office et la messe des pélerins de St-Jacques, donne au f. 116 un chant de procession avec la rubrique suivante: *Versus Calixti Papae cantandi ad processionem sci Jacobi in sollemnitate passionis ipsius et translationis ejusdem* Salve festa dies Jacobi veneranda trophaeo (AH 17, 194; Wagner, *Die Gesänge*... 34–36 et 81). Facsimilé: Codex Calixtinus. Edicio facsimile (Madrid, 1993): cf. *Bulletin codicologique* de *Scriptorium* 49 (1995/2), 108* n° 419.

Bibliographie: Peter Wagner, *Die Gesänge der Jakobusliturgie zu Santiago de Compostela aus dem sog. Codex Calixtinus* (Freiburg/S, 1931). – Manuel C. Diaz y Diaz, *El Codice Calixtino de la Catedral de Santiago* (Santiago de Compostela, 1988), 108 n.51. – Michel Huglo, „Les pièces notées du *Codex Calixtinus*." Jon Williams / Alison Stones, eds., *The* Codex Calixtinus *and the Shrine of St. James* (Tübingen, 1992), 105–123.

E-24/4 (*E-Sc* 7.2.25)

SEVILLA, Catedral Metropolitana, Ms 7.2.25.

Ordo de procession du XIVe s. pour les pélerins de Terre sainte en 3 parties:

1. *Ordo processionis in ecclesia sancti Sepulchri quando adsunt peregrini.*
2. *Incipit modus* (*modo*, in ed. cit.) *processionis in Bethleem et primo descendendo ad sanctum Ieronimum dicendo...*
3. *Indulgenciae subscriptae datae fuerunt a beato Silvestro papa ad petitionem Constantini imperatoris quem baptizaverat et Helenae matris ejus.*

Cet Ordo de procession, sans notation musicale, composé par les Franciscains lors de leur installation en Terre sainte, ca. 1340, concerne davantage l'Histoire des Croisades que celle du Processionnal.

Bibliographie: J. G. Daviès, „A Fourteenth Century Processionnal for Pilgrims." *Hispania Sacra* 41 (1989), 421–429.

E-25 (*E-Sc* 56–4–24)

SEVILLA, Catedral Metropolitana, 56–4–24 (ol. 82–3–30).

72/75 ff. parchemin. 196 x 140 mm. Ecriture du XVe s. Notation carrée sur portée de 5 lignes rouges; 5 ppp; guidon. Origine: une église de Séville (?).

✧ Processionnal (Sanctoral).

Incipit Processionarii (sic) *de sanctis*. Trois R/R/ par fête (quatre aux fêtes majeures), le deuxième, *de Beata*, étant habituellement le R/ Felix namque. La réclame des R/ est précédée d'un **P** (= *Presa*). 30.XI. 8.II In conceptione beatae Mariae virg., *sicut in Nativitate* (8.XII). 13.XII. 21.XII. 21.I: In festo sci Sebastiani. 25.III R/ Missus est. R/ Gaude Maria virgo v/ Beata*. 3.V R/ Gloriosum diem sacra veneratur ecclesia. 24.VI. 29.VI. 2.VII *sicut in Nativitate*. 22.VII. 25.VII R/ Sanctissimo Jacobo veritatem v/ Furorem [IIe t.]. 6.VIII: In Transfiguratione Domini. R/ In splendenti nube v/ Apparuit [Ier t.].

R/ Praeceptor bonum est v/ Faciamus hic [IIe t.]. R/ Deus qui fecit v/ Exortum est. 10.VIII. 15.VIII. 25.VIII sci Bartholomaei. DED (entre 25.VIII et 8.IX). 29.IX. 1.XI. 22.XI. Commune sanctorum et DED.

Description d'après microfilm.

E-26 (*E-Sc* 56–4–51)

SEVILLA, Catedral Metropolitana, 56–4–51 (*ol.* 82–4–2).

68 ff. parchemin non paginés, 268 x 118 mm. Ecriture du XVIe s. Notation carrée énorme sur portée de cinq lignes rouges; 3 portées par page. Origine: une église de Séville. Provenance: „A consomarine que Deos garde."

✧ Processionnal (Sanctoral)

R/ Iste sanctus digne. 17.I: sci Antoni, eremitae. R/ Sancte Antoni, Christi confessor. R/ O sancte Antoni. 1.V. 3.V. 8.V. 24.VI. 6.VIII: In transfiguratione Domini. R/ Benedicamus Patrem et Filium v/ Quoniam. 15.VIII R/ Gaude Maria virgo v/ Gabrielem. 29.IX: Revelatio sci Michaelis. CORP. CHR. R/ Respexit Elias. 23.XI: sci Clementis. Commun des saints et divers: A/ Regina caeli (mélodie différente de celle de l'*Antiphonale monasticum*). *In die Resurrectionis ad Matutinum* A/ Crucifixus surrexit a mortuis. A/ Quomodo fiet istud.

Description d'après microfilm.

E-27 (*E-Sc* 82–4–33)

SEVILLA, Catedral Metropolitana, Ms 82–4–33 (Vitr. BB 148–13).

117 ff. parchemin, 240 x 185 mm. Reliure du XVIe s., ciselures sur les plats. Ecriture de la fin du XVe s.; initiales rouges et bleues à filigranes. Notation carrée sur portée de cinq lignes rouges. Origine cistercienne (?). Le Sanctoral ne comporte aucune fête propre à l'Espagne.

✧ Processionnal.

2 (DED) R/ Fundata est.
6–8 [XIVe s.] In festo Coronae domini (4.V ou 11.VIII ?).
Temporal, Sanctoral et Commun des Saints.
113v [add] Quoniam confortavit seras portarum tuarum.
114–117 [autre main] 4 pièces polyphoniques de la Renaissance.

Bibliographie: H. Anglès, „La musica conservada en la Biblioteca Colombina y en la Catedral de Sevilla" *Anuario musical* 2 (1947), 10. – Janini I, 267 n° 319. – Fernandez, 121.

E-27/2 (*E-SI* fgm.24)

SILOS, Archivo de la Abadia, fragmento 24.

Le fragment 24 (XIIIe s.), qui donne des A/A/ de procession du Temps pascal avec notation aquitaine est de dimensions trop importantes (376 x 248 mm) pour provenir d'un processionnal portatif (Fernandez, 166: „Processionale"). Ce feuillet est plutôt le seul vestige d'un graduel aquitain (cf. Paris, B.N.F. lat. 775, ff. 1–8: 340 x 260 mm ou lat. 780: 370 x 270 mm).

E-28 (*E-TO* 92)

TORTOSA, Archivo de la Catedral, Ms 92.

87 ff. parchemin, 245 x 175 mm <180 X 120 mm>. Reliure entoilée sur plats de carton et endossée de cuir jaune. Ecriture du XIII–XIVe s.; f. 64v et ss. XIVe s. Initiales à filigranes bleues ou rouges. Petite notation carrée, issue de la notation aquitaine, sur portée tracée à sec: une ligne repassée en rouge et une autre en jaune; guidon en forme de plique longue ascendante. Aux ff. 15v–28, notation plus grosse; f. 64v et ss., note finale en rectangle allongé. Origine: catalane indéterminée (les litanies des saints mentionnent Juste, Pastor, Eulalia). Provenance: la cathédrale de Tortosa.

✧ Processionnal.

1	(Feria II in ROG) A/ Exurge domine.
1v	L/ sanctorum suivie de collectes et (f. 4) des messes des ROG.
7	Feria III ROG.
7v	Feria IV ROG.
15v	Généalogie de Noël et de l'Epiphanie (cf. Stäblein, Art. „Evangelium" in MGG III [1954], 1618–1629).
55	(PAR) Rubriques: les oraisons privées de l'Adoration de la croix sont dites seulement par le prêtre: les ministres écoutent.
57v	Ton de la finale de la Passion du dimanche des RAM: Altera autem die... ; du Mardi-saint: Et velum templi... et du Mercredi-saint: Et ecce vir ... Puis 2e série *in alio sono*: cf. Art. „Evangelium" [Br. Stäblein], *loc. cit.*
64v	Kyriale.
66	(CIN) R/ In sudore.
71	Exorcismes.
92	A/ Domine rex Abraham, dona nobis pluviam.
97v	Heli, Heli. Deus meus, Deus meus (Passion selon Mt 27, 46).

Bibliographie: Cat. Denifle-Chatelain (1896), 18. – Cat. Bayerri-Bertomeu (1962), 242. – M. Sablayrolles, „Iter hispanicum," SIMG 13 (1912), 523. – H.Anglès, El codex musical de Las Huelgas, I (1931), xix. – Donovan, 213. – J.Thannabaur, *Das einstimmige Sanctus* (1962), 233. – M. Schildbach, *Das einstimmige Agnus dei* (1967), 188 n.422. – Janini II, 255 n° 726. – Fernandez, 19.

E-29 (*E-TO* 266)

TORTOSA, Archivo de la Catedral, Ms 266.

313 ff. parchemin, 140 x 135 mm <100 x 66 mm>; foliotation en chiffres romains; réclame en fin de cahier. Reliure de cuir brun, coins déteriorés; clous et traces de clous aux 4 angles des plats; vestiges de fermoirs. Nombreuses traces d'usage dans les coins de pages. Ecriture du XIVe s., contemporaine de la dernière partie du ms. précédent. Notation carrée sur portée avec une ligne rouge pour le fa et une jaune pour le do; 4 ppp. (et non 10, Janini). Origine destination et provenance: Tortosa (cf. titre).

✧ Processionnal-Responsorial (Tabl. IV).

Incipit processionale secundum (usum) ecclesiae Dertuse(nsis).

Deux répons et une antienne mariale sont généralement affectés à chaque fête.

Temporal (1–145v).

1	A/ Asperges me.
2v	(ADV) R/ Ecce dies veniunt.
11	Vigilia Nativitatis.
13	(NAT) R/ Verbum.
20	(EPI) R/ Reges Tharsis. En Carême, R/ tiré de l'évangile dominical.
64v	RAM.
90v	(CENA) *Ad reconciliandum penitentes* Venite, venite, venite filii audite me.
91v	A/ Cor mundum.
98v	(RES) A/ Sedit angelus. Procession *Ad fontes* toute la semaine in albis.
113	(ASC) R/ Post passionem.
118v	(PENT) R/ Repleti sunt.
125	(CORP. CHR) R/ Melchisedech rex Salem v/ Benedictus. Dimanches d'été.
145	Gloria Patri des R/R/ nocturnes selon chacun des huit modes (cf. M. Huglo, *Tonaires* [1971], p.426).

Sanctoral (146–252v).

Commence au 26.XII.

155	(22.I: Levita Vincentius).
158v	2.II.
176	(24.VI) R/ Inter natos.
178v	(29.VI) R/ Tu es pastor.
196	(15.VIII) R/ Felix namque es.
199	(28.VIII: sci. Augustini) R/ Vulneraverat caritas Christi cor ejus.
206	(8.IX).
213	(après le 29.IX: In festo passionis Ymaginis domini) R/ O crux viride lignum.
221	11.XI.
223v	(DED) R/ Terribilis.
237v	(18.XII: Expectatio partus BMV) R/ Stirps Jesse. R/ Candida virginitas.

Commun des Saints (252v ss.).

270v	*Processio generalis* (pour les défunts): R/ Libera me de morte.
276	*Postea intret processio Capitulum* R/ Peccantem me.

277	*Vadat processio ad claustrum ante refectorium* R/ Ne abscondas me.
279	*Vadat processio ad Scm Johannem de Campo* R/ Te Christe quem venisse credimus (cf. Barcelona, St Cugat 73 [E-1], f. 104v).
287	A/ Clementissime.
299v	*Ad petendam benedictionem* T/ Princeps ecclesiae, pastor ovilis... Humili voce psallentes... Deo gratias.
304	Add. diverses.
312	B/.

Bibliographie: Cat. Bayerri-Bertomeu, 437. – Janini II, 279 n.752.

E-30 (*E-TO* 267)

TORTOSA, Archivo de la Catedral, Ms 267.

140 ff. parchemin, 133 x 120 mm. Ecriture du XIIIe s. Mutilé au début, ce processionnal commence à la NAT.

Bibliographie: Cat. Bayerri-Bertomeu, 467. – Fernandez, 198.

E-31 (*E-TO* 277)

TORTOSA, Archivo de la Catedral, Ms. 277.

47 ff. parchemin, 245 x 175 mm <150 x 105 mm>. Ecriture du XVe s. Notation carrée sur portée de cinq lignes rouges. Origine et provenance probables: Tortosa.

✧ Processionnal pour les Rogations (Tabl. II) et le Corpus Christi.

1	L/ sanctorum (le début manque).
2	(Feria II et Feria III in ROG) Messe Exaudivit et procession du CORP. CHR.

Bibliographie: Cat. Bayerri-Bertomeu, 458. – Janini II, 279 n.754.

E-32 (*E-TO* 347)

TORTOSA, Archivo de la Catedral, Ms 347.

61 ff. parchemin, 380 x 280 mm. Ecriture du XVe s. Malgré ses dimensions, ce manuscrit est présenté comme „processionnal“ par les auteurs cités ci-dessous.

Bibliographie: Cat. Bayerri-Bertomeu, 500–501. – Fernandez, 201.

E-32/2 **(*E-VI* 105)**

VIC (Barcelona), Archivo Eclesiástico de Vic, Ms 105 [CXI] (Inv. 7614).

Tropaire de Vic (et non de Ripoll), fin XIe-début XIIe s. Notation catalane. Au f. 77, add. de l'A/ Spiritus sanctus hodie etherea descendens: cf. Ms.117, f. 90v [notice suivante] et Miquel S. Gros [art. cit. ci-après], 99 n.37.

Bibliographie dans Husmann, RISM. B V 1, 99 n.37. – LOO VI, 456. – CT 4, 24. – Janini II, 328 n° 855. – Fernandez, 213.

E-33 (*E-VI* 117)

VIC (Barcelona), Archivo Eclesiástico de Vic, Ms 117 [CXXIV] (Inv. 7612).

10 + 179 ff. parchemin, 170 x 125 mm. Reliure ais de bois couverts de cuir brun foncé; fermoirs. Ecriture du XIII–XIVe s. (1270–1320, selon Miguel Gros). Notation aquitaine carrée sur portée de quatre lignes, dont une rouge et une jaune; guidon en forme de virga; 6 ppp (facsimilé dans Gros, entre les pp. 104–105). Notation alphabétique espacée (f. 1). Notation carrée espagnole du XIV–XVe s. (ff. 5–10). Origine: Vic. Provenance: don du chanoine Jaume Ripoll (d 1841). Description détaillée du Ms. et de son „frère“, à Erlangen (D-57) dans l'art. cit. de Miguel S. Gros.

✧ Processionnal à antiennes (Tabl. III).

Cahier 1 (1–4):

1	(marge de pied) Codex processionalis Ecclesiae Vicensis, MS saec. XIII. en bas, R/ bref de Tierce avec notation alphabétique: Puer natus est nobis alleluia v/ Gloria Patri.
1v	*Tropus ad missam in die natalis domini* Quem quaeritis in praesepe... I/ Puer natus est (CT 1, 173).
2v	*Tropus in die sco.Paschae* Hora est psallite iubet dominus canere... I/ Resurrexi (CT 3, 117; LOO 1, 81 n.70).
3v	R/ Sancta et immaculata. *Verbeta* Beata es Virgo et gloriosa (TROF 2, 16 n° 77).
4v	Intonations du Gloria et du Credo.

Cahier 2 (5–10):

In festo sci Justi in claustro R/ O vicentes incolae v/ Merito [Ve t.].

7	R/ Ave confessor noster v/ Recipe quod [IIe t.].
9	A/ Juste judex qui justos.
11	*Incipit liber processionum totius anni.* A/ Asperges me. A/ Pax aeterna.

Temporal (11v–177) = nn. 4–177 de l'ed. Gros.

11v	(ADV) A/ Venite ascendamus.
25	(SEPT) A/ Christe pater misericordiarum. A/ Ecce mater nostra.
28v	(QUADR) A/ Ecce carissimi.
34v	(RAM) A/ Prima autem azymorum.
49	(CENA) A/ Caena facta.
64	(PAR) H/ Crux benedicta nitet (ed. M. Huglo, „Mélodie hispanique...“ *Revue grégorienne* 30 (1949), 194).
67	A/ Cum rex gloriae Christus.
74v	(ROG)
85	L/ Aufer a nobis.
90v	(PENT) A/ Spiritus sanctus hodie.
94v	(Dimanches d'été) A/ Oremus dilectissimi nobis.
99	A/ Omnipotens deus supplices te rogamus.

Sanctoral (100v–160) = ed. Gros, nn. 178–323.
Du 26.XII au 6.XII.

119v	(12.II: scae Eulaliae) R/ Felix Eulaliae v/ Esse dei Christus.
143v	(Entre le 29.VIII et le 8.IX: DED) R/ Terribilis.
158	(6.XII) R/ Ex ejus tumba. Pièces diverses:
160	Bénédictions épiscopales.
160v	B/.
163v	Tonaire (M.Huglo, *Tonaires*, 418–419; ed.Gros, nn. 330–354).
168 et ss.	Add. diverses et suppléments au Processionnal (ed. Gros, nn. 355–388).

Bibliographie: Cat. Gudyol, 127–128. – Anglès, 162 n.30. – TROF 2, 187. – Janini II, 329 n° 856. – Miquel S. Gros, „El processoner de la Catedral de Vic- Vic, Mus. Episc., MS.117 (CXXIV)" *Miscellània Litúrgica Catalana*, II (Barcelona, 1983), 73–126 [description et édition de tous les textes du ms.].

E-34 (*E-VI* 118)

VIC (Barcelona), Archivo Eclesiástico de Vic, Ms. 118 (Inv. 3880).

192 ff. parchemin, 140 x 110 mm. Réclame (une syllabe seulement) à la fin des cahiers. Ecriture du début du XIVe s. Notation carrée sur portée de quatre lignes, une rouge pour le fa et une jaune pour le do; 4 ppp; guidon en forme de virga. Origine: le monastère de Santa Maria de l'Estagny (f. 1). Provenance: bibliothèque du chanoine Jaume Ripoll (d 1841).

✧ Processionnal à antiennes (Tabl. III).

Ordre et contenu identiques à ceux du processionnal précédent, sauf pour la date de la dédicace, pour l'ablution des autels et pour les additions.

j	A/ Asperges me.
j,v	A/ Pax aeterna.

Temporal (ij-cxvj).

ij	(ADV) A/ Venite ascendamus.
viij	(NAT) A/ O Maria Jesse virga.
xj	T/ Quem quaeritis in praesepe. R/ bref Puer natus est.
xix	EPI.
xxix	(QUADR) A/ Cum sederit.
xxxvj	(RAM) A/ Prima autem azymorum.
lij,v	(CENA)
liv,v	Mandatum. *Versiculi*/ Kyrie eleison. Pater qui commodas omnia. Christe eleison, Qui pro nostro admisso scelere.
lvj	*Ablutio altarium* R/ Candida virginitas (maître-autel).
lviij	A/ Coena facta.
lxxix	L/ des Ténèbres: Kyrie Qui passurus.

lxxx,v	(SAB) lxxxij Accendite R/ Deo gratias. Christus dominus resurrexit R/ Deo gratias.
lxxxiij	(RES) A/ Vidi aquam.
lxxxv,v	Visitatio sepulchri (LOO I, p.70 n.60).
xc	ROG. L'ordre des autels visités et surtout le choix des pièces est souvent différent de ceux du ms 117 et du processionnal d'Erlangen [D-57].
xcvii	ASC.
c,v	PENT.
ciij,v	CORP.CHR.
cix,v	Dimanches d'été.

Sanctoral (cxvj-clxxiij,v).

Incipit Sanctorale totius anni et primo in festo sci. Nicolai. Sanctoral identique à celui de Vich 117 et à celui d'Erlangen, mais variantes dans le choix des pièces

cxxj	(2.II) R/ Post partum.
cxxxj	(12.II: scae Eulaliae) R/ Felix Eulalia.
cxxxix,v-cxli	blancs.
clxix	DED (non pas entre le 29.VIII et le 8.IX, comme dans Vich 124 et Erlangen, mais entre le 1er et le 11.XI.

Commun des Saints et divers (clxxiv ss.).

clxxvij,v	Tonaire (v/v/ des R/R/ seulement).
clxxxj,v	Office des morts: même liste que le bréviaire de Vich du XIVe s. (Paris, B. N. nouv. acq. lat. 903) et que dans le bréviaire imprimé de 1557 (cf. Ottosen, 167).

Bibliographie: Cat. Gudiol, 128–129. – Donovan, 214. – LOO VI 457. – Janini II, 329 n° 858. – Fernandez, 215.

E-35 (*E-VI* 119)

VIC (Barcelona), Archivo Eclesiástico de Vic, Ms 119 (Inv. 6030).

16 ff. parchemin, 158 x 118 mm. Reliure de parchemin souple: un cavalier de cuir épaule le pli du parchemin aux quatre passages du fil de la couture.

✧ Processionnal.

Ce manuscrit donne seulement les processions rituelles: 2.II, CIN, RAM, Mandatum, Sépulture (3 R/R/).

Cat. Gudiol, 129.

E-36 (*E-VI* 120)

VIC (Barcelona), Archivo Eclesiástico de Vic, Ms 120 (Inv. 3945).

48 ff. parchemin (6 quaternions), 158 x 108 mm. Reliure moderne: peau de porc sur plats de carton.

✧ Processionnal.

1	*Processionarum libellus.*

Ce manuscrit ne donne que les procession rituelles:

1–8	2.II.
9–19	(RAM)
12	A/ Cum audisset.
20–48	PAR et SAB (L/ sanctorum).

Cat. Gudiol, 129.

E-37 (*E-Zs* 30–115)

ZARAGOZA, La Seo, Biblioteca Capitular, Ms 30–115.

Processionnal du XV-XVIe s. à l'usage de la cathédrale, ayant pour particularité le chant de la Sybille à Noël (Donovan, 65 et 220). En juin 1990, K. W. Gümpel a constaté que ce Ms. examiné par Donovan dans les années 50 avait disparu: son dépot actuel est inconnu.

E-38 (*E-Zs* 30–116)

ZARAGOZA, La Seo, Biblioteca Capitular, Ms 30–116.

49 ff. parchemin, 245 x 185 mm. Reliure du XVIe s., ais de bois recouverts de cuir. Notation carrée sur portée de cinq lignes rouges. Provenance: Compuesto por F(rancis)co San Martin (f. de garde finale).

✧ Processionnal.

Bibliographie: Janini II, 363 n° 905.

E-38/2 (*E-Zs* 30–118)

ZARAGOZA, La Seo, Biblioteca Capitular, Ms. 30–118.

120 ff. parchemin (sauf les ff. 116 et 117 en papier), 212 x 156 mm. Ecriture et initiales, XV–XVIe s. Notation carrée sur portée de quatre lignes rouges. Ce processionnal, malgré le libellé de sa cote est imprimé: le titre ancien a disparu. Le processionnal commence par la rubrique suivante: *Incipit dominicale et primo in dominica prima adventus domini in aspersione aquae benedictae.* A/ Asperges me.

Bibliographie: Donovan, 65, 215.

E-39 (*E-Zs* 30–119)

ZARAGOZA, La Seo, Biblioteca Capitular, Ms. 30–119.

En juin 1990, Karl Werner Gämpel a constaté que ce processionnal, vu par Donovan (65 et 215) au cours des années 50, n'est plus aujourd'hui à Saragosse.

E-40 (*E-Zs* 41–117)

ZARAGOZA, La Seo, Biblioteca Capitular, Ms. 41–117.

99 ff. parchemin, 170 x 120 mm (bords amputés). Reliure parchemin signée (Dominicus Rubio me fecit anno 1649). Ecriture du XVe s. Notation carrée sur portée de quatre lignes rouges; 6 ppp; guidon. Origine: Saragosse (d'après le sanctoral). Provenance: Este procesonario es de la sacristia maior de nra Señora del Pilar.

✧ Processionnal augustin (Tabl. IX).

Ce manuscrit contient deux processionnaux reliés ensemble: le premier est intitulé „Dominicale“. La réclame des R/ est intitulée **P** (*presa*, i.e. reprise).

Temporal (1–88).

1 (26.XII) R/ Ecce jam coram te.

3v - 6 Du 27.XII au 21.I.

8 (22.I: sci Vincentii) R/ Martyr insignis alme Vincenti v/ Incessanter.

9 *In introitu* R/ Vir inclytus Vincentius v/ Cujus intercessio [Ier t.].

10 *In secunda statione* Sanctus Vincentius Christi martyr v Gemina scientia [Ier t.].

10v R/ Sanctitate quoque

[lacune entre 10v et la fin du quaternion].

14 (SEPT) A/ Omnipotens Deus.

16v A/ Oremus dilectissimi.

19 A/ Ecce ascendimus.

27v v/ Ne projicias v/ Qui cognoscis (v/v/ de l'A/ Media vita: cf. CAO 3, 3732).

27v A/ Cum venerimus.

35 (PASS) A/ Christe pater misericordiarum v/ Sed tu.

38 RAM.

51v SAB.

52v RES.

61 (ROG) A/ Exurge domine. *In exitu ecclesiae* A/ Exite sancti.

61v *In ecclesia ad quam veniunt preces dicuntur* P/ Miserere Pater juste (avec 7 v/, ed. M. Huglo in *Hispania sacra* 8 [1955], 10–12).

63v (Feria IIIa ROG) A/ Propitius.

64v *In ecclesia in qua celebratur* P/ Rogamus te rex (avec 7 v/ ed. [Dom Joseph Pothier] *Variae Preces*, Solesmis, 1901, 264).

66v (Feria IIIIa ROG) A/ Sanctus Deus.

67v P/ Miserere Domine supplicantibus (avec 8 v/, ed. M. Huglo in *Hispania sacra* 8 [1955], 13).

69 ASC.

72v PENT.

78v	CORP. CHR.
79v	(Dimanches d'été) A/ Ego sapientia.
82	A/ Pax aeterna.
85	ADV.
85v	*In completorium* R/ In manus tuas.
86v	L/ Christe Jesu Fili Dei vivi v/ Qui venturus es. P/ Miserere nobis avec 5 v.
87v	R/ In pace in idipsum v/ Si dedero.
Sanctoral	
88	Commence au 24.VI R/ Sancte tuis v/ Ut petimus [Ve t.] T/ Natalitia cantantibus (TROF 2, 84 n° 421). A la fin, H/ Iste confessor pour st Valère, patron de Saragosse (fête le 29.I ou translation le 20.X).

✧ Second processionnal (cf. Tabl. IX).

1	A/ Asperges me.
1v	ADV.
5v	(NAT) *Ante dicatur missa de luce in processione ad altare virginis Mariae* R/ Gloria in altissimis v/ Facta est T/ Quia verbum (TROF 2, 109 n° 545).
8	A/ O Maria Jesse virga.
11	(29.I: sci Valerii) R/ Valerius igitur v/ Tanto namque.
13	R/ Sancte Valeri v/ O sancte Valeri.
14v	(2.II) A/ Responsum.
18	*Ista A/ cantetur III vicibus* Venite et accendite.
26v	(28.II: sci Augustini episcopi) R/ Tertia obsidionis die.
29–41v	25.III–15.VIII.
45v	(28.VIII) R/ Maxime parentum cura v/ Sacris [IIIe t.].
46–65v	Du 29.VIII au 6.XII.
Commun des Saints et divers.	
83	In receptione regis.
89	[cahier add.] DED.
92	Collectes et hymnes.

Bibliographie: Janini II, 363 n° 910. Notice établie d'après microfilm et complétée sur place par K.W. Gümpel.